A GUERRA DA PAPOULA

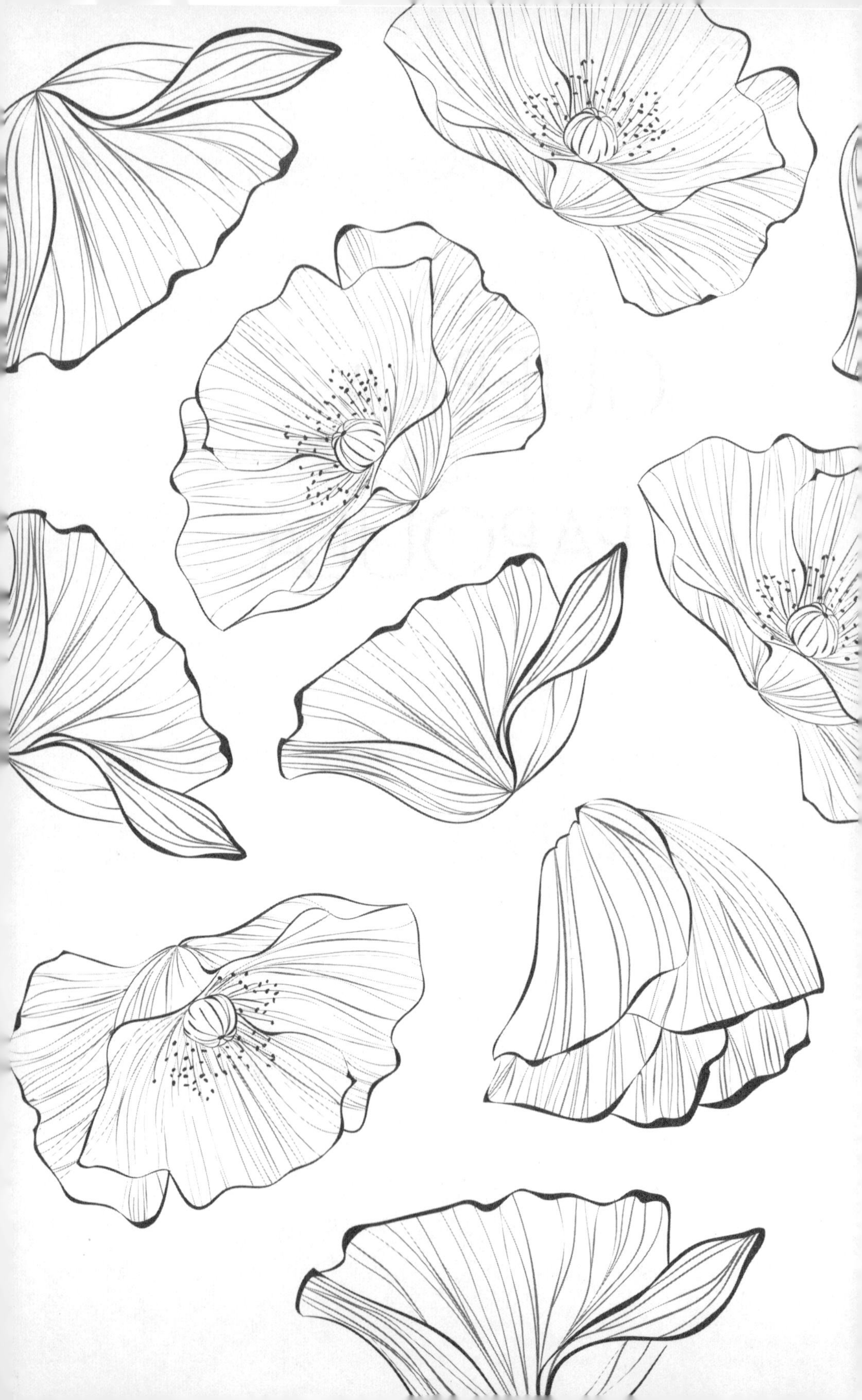

A GUERRA DA PAPOULA

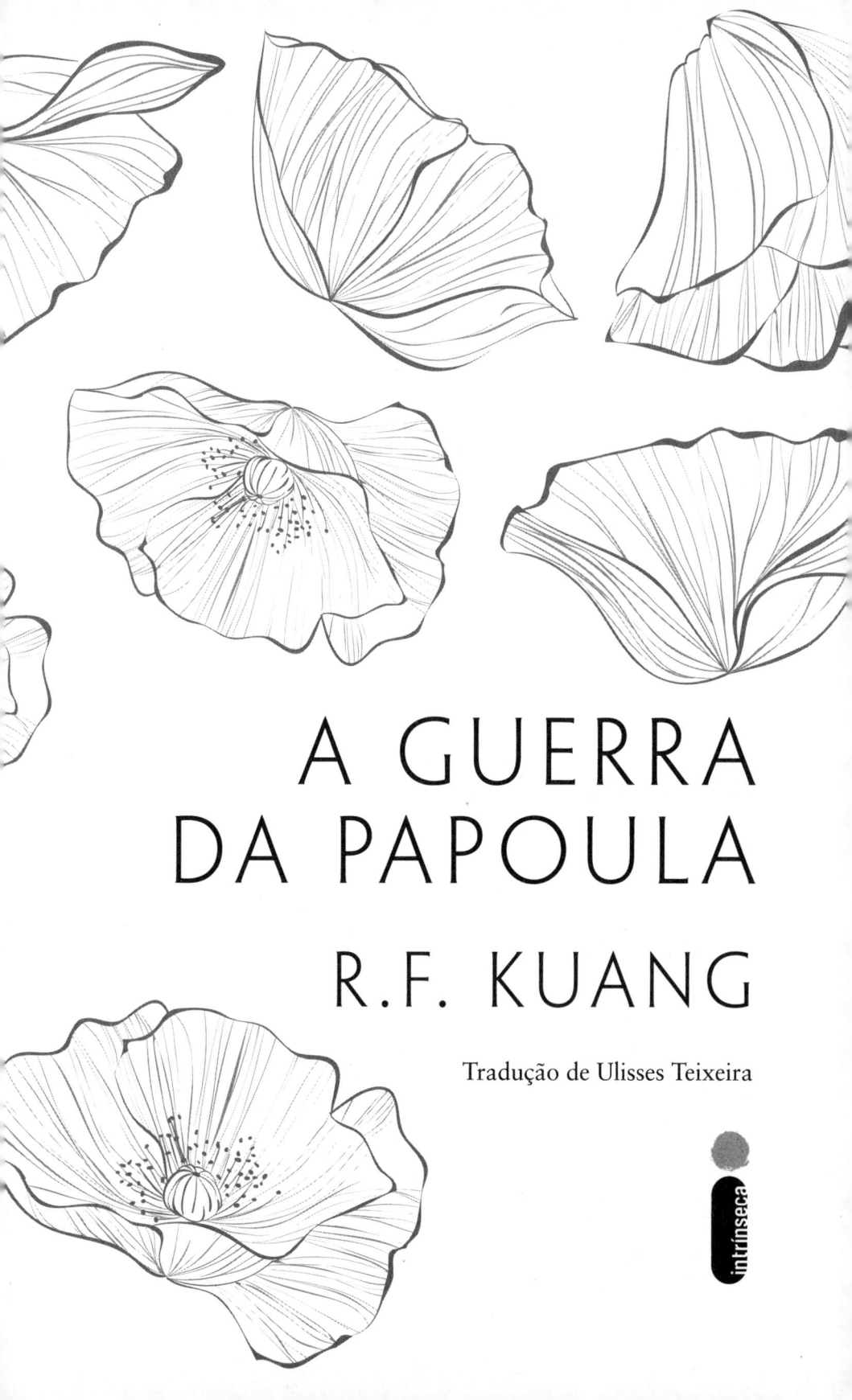

R.F. KUANG

Tradução de Ulisses Teixeira

intrínseca

Copyright © 2018 by Rebecca Kuang

TÍTULO ORIGINAL
The Poppy War

PREPARAÇÃO
Ana Beatriz Omuro

REVISÃO
Victor Almeida
Thaís Carvas

LEITURA SENSÍVEL
Diana Passy

DIAGRAMAÇÃO E PROJETO GRÁFICO
Ilustrarte Design e Produção Editorial

IMAGENS DE MIOLO
Sudarat Wilairat / Vecteezy (papoulas nas páginas 2, 3, 6 e nas aberturas de capítulo) e Freepik (fumaça nas aberturas de parte)

MAPA
Eric Gunther

ADAPTAÇÃO DO MAPA
Henrique Diniz

DESIGN DE CAPA
Dominic Forbes © HarperCollins*Publishers* Ltd 2018

ADAPTAÇÃO DE CAPA
Anderson Junqueira

ILUSTRAÇÃO DE CAPA
© JungShan

IMAGENS DE CAPA
Kasha_malasha / Shutterstock (círculo laranja na logo)
Komsan Loonprom / Shutterstock (fumaça do verso)
Ohm2499 / Shutterstock (fumaça do verso)

CIP-BRASIL. CATALOGAÇÃO NA PUBLICAÇÃO
SINDICATO NACIONAL DOS EDITORES DE LIVROS, RJ

K96g

    Kuang, R.F., 1996-
      A guerra da papoula / R.F. Kuang ; tradução Ulisses Teixeira. - 1. ed. - Rio de Janeiro : Intrínseca, 2022.
      512 p. ; 23 cm. (A guerra da papoula ; 1)

    Tradução de: The poppy war
    ISBN 978-65-5560-434-4

    1. Ficção chinesa. I. Teixeira, Ulisses. II. Título. III. Série.

22-77626   CDD: 895.13
                                            CDU: 82-3(510)

Meri Gleice Rodrigues de Souza - Bibliotecária - CRB-7/6439

[2022]
Todos os direitos desta edição reservados à
EDITORA INTRÍNSECA LTDA.
Av. das Américas, 500, bloco 12, sala 303
22640-904 – Barra da Tijuca
Rio de Janeiro – RJ
Tel./Fax: (21) 3206-7400
www.intrinseca.com.br

ALERTA DE GATILHO

Este livro contém cenas de violência, tortura, estupro, abuso sexual envolvendo menores e consumo de drogas ilícitas.

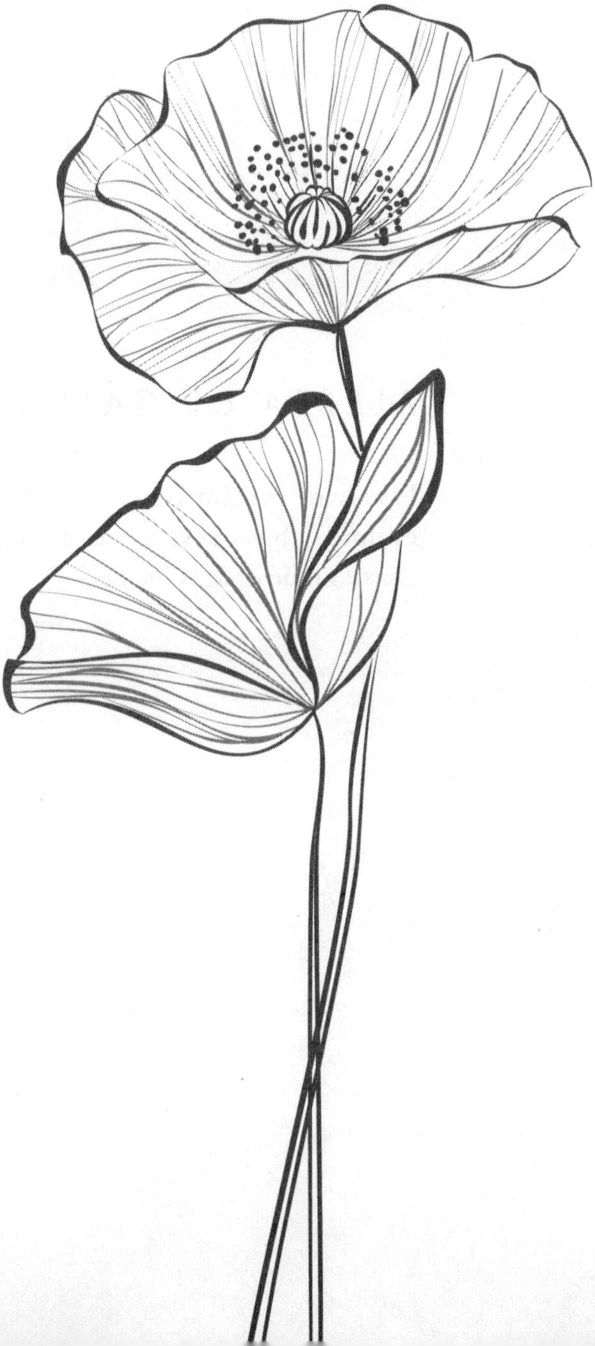

Esse é para Iris

TERRAS REMOTAS

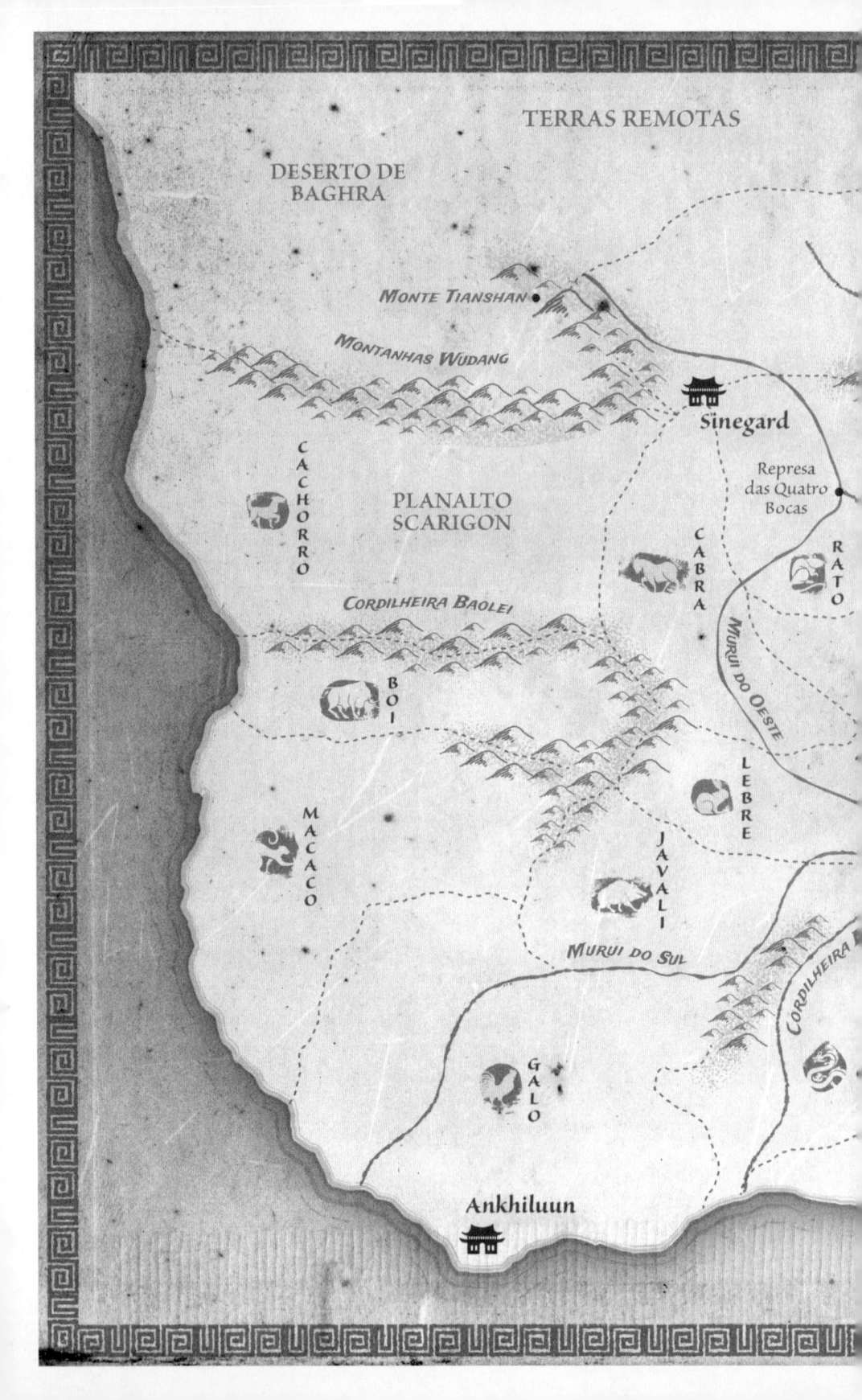

DESERTO DE BAGHRA

Monte Tianshan

Montanhas Wudang

Sinegard

Represa das Quatro Bocas

CACHORRO

PLANALTO SCARIGON

CABRA

RATO

Cordilheira Baolei

BOI

Murui do Oeste

LEBRE

MACACO

JAVALI

Murui do Sul

CORDILHEIRA

GALO

Ankhiluun

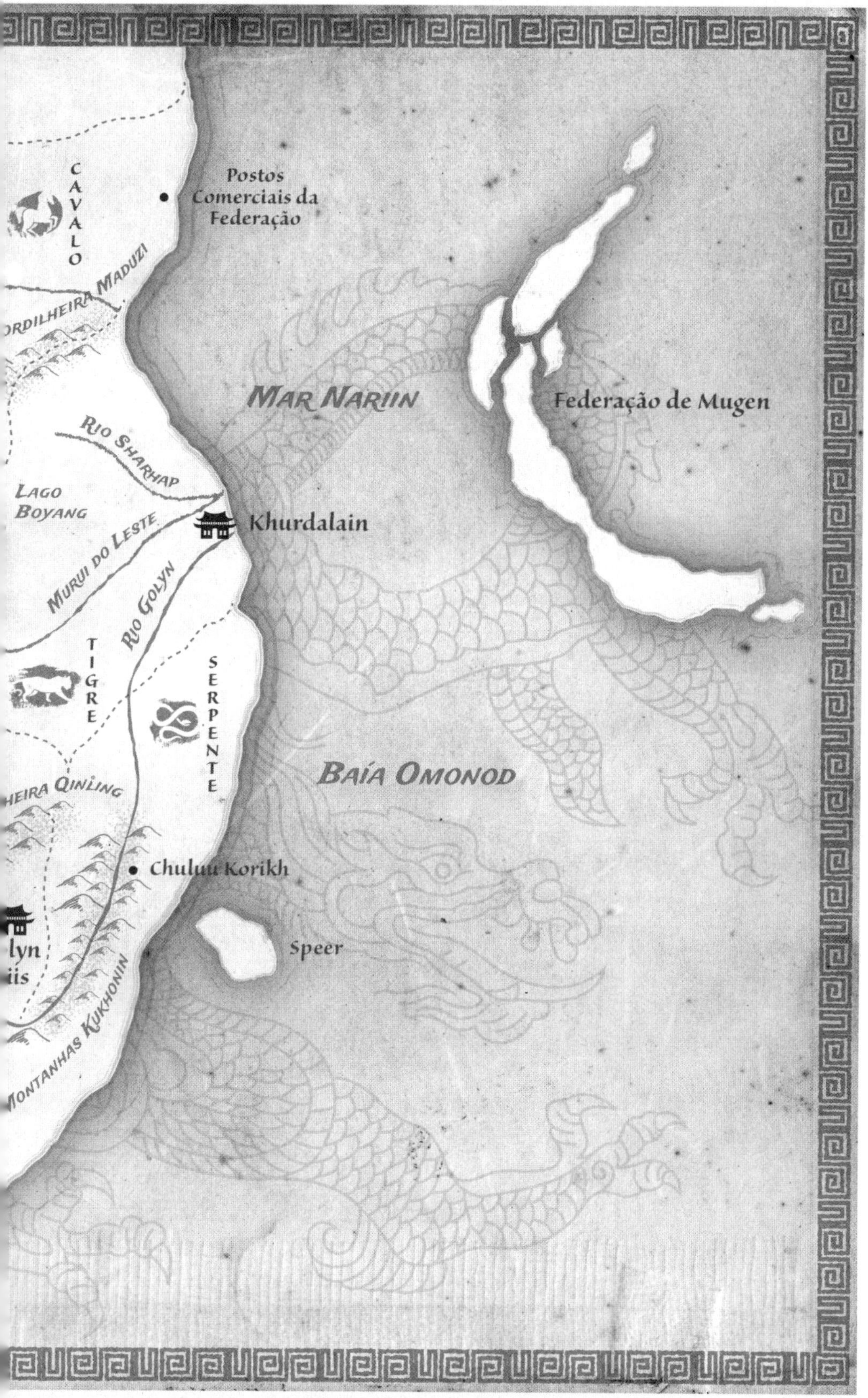
Postos
Comerciais da
Federação
CAVALO
ORDILHEIRA MADUZI
MAR NARIIN
Federação de Mugen
RIO SHARHAP
LAGO
BOYANG
MURUI DO LESTE
Khurdalain
RIO GOLYN
TIGRE
SERPENTE
BAÍA OMONOD
HEIRA QINLING
Chuluu Korikh
Speer
lyn
iis
MONTANHAS KUKHONIN

PARTE I

CAPÍTULO 1

— Tire a roupa.

Rin piscou, confusa.

— Hã?

O fiscal ergueu o olhar do livreto para ela.

— Protocolo para prevenção de cola. — Com um gesto, ele indicou a fiscal do outro lado da sala. — Pode fazer com ela, se quiser.

Rin cruzou os braços e caminhou até a outra fiscal, que a conduziu para trás de uma divisória, onde foi minuciosamente revistada para garantir que não havia nada escondido em qualquer orifício. Em seguida, entregaram-lhe uma bata azul bem simples.

— Vista isso — ordenou a mulher.

— Preciso mesmo?

Os dentes de Rin tremiam conforme se despia. A bata do exame era larga demais, com mangas tão longas que ela precisou dobrá-las diversas vezes.

— Sim. — A fiscal indicou um banco em que Rin deveria se sentar. — No ano passado, doze estudantes foram flagrados com papéis costurados no forro das camisas. É uma precaução. Abra a boca.

Rin obedeceu.

A mulher cutucou a língua dela com uma vareta fina.

— Nenhuma descoloração. Isso é bom. Abra bem os olhos.

— Por que alguém se drogaria *antes* de fazer o teste? — perguntou Rin, enquanto a fiscal puxava suas pálpebras. Ela não respondeu.

Satisfeita, a fiscal mandou Rin seguir pelo corredor onde outros candidatos esperavam numa fila desorganizada, com as mãos vazias e os rostos rígidos de ansiedade. Ninguém havia levado material para o teste — mesmo canetas poderiam esconder pergaminhos com respostas.

— Deixem as mãos onde possamos vê-las — ordenou o fiscal, caminhando até o início da fila. — As mangas devem ficar dobradas acima dos cotovelos. Deste momento em diante, estão proibidos de conversar entre si. Se precisarem urinar, levantem a mão. Há um balde nos fundos da sala.

— E se eu precisar cagar? — perguntou um garoto.

O fiscal o encarou.

— O teste leva doze horas — insistiu o garoto, preocupado.

O homem deu de ombros.

— Tente ser discreto.

Rin passara a manhã nervosa demais para comer qualquer coisa. Ficava enjoada só de pensar em comida. Sua bexiga e seu intestino estavam vazios. Apenas o cérebro estava cheio, repleto de uma quantidade insana de fórmulas matemáticas, poemas, tratados e datas históricas prontas para serem despejadas no livreto do teste. Ela estava preparada.

Cabiam cem estudantes na sala do exame. As carteiras tinham sido dispostas em fileiras organizadas de dez e, em cada uma, havia o livreto grosso da prova, um pote de nanquim e um pincel de caligrafia.

A maioria das províncias de Nikan precisava usar o prédio da prefeitura para acomodar os milhares de estudantes que prestavam o exame todo ano. Mas o vilarejo de Tikany, na Província do Galo, era formado por fazendeiros e camponeses. As famílias de lá necessitavam de mão de obra nos campos, não de fedelhos com educação universitária. O exame no vilarejo ocupava só uma sala de aula.

Rin entrou no cômodo com os outros candidatos e tomou o assento que lhe fora designado. Pensou em como deviam parecer vistos de cima: quadrados uniformes de cabelo preto, batas azuis e mesas marrons. Imaginou estudantes multiplicados em salas de aula idênticas pelo país naquele exato momento, observando o relógio de água com uma expectativa nervosa.

Os dentes de Rin batiam sem parar num ritmo que todos certamente ouviam, e não era apenas por causa do frio. Ela fechou bem a mandíbula, mas o tremor se espalhou para as mãos e os pés. O pincel sacudia em sua mão, salpicando gotas de tinta no tampo da carteira.

Ela firmou os dedos e escreveu o nome completo na capa do livreto: *Fang Runin.*

Rin não era a única com os nervos em frangalhos. Já ouvia alguém vomitando no balde nos fundos da sala.

Ela apertou o punho, os dedos se fechando sobre as pálidas cicatrizes de queimadura, e inspirou fundo. *Concentre-se.*

No canto da sala, o relógio de água fez um som suave.

— Comecem — instruiu o fiscal.

Cem livretos de teste foram abertos ao mesmo tempo, produzindo um som de asas, como uma revoada de pardais alçando voo.

Dois anos antes, no dia em que a magistratura de Tikany determinara arbitrariamente ser o décimo quarto aniversário de Rin, seus pais adotivos a chamaram em seus aposentos.

Aquilo quase nunca acontecia. Os Fang preferiam ignorar Rin quando não tinham uma tarefa para ela, ocasiões em que se dirigiam à menina como quem dá ordens a um cachorro. *Feche a loja. Coloque a roupa para secar. Leve esse saco de ópio para os vizinhos e não saia de lá até arrancar deles o dobro do que pagamos.*

Uma mulher que Rin nunca tinha visto estava sentada na cadeira dos convidados, seu rosto coberto com o que parecia farinha de arroz e montinhos de cor nos lábios e nas pálpebras. Ela usava um vestido lilás brilhante, com estampa de flor de ameixeira, cujo corte seria mais apropriado para alguém muito mais jovem. Sua silhueta quadrada se espremia pelas laterais do vestido como um saco de grãos.

— Essa é a garota? — perguntou a mulher. — Hum. Ela é um pouco escura. O inspetor não vai se incomodar, mas o preço sofrerá uma pequena redução.

Rin teve uma suspeita súbita e apavorante.

— Quem é você?

— Sente-se, Rin — instruiu Tio Fang, esticando a mão com aparência de couro para forçá-la a obedecer.

No mesmo instante, Rin deu meia-volta e tentou fugir. Tia Fang agarrou seu braço e, após uma breve luta, a menina foi dominada e arrastada para a cadeira.

— Eu não vou para um bordel! — gritou.

— Ela não é do bordel, sua idiota — retrucou Tia Fang, ríspida. — Sente-se e demonstre respeito pela Casamenteira Liew.

A mulher continuava plácida, como se ouvisse acusações de tráfico sexual com frequência.

— Você é uma menina muito sortuda, minha querida — começou ela. Sua voz era vibrante e tinha uma falsa doçura. — Quer saber por quê?

Rin apertou as bordas da cadeira e encarou seus lábios vermelhos.

— Não.

O sorriso da Casamenteira Liew enrijeceu.

— Que menina encantadora.

Após uma longa e árdua pesquisa, a casamenteira havia encontrado um homem em Tikany disposto a se casar com Rin: um mercador rico que vivia da importação de orelhas de porco e barbatanas de tubarão. Ele tinha o triplo da idade dela e havia se divorciado duas vezes.

— Não é ótimo? — finalizou a Casamenteira Liew, sorrindo.

Rin correu para a porta. Não dera nem dois passos quando sentiu a mão da Tia Fang agarrar seu pulso.

Sabia o que aconteceria. Ela se preparou para o golpe — chutes na costela, onde os hematomas ficariam escondidos —, mas Tia Fang apenas a puxou de volta para a cadeira.

— *Comporte-se* — sussurrou, os dentes cerrados prometendo que o castigo viria mais tarde. Mas não ali, não na frente da Casamenteira Liew.

Tia Fang mantinha sua crueldade em família.

A mulher piscou, alheia a tudo aquilo.

— Não tenha medo, querida. É uma coisa boa!

Rin estava tonta. Ela se virou para os pais adotivos, esforçando-se para manter a voz baixa.

— Achei que precisavam da minha ajuda na loja. — Foi a única coisa que conseguiu pensar em dizer.

— Kesegi pode cuidar da loja — respondeu Tia Fang.

— Ele tem *oito* anos.

— Logo vai crescer. — Os olhos da Tia Fang brilharam. — Além disso, seu futuro marido é o inspetor de importações do vilarejo.

Rin compreendeu. Os Fang estavam fazendo um acordo: uma órfã adotada em troca do monopólio do mercado clandestino de ópio em Tikany.

Tio Fang deu uma longa baforada no cachimbo e expirou, espalhando uma fumaça densa e enjoativa pelo cômodo.

— Ele é rico. Você será feliz.

Não, os *Fang* seriam felizes. Poderiam importar ópio em grandes quantidades sem precisar pagar propina. Mas Rin continuou de boca fechada — discutir só resultaria em dor. Não havia dúvidas de que seria obrigada a se casar nem que tivesse que ser arrastada até o leito nupcial.

Os Fang nunca quiseram Rin. Pegaram-na ainda bebê por causa da ordem da Imperatriz que forçava famílias com menos de três filhos a adotar órfãos da Segunda Guerra da Papoula que, de outra forma, se tornariam ladrões e mendigos.

Como o infanticídio não era bem-visto em Tikany, assim que Rin aprendeu a somar e subtrair, os Fang a colocaram para cuidar da loja e entregar ópio. Porém, mesmo com a mão de obra gratuita, os custos para mantê-la e alimentá-la eram mais altos do que gostariam. Aquela era uma oportunidade de se livrarem do fardo financeiro que ela representava.

O mercador arcaria com a alimentação e as roupas de Rin pelo resto da vida, explicou a Casamenteira Liew. Ela só precisaria ser uma boa esposa: servi-lo carinhosamente, parir seus filhos e cuidar da casa (que, como a Casamenteira Liew apontou, tinha não apenas um, mas *dois* banheiros). Era uma proposta excelente para uma órfã de guerra sem família ou conexões.

Um marido para Rin, dinheiro para a casamenteira e drogas para os Fang.

— Uau — disse a menina em voz baixa. O chão parecia oscilar sob seus pés. — Isso é ótimo. De verdade. Incrível.

A Casamenteira Liew sorriu outra vez.

Rin escondeu o pânico e manteve a respiração estável até a mulher ser levada para a porta. Depois, curvou-se para os Fang, como uma filha adotiva obediente, e agradeceu pelo trabalho que haviam tido para lhe assegurar um futuro estável.

Voltou para a loja e trabalhou em silêncio até tarde. Atendeu a pedidos, preencheu o inventário e marcou novas encomendas no livro diário.

O problema do inventário era que ela precisava tomar muito cuidado na hora de escrever os números. Era muito fácil fazer um nove parecer um oito. E ainda mais fácil fazer o número um parecer um sete...

Bem depois do anoitecer, Rin fechou a loja e trancou a porta.

Então enfiou um pacote de ópio roubado embaixo da camisa e correu.

* * *

— Rin? — Um homem pequeno e cheio de rugas abriu a porta da biblioteca e a encarou. — Grande Tartaruga! Por que veio aqui? Está caindo um aguaceiro.

— Vim devolver um livro — explicou a menina, com uma sacola impermeável nas mãos. — Além disso, vou me casar.

— Ah. Ah! Como é? Entre.

O Tutor Feyrik dava aulas gratuitas ao cair da noite para as crianças camponesas de Tikany, que, sem o auxílio dele, permaneceriam analfabetas. Rin confiava mais nele do que em qualquer outra pessoa e sabia suas fraquezas melhor do que ninguém.

O que o tornava fundamental para seu plano de fuga.

— O vaso sumiu — observou ela ao entrar na biblioteca apertada.

O Tutor Feyrik acendeu uma pequena chama na lareira, colocou duas almofadas no chão e indicou uma para Rin.

— Foi uma decisão ruim. Uma noite ruim, na verdade.

O homem tinha uma infeliz adoração por Divisões, um jogo extremamente popular nos antros de aposta de Tikany e que não ofereceria tanto perigo se ele fosse melhor naquilo.

— Não faz sentido — disse o Tutor Feyrik, após Rin contar sobre a casamenteira. — Por que os Fang arranjariam um casamento? Você não é a principal mão de obra gratuita deles?

— Sim, mas acham que eu seria mais útil na cama do inspetor de importações.

O homem parecia revoltado.

— Seus pais são uns imbecis.

— Então você vai me ajudar — sugeriu Rin, cheia de esperança.

— Minha querida, se sua família tivesse deixado você estudar comigo quando era mais nova, poderíamos ter considerado essa questão... Naquela época, eu *avisei* para os Fang que você tinha potencial. Mas, a esta altura, é impossível.

— Mas...

Ele ergueu a mão.

— Mais de vinte mil estudantes prestam o Keju todo ano e menos de três mil entram nas academias. E só meia dúzia é de Tikany. Você estaria competindo com crianças ricas, filhos de mercadores e nobres, que passaram a vida inteira estudando para o teste.

— Mas eu tive aulas com você também. Não pode ser tão difícil assim.

Ao ouvir aquilo, o Tutor Feyrik riu.

— Você sabe ler e usar um ábaco. Esse não é o tipo de instrução necessária para passar no Keju. O exame requer um conhecimento profundo de história, matemática avançada, lógica e os Clássicos...

— As Quatro Disciplinas Nobres, eu sei — interveio a menina, sem paciência. — Mas leio rápido. Conheço mais caracteres do que a maioria dos adultos daqui. Com certeza mais do que os Fang. Posso acompanhar o nível dos seus alunos, se me deixar tentar. Nem preciso ir às aulas de revisão. Só preciso dos livros.

— Ler livros é uma coisa — explicou o tutor. — Preparar-se para o Keju é outra. Meus alunos estudaram a vida inteira para isso. Nove horas por dia, sete dias por semana. Você passa esse tempo trabalhando na loja.

— Posso estudar lá — argumentou Rin.

— Você não tem funções para cumprir?

— Sou boa em, hã, fazer duas coisas ao mesmo tempo.

Ele a encarou com um olhar cético, então balançou a cabeça.

— Você teria apenas dois anos. É impossível.

— Mas é a minha única opção — insistiu Rin, com a voz estridente.

Em Tikany, uma garota solteira valia menos do que um galo homossexual. Rin poderia passar o resto de sua existência como criada na casa de alguma família rica, se conseguisse subornar as pessoas certas. Caso contrário, suas opções se limitavam a uma mistura de prostituição com mendicância.

Talvez estivesse exagerando, mas nem tanto. Poderia fugir do vilarejo com ópio roubado suficiente para comprar um lugar numa caravana com destino à outra província... mas qual? Não tinha amigos ou família, ninguém para ajudá-la caso fosse roubada ou sequestrada. Não tinha habilidades com as quais ganhar dinheiro. Nunca havia saído de Tikany, não sabia como sobreviver numa cidade.

E se fosse pega com tanto ópio... Posse de ópio era crime capital no Império. Rin seria arrastada e degolada em praça pública, mais uma baixa da fútil guerra às drogas da Imperatriz.

Na verdade, ela só tinha uma opção: convencer o Tutor Feyrik.

Ergueu o livro que tinha ido lá entregar.

— *Reflexões sobre a política*, de Mengzi. Só fiquei com ele por três dias, certo?

— Sim — respondeu o homem, sem checar o livro de registros.

Ela o colocou nas mãos do tutor.

— Leia um trecho. Qualquer um.

O Tutor Feyrik ainda parecia cético, mas folheou o livro para fazer a vontade da garota.

— A sensação de comiseração é o princípio da...

— Benevolência — completou Rin. — A sensação de vergonha e desgosto é o princípio da retidão. A sensação de modéstia e complacência é o princípio da... hã... decência. E a sensação de aprovação e desaprovação é o princípio do conhecimento.

Ele ergueu uma sobrancelha.

— E o que isso significa?

— Não faço a mínima ideia — admitiu Rin. — Para falar a verdade, não entendi nada de Mengzi. Apenas decorei.

Ele foi até o final do livro, selecionou outra passagem e leu:

— A ordem está presente no reino mundano quando todos os seres compreendem seus lugares. Todos os seres compreendem seus lugares quando cumprem os papéis que lhes foram dados. O peixe não tenta voar. A doninha não tenta nadar. Apenas quando cada ser respeitar a ordem celestial haverá paz. — Ele fechou o livro e ergueu o olhar. — E essa parte? Entende o que significa?

Rin sabia o que o Tutor Feyrik estava tentando provar.

Os nikaras acreditavam em papéis sociais bastante definidos, uma hierarquia rígida a que todos estavam presos desde o nascimento. Tudo tinha o seu lugar sob o céu. Principelhos se tornavam líderes militares regionais, cadetes se tornavam soldados e órfãs que trabalhavam em lojas de Tikany deveriam se contentar em permanecer órfãs que trabalhavam em lojas de Tikany. O Keju era uma prova supostamente meritocrática, mas apenas a elite tinha o dinheiro necessário para bancar os professores de que seus filhos precisavam para passar.

Bem, foda-se a ordem celestial das coisas. Se casar com um velho nojento era o papel predeterminado de Rin nesta Terra, ela estava decidida a reescrevê-lo.

— Significa que sou muito boa em memorizar trechos enormes de baboseiras — respondeu.

O Tutor Feyrik ficou em silêncio por um momento.

— Você não tem memória eidética — anunciou, por fim. — Fui eu que a ensinei a ler. Saberia se tivesse.

— Não tenho — reconheceu Rin. — Mas sou teimosa, estudo muito e não quero mesmo me casar. Levei três dias para decorar Mengzi. É um livro pequeno, então talvez precise de uma semana para os textos maiores. Quantos livros há na lista do Keju? Vinte? Trinta?

— Vinte e sete.

— Então vou memorizar cada um deles. Essa é a única coisa necessária para passar. O senhor mesmo me falou que as outras disciplinas não são tão difíceis, que são os Clássicos que pegam as pessoas.

O Tutor Feyrik semicerrou os olhos. Sua expressão não estava mais cética, e sim calculista. Rin conhecia aquele olhar. Era o mesmo de quando ele tentava prever os lucros que teria nas Divisões.

Em Nikan, o sucesso de um tutor estava ligado à sua reputação, que dependia dos resultados no Keju. Um tutor atraía clientes quando seus alunos entravam numa academia. Mais estudantes significava mais dinheiro e, para um apostador endividado como o Tutor Feyrik, cada novo aluno era importante. Se Rin entrasse numa academia, a consequente afluência de estudantes poderia livrá-lo de algumas dívidas bem cabeludas.

— Poucos alunos se matricularam este ano, não foi? — comentou Rin, pressionando o homem.

Ele sorriu.

— Choveu pouco este ano. Claro que não tive muitas matrículas. São poucas as famílias dispostas a pagar pelos estudos dos filhos que mal têm chance de serem aprovados.

— Mas eu tenho — argumentou Rin. — E, quando eu passar, você terá uma aluna aprovada numa academia. Como acha que isso vai influenciar as matrículas?

Ele balançou a cabeça.

— Rin, eu não poderia aceitar o seu dinheiro nem se quisesse.

Aquele era um segundo empecilho. Ela tomou coragem e o encarou.

— Não tem problema. Não posso pagar mesmo.

O homem ficou visivelmente chocado.

— Não faço um tostão na loja — explicou Rin, antes que ele pudesse falar alguma coisa. — O estoque não é meu. Não ganho ordenado. Preciso que me ajude a estudar para o Keju de graça e com o dobro da velocidade com que treina os outros alunos.

O Tutor Feyrik voltou a balançar a cabeça.

— Minha querida, não posso... Isso é...

Era hora de mostrar seu último trunfo. Rin colocou a sacola de couro na mesa, acertando o tampo com uma pancada forte e satisfatória.

Os olhos do Tutor Feyrik seguiram seus movimentos com avidez. Ela enfiou a mão na sacola e retirou de lá um pacote pesado com cheiro doce. E depois outro. E mais um.

— Seis taéis de ópio de primeira — anunciou, calmamente.

Seis taéis deviam ser metade do que o Tutor Feyrik ganhava num ano inteiro.

— Você roubou isso dos Fang — acusou ele, preocupado.

Rin deu de ombros.

— Contrabando é um negócio complicado. Os Fang conhecem os riscos. Pacotes desaparecem o tempo inteiro. Eles mal conseguem manter o magistrado a par de tudo.

O tutor enrolou seus longos bigodes.

— Não quero problemas com os Fang.

Ele tinha razão em temê-los. Os moradores de Tikany não pisavam no calo da Tia Fang se quisessem manter a própria segurança. Aquela mulher era paciente e imprevisível, como uma cobra. Às vezes, ignorava falhas por anos e então atacava com uma dose de veneno bem injetada.

Mas Rin havia coberto os próprios rastros.

— Um dos carregamentos foi confiscado pelas autoridades portuárias na semana passada — explicou. — E ela ainda não teve tempo de fazer o inventário. Então marquei esses pacotes como perdidos. Tia Fang não consegue rastreá-los.

— Ainda podem bater em você.

— Mas não com muita força. — Rin se obrigou a dar de ombros. — Afinal, não podem passar para a frente mercadoria danificada.

O Tutor Feyrik encarava a sacola com evidente cobiça.

— Fechado — concordou por fim, partindo para cima do ópio.

Rin tirou os pacotes do alcance dele.

— Quatro condições. Primeira, você me dá aulas. Segunda, me dá aulas de graça. Terceira, não fuma enquanto estiver me dando aulas. E quarta, se contar para qualquer um onde conseguiu isso, aviso para seus credores onde você mora.

O Tutor Feyrik a observou por um longo momento, então assentiu. Rin pigarreou.

— Ah, e também quero ficar com esse livro.

O homem lhe lançou um sorriso seco.

— Você seria *mesmo* uma prostituta terrível. Não tem um pingo de charme.

— Não — rebateu Tia Fang. — Precisamos de você na loja.

— Eu estudo à noite — argumentou Rin. — Ou nas horas de folga.

Tia Fang fechou o rosto, esfregando a wok. Tudo nela era bruto: sua expressão de impaciência e irritação, seus dedos vermelhos pelas horas passadas fazendo faxina e lavando roupa, sua voz rouca de gritar (com Rin, com o filho, Kesegi, com os contrabandistas que contratava, com Tio Fang, deitado inerte no quarto cheio de fumaça).

— O que prometeu a ele? — perguntou Tia Fang, desconfiada.

Rin enrijeceu.

— Nada.

De súbito, a mulher bateu com a wok no balcão. Rin se retraiu, temendo que seu roubo tivesse sido descoberto.

— Qual é o problema em se casar? — questionou a mulher. — Quando me casei com seu tio, era mais nova do que você. Todas as meninas deste vilarejo estarão casadas aos dezesseis anos. Por acaso se acha melhor do que elas?

Rin foi tomada por um alívio tão grande que precisou se lembrar de parecer ofendida.

— Não. Quer dizer, não, não acho.

— Pensa que vai ser tão ruim assim? — insistiu a tia, sua voz perigosamente baixa. — Seja sincera, qual é o problema? Está com medo de dividir a cama com ele?

Rin nem sequer havia considerado a questão, mas sua garganta fechou só de pensar naquilo.

Tia Fang curvou os lábios, divertindo-se com a reação da menina.

— A primeira noite é a pior, isso eu admito. Coloque um chumaço de algodão na boca para não morder a língua. Não grite, a não ser que ele queira. Mantenha a cabeça abaixada e faça o que seu marido mandar. Torne-se uma escravinha muda até ele começar a confiar em você. Então, ofereça-lhe ópio. Só um pouquinho no início, embora eu duvide que ele nunca tenha fumado antes. E vá aumentando a dose todo dia. Faça isso à noite, depois de ele ter terminado com você, para que sempre associe o ópio com prazer e poder. Continue dando ópio até seu marido ficar dependente da droga e de você. Deixe que destrua o corpo e a mente dele. Sim, será como estar casada com um cadáver que ainda respira, mas você ficará com a riqueza, as propriedades e o poder. — Ela inclinou a cabeça. — Depois disso, será tão ruim assim dividir a cama com ele?

Rin sentia vontade de vomitar.

— Mas eu...

— É dos filhos que tem medo? — Tia Fang ergueu o rosto. — Há maneiras de matá-los no ventre. Você trabalha num boticário, sabe bem disso. Mas é melhor dar ao menos um filho ao seu marido, para fortalecer sua posição como primeira esposa e evitar que ele gaste tudo que tem numa concubina.

— Mas não quero nada disso — protestou Rin, a voz estrangulada. *Não quero ser como você.*

— Quem se importa com o que você quer? — perguntou Tia Fang, baixinho. — Você é uma *órfã de guerra*. Sem pais, renome ou conexões. Tem sorte de o inspetor não se importar com que não seja bonita, desde que seja jovem. É o melhor que posso fazer por você. Não terá outra chance.

— Mas o Keju...

— *Mas o Keju* — imitou Tia Fang. — Quando começou a se iludir tanto? Acha *mesmo* que vai entrar numa academia?

— Acho, sim — respondeu Rin, endireitando a coluna e tentando injetar confiança nas palavras. *Calma. Você ainda tem vantagem.* — E você vai deixar. Porque um dia as autoridades podem começar a se perguntar de onde vem o ópio.

Tia Fang a examinou por um longo momento.

— Você quer morrer? — perguntou.

Rin sabia que aquela não era uma ameaça vazia. Tia Fang não deixava pontas soltas. Rin já a vira se livrar delas e passara a maior parte da vida empenhada em *não* se tornar uma ponta solta.

Mas, naquele momento, tinha como revidar.

— Se eu desaparecer, o Tutor Feyrik vai contar às autoridades exatamente o que aconteceu comigo — anunciou, elevando a voz. — E vai contar ao seu filho o que você fez.

— Kesegi não vai se importar — zombou Tia Fang.

— Eu o criei. Ele me ama — respondeu Rin. — E você o ama. Não quer que descubra o que você faz da vida. É por isso que nunca o manda ir à loja. E é por isso que me faz mantê-lo no nosso quarto quando sai para encontrar seus contrabandistas.

Aquilo surtiu efeito. Tia Fang a encarou boquiaberta, as narinas dilatadas.

— Deixa eu tentar, pelo menos — pediu a menina. — Meus estudos não vão atrapalhar. Se eu passar, vai se livrar de mim... Se eu não passar, ainda vai ter uma noiva.

Tia Fang agarrou a wok. Rin ficou tensa por instinto, mas a mulher apenas voltou a limpar a panela com mais força.

— Se estudar na loja, boto você para fora de casa — avisou Tia Fang. — E não quero que o inspetor fique sabendo de nada disso.

— De acordo — mentiu Rin, entre os dentes.

A tia bufou.

— Aliás, se passar, como vai fazer? Quem vai pagar sua matrícula? Seu querido e pobre tutor?

Rin hesitou. Nutrira a esperança de que os Fang lhe dessem o dinheiro do dote para custear a matrícula, mas percebeu que tinha sido uma ideia idiota.

— A matrícula na Sinegard é gratuita — informou a menina.

Tia Fang gargalhou.

— Sinegard! Você acha que vai entrar na Sinegard?

Rin ergueu o queixo.

— Eu consigo.

A academia militar de Sinegard era a instituição mais prestigiosa do Império, responsável pelo treinamento de futuros generais e estadistas. Quase nunca recrutava estudantes do sul rural, se é que já havia recrutado algum.

— Você está *mesmo* louca — disse Tia Fang, bufando mais uma vez. — Pois bem. Estude à vontade, se isso deixa você feliz. Faça o Keju. Mas, quando reprovar, *vai* se casar com o inspetor. E ficar grata por isso.

Naquela noite, segurando uma vela roubada no chão do quarto abarrotado que dividia com Kesegi, Rin abriu seu primeiro livro do Keju.

O exame abordava as Quatro Disciplinas Nobres: história, matemática, lógica e os Clássicos. Os burocratas imperiais de Sinegard as consideravam integrais para o desenvolvimento de um erudito e de um estadista. Rin precisava aprender tudo aquilo até completar dezesseis anos.

Havia elaborado um cronograma apertado para si mesma: decorar ao menos dois livros por semana e alternar entre duas disciplinas por dia. Depois de fechar a loja, corria até a residência do Tutor Feyrik e voltava para casa com os braços carregados de livros.

História era o assunto mais fácil de aprender, porque o passado de Nikan consistia em uma saga envolvente de guerras constantes. O Império tinha se formado havia mil anos, sob a poderosa espada do impiedoso Imperador Vermelho, que havia destruído as ordens monásticas espalhadas pelo continente e criado um estado unificado de proporções jamais vistas. O povo nikara se enxergara como uma só nação pela primeira vez. O Imperador Vermelho uniformizara o idioma nikara, determinara um conjunto padrão de medidas de peso e distância e construíra um sistema de estradas que conectava seu vasto território.

No entanto, o recém-formado Império Nikara não sobreviveu à morte do Imperador Vermelho. Seus diversos herdeiros fizeram o país cair num tumulto sangrento durante a Era dos Estados Beligerantes, o que levou à divisão de Nikan em doze províncias rivais.

Desde então, o gigantesco país havia sido reunificado, conquistado, explorado, dividido e então reunificado de novo. Nikan entrara em guerra com os khans das Terras Remotas, ao norte, e com os ocidentais altos vindos do outro lado do mar extenso. Em ambas ocasiões, Nikan se provara grande demais para sofrer uma ocupação estrangeira por muito tempo.

De todas as nações que tentaram conquistar Nikan, a Federação de Mugen foi a que chegou mais perto. O país insular atacara Nikan no auge dos conflitos domésticos entre as províncias. Foram necessárias duas Guerras da Papoula e cinquenta anos de ocupação sangrenta para Nikan recuperar sua independência.

A Imperatriz Su Daji, a última integrante viva da trindade que chegara ao poder durante a Segunda Guerra da Papoula, governava uma nação de doze províncias que nunca chegou perto de atingir a mesma integração imposta pelo Imperador Vermelho.

Ao longo da história, o Império Nikara se provara inconquistável. Mas também era instável e desunido, e o momento atual de paz não continha qualquer promessa de durabilidade.

Se havia uma coisa que Rin aprendera sobre a história de seu país era que a única coisa permanente no Império Nikara era a guerra.

A segunda disciplina, matemática, era árdua. Não por ser desafiadora, mas por ser entediante e cansativa. O Keju não buscava selecionar gênios matemáticos, apenas estudantes que conseguiriam manter as contas e os livros-caixa da nação em ordem. Rin cuidava das finanças dos Fang desde que aprendera a somar e subtrair. Tinha uma aptidão natural para fazer malabarismos com grandes quantidades de dinheiro. Precisava se esforçar nos teoremas mais abstratos da trigonometria, que supunha serem importantes em batalhas navais, mas havia descoberto que eram deliciosamente simples de aprender.

A terceira disciplina, lógica, era completamente estranha a ela. O Keju apresentava enigmas lógicos como questões discursivas. Rin pegou um teste de exemplo para praticar. A primeira pergunta era: "Um sábio viajando por uma estrada bastante movimentada passa por uma pereira. A árvore está tão carregada de frutas que os galhos envergam com o peso. Ainda assim, ele não pega nenhuma. Por quê?"

Porque a pereira não é dele, pensou Rin na mesma hora. *Porque a árvore pode ser da Tia Fang, que arrebentaria a cara dele com uma pá.* Mas nenhuma dessas respostas tinha um contexto moral ou contingente. A resposta para o enigma precisava estar contida na própria pergunta. Devia haver alguma falha, alguma contradição no cenário apresentado.

Rin precisou pensar muito antes de chegar à resposta: *Se uma árvore numa estrada bastante movimentada está com tantos frutos, deve haver algo de errado com eles.*

Quanto mais praticava, mais encarava as questões como jogos. Desvendá-las era recompensador. Rin desenhou diagramas na terra, estudou as estruturas dos silogismos e decorou as falácias lógicas mais comuns. Em poucos meses, conseguia responder àquele tipo de pergunta em segundos.

A pior matéria, de longe, eram os Clássicos. Eram a exceção no seu cronograma circular. Precisava estudá-los todo dia.

Essa parte do exame pedia que os alunos recitassem, analisassem e comparassem textos de um cânone predeterminado de vinte e sete livros. Não haviam sido escritos na linguagem moderna, mas em nikara antigo, idioma famoso pelos padrões gramaticais imprevisíveis e pelas pronúncias complicadas. Dentre os textos, havia poemas, tratados filosóficos e ensaios sobre política escritos por eruditos lendários do passado de Nikan. Foram feitos para moldar o caráter moral dos futuros estadistas da nação e eram todos, sem exceção, imensamente confusos.

Ao contrário do que acontecia com lógica e matemática, Rin não conseguia usar seu raciocínio para entender os Clássicos. Eles exigiam uma base de conhecimento que a maioria dos alunos construía aos poucos a partir do momento em que aprendia a ler. Ela tinha só dois anos para simular mais de cinco anos de estudos constantes.

Então realizou feitos extraordinários de decoreba.

Recitava os textos de trás para a frente enquanto percorria as muralhas que cercavam Tikany. Declamava-os com o dobro da velocidade ao pular de tábua em tábua na ponte sobre o lago. Murmurava-os para si mesma na loja, irritando-se cada vez que os clientes pediam sua ajuda. Rin não se permitia dormir até proferir as lições do dia sem errar nada. Acordava entoando o *Analectos* clássico, o que deixava Kesegi apavorado, pensando que ela tinha sido possuída por espíritos. E, de certa forma, ele tinha razão: Rin sonhava com poemas antigos em vozes havia muito mortas e acordava tremendo após pesadelos em que errava sua enunciação.

O Caminho Celestial opera de maneira incessante e não deixa acúmulos de sua influência em lugar algum, de forma que todas as coisas são trazidas à perfeição por ele... É assim que o Caminho opera, e todas as coisas sob o céu se voltam a ele, e todas as coisas nos mares se submetem a ele.

Rin baixou os *Anais*, de Zhuangzi, e franziu o cenho. Não fazia a mínima ideia sobre o que ele estava falando. Além disso, não conseguia entender por que o autor insistia em escrever da maneira mais verborrágica e irritante possível.

Ela compreendia pouco do que lia. Até mesmo os eruditos da montanha Yuelu tinham dificuldade de entender os Clássicos, então não podiam esperar que ela absorvesse aquele conteúdo sozinha. E como não tinha o tempo ou a prática para se aprofundar nos textos — e tampouco conseguia pensar em técnicas mnemônicas úteis ou atalhos para aprendê-los —, teria que decorá-los palavra por palavra e torcer para que isso fosse suficiente.

Caminhava sempre com um livro. Estudava enquanto comia. Quando era tomada pelo cansaço, contava para si mesma a história do pior futuro possível.

Você caminha até o altar tremendo e usando um vestido que não serve direito. Ele está esperando. Olha para você como se fosse um porco gordo e suculento, um pedaço de carne de primeira que quer comprar. Ele passa a língua nos lábios secos. Não desvia o olhar durante todo o banquete. Quando acaba, você é levada para o quarto e jogada nos lençóis.

Rin sentia um calafrio e fechava bem os olhos. Então os reabria e voltava a estudar.

Em seu décimo quinto aniversário, Rin tinha uma vasta quantidade da antiga literatura nikara na cabeça e conseguia recitar a maior parte dos textos de cor. Mas ainda cometia erros: esquecia palavras, trocava cláusulas complexas, embaralhava a ordem dos versos.

Sabia que aquilo seria o suficiente para entrar na faculdade de professores ou na academia de medicina. Suspeitava que até conseguiria entrar no instituto dos eruditos na montanha Yuelu, onde as mentes mais brilhantes de Nikan produziam trabalhos espetaculares de literatura e ponderavam sobre os mistérios do mundo natural.

Mas ela não podia arcar com nenhuma daquelas instituições. *Precisava* passar para Sinegard. Tinha que estar no grupo de alunos com as maiores notas não apenas do vilarejo, mas de todo o país. Caso contrário, seus dois anos de estudo teriam sido em vão.

Precisava tornar a memória perfeita.

Então parou de dormir.

Seus olhos ficaram injetados, inchados. Sentia a cabeça zonza depois de tanto estudo. Certa noite, quando foi buscar um novo conjunto de livros na casa do Tutor Feyrik, seu olhar estava desesperado, sem foco. Enquanto o homem falava, Rin olhava além dele. As palavras flutuavam acima de sua cabeça como nuvens, e ela mal notava a presença do tutor.

— Rin, olhe para mim.

Ela suspirou e permitiu que os olhos focassem na silhueta difusa.

— Como você está? — perguntou o Tutor Feyrik.

— Não vou conseguir — murmurou ela. — Só tenho mais dois meses e não vou conseguir. Tudo escapa da minha cabeça assim que eu coloco para dentro e...

Seu peito subia e descia em alta velocidade.

— Ah, Rin.

As palavras continuaram jorrando de sua boca, e ela falou sem pensar:

— E se eu não passar? E se acabar me casando, afinal? Acho que poderia matá-lo. Sufocá-lo enquanto estivesse dormindo. Será que herdaria o dinheiro? Seria bom, não acha? — Rin começou a rir, histérica. Lágrimas escorriam por suas bochechas. — E seria mais fácil do que dopá-lo. *Ninguém* saberia.

O Tutor Feyrik se levantou e puxou um banco para ela.

— Sente-se, criança.

Rin estremeceu.

— Não posso. Ainda tenho que ler os *Analectos* de Fuzi hoje.

— Runin. Sente-se.

Rin afundou no banquinho. O Tutor Feyrik se acomodou diante dela e pegou suas mãos.

— Vou contar uma história — começou ele. — Há não muito tempo, vivia um sábio de uma família muito pobre. Ele era fraco demais para trabalhar longas horas no campo e só poderia sustentar os pais idosos se ganhasse um cargo no governo com um estipêndio robusto. Para isso, precisava se matricular numa academia. Com seu último ordenado, o sábio comprou um conjunto de livros e se matriculou no Keju. Mas vivia cansado, porque se matava de trabalhar no campo o dia inteiro e só podia estudar à noite.

Rin se esforçava para manter os olhos abertos. Sentia os ombros pesados, e suprimiu um bocejo.

O Tutor Feyrik estalou os dedos na frente dos seus olhos e continuou:

— O sábio precisava encontrar uma maneira de permanecer acordado. Então, pregou a ponta da trança no teto para que, toda vez que o rosto caísse para a frente, o cabelo fosse puxado e a dor o acordasse.

— O tutor sorriu com simpatia. — Você está quase lá, Rin. Só mais um pouquinho. Por favor, não cometa mariticídio.

Mas ela tinha parado de prestar atenção.

— A dor o deixava focado — comentou Rin.

— Não era bem isso que eu estava tentando...

— A dor o deixava focado — repetiu.

A dor poderia deixar *ela* focada.

Então Rin passou a manter uma vela acesa perto dos livros, pingando cera quente em seu braço quando começava a adormecer. Seus olhos se enchiam d'água, mas então ela secava as lágrimas e voltava a estudar.

No dia em que prestou o exame, seus braços estavam cobertos de cicatrizes de queimadura.

O Tutor Feyrik perguntou como havia sido o exame, mas Rin não sabia. Dias depois, ainda não conseguia se lembrar das horas horríveis e cansativas. Eram um lapso em sua memória. Quando tentava rememorar a resposta dada para determinada questão, seu cérebro a impedia de reviver aquilo.

Porque Rin não queria reviver aquilo. Não queria pensar no Keju nunca mais.

Em sete dias o resultado sairia. Cada livreto da província precisava ser corrigido uma, duas, três vezes.

Foram dias insuportáveis. Rin mal conseguia dormir. Nos últimos dois anos, seu cotidiano havia sido preenchido com estudos desenfreados. Já não podia fazer mais nada. Seu futuro saíra de suas mãos, e ter consciência disso era aterrorizante.

Sua preocupação estava enlouquecendo todos ao redor. Rin cometeu erros na loja. Bagunçou o inventário. Irritou-se com Kesegi e discutiu com os Fang mais do que deveria.

Em mais de uma ocasião, considerou roubar outro pacote de ópio, para fumar. Ouvira falar de mulheres no vilarejo que haviam cometido suicídio engolindo pedaços inteiros da droga. Nas horas mais sombrias da noite, considerou aquela opção.

Tudo estava em suspenso. Rin se sentia à deriva, toda a sua existência reduzida a uma nota.

Pensou em fazer planos de emergência, em se preparar para fugir do vilarejo caso não passasse. Mas sua mente se recusava a seguir aquela linha de raciocínio. Não conseguia conceber uma vida após o Keju, porque talvez não houvesse vida após o Keju.

Rin sentia tanto desespero que rezou pela primeira vez.

Os Fang não eram religiosos. Quando muito, iam esporadicamente ao templo do vilarejo, na maioria das vezes para trocar pacotes de ópio atrás do altar dourado.

E estavam longe de serem os únicos sem devoção. No passado, as ordens monásticas tinham sido ainda mais influentes do que os chefes militares, mas então o Imperador Vermelho atravessara o continente em sua gloriosa jornada por unificação, deixando um rastro de monges mortos e templos vazios.

As ordens monásticas acabaram, mas os deuses permaneceram: diversas deidades que representavam temas vastos, que iam do amor e da guerra às preocupações mundanas das cozinhas e moradias. Tais tradições eram mantidas por adoradores devotos que viviam escondidos, mas a maior parte dos habitantes de Tikany só frequentava os templos por hábito ritualístico. Ninguém acreditava de verdade. Ou, ao menos, ninguém se atrevia a admitir isso. Para os nikaras, deuses eram relíquias do passado: temas de mitos e lendas, nada além disso.

Mas Rin não queria correr nenhum risco. Certa tarde, escapou da loja mais cedo e levou uma oferenda de bolinhos e raiz de lótus recheada até os pedestais dos Quatro Deuses.

O templo estava silencioso. Naquele horário, ela era a única pessoa ali. Quatro estátuas mudas a encaravam com seus olhos pintados. Rin hesitou diante delas. Não sabia direito para quem rezar.

Conhecia seus nomes, obviamente: o Tigre Branco, a Tartaruga Preta, o Dragão Azul e a Ave Escarlate. Sabia que representavam os quatro pontos cardeais e que eram apenas um subgrupo do enorme panteão de deidades adoradas em Nikan. O templo também tinha santuários para deuses guardiões menores, cujas imagens estavam desenhadas em pergaminhos pendurados nas paredes.

Tantos deuses... Qual seria o deus das notas? Qual seria o deus das garotas que trabalhavam em lojas e queriam continuar solteiras?

Rin decidiu rezar para todos.

— Se vocês existem mesmo, se estão aí em cima, então me ajudem. Por favor, apontem um caminho para escapar dessa merda. Ou, se isso não for possível, façam o inspetor ter um infarto.

Ela olhou ao redor do templo vazio. O que deveria fazer em seguida? Sempre imaginara que rezar fosse mais do que apenas falar em voz alta. Viu diversos incensos espalhados pelo altar. Acendeu um deles no braseiro e experimentou agitá-lo no ar.

Será que deveria manter a fumaça perto dos deuses? Ou deveria inalá-la? Tinha acabado de colocar a ponta em chamas perto do nariz quando um guardião do templo saiu de trás do altar.

Eles se encararam, perplexos.

Devagar, Rin afastou o incenso da narina.

— Oi — disse. — Estou rezando.

— Por favor, saia — pediu o guardião.

O resultado do Keju seria divulgado ao meio-dia em frente à sala do exame.

Rin fechou a loja mais cedo e, acompanhada pelo Tutor Feyrik, foi até o centro do vilarejo com meia hora de antecedência. Uma multidão estava reunida no local, então os dois esperaram numa esquina a cem metros de distância, na sombra.

Havia tantas pessoas perto da sala que Rin não conseguiu ver quando os pergaminhos foram afixados, mas soube que as notas tinham sido apresentadas porque, de repente, todos começaram a gritar. A multidão foi adiante, empurrando Rin e o Tutor Feyrik para seu interior.

O coração de Rin batia tão rápido que ela mal conseguia respirar. Não via nada além das costas das pessoas. Achou que fosse vomitar.

Quando enfim chegou perto do pergaminho, demorou a encontrar o próprio nome. Observou a metade inferior da lista, mal se atrevendo a respirar. Sem dúvida, não havia tirado uma nota boa o suficiente para ficar entre os dez melhores.

Mas não encontrou *Fang Runin* em lugar algum.

Só entendeu o que havia acontecido quando olhou para o Tutor Feyrik e percebeu que ele chorava.

Seu nome estava no topo do pergaminho. Ela não tinha ficado só entre os dez melhores. Tinha sido a melhor de todo o vilarejo. De toda a *província*.

Rin subornara um tutor. Roubara ópio. Queimara seus braços, mentira para os pais adotivos, abandonara suas responsabilidades na loja e rompera um acordo de casamento.

E iria para Sinegard.

CAPÍTULO 2

Da última vez que um estudante de Tikany foi aprovado em Sinegard, o magistrado do vilarejo deu uma festa de três dias. Serviçais passaram cestas cheias de bolinhos de doce de feijão e jarros de vinho de arroz pelas ruas. O novo acadêmico, que era seu sobrinho, partiu para a capital sob os vivas de camponeses bêbados.

Daquela vez, contudo, a nobreza de Tikany se sentia um tanto envergonhada por uma órfã que trabalhava numa loja ter sido a única a conquistar uma vaga em Sinegard. Diversos questionamentos anônimos foram enviados ao centro responsável pelo exame. Quando Rin apareceu na prefeitura para se matricular, foi detida por uma hora. Os fiscais tentaram extrair da garota uma confissão.

— É verdade — disse Rin. — Roubei as respostas do administrador do exame. Eu o seduzi com meu corpo jovem e núbil. Vocês me pegaram.

Não acreditavam que uma garota sem estudos formais fosse capaz de passar no Keju.

Ela lhes mostrou as cicatrizes das queimaduras.

— Não tenho nada para contar, porque não trapaceei. E vocês não têm provas. Eu estudei para o teste. Machuquei a mim mesma. Li até meus olhos arderem. Não podem me obrigar a confessar nada, porque estou dizendo a verdade.

— Pense bem nas consequências — rosnou a fiscal. — Compreende a gravidade da situação? Podemos anular sua nota e mandá-la para a cadeia. Você morreria antes de conseguir pagar todas as multas. Mas, se admitir sua culpa, podemos fazer tudo isso desaparecer.

— Não, considere *você* as consequências — rebateu Rin, com raiva. — Se anularem minha nota, estarão admitindo que uma simples *órfã que trabalha numa loja* foi esperta o suficiente para burlar seus famosos protocolos antitrapaça, o que dá no mesmo que admitir que vocês fazem um trabalho de merda. Aposto que o magistrado deixaria, de bom grado, vocês levarem a culpa por qualquer fraude que possa ter acontecido.

Uma semana depois, ela foi inocentada de todas as acusações. Oficialmente, o magistrado de Tikany anunciou que a nota tinha sido um "erro". Ele não afirmou que Rin havia trapaceado no teste, mas também não validou sua pontuação. Os fiscais pediram à garota que mantivesse sua partida do vilarejo por baixo dos panos, ameaçando mantê-la em Tikany caso não obedecesse.

Ela sabia que estavam blefando. A admissão na Academia de Sinegard era equivalente a uma convocação imperial. Qualquer obstrução — até por autoridades provincianas — tinha o peso de uma traição. Era por isso que os Fang também não podiam impedi-la de ir, mesmo querendo forçá-la a se casar.

Rin não precisava da aprovação de Tikany, de seu magistrado ou de seus nobres. Encontrara uma saída, iria embora, e era só isso que importava. Formulários foram preenchidos, e cartas, enviadas. Rin estava pronta para se matricular em Sinegard no início do mês seguinte.

A despedida dos Fang foi fácil. Ninguém sentia necessidade de fingir tristeza por se livrar um do outro.

Apenas Kesegi, seu irmão adotivo, demonstrou mágoa genuína.

— Não vá — implorou, prendendo-se ao manto de viagem de Rin.

Ela se ajoelhou e deu um abraço apertado no garoto.

— Eu precisaria deixá-lo de qualquer forma — explicou. — Se não fosse para Sinegard, seria para a casa de um marido.

Mas Kesegi não queria que a irmã partisse.

— Não me deixe aqui com *ela* — murmurou, desolado.

O estômago de Rin se revirou.

— Você vai ficar bem — sussurrou. — Você é menino. E é filho dela.

— Mas não é justo.

— É a vida, Kesegi.

Ele começou a choramingar. Rin se livrou dos braços que a apertavam e se levantou. O garoto tentou se agarrar à cintura dela, e Rin o empurrou com mais força do que pretendia. Kesegi cambaleou para trás, surpreso, e abriu o berreiro.

Rin deu as costas para seu rosto molhado de lágrimas, fingindo estar ocupada fechando a bolsa de viagem.

— Ah, cala essa boca — interveio Tia Fang.

Puxou a orelha de Kesegi até ele parar de chorar. Depois, fuzilou Rin com os olhos. A garota estava parada sob o batente, usando roupas simples de viagem. Como era final de verão, vestia uma túnica leve de algodão e sandálias que haviam sido remendadas duas vezes. Carregava seu único outro conjunto de roupas numa bolsa cheia de retalhos pendurada nos ombros. Lá dentro, também levava o tomo de Mengzi, alguns pincéis de caligrafia que recebera de presente do Tutor Feyrik e uma pequena algibeira com dinheiro. A bolsa continha todas as suas posses.

Tia Fang crispou os lábios.

— Sinegard vai destruir você.

— Vou correr esse risco — respondeu Rin.

Para o grande alívio de Rin, o escritório do magistrado lhe fornecera dois taéis para custear as passagens. O magistrado havia sido compelido pela convocação imperial a cobrir os custos da viagem. Com um tael e meio, ela e o Tutor Feyrik conseguiram comprar dois assentos na carroça de uma caravana que ia para o norte, rumo à capital.

— Nos dias do Imperador Vermelho, uma noiva podia usar o dote para viajar sozinha da ponta mais ao sul da Província do Galo até os picos mais distantes das montanhas Wudang, ao norte. — O Tutor Feyrik não conseguiu deixar de ensinar uma de suas lições ao subir na carroça. — Hoje em dia, um soldado solitário não consegue avançar três quilômetros.

Já fazia muito tempo que os guardas do Imperador Vermelho não patrulhavam as cordilheiras de Nikan. Percorrer as vastas estradas do Império desacompanhado era uma boa maneira de ser roubado, assassinado ou comido. Às vezes, as três coisas — e não necessariamente nessa ordem.

— Esse dinheiro não paga apenas o lugar na carroça — explicou o líder da caravana, embolsando as moedas. — Paga também os guarda-costas. Nossos homens são os melhores. Se encontrarmos a Ópera, vamos afugentá-los na mesma hora.

A Ópera do Junco Carmesim havia sido um culto religioso de bandidos e foras da lei famosos por suas tentativas de assassinar a Imperatriz após a Segunda Guerra da Papoula. O grupo agora não passava de um mito, mas permanecia bastante vivo na imaginação dos nikaras.

— A Ópera? — O Tutor Feyrik cofiou a barba, distraído. — Não ouço esse nome há anos. Eles ainda estão por aí?

— Aquietaram-se durante a última década, mas ouvi boatos de avistamentos nas montanhas Kukhonin. Se tivermos sorte, não veremos sinal deles. — O líder da caravana bateu no cinto. — Eu guardaria logo as malas, se fosse vocês. Quero partir antes que o dia fique mais quente.

A caravana passou três semanas na estrada, arrastando-se para o norte num ritmo lento demais para Rin. O Tutor Feyrik tentava distraí-la com relatos de suas aventuras em Sinegard décadas atrás, mas as descrições fascinantes da cidade só a deixavam mais impaciente.

— A capital ficava na base das montanhas Wudang. O palácio e a Academia foram construídos na encosta, mas o restante da cidade fica no vale. Às vezes, ao olhar além da mureta em dias de neblina, parece que se está acima das nuvens. O mercado da capital por si só é maior que toda Tikany. É possível se perder lá... há músicos tocando flautas de cabaça, vendedores de rua que escrevem seu nome com massa de panqueca antes de fritá-la, mestres calígrafos que pintam leques na sua frente por dois cobres. Falando nisso, precisamos trocar nossas moedas.

Ele deu tapinhas no bolso onde mantinha o dinheiro que sobrara.

— Não aceitam taéis e cobres no norte? — perguntou Rin.

O tutor deu uma risadinha.

— Você nunca pisou fora de Tikany mesmo, não é? Devem existir uns vinte tipos de dinheiro circulando no Império: cascos de tartaruga, búzios, lingotes de ouro, prata e cobre... Cada província tem a própria moeda, pois não confiam na burocracia imperial, e as províncias maiores têm duas ou três. O único dinheiro que todas aceitam são as moedas de prata sinegardianas padrão.

— Quantas dessas podemos conseguir com o que temos? — indagou Rin.

— Não muitas — respondeu ele. — Mas as taxas de câmbio vão piorar conforme nos aproximarmos da cidade, então é melhor trocá-las antes de sairmos da Província do Galo.

O Tutor Feyrik também tinha vários conselhos para dar sobre a capital:

— Nunca coloque o dinheiro no bolso de trás. Os ladrões de Sinegard são ousados e desesperados. Uma vez, peguei um menino no flagra, com a mão enfiada no meu bolso, e ele ainda tentou lutar pelo dinheiro. Todo mundo vai tentar vender coisas para você. Não olhe para os vendedores e finja não ter escutado nada, ou será perseguida pela rua inteira. São pagos para incomodar. E não beba nada barato. Se um homem estiver oferecendo licor de sorgo por menos de um lingote o jarro, não é álcool de verdade.

Rin ficou chocada.

— Como é possível falsificar álcool?

— Misturando licor de sorgo com metanol.

— Metanol?

— Destilado de madeira. É venenoso. Em grandes quantidades, pode deixar a pessoa cega. — O Tutor Feyrik cofiou a barba. — Falando nisso, é melhor manter distância do molho de soja dos vendedores de rua. Algumas barracas usam cabelo humano para simular o ácido do molho a um custo baixo. Ouvi dizer que também estão usando cabelo na massa de pão e de macarrão. Hum... talvez o ideal seja evitar a comida de rua. As panquecas de café da manhã, vendidas a dois cobres cada, são fritas em óleo de sarjeta.

— *Óleo de sarjeta?*

— Óleo que foi retirado da rua. Os restaurantes maiores jogam o óleo usado na sarjeta, então os vendedores de comida de rua pegam e reutilizam.

O estômago de Rin ficou embrulhado.

O Tutor Feyrik esticou o braço e puxou uma das tranças da garota.

— É melhor encontrar alguém para cortar seus cabelos antes de entrar na Academia.

Ela levou as mãos às tranças, frustrada.

— As sinegardianas não usam cabelos compridos?

— As sinegardianas são tão vaidosas que passam ovo cru nos cabelos para manter o brilho. Meu conselho não tem nada a ver com estética. Não quero ninguém arrastando você pelas vielas. Não teríamos notícias suas até que aparecesse num bordel, meses depois.

Rin encarou as próprias tranças com relutância. Sua pele escura e sua magreza a impediam de ser considerada uma beldade, mas sempre achara que o cabelo longo e grosso era uma de suas melhores características.

— Preciso mesmo?

— Provavelmente vão obrigar você a cortar o cabelo na Academia, de qualquer forma — explicou o Tutor Feyrik. — E vão cobrar por isso. Os barbeiros sinegardianos não são baratos. — Ele cofiou a barba, pensando em mais conselhos. — Tome cuidado com dinheiro falso. Dá para saber que uma prata não é imperial se cair dez vezes seguidas com o lado do Imperador Vermelho para cima. Se vir uma pessoa deitada sem nenhum machucado visível, não ajude. Ela vai dizer que você a empurrou, levá-la aos tribunais e processá-la até tirar seu último tostão. E fique longe das casas de aposta. — Sua voz ficou mais grave. — Aquele pessoal não está para brincadeira.

Rin começava a entender por que o Tutor Feyrik saíra de Sinegard.

Mas nada que ele dissesse poderia diminuir sua animação. Na verdade, aquilo só a deixava mais impaciente para chegar logo. Rin não seria uma forasteira na capital. Não comeria comida de rua nem viveria nas áreas pobres da cidade. Não teria que lutar por restos ou roubar moedas para se alimentar. Já havia assegurado um lugar para si mesma. Era aluna da instituição de ensino mais prestigiosa do Império. Isso certamente a isolaria dos inúmeros perigos de Sinegard.

Naquela noite, Rin cortou as próprias tranças com uma faca enferrujada que pegara com um dos guarda-costas da caravana. Posicionou a lâmina o mais perto que se atrevia das orelhas, então a moveu para a frente e para trás até o cabelo se partir. Levou mais tempo do que tinha imaginado. Quando terminou, encarou as duas tranças grossas que repousavam em seu colo.

Rin havia cogitado levá-las consigo, mas naquele momento não conseguia ver nenhum valor sentimental nelas. Não passavam de tufos de cabelo morto. Sequer daria para vendê-las no norte: o cabelo sinegardiano era famoso por ser fino e sedoso, e ninguém ia querer as tranças grosseiras de uma camponesa de Tikany. Então, jogou-as pela lateral da carroça e as observou cair na estrada empoeirada.

Ela estava prestes a enlouquecer de tédio quando a caravana chegou à capital.

Conseguiu ver o famoso Portão Leste de Sinegard a quilômetros de distância: uma muralha cinzenta e imponente, coberta por um pagode de três andares, com um brasão dedicado ao Imperador Vermelho: *Força Eterna, Harmonia Eterna*.

Rin achou aquilo irônico para um país que havia passado mais tempo em guerra do que em paz.

Ao se aproximar dos portões arredondados, a caravana parou.

A garota esperou. Nada aconteceu.

Depois de vinte minutos, o Tutor Feyrik colocou a cabeça para fora da carroça e chamou o guia.

— O que houve?

— Tem uma contingência da Federação à frente — explicou o homem. — Vieram aqui por causa de uma disputa de fronteira. As armas estão sendo analisadas no portão, ainda vai demorar um tempo.

Rin se levantou.

— Aqueles são soldados da Federação?

Ela nunca tinha visto soldados da Federação antes. Ao final da Segunda Guerra da Papoula, todos os cidadãos de Mugen foram expulsos das áreas ocupadas: ou mandados de volta para casa, ou realocados para escritórios menores de comércio e serviços diplomáticos. Para os nikaras nascidos após a ocupação, os soldados eram espectros da história moderna: sempre presentes nas fronteiras, uma ameaça sem rosto que nunca desvaneceu.

O Tutor Feyrik agarrou o pulso de Rin antes que ela pudesse sair da carroça.

— Volte aqui.

— Mas eu quero ver!

— Não quer, não. — O tutor agarrou seus ombros. — Você *nunca* quer ver os soldados da Federação. Se cruzar o caminho deles... se acharem que você os *olhou* estranho... podem e vão machucá-la. Os soldados ainda têm imunidade diplomática. Não se importam com nada. Entendeu?

— Nós *ganhamos* a guerra — insistiu Rin. — A ocupação acabou.

— *Quase* não ganhamos a guerra. — Ele a forçou de volta ao assento. — E existe uma razão para todos os professores de Sinegard estarem preocupados em ganhar a próxima.

Alguém gritou uma ordem na frente da caravana. Rin sentiu um solavanco, e começaram a se mover. Ela se inclinou sobre a lateral da carroça, tentando ver o que havia adiante, mas só conseguiu vislumbrar um uniforme azul desaparecendo pelos portões pesados.

Então, finalmente, atravessaram o portal.

O mercado no centro da cidade atacava os sentidos. Rin nunca havia visto tantas pessoas ou *coisas* num só lugar ao mesmo tempo. Logo se viu envolta pelos gritos ensurdecedores de clientes negociando preços, as cores vivas de novelos de seda em mostruários enormes e os odores pungentes de durião e pimenta-do-reino saindo das grelhas portáteis.

— As mulheres daqui são tão *brancas* — constatou Rin, impressionada. — Como as garotas pintadas nos murais.

Conforme avançavam rumo ao norte, os tons de pele que Rin via da caravana haviam se movido pelo gradiente de cores. A garota sabia que os habitantes das províncias do norte eram manufaturadores e homens de negócios, cidadãos de classe e recursos que não trabalhavam nos campos como os fazendeiros de Tikany. Mas não imaginara diferenças tão pronunciadas.

— São pálidos como cadáveres — desdenhou o Tutor Feyrik. Quando duas mulheres com sombrinhas o acertaram no rosto sem querer, ele resmungou com irritação: — Morrem de medo do sol.

Rin logo descobriu que Sinegard possuía uma habilidade ímpar de fazer os recém-chegados se sentirem extremamente indesejados.

O Tutor Feyrik tinha razão: todos na cidade queriam dinheiro. Vendedores bradavam sem parar de todas as direções. Antes mesmo de Rin descer da carroça, um homem correu em sua direção e se ofereceu para carregar as malas deles — duas bolsas de viagem pateticamente leves — por apenas oito pratas imperiais.

Rin hesitou. Aquele valor era quase um quarto do que pagaram por um lugar na caravana.

— Eu me-mesmo carrego — gaguejou ela, afastando a bolsa dos dedos vorazes do homem. — Sério, não precisa... larga!

Eles se livraram do carregador, mas foram atacados por uma multidão. Cada pessoa oferecia um serviço braçal diferente:

— Riquixá? Precisam de um riquixá?

— Garotinha, está perdida?

— Não, só estamos tentando encontrar a escola... — explicou Rin.

— Eu posso levá-los até lá, é baratinho, cinco lingotes, só cinco...

— Sumam daqui! — ordenou o Tutor Feyrik. — Não precisamos dos seus serviços.

Os urubus voltaram para o mercado.

Até mesmo o dialeto da capital deixava Rin desconfortável. O nikara sinegardiano era áspero, apressado e curto, independente do contexto. O Tutor Feyrik precisou pedir informações sobre o campus para três desconhecidos até entender uma das respostas.

— Você não morou aqui? — questionou Rin, intrigada.

— Não desde a ocupação — resmungou ele. — É fácil se esquecer de uma língua quando para de usá-la.

Aquilo fazia sentido, supôs a garota. Ela mesma estava achando o dialeto quase indecifrável. Ao que parecia, cada palavra precisava ser encurtada, com um *r* brusco acrescentado ao final. Em Tikany, as falas eram lentas e articuladas. Os sulistas prolongavam as vogais, deixavam as palavras rolar pela língua como mingau de arroz. Pelo visto, em Sinegard, ninguém tinha tempo de terminar o que dizia.

Mesmo com as orientações, as ruas continuavam tão incompreensíveis quanto o dialeto. Sinegard era a cidade mais antiga do país, e as diversas mudanças de poder ao longo dos séculos marcavam sua arquitetura. Havia prédios recém-construídos e outros caindo aos pedaços, símbolos de regimes que havia muito ruíram. Nos distritos ao leste ficavam as torres em espiral dos antigos invasores das Terras Remotas do norte. A oeste, edifícios quadrados se apertavam, um resquício da ocupação da Federação durante as Guerras da Papoula. Era o retrato de uma nação com diversos soberanos, todos representados numa única cidade.

— Você sabe para onde estamos indo? — questionou Rin, depois de vários minutos caminhando ladeira acima.

— Vagamente. — O Tutor Feyrik suava em bicas. — Isso virou um labirinto desde que morei aqui. Quanto dinheiro você ainda tem?

Ela pegou a algibeira e contou.

— Um cordão e meio de prata.

— Deve ser mais que suficiente. — O Tutor Feyrik enxugou a testa com o manto. — Por que não aproveitamos e pegamos um riquixá?

Ele ergueu o braço. Quase na mesma hora, um homem puxando um riquixá atravessou a estrada de terra e parou na frente deles.

— Para onde? — perguntou, arfando.

— Para a Academia — respondeu o tutor.

Ele jogou as malas na parte de trás do riquixá e ocupou seu assento. Rin agarrou as laterais do veículo e estava prestes a subir quando ouviu um grito agudo. Assustada, ela se virou.

Havia uma criança caída no meio da estrada. A metros de distância, uma carruagem puxada por um cavalo tinha perdido o rumo.

— Você atropelou aquela criança! — gritou Rin. — Ei, *pare*!

O condutor puxou as rédeas do cavalo, e a carruagem derrapou até parar. O passageiro colocou a cabeça para fora do veículo, vendo a criança esparramada pela rua. Como que por um milagre, ela se levantou. Sangue escorria por sua testa. Ela tocou a cabeça com dois dedos e depois encarou a própria mão, tonta.

O passageiro se inclinou para a frente e gritou uma ordem para o condutor. Rin não conseguiu entender.

A carruagem fez uma curva devagar. Por um instante absurdo, Rin pensou que o condutor fosse oferecer uma carona à criança. Mas então ouviu o estalo de um chicote.

A criança cambaleou e tentou fugir.

Rin gritou em meio ao som dos cascos batendo.

O Tutor Feyrik esticou a mão e deu tapinhas no ombro do condutor do riquixá.

— Vai. *Vai!*

O homem aumentou a velocidade, levando-os cada vez mais rápido pelas ruas esburacadas até deixarem os berros dos transeuntes para trás.

— O condutor da carruagem foi esperto — comentou o Tutor Feyrik, enquanto se agitavam pela estrada irregular. — Se tivesse deixado a criança paraplégica, teria que pagar pensão pelo resto da vida. Mas, ao matá-la, só precisará pagar o funeral uma vez. E apenas se for pego. Portanto, após um atropelamento, é melhor garantir que a vítima morra.

Rin se segurou na lateral do veículo e tentou não vomitar.

Sinegard era sufocante, confusa e assustadora.

Mas não havia palavras para descrever a beleza da Academia.

Quando o condutor do riquixá parou no sopé das montanhas nos limites da cidade, Rin deixou as malas sob os cuidados do Tutor Feyrik e correu até o portão da escola, sem ar.

Passara semanas imaginando como seria subir aqueles degraus. O país inteiro conhecia a aparência da Academia de Sinegard, graças aos pergaminhos com sua imagem pendurados em paredes por todo o território de Nikan.

Mas as pinturas não chegavam nem perto de retratar o campus. Um sinuoso caminho de pedras espiralava ao redor da montanha, rumo a um complexo de pagodes construídos em terrenos cada vez mais altos. No ponto mais elevado, ficava um santuário com uma torre, onde havia um dragão de pedra empoleirado, o símbolo do Imperador Vermelho. Ao lado do santuário, uma cachoeira reluzente se derramava como um véu de seda.

A Academia parecia um palácio para os deuses. Era como se tivesse saído de uma lenda. E seria seu lar pelos próximos cinco anos.

Rin estava atônita.

Um estudante mais velho, que se apresentou como Tobi, levou Rin e o Tutor Feyrink para conhecer o lugar. O garoto era alto, careca e usava um manto preto com uma braçadeira vermelha. Sua expressão, de profundo desdém, indicava que ele preferiria estar fazendo qualquer outra coisa naquele momento.

Uma mulher magra e atraente se juntou ao grupo. A princípio, confundiu o Tutor Feyrik com um carregador de malas. Então, ao perceber o engano, pediu desculpas sem demonstrar um pingo de vergonha. Seu filho tinha belos traços, e seria considerado bonito se não fosse o olhar rancoroso.

— A Academia foi construída sobre um antigo monastério — explicou Tobi, acenando para que o seguissem pelos degraus de pedra até o primeiro patamar. — Os templos e locais de oração foram convertidos em salas de aula quando o Imperador Vermelho uniu os povos de Nikan. Os estudantes do primeiro ano são responsáveis pela faxina, então vocês logo estarão familiarizados com esses edifícios. Venham, tentem me acompanhar.

Nem mesmo a falta de entusiasmo de Tobi conseguia diminuir a beleza da Academia, por mais que ele tentasse. O garoto avançava pelas escadas de pedra de forma rápida e prática, sem se dar ao trabalho de checar se os convidados conseguiam segui-lo. Rin ficou para trás para ajudar um ofegante Tutor Feyrik a subir os degraus perigosamente estreitos.

Havia sete patamares na Academia. Cada curva no caminho rochoso revelava um novo complexo de construções e quadras, enfeitadas com árvores exuberantes que tinham sido cultivadas com cuidado por séculos. Um riacho cortava a lateral da montanha, dividindo o campus em dois.

— A biblioteca fica ali. O refeitório é por aqui. Os novos alunos moram no patamar mais baixo. Lá em cima ficam os aposentos dos mestres. — Tobi apontava para vários edifícios de pedra exatamente iguais.

— E aquele ali? — perguntou Rin, indicando um prédio de aparência importante próximo ao riacho.

Os lábios de Tobi se curvaram para cima.

— É a casinha, garota.

O menino bonito riu baixinho. Rin fingiu estar absorta com a vista, suas bochechas corando.

— De onde você vem, aliás? — questionou Tobi num tom não muito amigável.

— Da Província do Galo — murmurou Rin.

— Ah. Do sul. — O tom de voz de Tobi dava a entender que aquilo explicava tudo. — Imagino que prédios com mais de um andar sejam novidade para você, mas tente não ficar tão impressionada.

Após os formulários de matrícula de Rin serem verificados e arquivados, já não havia mais razão para o Tutor Feyrik permanecer ali. Os dois se despediram em frente aos portões da escola.

— Entendo se estiver com medo — garantiu ele.

Rin engoliu o enorme nó na garganta e cerrou os dentes. Sentia a cabeça zumbir, e sabia que uma represa de lágrimas se romperia caso não a suprimisse.

— Não estou com medo — insistiu.

O tutor sorriu gentilmente.

— Claro que não.

Rin correu para abraçá-lo, enterrando a face na túnica do tutor para que ninguém a visse chorar. Ele deu tapinhas em seu ombro.

A garota havia atravessado o país até um lugar com o qual sonhara por anos, apenas para se deparar com uma cidade confusa e hostil que desprezava sulistas. Não tinha uma casa de verdade em Tikany ou Sinegard. Para onde quer que fosse, para onde quer que fugisse, sempre seria apenas uma órfã de guerra que não se encaixava.

Sentia-se terrivelmente sozinha.

— Não quero que vá embora — confessou ela.

O sorriso do Tutor Feyrik se desfez.

— Ah, Rin.

— Odeio este lugar — desabafou de repente. — *Odeio* esta cidade. O jeito que falam... aquele aluno idiota... é como se achassem que eu não deveria estar aqui.

— É claro que acham isso — respondeu o tutor. — Você é uma órfã de guerra. Vem do sul. Não deveria ter passado no Keju. Os governantes gostam de dizer que o Keju faz de Nikan uma meritocracia, mas o sistema foi planejado para manter os pobres e analfabetos em seu devido lugar. Você os ofende com sua mera presença.

Ele a pegou pelos ombros e se curvou de leve para que os olhos dos dois ficassem no mesmo nível.

— Rin, escute. Sinegard é uma cidade cruel. A Academia será ainda pior. Você estudará com os filhos dos poderosos. Crianças que começaram a treinar artes marciais antes mesmo de conseguirem andar. Farão de você uma intrusa, porque não é como eles. E *tudo bem*. Não deixe que nada disso a desencoraje. Não importa o que digam, *você merece estar aqui*. Entendeu?

A garota assentiu.

— Seu primeiro dia de aula será um soco no estômago — continuou o Tutor Feyrik. — O segundo provavelmente será ainda pior. Você verá que as aulas são mais difíceis do que o pior momento em que estudou para o Keju. Mas, se existe alguém capaz de sobreviver a tudo isso, é você. Não se esqueça do que teve que fazer para chegar aqui.

Ele endireitou as costas.

— E nunca mais volte para o sul. Você é melhor que aquilo lá.

Enquanto o homem se afastava, Rin apertou as laterais do nariz, tentando conter as lágrimas. Não podia chorar na frente dos novos colegas.

Ela estava sozinha, sem um amigo sequer, numa cidade cuja língua mal falava, numa escola que já não tinha tanta certeza de que queria frequentar.

Ele leva você até o altar. É velho, gordo e cheira a suor. Ele olha para você e lambe os beiços...

Rin estremeceu, fechando bem os olhos, então voltou a abri-los.

Sinegard era assustadora e desconhecida. Mas e daí? Ela não tinha outro lugar para ir.

Então levantou a cabeça e passou pelos portões da escola.

Ali era melhor. Não importava o que acontecesse, Sinegard era mil vezes melhor do que Tikany.

— E aí ela perguntou se a casinha era uma sala de aula — contava uma voz a distância, no final da fila de matrícula. — Você tinha que ter visto as roupas dela.

Rin sentiu um arrepio no pescoço. Era o mesmo garoto de antes.

Ele era bonito, impossivelmente bonito, com olhos grandes e amendoados e uma boca esculpida que mantinha a beleza até com uma expressão de desdém. Sua pele era branca como porcelana, do jeito que as sinegardianas fariam de tudo para ter, e seu cabelo sedoso era quase tão longo quanto o de Rin havia sido.

Os olhares dos dois se cruzaram, mas o rapaz sorriu e continuou a falar alto como se não a tivesse visto.

— Sabe, aposto que o professor dela é um daqueles fracassados gagás que não conseguem arranjar um emprego na cidade, então passam a vida inteira tentando tirar um dinheirinho dos magistrados do interior. Achei que o homem fosse morrer subindo a montanha, não parava de ofegar.

Durante os anos com os Fang, Rin aguentara muitos abusos verbais. As injúrias daquele garoto mal a perturbavam. Mas ouvi-lo menosprezar o Tutor Feyrik... o homem que a livrara de Tikany, que a salvara de um futuro horrível com um casamento forçado... era imperdoável.

Então Rin deu dois passos e socou a cara dele.

O impacto do seu pulso na cavidade ocular do garoto produziu um estalo agradável. Ele cambaleou para trás, caindo sobre os estudantes ao redor, e por pouco não foi ao chão.

— Sua *puta*! — gritou.

Ele se endireitou e avançou em direção a Rin. Ela ergueu os punhos.

— Parem!

Um aprendiz com manto escuro se colocou entre os dois, esticando os braços para mantê-los afastados. Mesmo assim, o garoto tentou alcançá-la. O aprendiz agarrou seu pulso e o torceu para trás.

Ele parou, imobilizado.

— Não conhecem as regras? — O tom de voz do aprendiz era baixo, calmo e controlado. — É proibido lutar.

O garoto não disse nada, a boca assumindo uma expressão de desdém mal-humorado. Rin conteve uma vontade repentina de chorar.

— Seus nomes? — questionou o aprendiz.

— Fang Runin — respondeu ela, rápido, apavorada.

Estavam encrencados? Ela seria expulsa?

O garoto tentou se desvencilhar do aprendiz, que apenas intensificou a torção.

— Seu nome? — perguntou outra vez.

— Yin Nezha — revelou o garoto, contrariado.

— Yin? — O aprendiz o soltou. — Por que o herdeiro bem-criado da Casa de Yin está brigando num corredor?

— Ela me deu um soco na cara! — gritou Nezha.

Um machucado feio começava a aparecer em seu olho esquerdo, uma mancha arroxeada e viva em sua pele de porcelana.

O aprendiz se voltou para Rin e ergueu uma sobrancelha.

— E por que fez isso?

— Ele insultou meu professor.

— É mesmo? Bem, essa é nova. — O aprendiz parecia estar se divertindo. — Não ensinaram você a não ofender professores? É tabu.

— Vou *matar* você — rosnou Nezha. — Vou *matar* você.

— Ah, cale a boca. — O aprendiz fingiu um bocejo. — Vocês estão numa academia militar. Terão muitas oportunidades de matar um ao outro. Mas deixem isso para depois da aula introdutória, está bem?

CAPÍTULO 3

Rin e Nezha foram os últimos a entrar no salão principal, que originalmente havia sido um templo no terceiro patamar da montanha. Embora o espaço não fosse tão grande, seu interior esparso e escuro dava a ilusão de ser mais amplo, fazendo os alunos em seu interior se sentirem menores do que de fato eram. Rin supôs que aquele fosse o efeito desejado tanto na presença de deuses quanto de professores.

A turma de calouros, não mais que cinquenta ao todo, estava de joelhos em fileiras de dez. Remexiam as mãos no colo, piscavam e olhavam ao redor em uma ansiedade silenciosa. Acomodados ao redor, os aprendizes conversam uns com os outros e soltavam gargalhadas, com o intuito de deixar os calouros desconfortáveis.

Instantes após Rin se ajoelhar, as portas duplas do salão se abriram e uma mulher pequenina, menor que o mais baixo dos primeiranistas, entrou. Ela tinha a forma de caminhar típica dos soldados: precisa, controlada e com as costas retas.

Cinco homens e uma mulher, todos usando mantos marrom-escuros, a seguiram e formaram uma fileira atrás dela, com as mãos entrelaçadas dentro das mangas. Os aprendizes fizeram silêncio e se levantaram, com as mãos às costas e cabeças inclinadas numa pequena mesura. Rin e os outros calouros pegaram a deixa e se ergueram rapidamente.

A mulher os observou por um momento. Então, com um gesto, indicou que podiam se sentar. Sua voz atravessou o cômodo como uma lâmina, precisa e fria:

— Bem-vindos a Sinegard. Meu nome é Jima Lain. Sou a grã-mestra desta escola, comandante das Forças da Reserva Sinegardianas e antiga comandante do Exército Imperial Nikara.

Jima indicou as seis pessoas às suas costas.

— Estes são os mestres da Academia. Serão seus instrutores durante o primeiro ano e, ao final desse período, decidirão se aceitam vocês como aprendizes.

Os mestres eram solenes, um mais imponente do que o outro, e não sorriam. Cada um usava uma faixa de cor diferente na cintura: vermelho, azul, roxo, verde e laranja.

Todos, exceto o homem à esquerda de Jima. Ele não usava faixa. Seu manto também era diferente: sem bordado nas bordas ou a insígnia do Imperador Vermelho costurada no lado direito do peito. Estava vestido como se tivesse se esquecido da aula introdutória e colocado uma capa marrom qualquer no último segundo.

Seu cabelo era do mesmo tom de branco puro da barba do Tutor Feyrik, mas o mestre não chegava nem perto de ter a idade do tutor. Seu rosto, desalinhado de uma maneira curiosa, não parecia jovem, mas era impossível estimar sua idade. Enquanto Jima discursava, ele enfiou o mindinho no ouvido e então examinou o que retirara de lá.

De repente, ele olhou para cima, viu que Rin o observava e abriu um sorriso.

Ela desviou o olhar.

— Vocês estão aqui porque obtiveram os melhores resultados do Keju no país — prosseguiu Jima, com um gesto abrangente e magnânimo. — Conseguiram derrotar milhares de pupilos pela honra de estudar nesta instituição. Parabéns.

Os calouros se entreolharam de maneira envergonhada, sem saber se deveriam celebrar ou não. Palmas tímidas soaram pelo salão.

Jima sorriu.

— No ano que vem, um quinto de vocês não estará mais aqui.

O silêncio foi palpável.

— Sinegard não dispõe de tempo ou de recursos necessários para treinar cada criança que sonha com a glória militar. Até camponeses analfabetos podem se tornar soldados. Porém, aqui não treinamos soldados. Treinamos *generais*. Treinamos as pessoas que guardam o futuro do Império nas mãos. Portanto, se eu decidir que um de vocês não é mais digno de nosso tempo, eu o convidarei a se retirar.

A grã-mestra os encarou e prosseguiu:

— Percebam que não lhes daremos a opção de escolher uma área de estudos. Não acreditamos que essa decisão caiba aos estudantes. Ao final do primeiro ano, vocês serão avaliados de acordo com a proficiência em cada uma das linhas de ensino: Combate, Estratégia, História, Armamentos, Linguística e Medicina.

— E Folclore — interveio o mestre de cabelos brancos.

Jima piscou o olho esquerdo, um tique nervoso.

— E Folclore. Se, nos Testes de fim de ano, os mestres os considerarem dignos de uma das linhas de ensino, vocês terão permissão para continuar em Sinegard como aprendizes.

Jima indicou os estudantes mais velhos. Só então Rin percebeu que as braçadeiras deles combinavam com a cor das faixas dos respectivos mestres.

— Se nenhum mestre aceitá-lo como aprendiz, você será convidado a deixar a Academia. A taxa de permanência de calouros costuma ser de oitenta por cento. Olhem ao redor. Isso significa que, no ano que vem, duas pessoas da sua fileira não estarão mais aqui.

Rin olhou para os lados, tentando conter uma onda crescente de pânico. Tinha pensado que entrar em Sinegard era garantia de um teto pelos próximos cinco anos, talvez até de uma carreira estável depois.

Não sabia que poderia ser mandada de volta para casa após alguns meses.

— Cortamos por necessidade, não por crueldade. Nossa missão é treinar apenas a elite, os melhores entre os melhores. Não temos tempo a perder com diletantes. Deem uma boa olhada nos seus colegas. Eles se tornarão seus melhores amigos, mas também seus maiores rivais. Estarão competindo para permanecer aqui. Acreditamos que, dessa forma, aqueles com talento serão reconhecidos, e aqueles sem talento voltarão para casa. Se fizer por merecer um lugar aqui, estará presente no ano que vem como aprendiz. Caso contrário... bem, nem deveria ter vindo para cá.

Jima parecia estar olhando direto para Rin.

— Por último, um aviso. Não tolero drogas neste campus. Se tiverem um grama sequer de ópio, ou se forem encontrados a dez *passos* de qualquer substância ilegal, serão expulsos da Academia e enviados para a prisão de Baghra.

A grã-mestra lançou um último olhar severo aos alunos, então os dispensou com um gesto.

— Boa sorte.

Raban, o aprendiz que interrompera a briga de Rin e Nezha, levou-os até os dormitórios no patamar mais baixo.

— Como calouros, vocês serão responsáveis pela faxina a partir da semana que vem — explicou, caminhando de costas para poder encarar os alunos. Sua voz era gentil e relaxante, um tom que Rin ouvira os médicos do vilarejo usarem antes de amputar membros. — O primeiro sino toca ao nascer do sol, e as aulas começam meia hora depois. Cheguem ao refeitório antes disso ou vão perder o desjejum.

Os garotos ocupavam o maior prédio do campus, uma estrutura de três andares que parecia ser muito posterior à tomada do terreno dos monges pela Academia. A dependência das mulheres era minúscula em comparação, uma construção esparsa de um único andar que antes tinha sido uma sala de meditação.

Rin imaginara que o dormitório estaria desconfortavelmente lotado, mas apenas duas camas possuíam sinais de habitação.

— Na verdade, três garotas no mesmo ano é um recorde — comentou Raban, antes de se retirar para que elas se acomodassem. — Os mestres ficaram chocados.

Sozinhas no dormitório, as três analisaram umas às outras com cautela.

— Meu nome é Niang — disse a garota à esquerda de Rin. Tinha um rosto redondo e amigável, e falava com um sotaque cadenciado que denunciava sua ascendência nortista, embora não chegasse nem perto de ser tão indecifrável quanto o dialeto sinegardiano. — Sou da Província da Lebre.

— Muito prazer — respondeu a outra, de forma embolada, enquanto inspecionava os lençóis. Esfregou o fino material entre os dedos, fez uma careta e largou o tecido. — Venka — falou, mal-humorada. — Sou da província do Dragão, mas cresci na capital.

Venka tinha a típica beleza sinegardiana: era pálida e tão fina quanto um galho de salgueiro. Rin se sentia grosseira ao lado dela.

Então percebeu que ambas a encaravam com expectativa.

— Rin — apresentou-se. — Diminutivo de Runin.

— *Runin*. — Venka mutilou o nome com seu sotaque sinegardiano, as sílabas passando pela boca como se fossem uma comida ruim. — Que *tipo* de nome é esse?

— É sulista — explicou Rin. — Sou da Província do Galo.

— Por isso que sua pele é tão escura — comentou Venka, franzindo os lábios. — Marrom como estrume de vaca.

As narinas de Rin se alargaram.

— Eu peguei sol. Você deveria experimentar qualquer hora dessas.

Como o Tutor Feyrik avisara, as aulas se mostraram intensas de imediato. O treinamento de artes marciais começou no pátio do segundo patamar logo após a aurora do dia seguinte.

— O que é isso? — O instrutor de Combate com a faixa vermelha, o Mestre Jun, observou a turma amontoada com uma expressão de desgosto. — Formem filas. Fileiras retas. Parem de se aglomerar como galinhas assustadas.

Jun tinha sobrancelhas pretas bastante grossas, que quase se encontravam no meio da testa e repousavam em seu rosto bronzeado como nuvens de tempestade sobre uma carranca permanente.

— Costas retas. — Sua voz combinava com o rosto: ríspida e implacável. — Olhos para a frente. Braços para trás.

Rin se esforçava para copiar a posição dos colegas. Sua coxa esquerda formigava, mas não se atreveu a coçá-la. Percebeu, tarde demais, que precisava mijar.

Jun caminhou até a frente do pátio, satisfeito ao ver os alunos posicionados da forma mais desconfortável possível. Parou na frente de Nezha.

— O que houve com seu rosto?

O garoto desenvolvera um hematoma espetacular no olho esquerdo, uma mancha violeta-clara no semblante, de outra forma, perfeito.

— Entrei numa briga — murmurou Nezha.

— Quando?

— Noite passada.

— Que sorte — comentou Jun. — Se tivesse sido um pouco depois, eu expulsaria você.

O mestre levantou a voz para falar com a turma.

— A primeira e mais importante regra nesta aula é: não sejam irresponsáveis. As técnicas que vão aprender aqui são letais. Se aplicadas de forma incorreta, podem causar machucados sérios em você e no seu parceiro de treino. Se lutarem de forma irresponsável, serão suspensos da minha turma e pressionarei para que sejam expulsos de Sinegard. Entenderam?

— Sim, senhor! — responderam em coro.

Nezha virou o rosto para lançar a Rin um olhar de puro veneno. Ela fingiu não perceber.

— Quem já treinou artes marciais? — perguntou Jun. — Levantem as mãos.

Praticamente toda a turma se manifestou. Rin olhou ao redor em pânico. Tantos assim haviam treinado artes marciais antes da Academia? *Onde* haviam treinado? Quão adiantados estavam em relação a ela? Será que conseguiria acompanhá-los?

Jun apontou para Venka.

— Por quantos anos?

— Doze — respondeu a garota. — Treinei o estilo de Punho Gentil.

Rin arregalou os olhos. Venka começara a treinar pouco depois de aprender a andar.

Jun indicou um boneco de madeira.

— Chute crescente para trás. Arranque a cabeça.

Arranque a cabeça? Rin encarou o boneco, em dúvida. A cabeça e o torso haviam sido entalhados no mesmo bloco de madeira. A cabeça não era atarraxada, estava conectada firmemente ao corpo.

Venka, no entanto, parecia serena. Ela posicionou os pés, analisou o boneco, então levou a perna para trás num golpe rápido que fez o pé atravessar o ar num arco preciso e gracioso.

A garota acertou a cabeça do boneco e a arrancou, fazendo-a voar pelo pátio até bater na quina da parede e rolar para um canto.

O queixo de Rin caiu.

Jun assentiu levemente, aprovando o golpe, e dispensou Venka. Ela retomou seu lugar na fileira, satisfeita.

— Como ela fez isso? — perguntou o mestre.

Mágica, pensou Rin.

Jun parou na frente de Niang.

— Você. Você parece embasbacada. Como acha que ela fez isso?

A garota piscou, nervosa.

— *Ki*?

— E o que é isso?

Niang corou.

— Hã. Energia interior. Energia espiritual?

— Energia espiritual — repetiu o Mestre Jun. Então bufou. — Tolice de caipiras. Aqueles que elevam o *ki* a algo misterioso ou sobrenatural fazem um grande desserviço às artes marciais. O *ki* não passa de energia comum. A mesma energia que flui pelos pulmões e pelas veias. A mesma energia que faz os rios correrem e o vento soprar.

Ele apontou para a torre do sino no quinto patamar.

— Dois serviçais instalaram um novo sino de ferro fundido no ano passado. Sozinhos, nunca teriam conseguido carregar o sino até lá. Mas com cordas posicionadas nos lugares certos, dois homens de força normal foram capazes de erguer algo muito mais pesado do que eles. Esse princípio funciona de maneira oposta nas artes marciais. Cada pessoa tem uma quantidade limitada de energia no corpo. Nenhum acúmulo de treino vai lhe permitir realizar feitos super-humanos. No entanto, com disciplina, além de saber onde e quando atacar...

Jun acertou o punho no torso do boneco, estilhaçando-o e formando um círculo perfeito de lascas ao redor de sua mão.

Quando o mestre recolheu o braço, o peito do boneco se desfez em pedacinhos e caiu no chão.

— ... é possível fazer o que seres humanos comuns *pensam* ser impossível. As artes marciais são ação e reação. Ângulos e trigonometria. O volume certo de força aplicada num vetor apropriado. Os músculos se contraem e aplicam força, que é dissipada no alvo. Se aumentarem a massa corporal, poderão aplicar mais força. Se praticarem as técnicas certas, a força será mais concentrada e eficiente. As artes marciais não são mais complexas do que a física pura. Se isso os deixa confusos, então aceitem os conselhos dos grão-mestres. Não façam perguntas. Apenas obedeçam.

A aula de História foi uma lição de humildade. Corcunda e careca, o Mestre Yim começou a expor os maiores fracassos militares de Nikan antes mesmo de todos os alunos entrarem em classe.

— No século passado, o Império lutou cinco guerras — dizia Yim. — E perdemos todas. É por isso que chamamos esse período de Era da Humilhação.

— Que animador — murmurou um garoto de cabelo cacheado na frente da sala.

Se Yim o ouviu, não esboçou reação. O mestre indicou um mapa do hemisfério oriental desenhado num pergaminho.

— Este país costumava ocupar metade do continente sob o jugo do Imperador Vermelho. O Antigo Império Nikara foi o berço da civilização moderna. O centro do mundo. Todas as invenções tiveram origem na Antiga Nikan, como a bússola, a prensa tipográfica e o forno siderúrgico. Delegações nikaras levaram cultura e métodos de boa governança para as ilhas de Mugen, a leste, e para Speer, ao sul. Mas impérios caem. E o velho império foi vítima do próprio esplendor. Com a sequência de vitórias na expansão para o norte, os líderes militares regionais começaram a lutar uns contra os outros. A morte do Imperador Vermelho deu início a uma série de batalhas de sucessão sem resolução clara. E, assim, Nikan foi dividida nas Doze Províncias, cada uma comandada por um líder. Durante a maior parte da história recente, os líderes regionais só se preocuparam em guerrear entre si. Até...

— ... as Guerras da Papoula — completou o menino de cabelo cacheado.

— Exato. As Guerras da Papoula. — Yim indicou um país na fronteira de Nikan, uma pequena ilha com formato de arco. — Sem aviso, o irmão menor de Nikan a leste, seu antigo estado tributário, apontou uma adaga para o país que o civilizou. O que aconteceu depois, com certeza, vocês sabem.

Niang ergueu a mão.

— Por que a relação entre Nikan e Mugen azedou? A Federação era um estado tributário pacífico na época do Imperador Vermelho. O que houve? O que queriam de nós?

— A relação nunca foi pacífica — corrigiu Yim. — E não é até hoje. Mugen sempre quis mais, mesmo quando era um país vassalo. A Federação é uma nação ambiciosa que cresce rápido, com uma população protuberante numa ilha minúscula. Imagine um país altamente militarizado com mais gente do que a própria terra consegue sustentar, sem ter para onde se expandir. Imagine que seus líderes militares propagaram uma ideologia de que são deuses e possuem o direito divino de estender o império pelo hemisfério oriental. De repente, o amplo território do outro lado do mar Nariin parece um excelente alvo, não?

O mestre se voltou para o mapa.

— A primeira Guerra da Papoula foi um desastre. O Império dividido nunca conseguiria enfrentar as tropas da Federação, que treinaram por décadas para essa empreitada. Então, eis um enigma para vocês: como vencemos a Segunda Guerra da Papoula?

Um garoto chamado Han levantou a mão.

— A Trindade?

Risinhos baixos soaram pela sala. A Trindade — a Víbora, o Imperador Dragão e o Guardião — consistia em três soldados heroicos que uniram o Império contra a Federação. Eles eram reais — a mulher conhecida como Víbora ainda ocupava o trono de Sinegard —, mas suas habilidades lendárias nas artes marciais eram tema de histórias para crianças. Rin crescera ouvindo contos sobre como a Trindade derrotara sozinha batalhões inteiros da Federação, provocando tempestades e inundações com seus poderes sobrenaturais. Mas até ela achava aquilo ridículo numa aula de História.

— Não riam. A Trindade foi importante. Sem sua astúcia política, talvez nunca tivéssemos reunido as Doze Províncias — explicou Yim. — Mas não era isso que eu queria ouvir.

Rin ergueu a mão. Ela havia memorizado aquela resposta das cartilhas de história do Tutor Feyrik.

— Nós destruímos o interior. Usamos a estratégia de cortar e queimar. Quando o exército da Federação avançou para dentro do país, os suprimentos acabaram, e eles não tinham como alimentar seus soldados.

Yim deu de ombros.

— É uma boa resposta, mas está errada. Não passa de propaganda que colocam nos livros dos vilarejos. A estratégia de cortar e queimar prejudicou muito mais o interior do nosso país do que Mugen. Mais alguém?

Foi o menino de cabelo cacheado que acertou.

— Nós vencemos porque perdemos Speer.

Yim assentiu.

— Levante-se. Explique.

O garoto passou a mão nos cabelos e ficou de pé.

— Ganhamos a guerra porque perder Speer causou a intervenção de Hesperia. E, hã, as habilidades navais de Hesperia eram muito superiores às de Mugen. Eles venceram a guerra no teatro oceânico, e Nikan foi incluída no tratado de paz. No fundo, a vitória não foi nossa.

— Correto — anunciou Yim.

O menino se sentou, parecendo bastante aliviado.

— Nikan não ganhou a Segunda Guerra da Papoula — reiterou Yim. — A Federação foi expulsa porque éramos tão patéticos que os grandes poderes navais do oeste sentiram pena de nós. Fizemos um trabalho tão ruim de defender nosso país que foi necessário um *genocídio* para Hesperia intervir. Enquanto as forças nikaras estavam presas na frente setentrional, uma frota de navios da Federação exterminou a Ilha Morta da noite para o dia. Todos os homens, mulheres e crianças de Speer foram assassinados, e seus corpos, queimados. Uma raça inteira, extinta num único dia.

A turma ficou em silêncio. Haviam crescido ouvindo histórias sobre a destruição de Speer, uma minúscula ilha em forma de gota entre o mar Nariin e a baía Omonod, ao leste da Província da Serpente. Era o único estado tributário remanescente, conquistado e anexado no auge do reinado do Imperador Vermelho. Seu papel na história de Nikan era conturbado, um exemplo evidente do enorme fracasso do exército desunido sob o regime dos líderes regionais.

Rin sempre se perguntara se a destruição de Speer fora mero acidente. Caso qualquer outra província tivesse sido destruída da mesma maneira, o Império Nikara não teria se contentado com um tratado de paz. Teria lutado até a Federação de Mugen ser estraçalhada.

No entanto, os speerlieses não eram nikaras de verdade. Altos e com a pele amarronzada, o povo insular era etnicamente distinto dos habitantes da Nikan continental. Falavam o próprio idioma, tinham o próprio alfabeto e praticavam a própria religião. Uniram-se ao Exército Imperial apenas sob o fio da espada do Imperador Vermelho.

Tudo isso apontava para relações tensas entre os nikaras e os speerlieses até a Segunda Guerra da Papoula. Então, pensou Rin, caso algum território nikara precisasse ser sacrificado, Speer era a escolha óbvia.

— Sobrevivemos ao longo do último século devido à sorte e à caridade do oeste — prosseguiu Yim. — Porém, mesmo com a ajuda de

Hesperia, Nikan mal conseguiu expulsar os invasores da Federação. Sob pressão de Hesperia, a Federação assinou um Pacto de Não Agressão no final da Segunda Guerra da Papoula e, desde então, Nikan recuperou a independência. A Federação foi relegada a postos comerciais nos limites da Província do Cavalo e, durante as últimas duas décadas, podemos dizer que se comportaram. Contudo, a inquietação dos mugeneses está aumentando, e Hesperia nunca foi boa em manter suas promessas. Os heróis da Trindade foram reduzidos a um só: o Imperador morreu, o Guardião desapareceu e apenas a Imperatriz permanece no trono. E, o que talvez seja ainda pior, não temos mais soldados speerlieses.

Yim fez uma pausa.

— Nosso melhor exército não existe mais. Nikan não possui os recursos que nos permitiram sobreviver à Segunda Guerra da Papoula. Não podemos esperar que Hesperia nos salve outra vez. Se os séculos passados nos ensinaram algo é que os inimigos de Nikan não descansam. Porém, da próxima vez que atacarem, pretendemos estar preparados.

O sino do meio-dia anunciou o almoço.

A comida — mingau de arroz, ensopado de peixe e pãezinhos de farinha de arroz — era servida de caldeirões gigantescos, alinhados na parede mais distante, e distribuída por cozinheiros que pareciam indiferentes à sua função.

Os alunos recebiam porções grandes o suficiente para saciar os estômagos reclamões, mas não suficientes para se sentirem satisfeitos. Aqueles que tentavam entrar na fila mais de uma vez eram mandados de volta para suas mesas de mãos vazias.

Para Rin, refeições regulares eram algo mais que generoso. Com frequência, ela havia ficado sem jantar na casa dos Fang. Mas os colegas reclamaram para Raban do tamanho das porções.

— A filosofia de Jima é que a fome é boa, porque mantém os estudantes leves e focados — explicou o aprendiz.

— Vai nos manter miseráveis — resmungou Nezha.

Rin revirou os olhos, mas manteve a boca fechada. Os calouros se apertavam à mesa de madeira nos fundos do refeitório, em duas fileiras de vinte e cinco pessoas. As outras mesas eram ocupadas pelos aprendizes, mas nem mesmo Nezha teve coragem de tentar se sentar entre eles.

Rin estava entre Niang e o menino de cabelo cacheado da aula de História.

— Meu nome é Kitay — apresentou-se, após terminar seu ensopado.

Era um ano mais novo do que Rin, e sua aparência denunciava isso: magricela, cheio de sardas e com orelhas enormes. Ele conseguira a melhor nota do Keju no Município de Sinegard, de longe a região mais competitiva, o que era um feito ainda mais impressionante considerando que havia feito o exame um ano mais cedo. Tinha memória fotográfica, queria estudar Estratégia com o Mestre Irjah depois que passasse nos Testes, e ela também não achava que Jun era um idiota?

— Acho, sim. E meu nome é Runin. Rin — respondeu, assim que Kitay lhe deu uma chance de abrir a boca.

— Ah, você é a garota que Nezha odeia!

Rin não achava aquela a pior reputação para se ter. De qualquer forma, Kitay não parecia sentir raiva dela.

— Qual é o problema do Nezha? — perguntou Rin.

— O pai dele é o Líder do Dragão, e as tias foram concubinas do trono por gerações. Você também seria babaca se sua família fosse rica *e* bonita.

— Vocês se conhecem?

— Crescemos juntos. Nezha, Venka e eu. Tínhamos o mesmo tutor. Achei que seriam mais legais comigo depois que entrássemos na Academia. — Kitay deu de ombros, observando o outro canto da mesa, onde Nezha e Venka pareciam ser admirados por todos. — Pelo visto, eu me enganei.

Não era surpreendente Nezha ter cortado Kitay de seu círculo de amizades, pensou Rin. Não havia a menor possibilidade de Nezha andar com alguém com metade da inteligência de Kitay; o garoto teria oportunidades demais para roubar as atenções.

— O que você fez para contrariá-lo?

Kitay fez uma careta.

— Nada além de tirar uma nota melhor que a dele. O ego de Nezha é muito frágil. Por quê, o que você fez?

— Dei aquele olho roxo — admitiu Rin.

Ele ergueu a sobrancelha.

— Legal.

* * *

A aula de Folclore estava programada para depois do almoço, seguida pela de Linguística. Rin ansiara por Folclore o dia inteiro, mas os aprendizes que os conduziam à classe pareciam se segurar para não rir. Subiram as escadas sinuosas até o quinto patamar, mais alto que qualquer outra aula, e pararam diante de um jardim cercado.

— Por que estamos aqui? — questionou Nezha.

— Essa é a sala de aula — explicou um dos aprendizes.

Eles trocaram olhares, sorriram e foram embora. Em cinco minutos, o motivo das risadinhas ficou óbvio. O mestre de Folclore não apareceu. Dez minutos se passaram, depois vinte.

A turma perambulava pelo jardim sem jeito, tentando entender o que deveria fazer.

— Fomos sacaneados — sugeriu Han. — Eles nos trouxeram ao lugar errado.

— O que plantam aqui, afinal? — Nezha cheirou uma das flores. — Que nojo.

Rin observou as flores mais de perto e arregalou os olhos. Já havia visto aquelas pétalas antes.

Nezha reconheceu a planta no mesmo instante em que ela.

— Merda! — exclamou. — É uma papoula.

A classe reagiu como um ninho de ratinhos assustados. Correram para longe da planta como se a mera proximidade pudesse drogá-los.

Rin se segurou para não explodir numa gargalhada. Ali, do outro lado do país, havia ao menos uma coisa que ela conhecia.

— Vamos ser expulsos — choramingou Venka.

— Não seja idiota, a papoula não é *nossa* — retrucou Kitay.

Venka abanou as mãos perto do rosto.

— Mas Jima avisou que se fôssemos vistos a dez passos de…

— Eles não podem expulsar a turma inteira — insistiu Kitay. — Aposto que o mestre está nos testando, vendo se realmente queremos aprender.

— Ou só quer ver como reagimos a drogas ilegais! — chiou Venka.

— Ah, se acalme — interveio Rin. — Não dá para ficar drogado só de tocar.

Venka não se acalmou.

— Mas Jima disse que não precisávamos ser pegos usando drogas, que bastava...

— Acho que não é uma aula de verdade — interrompeu Nezha. — Aposto que os aprendizes estão tirando uma com a nossa cara.

Kitay não conseguia acreditar naquilo.

— Está no nosso cronograma! E nós vimos o mestre de Folclore na aula introdutória.

— Então cadê os aprendizes dele? — questionou Nezha. — Qual era a cor da faixa do mestre? Por que não tem ninguém por aí com *Folclore* costurado nas braçadeiras? Isso é idiotice.

Nezha atravessou os portões do jardim. Encorajados, os outros alunos o seguiram, um a um, até que só sobraram Rin e Kitay.

Ela se sentou, apoiou-se nos cotovelos e admirou a variedade de plantas ao redor. Além das papoulas vermelho-sangue, havia pequeninos cactos com flores cor-de-rosa e amarelas, cogumelos fluorescentes que brilhavam de leve na sombra debaixo das prateleiras e arbustos cheios de folhas verdes que exalavam um cheiro de chá.

— Isso aqui não é um jardim — sentenciou. — É uma plantação de drogas.

Rin queria *mesmo* conhecer o mestre de Folclore.

Kitay se sentou ao seu lado.

— Sabe, os grandes xamãs das lendas costumavam ingerir drogas antes das batalhas. Ganhavam poderes mágicos, segundo as histórias. — O garoto sorriu. — Será que é isso que o mestre de Folclore ensina?

— Honestamente? — Rin arrancou um pedaço de grama. — Acho que ele só vem aqui para se drogar.

CAPÍTULO 4

Ao longo das semanas, as aulas ficaram cada vez mais difíceis. Manhãs eram dedicadas a Combate, Medicina, História e Estratégia. Em geral, a cabeça de Rin já estava explodindo ao meio-dia, repleta de nomes de teoremas dos quais nunca ouvira falar e títulos de livros que precisava ler até o fim da semana.

As aulas de Combate deixavam tanto o corpo quanto a mente exaustos. Jun submetia os alunos a uma série torturante de calistenia: precisavam subir e descer as escadas da Academia, fazer parada de mão no pátio por horas a fio e repetir sequências de golpes com sacos de tijolos amarrados nos braços. Toda semana, o mestre os levava até um lago no pé da montanha e os instruía a nadar.

Rin e vários outros alunos nunca haviam aprendido a nadar. O mestre demonstrara a forma correta de realizar o exercício apenas uma vez. Depois, cabia aos estudantes não se afogarem.

Os deveres de casa eram difíceis e claramente pensados para levar os calouros ao limite. Quando o mestre de Armamentos, Sonnen, ensinou as proporções certas de salitre, enxofre e carvão para produzir o pó incendiário que impulsionava os foguetes de guerra, também os fez criar mísseis improvisados. E quando a mestra de Medicina, Enro, obrigou os alunos a decorar os nomes de todos os ossos do corpo humano, também esperava que soubessem os padrões de fraturas mais comuns e como identificá-los.

No entanto, a disciplina mais difícil era Estratégia, sob o comando do Mestre Irjah. Na primeira aula, ele distribuiu um tomo grosso — *Princípios da guerra*, de Sunzi — e anunciou que a turma deveria memorizá-lo até o final da semana.

— Esse troço é enorme! — reclamou Han. — Como vamos fazer os outros deveres de casa?

— Altan Trengsin o decorou em apenas uma noite — retrucou o Mestre Irjah.

Os alunos trocaram olhares irritados. Os mestres louvavam Altan Trengsin desde o início das aulas. Rin chegara à conclusão de que ele era um gênio, o aluno mais brilhante a frequentar Sinegard em décadas.

Han parecia tão nervoso quanto ela.

— Tá, mas não somos Altan.

— Então tentem ser — aconselhou o mestre. — Dispensados.

Rin embarcou numa rotina de estudos constantes e pouquíssimo sono. O cronograma dos calouros não permitia tempo para outras coisas.

O outono começava a mostrar as garras em Sinegard. Certa manhã, um vento gelado os acompanhou enquanto corriam escada acima, passando pelas árvores num crescendo trovejante. Os alunos ainda não haviam recebido os mantos mais grossos de inverno, e seus dentes batiam em uníssono enquanto se encolhiam debaixo de uma árvore-da-seda enorme, nos fundos do pátio do segundo patamar.

Apesar do frio, Jun se recusava a transferir a aula de Combate para um local fechado antes de a neve tornar impossível a prática a céu aberto. Ele era rigoroso e parecia se divertir com o desconforto dos alunos.

— A dor faz bem — explicou o mestre, forçando-os em posturas baixas e desconfortáveis. — Os artistas marciais de outrora permaneciam na mesma posição por uma hora antes de começarem a treinar.

— Os artistas marciais de outrora deviam ter coxas incríveis — comentou Kitay, arfando.

A calistenia matinal ainda era horrível, mas ao menos eles haviam passado pelos fundamentos e começado a treinar a primeira arte marcial armada: técnicas de bastão.

Jun assumira sua posição à frente do pátio quando um barulho soou, vindo do alto, e um punhado de folhas caiu sobre ele.

Todos olharam para cima.

Empoleirado num galho grosso da árvore-de-seda, estava o mestre de Folclore, há muito ausente. O homem arrancava folhas aleatórias alegremente, com uma tesoura de poda grande, enquanto cantava uma melodia desafinada.

Depois de ouvir algumas palavras, Rin identificou a música: "O toque do Guardião". Ela a conhecia de suas diversas entregas de ópio nos bordéis de Tikany. Era uma cantiga obscena, quase erótica. O mestre de Folclore cantava completamente fora do tom, mas a plenos pulmões, com uma despreocupação selvagem.

— *Senhorita, não posso tocá-la nesse ponto / Ficará feliz, mas morrerá de pronto...*

Niang chegou a tremer de segurar o riso. O queixo de Kitay desabou ao encarar a árvore.

— Jiang, estou no meio da aula — reclamou Jun.

— Então continue — retrucou o Mestre Jiang. — E me deixe em paz.

— Precisamos do pátio.

— Não precisam do pátio *inteiro*. Não precisam desta árvore — argumentou o outro, petulante.

Jun açoitou seu bastão de ferro pelo ar diversas vezes, então acertou a base da árvore. O tronco tremeu com o impacto. Em seguida, um som crepitante de um peso morto atravessou várias camadas de folhas secas.

O Mestre Jiang caiu sobre uma pilha delas no chão de pedra.

O primeiro pensamento que cruzou a mente de Rin foi que o homem estava sem camisa. O segundo foi que devia estar morto.

Mas Jiang rolou até se sentar, balançou a perna esquerda e colocou os cabelos brancos para trás dos ombros.

— Isso foi uma grosseria — disse ele, de forma um pouco desligada. Sangue escorria de sua têmpora esquerda.

— Você tem sempre que agir como um imbecil?! — gritou Jun.

— Você tem sempre que interromper a minha sessão matutina de jardinagem? — rebateu Jiang.

— Você não estava fazendo jardinagem. Veio aqui só para me irritar.

— Acho que você se tem muito em alta conta.

Jun bateu a ponta do bastão de ferro no chão, fazendo o outro dar um pulo de surpresa. — *Saia!*

Jiang fez uma expressão dramática de mágoa e se pôs de pé. Retirou-se do jardim com movimentos exagerados, rebolando feito uma dançarina de cabaré.

— *Se o seu coração me desejar / Vou te lamber como um bolo lunar...*

— Você tem razão — sussurrou Kitay para Rin. — Ele se droga *mesmo*.

— Atenção! — gritou Jun para a turma embasbacada.

O mestre ainda tinha uma folha da árvore-da-seda presa no cabelo, que se agitava quando ele falava. A turma se alinhou em duas fileiras, os bastões prontos.

— Quando eu der o sinal, vocês repetirão essa sequência. — Ele demonstrou com o bastão conforme falava. — Para a frente. Para trás. Bloqueio na esquerda superior. Retorno. Bloqueio na direita superior. Retorno. Bloqueio na esquerda inferior. Retorno. Bloqueio na direita inferior. Retorno. Um giro, uma passada pelas costas e retorno. Entenderam?

Todos assentiram. Ninguém se atrevia a admitir que não entendera a maior parte dos movimentos. As demonstrações de Jun eram sempre velozes, mas, naquela, o mestre havia se mexido mais rápido do que qualquer um era capaz de acompanhar.

— Muito bem. — Ele bateu com o bastão no chão. — Comecem.

Foi um fiasco. Os alunos se moviam sem ritmo ou objetivo. Nezha executou a sequência muito mais devagar que o restante da turma, mas foi o único que conseguiu terminá-la. O restante ou omitiu metade dos golpes, ou errou sua direção.

— Ai!

Kitay havia bloqueado quando deveria ter feito o retorno, acertando Rin nas costas. Ela foi lançada para a frente, acertando a cabeça de Venka por acidente.

— Parem! — bradou Jun.

Os golpes cessaram.

— Vou contar uma história sobre Sunzi, o grande estrategista. — O mestre caminhou por entre as fileiras, sua respiração audível. — Quando Sunzi terminou seu maior tratado, *Princípios da guerra*, submeteu os capítulos ao Imperador Vermelho. O Imperador decidiu testar a sabedoria do homem fazendo-o treinar um grupo de pessoas sem experiência militar: suas concubinas. O sábio concordou e reuniu as mulheres em frente aos portões do palácio. Ele disse: "Quando eu falar 'Olhos à frente', vocês devem olhar para a frente. Quando eu falar: 'À direita', devem olhar para a sua direita. Quando eu falar 'Meia-volta', devem fazer uma volta de cento e oitenta graus. Entenderam?" As mulheres anuíram. Sunzi, então, sinalizou: "À direita." Mas elas só caíram na gargalhada.

Jun parou na frente de Niang, e o rosto da garota foi tomado pela apreensão.

— Sunzi disse ao Imperador: "Se os comandos não são claros e distintos, se as ordens não são compreendidas em sua totalidade, a culpa é do general." Assim, o sábio se virou para as concubinas e repetiu as instruções. "À direita", mandou. As mulheres riram outra vez.

O mestre girou a cabeça para fazer contato visual com cada um dos alunos.

— Dessa vez, Sunzi disse ao Imperador: "Se os comandos não são claros, a culpa é do general. Porém, se os comandos são claros, mas as ordens não são executadas, a culpa é dos líderes da tropa." Então, ele selecionou as duas concubinas mais velhas e mandou que fossem degoladas.

Os olhos de Niang pareciam prestes a saltar das órbitas.

Jun caminhou de volta para a frente do pátio e ergueu o bastão. Sob olhares aterrorizados, o mestre repetiu a sequência, devagar dessa vez, gritando o nome dos movimentos ao executá-los.

— Ficou claro?

Os alunos assentiram.

Ele bateu com o bastão no chão.

— Então comecem.

Os alunos começaram. E não cometeram nenhum erro.

Combate era um suplício que esmagava o espírito e a alma, mas ao menos havia as divertidas sessões noturnas, períodos de treino supervisionados por dois aprendizes do mestre, Kureel e Jeeha. Eles eram professores um tanto preguiçosos e se entusiasmavam demais com a ideia de infligir o máximo de dor possível a oponentes imaginários. Por isso, os treinos quase acabavam em desastre, enquanto Jeeha e Kureel percorriam o espaço gritando conselhos para os alunos que lutavam uns com os outros.

— A não ser que tenha uma arma, não mire no rosto. — Jeeha guiou a mão esticada de Venka para baixo, de forma a acertar a garganta de Nezha. — Tirando o nariz, a face é quase toda feita de osso e vai machucar sua mão. O pescoço é um alvo melhor. Com força suficiente, é possível danificar fatalmente a traqueia. No mínimo, vai causar um problema de respiração.

Kureel se ajoelhou ao lado de Kitay e Han, que rolavam pelo chão presos em gravatas mútuas.

— Morder é uma técnica excelente quando se está em apuros.

Um segundo depois, Han soltou um grito de dor.

Vários calouros se reuniram em torno de um boneco de madeira enquanto Jeeha demonstrava a forma certa de fazer um ataque de mão estendida.

— Monges nikaras acreditavam que este era um poderoso núcleo de *ki* — disse, indicando um ponto na barriga do boneco. Então deu um soco dramático.

Rin mordeu a isca para acelerar a explicação.

— E é?

— Não. Núcleos de *ki* não existem. Mas esta área abaixo da costela contém uma quantidade enorme de órgãos vitais. Além disso, o diafragma fica aqui. *Rá!* — Jeeha golpeou o boneco outra vez. — Isso imobiliza qualquer oponente por alguns segundos, tempo suficiente para furar seus olhos.

— Isso parece vulgar — comentou Rin.

Jeeha deu de ombros.

— Não estamos aqui para ser sofisticados, e sim para acabar com nossos inimigos.

— Vou mostrar um último golpe — anunciou Kureel, no fim da sessão. — Sério, este é o único chute de que precisam. É capaz de derrubar até os guerreiros mais poderosos.

Jeeha pareceu confuso. Quando virou o rosto para perguntar a Kureel do que ela estava falando, a aprendiz ergueu o joelho e acertou o peito do pé na virilha dele.

As sessões de prática obrigatórias duravam apenas duas horas, mas os calouros começaram a permanecer no local para treinar por muito mais tempo. A única parte ruim era que alunos com treinamento prévio aproveitavam a oportunidade para se exibir. Nezha apresentava uma série de rodopios no centro da sala, tentando dar chutes rotatórios cada vez mais espalhafatosos. Seus colegas haviam formado uma rodinha para assistir.

— Admirando nosso príncipe? — perguntou Kitay, após atravessar o cômodo para ficar ao lado de Rin.

— Não consigo imaginar isso numa batalha — disse ela.

Naquele instante, Nezha deu uma volta de quinhentos e quarenta graus no ar antes de finalizar com um chute. Era muito bonito, mas parecia completamente inútil.

— Ah, não é para ser usada em batalha. Em geral, as antigas artes são assim: legais de assistir, mas sem muita utilidade. As linhagens foram adaptadas para os palcos de ópera, não de combate, e depois adaptadas de volta. Foi daí que a Ópera do Junco Carmesim recebeu esse nome, sabe? Os membros fundadores eram artistas marciais que fingiam ser artistas de rua para se aproximarem dos alvos. Você deveria ler sobre a história das artes hereditárias, é fascinante.

— Existe algum assunto sobre o qual você nunca leu? — perguntou Rin.

Kitay parecia ter um conhecimento enciclopédico sobre praticamente qualquer coisa. Naquele dia, durante o almoço, ele dera a Rin uma aula sobre como as técnicas de limpar peixe mudavam de província para província.

— As artes marciais têm um lugar especial no meu coração — explicou o garoto. — Enfim, é triste ver gente que não consegue diferenciar defesa pessoal de arte performática.

Nezha aterrissou após um salto particularmente alto, agachando-se de forma impressionante. Por mais absurdo que fosse, alguns dos colegas começaram a aplaudir.

Ele se ajeitou, ignorando os aplausos, e seu olhar encontrou o de Rin.

— Essas são as artes da *minha* família — anunciou, limpando o suor da testa.

— Tenho certeza de que você vai ser o terror da escola — ironizou Rin. — Pode dançar por esmolas. Eu lhe daria um lingote.

O rosto de Nezha foi tomado por uma expressão de escárnio.

— Você só está com inveja por não ter artes hereditárias.

— Se forem todas tão absurdas quanto a sua, fico aliviada.

— A Casa de Yin inovou a técnica de chute mais poderosa do Império — insistiu. — Vamos ver como você se sai contra ela.

— Acho que não teria problemas — respondeu Rin. — Mas seria um belo espetáculo visual.

— Pelo menos não sou uma caipira sem arte — disparou Nezha. — Você nunca praticou artes marciais na vida. Só conhece um chute.

— E você vive me chamando de caipira. Só conhece um insulto.

— Lute comigo, então — chamou o garoto. — Até alguém ficar incapacitado por dez segundos ou até o primeiro sangue jorrar. Aqui e agora.

— Deixa co... — começou ela, mas foi interrompida pela mão de Kitay tapando sua boca.

— Ah, não. Não, não, não. — Kitay a puxou para trás. — Você ouviu o Mestre Jun. Não deveríamos...

Rin se desvencilhou dele.

— Mas Jun não está aqui, está?

Nezha abriu um sorriso sórdido.

— Venka! Venha cá!

Atraída pelo chamado, a garota interrompeu uma conversa com Niang do outro lado da sala e se aproximou, cheia de trejeitos.

— Seja nossa juíza — disse Nezha, sem tirar os olhos de Rin.

Venka colocou as mãos para trás numa imitação do Mestre Jun e levantou o queixo.

— Comecem.

A turma formou um círculo ao redor dos dois. Rin estava furiosa demais para notar seus olhares, focada apenas no rival. Nezha começou a cercá-la, indo para a frente e para trás com movimentos rápidos e elegantes.

Kitay tem razão, pensou Rin. Nezha parecia mesmo estar se apresentando num palco de ópera. Não demonstrava ser letal, apenas bobo.

A garota cerrou os olhos e se agachou, acompanhando os movimentos dele com atenção.

Ali. Uma abertura certa. Rin ergueu a perna e chutou com força, atingindo Nezha no ar com um *whoomph* satisfatório.

Ele gritou, então apertou a virilha, choramingando.

A turma encarava os dois em silêncio.

Nezha conseguiu se levantar, o rosto todo vermelho.

— Você... como se *atreve*...

— Como você mesmo disse — Rin baixou a cabeça numa reverência zombeteira —, eu só conheço um chute.

Humilhar Nezha havia sido bom, mas as repercussões políticas foram imediatas e brutais. Não demorou para a turma formar alianças. Completamente ofendido, Nezha fez questão de enfatizar que se associar a Rin significaria alienação social. Ele se recusava a falar com a garota ou reconhecer sua existência, a não ser para fazer comentários sarcásticos sobre seu sotaque. Um por um, temendo receber o mesmo tratamento, os colegas seguiram seu exemplo.

Kitay era a única exceção. Conforme explicara, havia crescido com a implicância de Nezha, e não ia começar a se incomodar com aquilo de repente.

— Além disso — acrescentou —, a cara que ele fez? Impagável.

Sentia-se grata pela lealdade de Kitay, mas ficou impressionada com a crueldade dos outros alunos. A lista de coisas que os fazia rir às suas custas parecia infinita: a pele escura, a falta de prestígio social, o sotaque do interior. Era irritante, mas Rin conseguia ignorar as provocações — até os colegas começarem a caçoar dela cada vez que abria a boca.

— Meu sotaque é tão forte assim? — perguntou.

— Está melhorando — respondeu Kitay. — Só tente enrolar mais no final das palavras. Diminua as vogais. E acrescente um som de *r* mesmo quando a letra não existir. Essa é uma ótima dica.

— Ar. Arrr — testou Rin, engasgando. — Por que os sinegardianos sempre parecem estar mastigando alguma coisa?

— O poder dita o que é aceitável — comentou Kitay, reflexivo. — Se a capital tivesse sido construída em Tikany, com certeza seríamos tão escuros quanto madeira.

Nos dias que se seguiram, Nezha não lhe dirigiu uma única palavra, porque nem precisou. Seu séquito de adoradores não perdia uma oportunidade para zombar de Rin. As manipulações do garoto se mostraram brilhantes: após estabelecê-la como o alvo principal, pôde simplesmente relaxar e observar.

Venka era obcecada por Nezha e desdenhava de Rin sempre que tinha a chance. Niang agia com um pouco mais de consideração; não andava com Rin em público, mas ao menos conversava com ela na privacidade do dormitório.

— Você podia tentar pedir desculpas — sussurrou Niang certa noite, depois de Venka ter adormecido.

Pedir desculpas era a última coisa que Rin tinha em mente. Não ia admitir derrota só para massagear o ego de Nezha.

— A luta foi ideia dele — argumentou, com raiva. — Não é culpa minha ele ter recebido o que merecia.

— Não importa — insistiu Niang. — Peça desculpas para que ele esqueça tudo isso. Nezha só quer ser respeitado.

— Pelo *quê*? — questionou Rin. — Ele não fez nada para merecer o meu respeito. Esnoba todo mundo, como se o fato de ter nascido em Sinegard o tornasse *muito* especial.

— Pedir desculpas não vai adiantar — interveio Venka. Pelo visto, não estava dormindo. — E ter nascido em Sinegard nos torna especiais, sim. Nezha e eu — era sempre "Nezha e eu" com ela — treinamos para a Academia desde que aprendemos a andar. Está no nosso sangue. É o nosso destino. Já você? Você não é *nada*. Não passa de uma qualquer do sul. Não devia nem estar aqui.

Rin se sentou na cama, fervendo de raiva.

— Eu fiz o mesmo exame que você, Venka. Tenho todo o direito de frequentar esta escola.

— Você só está aqui para preencher a cota — rebateu Venka. — O Keju precisa *parecer* justo.

Por mais irritante que Venka fosse, Rin mal tinha tempo ou energia para gastar com ela. As duas pararam de trocar farpas depois de alguns dias, exaustas demais para falar. Quando as sessões de treino da semana se encerraram, elas se arrastaram de volta ao dormitório, os músculos doendo tanto que até caminhar era difícil. Sem dizer nada, tiraram os uniformes e se jogaram nas respectivas camas.

Foram acordadas quase imediatamente por alguém batendo à porta.

— Levantem-se — instruiu Raban, assim que Rin abriu a porta.

— O quê...? — balbuciou Rin.

O aprendiz olhou para Venka e Niang, que soltavam reclamações incoerentes em seus leitos.

— Vocês também. Rápido.

— O que houve? — resmungou Rin, de mau humor, esfregando os olhos. — Temos que começar a limpeza em seis horas.

— Só venham comigo.

Sem parar de reclamar, as garotas vestiram as túnicas e encontraram Raban em frente ao dormitório, onde os meninos já haviam sido reunidos.

— Se isso for algum trote de calouros, tenho permissão de voltar para a cama? — perguntou Kitay. — Pode me considerar medroso e intimidado, só me deixe dormir.

— Cale a boca. Venham comigo — ordenou Raban. Sem emitir mais uma palavra, avançou em direção à floresta.

Os alunos foram forçados a correr para acompanhá-lo. A princípio, Rin pensou que estivessem sendo levados para a floresta na lateral da montanha, mas na verdade era um atalho: depois de um tempo, saíram em frente ao salão principal de treino. O prédio estava iluminado, e era possível ouvir vozes em seu interior.

— Mais aulas? — questionou Kitay. — Grande Tartaruga, vou entrar em greve.

— Não é aula. — Raban parecia muito animado. — Entrem.

Apesar dos gritos audíveis, o salão estava vazio. A turma avançou em um estado de confusão sonolenta até Raban indicar que deveriam descer uma escada. No meio do porão, havia vários aprendizes reunidos. O que quer que fosse o centro das atenções parecia muito emocionante. Rin se esticou para tentar dar uma olhada acima das cabeças dos estudantes mais velhos, mas não conseguiu ver nada.

— Calouros passando! — gritou Raban, liderando o grupo e abrindo caminho entre o amontoado de aprendizes através do uso vigoroso dos cotovelos.

O espetáculo no meio do cômodo eram dois buracos circulares adjacentes, com ao menos três metros de diâmetro e dois de profundidade, cercados por barras de metal que chegavam até a cintura para impedir a queda dos espectadores. Um dos buracos estava vazio. No centro do outro, o Mestre Sonnen cruzava os braços sobre o peitoral largo.

— Sonnen é sempre o juiz — informou Raban. — Ele tem que fazer isso porque é o mais novo.

— Juiz de quê? — perguntou Kitay.

Raban abriu um enorme sorriso.

Quando a porta do porão se abriu, mais aprendizes começaram a entrar, enchendo o salão quase até o limite. A pressão dos corpos forçou os calouros a chegar perigosamente perto da borda dos ringues. Rin agarrou a grade para não cair lá dentro.

— O que está acontecendo? — perguntou Kitay, enquanto os recém-chegados brigavam por posições mais próximas dos buracos. Havia tanta gente ali que os aprendizes mais ao fundo trouxeram banquinhos e subiram neles.

— Altan está aqui hoje — explicou Raban. — Todo mundo quer ver Altan.

Devia ser a décima segunda vez que Rin ouvia o nome do garoto naquela semana. A Academia inteira parecia obcecada com ele. O estudante quintanista Altan Trengsin batera todos os recordes da instituição, era o aluno favorito de todos os mestres, a exceção de todas as regras. Ele se tornara uma piada recorrente na turma de Rin.

É possível mijar por cima da muralha e atingir a cidade?
Altan consegue.

De repente, uma figura alta e ágil caiu no ringue com o Mestre Sonnen, sem se dar ao trabalho de usar a escada de corda. Conforme seu oponente descia, a figura alongou os braços atrás das costas, voltando o rosto para o teto. Seus olhos refletiram a luz da lamparina acima.

Eram carmesins.

— Grande Tartaruga! — exclamou Kitay. — É um speerliês de verdade.

Rin olhou para o buraco. Kitay tinha razão: Altan não se parecia nem um pouco com um nikara. Sua pele era bem mais escura do que a dos outros alunos, mais escura até que a de Rin. Porém, enquanto a pele queimada de sol da garota a fazia parecer rústica, a pele de Altan lhe dava uma aparência de realeza. Seu cabelo era da cor de nanquim úmido, mais próximo do violeta que do preto. Seu rosto era anguloso, sem expressão e espantosamente bonito. E aqueles olhos... escarlates, vermelho-vivos.

— Achei que os speerlieses tivessem morrido — disse Rin.

— A *maioria* morreu — corrigiu Raban. — Altan é o último.

— Sou Bo Kobin, aprendiz do Mestre Jun Loran — anunciou o oponente. — Desafio Altan Trengsin para uma luta até a incapacitação.

Kobin devia ter o dobro do peso de Altan, além de ser uns bons centímetros mais alto. Ainda assim, Rin suspeitava que aquele não seria um combate muito desafiador.

Evasivo, Altan deu de ombros.

O Mestre Sonnen parecia entediado.

— Bem, comecem — ordenou.

Os aprendizes assumiram suas posições.

— Como assim, e a apresentação dele? — perguntou Kitay.

Raban achou graça.

— Altan não precisa se apresentar.

Rin franziu o nariz.

— Ele é meio metido, não acha?

— Altan Trengsin — disse Kitay, pensativo. — Altan é o nome da família?

— Trengsin. Os speerlieses colocam os nomes de família por último — explicou Raban rápido, então apontou para o ringue. — Agora cale-se, ou vamos perder a luta.

Já haviam perdido.

Rin não ouvira Altan se mover, nem a pancadaria começar. No entanto, quando olhou para baixo, viu Kobin imobilizado no chão com um braço torcido de maneira anormal nas costas. Altan se ajoelhava sobre o oponente, aumentando aos poucos a pressão. Ele parecia impassível, desligado, quase apático.

Rin apertou a grade.

— Quando... quando foi que ele...?

— Ele é Altan Trengsin — respondeu Raban, como se aquilo explicasse tudo.

— Eu me rendo! — gritou Kobin. — Eu me *rendo*, droga!

— Tempo — anunciou Sonnen, bocejando. — Altan é o vencedor. Próximo.

Altan soltou Kobin e ofereceu ajuda para ele se levantar. O oponente permitiu que Altan o puxasse e, quando ficou de pé, os dois trocaram um aperto de mãos. Kobin aceitou bem a derrota. Aparentemente, não havia vergonha em ser derrotado por Altan Trengsin em menos de três segundos.

— É só isso? — perguntou Rin.

— Ainda não terminou — disse Raban. — Um monte de gente quer desafiar Altan hoje.

A próxima oponente era Kureel.

Raban franziu o cenho e balançou a cabeça.

— Não deviam ter dado permissão para ela lutar.

Rin achou aquele comentário injusto. Kureel era uma das melhores aprendizes de Combate do Mestre Jun e tinha a reputação de ser agressiva. Além disso, os dois pareciam ter os mesmos peso e altura. Com certeza ela seria uma adversária digna.

— Comecem.

Kureel atacou Altan na mesma hora.

— Grande Tartaruga — murmurou Rin.

Ela não conseguia acompanhar os golpes trocados por Kureel e Altan. Os dois faziam vários ataques e bloqueios por segundo, desviando e se abaixando um em torno do outro como parceiros de dança.

Um minuto se passou, e ficou evidente que Kureel estava se cansando. Seus golpes se tornaram fracos e desleixados. Gotas de suor caíam de sua testa cada vez que se mexia. Mas Altan continuava imperturbável, ainda se movendo com a mesma graça felina do início da briga.

— Ele está só brincando com Kureel — informou Raban.

Rin não conseguia tirar os olhos de Altan. Seus movimentos eram hipnóticos, como uma dança. Toda ação demonstrava puro *poder* — não músculos enormes como Kobin, mas uma energia compacta, como se Altan fosse uma mola comprimida prestes a disparar.

— Ele logo vai acabar com isso — previu Raban.

No fundo, era um jogo de gato e rato. Kureel nunca fora párea para Altan. A luta dele estava em outro nível. Altan agira como um espelho para agradá-la a princípio e depois para cansá-la. Os movimentos de Kureel ficavam mais lentos a cada segundo. Zombeteiro, Altan diminuiu a velocidade para se igualar ao ritmo da oponente. Por fim, Kureel, desesperada, lançou-se para a frente, tentado acertar a barriga de Altan. Em vez de bloquear, ele saltou para o lado, correu pela parede suja do poço, ricocheteou e deu uma cambalhota no ar, acertando o pé na lateral da cabeça de Kureel.

Ela caiu para trás. Perdeu a consciência antes mesmo de Altan aterrissar às suas costas, agachado feito um gato.

— Pelas tetas da tigresa! — exclamou Kitay.

— Pelas tetas da tigresa — concordou Raban.

Dois aprendizes de Medicina, com as braçadeiras cor de laranja, pularam para dentro do ringue na mesma hora. Uma maca já esperava por

Kureel na lateral do buraco. Altan permaneceu no centro do ringue, os braços cruzados, esperando pacientemente retirarem a garota. Quando ela foi carregada para fora do porão, outro estudante desceu a escada de cordas.

— Três desafios numa noite — comentou Kitay. — Isso é normal?

— Altan luta muito — respondeu Raban. — Todo mundo quer derrotá-lo.

— Isso já aconteceu alguma vez? — perguntou Rin.

Raban apenas riu.

O terceiro desafiante virou a cabeça raspada para a lamparina, e Rin ficou surpresa ao reconhecer Tobi, o aprendiz que lhe apresentara a Academia.

Que bom, pensou. *Tomara que Altan dê uma surra nele.*

Tobi se apresentou em voz alta, arrancando vivas dos colegas de Combate. Altan puxou as mangas para cima e, mais uma vez, permaneceu calado. Talvez tivesse revirado os olhos, mas, sob aquela luz, Rin não conseguiu ter certeza.

— Comecem — instruiu Sonnen.

Tobi flexionou os braços e se agachou. Em vez de fechar as mãos em punhos, curvou os dedos ossudos como se segurasse uma bola invisível.

Altan inclinou a cabeça como se dissesse: *Anda logo*.

A luta logo perdeu a elegância. Era um caos violento, sangrento e sem regras. As mãos eram pesadas e rápidas, cheias de força bruta animalesca. Tudo era permitido. Cheio de fúria, Tobi atacou os olhos de Altan, que baixou a cabeça e acertou o peito do adversário com o cotovelo.

Tobi cambaleou para trás, sem fôlego. Altan lhe deu um tapa na nuca, como se estivesse repreendendo uma criança. Tobi desabou no chão, mas então se reergueu com uma cambalhota complicada. Altan levantou os punhos, mas o oponente se lançou na cintura dele, derrubando-o.

Altan caiu de costas no chão imundo, e Tobi enterrou os dedos em garra da mão direita na barriga dele. Altan abriu a boca como se fosse soltar um grito, mas não emitiu som algum. Tobi enterrou os dedos mais fundo e os girou. Rin conseguia ver veias salientes no antebraço do garoto, o rosto exibindo o rosnado de um lobo.

Altan se contorceu sob o punho de Tobi, tossindo. Gotas de sangue saíram de sua boca.

O estômago de Rin se revirou.

— Merda. Merda, merda, merda — repetia Kitay sem parar.

— Garras do Tigre — comentou Raban. — A especialidade de Tobi. Arte hereditária. Altan não vai conseguir cagar direito por uma semana.

Sonnen se inclinou para a frente.

— Muito bem, tempo...

Mas então Altan agarrou o pescoço de Tobi com a mão livre e puxou a cabeça dele em direção à própria testa. Duas vezes. A empunhadura de Tobi perdeu a força.

Altan atirou Tobi para longe e saltou. Meio segundo depois, as posições haviam se invertido: Tobi jazia inerte no chão com Altan ajoelhado por cima, as mãos firmes no pescoço do oponente, que dava tapinhas frenéticos em seu braço.

Com desdém, Altan arremessou Tobi para longe outra vez. Então olhou para o Mestre Sonnen como se aguardasse suas instruções.

O juiz deu de ombros.

— A luta terminou.

Rin respirou aliviada.

Os aprendizes de Medicina pularam para dentro do ringue e retiraram Tobi. O garoto gemia, e sangue escorria de seu nariz.

Altan se encostou na parede suja. Parecia entediado e desinteressado, como se suas tripas não tivessem sido amarradas num nó doentio, como se ninguém tivesse encostado nele. Sangue escorria pelo seu queixo. Rin observou, fascinada e horrorizada, a língua de Altan sair da boca para lamber o sangue do lábio superior.

Ele fechou os olhos por um longo momento, então inclinou a cabeça para cima, expirando devagar pela boca.

Raban sorriu quando viu a cara dos calouros.

— Entenderam agora?

— Foi... — Kitay batia palmas. — Como? *Como?*

— Ele não sente dor? — questionou Rin. — Ele não é humano.

— Não, não é — concordou Raban. — É speerliês.

No almoço do dia seguinte, os calouros só conseguiam falar sobre Altan.

Em alguma medida, a turma inteira tinha se apaixonado por ele, mas Kitay ficara particularmente encantado.

— O jeito com que ele se *move* é tão...

O garoto balançou os braços no ar, sem palavras.

— Ele não é de falar muito, né? — disse Han. — Nem quis se apresentar. Babaca.

— Altan não precisa se apresentar — defendeu Kitay. — Todo mundo sabe quem ele é.

— Forte e misterioso — comentou Venka, sonhadora.

Ela e Niang deram risadinhas.

— Talvez ele não consiga falar — sugeriu Nezha. — Vocês sabem como eram os speerlieses. Selvagens e sanguinários. Nem sabiam o que fazer sem receber ordens.

— Os speerlieses não eram idiotas — protestou Niang.

— Eram primitivos. Pouco mais inteligentes que crianças — insistiu Nezha. — Ouvi dizer que eram mais parecidos com macacos do que com seres humanos. Que os cérebros eram menores. Vocês sabiam que eles não tinham nem um alfabeto antes do Imperador Vermelho? São bons de briga, mas só nisso.

Vários colegas assentiram, como se as palavras de Nezha fizessem algum sentido, mas Rin achava difícil acreditar que uma pessoa que lutava com a graça e a precisão de Altan poderia ter as habilidades cognitivas de um macaco.

Desde que havia chegado a Sinegard, ela precisara lidar com pessoas que a presumiam burra por causa da cor de sua pele. Aquilo a irritava. Rin se perguntou se Altan passava pela mesma coisa.

— Pois ouviu errado. Altan não é idiota — interveio Raban. — É o melhor aluno da nossa turma. Talvez de toda a Academia. Irjah diz que nunca teve um aprendiz tão brilhante.

— Ouvi falar que ele vai entrar no Exército assim que se formar — comentou Han.

— E *eu* ouvi falar que ele se dopa — acrescentou Nezha. O garoto nitidamente não estava acostumado a não ser o centro das atenções e parecia disposto a sabotar a reputação de Altan a qualquer custo. — Ele usa ópio. Dá para ver nos olhos, que ficam injetados.

— Ele tem olhos vermelhos porque é speerliês, seu idiota — rebateu Kitay. — Todos os speerlieses tinham olhos carmesins.

— Não tinham, não — discordou Niang. — Só os guerreiros.

— Bem, Altan *com certeza* é um guerreiro. E as íris dele são vermelhas — respondeu Kitay. — Não as veias. Ele não é viciado.

Nezha crispou os lábios e disparou:

— Prestou muita atenção nos olhos de Altan, foi?

Kitay corou.

— Vocês não ouviram a conversa dos outros aprendizes — continuou Nezha, cheio de presunção, como se tivesse acesso a informações especiais que os colegas desconheciam. — Altan *é* viciado, *sim*. *Eu* ouvi falar que Irjah lhe dá uma papoula cada vez que ele ganha. É por isso que luta tão bem. Os viciados em ópio ficam dispostos a qualquer coisa.

— Isso é ridículo — interveio Rin. — Você não tem a mínima ideia do que está falando.

Ela sabia como era o vício. As pessoas que fumavam ópio eram sacos inúteis de carne amarelada. Não lutavam da mesma forma que Altan. Não se *moviam* da mesma forma que Altan. Não eram predadores perfeitos e letais, cheios de graça e beleza.

Grande Tartaruga, percebeu ela. *Eu também estou obcecada por ele.*

— Seis meses depois da assinatura do Pacto de Não Agressão, a Imperatriz Su Daji proibiu a posse e o uso de qualquer substância psicoativa dentro das fronteiras de Nikan e instituiu uma série de punições para tentar acabar com o uso ilegal de drogas. Óbvio que o mercado clandestino de ópio continua a prosperar em diversas províncias, e isso tem provocado debates sobre a eficiência de tais políticas. — O Mestre Yim encarou a turma. Os alunos ou piscavam lentamente, ou rabiscavam nos livros, ou olhavam pela janela. — Estou dando aula para um cemitério?

Kitay ergueu a mão.

— Podemos falar de Speer?

— O quê? — Yim franziu o cenho. — Speer não tem nada a ver com o que estamos... ah. — Ele suspirou. — Vocês viram Trengsin há pouco tempo, não foi?

— Ele é incrível — disse Han, e todos assentiram.

Yim parecia irritado.

— Todo ano — resmungou. — *Todo ano*. Pois bem. — Ele colocou as anotações de lado. — Se querem falar sobre Speer, vamos falar sobre Speer.

A turma passou a prestar atenção. Yim revirou os olhos ao mexer numa pilha grossa de mapas em sua escrivaninha.

— Por que Speer foi bombardeada? — perguntou Kitay, impaciente.

— Vamos começar do início. — O mestre folheou várias páginas de pergaminho até encontrar o que queria: um mapa amassado de Speer e da fronteira sul de Nikan. — Não tolero pressa na historiografia — acrescentou, prendendo o mapa no quadro. — Comecemos com o contexto político. Speer se tornou uma colônia nikara durante o reinado do Imperador Vermelho. Quem pode me dar mais detalhes sobre a anexação da ilha?

Rin considerou *anexação* um eufemismo. A verdade quase nunca era tão apática. Séculos atrás, o Imperador Vermelho atacara a ilha de surpresa e forçara os speerlieses a prestar serviço militar, transformando os guerreiros insulares no contingente mais temido do Exército nikara, até serem exterminados durante a Segunda Guerra da Papoula.

Nezha levantou a mão.

— Speer foi anexada sob o reinado de Mai'rinnen Tearza, a última rainha guerreira de Speer. O Antigo Império Nikara lhe pediu para abrir mão do trono e pagar tributo para Sinegard. Tearza concordou, em grande parte porque estava apaixonada pelo Imperador Vermelho ou algo assim, mas o Conselho Speerliês se opôs. Reza a lenda que Tearza se matou com uma facada por desespero e que seu último ato convenceu o Conselho Speerliês de sua paixão por Nikan.

A turma permaneceu em silêncio por um instante.

— Essa é a história mais idiota que já ouvi — resmungou Kitay.

— Por que Tearza se mataria? — perguntou Rin. — Não seria melhor permanecer viva para defender seu ponto de vista?

Nezha deu de ombros.

— É por isso que mulheres não deviam governar ilhotas.

Isso provocou um burburinho de respostas. Yim ergueu a mão, silenciando a todos.

— Não foi assim tão simples. A lenda turvou os fatos. O conto de Tearza e do Imperador Vermelho é uma história de amor, não uma anedota histórica.

Venka levantou a mão.

— Ouvi dizer que o Imperador Vermelho a traiu. Prometeu que não invadiria Speer, mas quebrou a promessa.

Yim deu de ombros.

— É uma teoria popular. O Imperador Vermelho era famoso por ser implacável, e uma traição do tipo lhe seria característica. Mas, na verdade, não sabemos *por que* Tearza morreu ou mesmo se foi morta. O fato é que ela morreu, a tradição de monarcas guerreiros de Speer acabou e a ilha foi anexada ao Império até a Segunda Guerra da Papoula. Agora, do ponto de vista econômico, Speer mal contribuía como colônia. A ilha não exportava quase nada de útil para o Império além de soldados. Há evidências de que os speerlieses ainda nem tinham desenvolvido a agricultura. Antes da influência civilizatória dos enviados do Imperador Vermelho, os speerlieses eram um povo primitivo que praticava rituais bárbaros e vulgares. Não tinham muito a oferecer do ponto de vista cultural e tecnológico, pareciam séculos atrasados em relação ao restante do mundo. No quesito militar, por outro lado, os speerlieses valiam seu peso em ouro.

Rin ergueu a mão.

— Eles eram mesmo xamãs de fogo?

Risadinhas baixas correram pela turma, e Rin na mesma hora se arrependeu de ter falado.

Yim pareceu impressionado.

— Ainda acreditam em xamãs em Tikany?

Rin sentiu as bochechas queimarem. Ela crescera ouvindo histórias e mais histórias sobre Speer. Todos no vilarejo tinham uma obsessão mórbida com a poderosa força marcial do Império e suas supostas habilidades sobrenaturais. Rin sabia que não deveria levar as histórias ao pé da letra, mas ainda sentia certa curiosidade.

No entanto, falara sem pensar. Os mitos que a fascinavam em Tikany certamente pareceriam retrógados e provincianos na capital.

— Não... quer dizer, eu não... — gaguejou Rin. — Foi só algo que li, e estava apenas me perguntando...

— Não ligue para ela — interrompeu Nezha. — Tikany ainda acha que perdemos as Guerras da Papoula.

Mais risadinhas. O garoto se inclinou na cadeira, presunçoso.

— Mas os speerlieses tinham *algumas* habilidades estranhas, não? — perguntou Kitay, indo ao resgate de Rin. — Se não, por que Mugen escolheria Speer como alvo?

— Porque era conveniente — respondeu Nezha. — Bem no meio do caminho entre o arquipélago da Federação e a Província da Serpente. Por que não?

— Isso não faz sentido. — Kitay balançou a cabeça. — Pelo que li, a ilha de Speer não tinha quase nenhum valor estratégico. Não é útil nem como base naval. Seria melhor a Federação passar direto pelo mar e ir para Khurdalain. Mugen só se importaria com Speer se os speerlieses os deixassem aterrorizados.

— Os speerlieses *eram* aterrorizantes — concordou Nezha. — Esquisitões primitivos que adoravam drogas. Quem *não* ia querer exterminá-los?

Rin não conseguia acreditar que Nezha estava sendo tão grosseiro ao descrever um massacre trágico e ficou espantada quando Yim concordou com ele.

— Os speerlieses eram uma raça bárbara, obcecada com a guerra — disse o mestre. — O treinamento das crianças tinha início assim que começavam a andar. Por séculos, sobreviveram pilhando vilarejos na costa nikara, porque não conheciam a agricultura. Porém, os rumores de xamanismo provavelmente estão mais relacionados à religião deles. Historiadores acreditam que os speerlieses realizavam rituais bizarros nos quais se entregavam para sua deusa, a Fênix Escarlate do Sul. Mas era apenas um ritual, não uma habilidade de luta.

— Mas a afinidade dos speerlieses com o fogo é reconhecida — argumentou Kitay. — Vi isso nos relatórios de guerra. Um número considerável de generais, tanto de Nikan quanto da Federação, achava que o povo de Speer conseguia manipular fogo.

— Tudo isso é mito — retrucou Yim, com desdém. — A habilidade speerliesa de manipular fogo era um ardil usado para aterrorizar os inimigos. Provavelmente começou com o uso de armas em chamas durante ataques noturnos. No entanto, a maioria dos eruditos atuais concorda que a destreza deles em batalha é um produto de suas condições sociais e do ambiente rigoroso.

— Então por que nosso exército não os copiou? — questionou Rin. — Se os guerreiros speerlieses eram de fato tão poderosos, por que não conseguimos emular suas táticas? Por que tivemos que escravizá-los?

— Speer era um estado vassalo, não uma colônia escravista — respondeu o mestre, impaciente. — E *poderíamos* recriar seus programas de treinamento, mas, novamente, seus métodos eram bárbaros. Pelo que Jun me conta, vocês mal conseguem seguir as práticas gerais. Duvido que gostariam de ser submetidos ao regime speerliês.

— Mas e Altan? — quis saber Kitay. — Ele não cresceu em Speer e treinou em Sinegard...

— Você já viu Altan manipular fogo?

— Óbvio que não, mas...

— A visão dele afetou a mente de vocês? — inquiriu Yim. — Entendam de uma vez por todas: xamãs não existem. Não há mais speerlieses. Altan é tão humano quanto vocês. Ele não é mágico, não tem habilidades divinas. Luta bem porque recebeu treinamento assim que aprendeu a andar. Altan é o último membro de uma raça morta. Se os speerlieses rezaram para sua deusa, ela claramente não os salvou.

No entanto, a obsessão da turma com Altan não foi de todo prejudicial às aulas. Após assistirem à luta dos aprendizes, os calouros redobraram os esforços na aula de Combate. Queriam se tornar lutadores tão graciosos e letais quanto o speerliês. O Mestre Jun, contudo, permaneceu meticuloso. Recusava-se a ensinar as técnicas chamativas que tinham visto no ringue até dominarem por completo os fundamentos.

— Se tentassem fazer as Garras do Tigre de Tobi agora, não conseguiriam matar um coelho — desdenhou ele. — Só quebrariam os próprios dedos. Levará meses até que consigam canalizar o *ki* necessário para esse tipo de técnica.

Pelo menos Jun enfim se cansara de fazê-los treinar as sequências de movimentos. A turma já conseguia manusear o bastão com certa competência, ou seja, os acidentes eram mínimos. Um dia, no fim da aula, o mestre os alinhou em fileiras e ordenou que duelassem.

— De forma *responsável* — enfatizou. — Com metade da velocidade, se for preciso. Não tolero machucados idiotas. Treinem os ataques e os bloqueios que ensinei.

Rin viu que estava de frente para Nezha. Mas é lógico. Ele abriu um sorriso sórdido.

Por um momento, ela se perguntou se seria possível terminarem aquele duelo sem machucarem um ao outro.

— No três — anunciou Jun. — Um, dois...

Nezha se lançou para a frente.

Sua força chocou Rin, que mal teve tempo de erguer o bastão acima da cabeça para bloquear um golpe que a teria feito perder a consciência. O impacto fez seus braços tremerem.

Mas Nezha continuou a avançar, ignorando por completo as instruções de Jun. Girava o bastão com uma despreocupação selvagem, mas também com excelente mira. Rin manipulava seu próprio bastão de forma atrapalhada, ainda desconfortável com a arma em mãos, diferente de Nezha, que a transformara num borrão giratório. Ela mal conseguia segurar o bastão direito e quase o perdeu duas vezes. Nezha desferiu muito mais golpes do que ela era capaz de bloquear. Os dois primeiros a acertá-la — um no cotovelo, outro na coxa — doeram. Então vieram tantos que Rin não conseguia mais senti-los.

Ela tinha se enganado sobre Nezha. O garoto estivera se exibindo antes, mas seu talento com as artes marciais era verdadeiro e impressionante. Na primeira vez que lutaram, Nezha fora arrogante. Rin só havia conseguido dar um golpe de sorte.

Ele não estava sendo arrogante naquele momento.

A ponta do bastão de Nezha acertou a patela de Rin com um estalo doentio. Ela esbugalhou os olhos e desabou.

Nezha nem se preocupava mais em usar o bastão. Chutou Rin enquanto ela estava caída, cada golpe mais forte do que o outro.

— Essa é a diferença entre nós dois — murmurou ele. — Passei a vida inteira treinando. Você vai aprender a não me envergonhar. Entendeu? Você não é *nada*.

Ele vai me matar.

Ele vai me matar mesmo.

Dane-se o bastão. Ela não podia se defender com uma arma que mal sabia usar, então o largou, ergueu as mãos e atacou a cintura de Nezha. O garoto jogou o bastão para o lado e caiu de costas. Rin aterrizou em cima dele. Nezha levantou as mãos em direção ao rosto de Rin, que forçou a palma no nariz do oponente. Eles trocaram golpes furiosos num emaranhado caótico de membros.

Então algo apertou a garganta de Rin, interrompendo sua respiração. Jun separou os dois, demonstrando uma força impressionante, então os ergueu no ar por um momento e os atirou no chão.

— Que parte de *bloquear e desviar* vocês não entenderam? — rosnou o mestre.

— Foi ela quem começou — respondeu Nezha, sem perder tempo, rolando até conseguir se sentar e apontando para Rin. — Ela largou o...

— Eu sei o que vi — interrompeu Jun. — E vi os dois rolando pelo chão como imbecis. Se eu quisesse treinar animais, teria me juntado ao Cike. Devo recomendá-los para eles?

Nezha baixou o olhar.

— Não, senhor.

— Guarde sua arma e saia daqui. Está suspenso pelo restante da semana.

— Sim, senhor — respondeu o garoto.

Ele se levantou, colocou o bastão no suporte e se dirigiu para a porta.

Jun voltou sua atenção para Rin. Sangue escorria por seu rosto, saía do nariz, descia pela testa. Rin limpou o queixo de forma desajeitada, nervosa demais para encarar o mestre.

Ele se aproximou.

— Você. Levante-se.

Rin se esforçou para ficar de pé. Seu joelho gritou em protesto.

— Tire essa expressão patética da cara. Não vai receber compaixão de mim.

Ela não esperava compaixão dele. Mas também não esperava o que aconteceu em seguida.

— Esse foi o desempenho mais patético que vi de um aluno desde que saí do Exército — anunciou Jun. — Seus fundamentos são horríveis. Nunca vi alguém tão desengonçado. O que acabei de testemunhar? Passou o mês inteiro dormindo?

Ele era rápido demais. Não consegui acompanhar. Não tenho os anos de treinamento que ele tem. No mesmo instante em que as palavras surgiram em sua mente, elas pareceram desculpas ridículas. Rin abriu e fechou a boca, atordoada demais para responder.

— Odeio alunos como você — continuou o mestre, impiedoso. O som de bastões se chocando havia cessado por completo. Toda a turma estava escutando. — Vocês vêm para Sinegard, saindo dos seus vilarejozinhos, achando que é isso: conseguiram, deixaram a mamãe e o papai orgulhosos. Talvez fossem as crianças mais espertas do povoado. Talvez fossem até os melhores alunos que seus tutores já viram! Mas adivinha só? É preciso ir muito além de decorar uns poucos Clássicos para dominar as artes marciais. Todo ano recebemos alguém como você, um caipira que acha que só porque conseguiu passar numa *prova* merece meu tempo e minha atenção. Coloque isso na sua cabeça, sulista. O exame não prova nada. Disciplina e competência: essas são as *únicas* coisas que importam nesta instituição. Aquele garoto — Jun apontou o polegar na direção pela qual Nezha havia saído — pode ser um idiota, mas tem o que é preciso para se tornar um comandante. Você, por outro lado, é só lixo do interior.

A turma toda a encarava. Os olhos de Kitay estavam arregalados. Até Venka parecia chocada.

Os ouvidos de Rin zumbiam, inundados pelas palavras de Jun. Ela se sentia minúscula, prestes a se desfazer em pó. *Não posso chorar.* Seus olhos latejavam com a pressão de conter as lágrimas. *Por favor, não posso chorar.*

— Não tolero desordem na minha aula — disse o mestre. — Não tenho o feliz privilégio de expulsá-la, mas, como Mestre de Combate, posso fazer o seguinte: de agora em diante, está proibida de frequentar as instalações de treinamento. Está proibida de encostar no suporte de armas. Está proibida de treinar nas horas de folga. Está proibida de pisar aqui enquanto eu estiver dando aula. Está proibida de pedir para alunos mais velhos a ensinarem. Não preciso que crie mais problemas no meu espaço. Agora, suma daqui.

CAPÍTULO 5

Rin atravessou os portões do pátio às pressas. As palavras de Jun ecoavam sem parar em sua cabeça. Ela se sentiu tonta de repente; suas pernas tremiam, e sua visão ficou preta por um instante. Debruçada numa parede de pedra, ela foi escorregando até o chão, apertando os joelhos no peito enquanto o sangue bombeava furiosamente nos ouvidos.

Então a pressão no peito se arrebentou, e ela chorou pela primeira vez desde a aula introdutória, soluçando com o rosto nas mãos para que ninguém a ouvisse.

Chorou de dor. Chorou de vergonha. Mas chorou sobretudo porque aqueles dois longos anos de estudo para o Keju não significaram nada. Ela ainda estava atrasada demais em relação aos colegas de Sinegard. Não tinha experiência em artes marciais e muito menos uma arte hereditária — mesmo uma que parecesse tão idiota quanto a de Nezha. Não havia treinado desde a infância como Venka. Não era brilhante, não tinha memória eidética como Kitay.

E a pior coisa é que agora não havia como compensar aquelas coisas. Por mais frustrante que fosse, sem a tutelagem de Jun, Rin sabia que não conseguiria passar pelos Testes. Nenhum mestre escolheria uma aprendiz que não soubesse lutar. Acima de tudo, Sinegard era uma academia *militar*. Se Rin não conseguisse se defender no campo de batalha, então qual era o objetivo de tudo aquilo?

A sentença de Jun era equivalente a uma expulsão. Ela estava perdida. Acabada. Rin estaria de volta a Tikany em um ano.

Mas foi Nezha quem começou.

Quanto mais pensava nisso, mais rápido seu desespero se transformava em raiva. Nezha havia tentado *matá-la*. Rin só agira para se defender. Por que fora banida da aula, quando tudo que Nezha levou foi uma bronca?

No entanto, o motivo era bem óbvio. Nezha era um nobre sinegardiano, filho de um líder militar regional, e ela era uma garota do interior sem família ou prestígio. Expulsar Nezha teria sido um ato complicado e polêmico do ponto de vista político. Ele era importante. Ela, não.

Mas eles não podiam fazer isso com ela. Podiam pensar que a varreriam para longe feito lixo, mas Rin não tinha que aceitar isso sem lutar. Ela saíra do nada. Não voltaria para o nada.

Os portões do pátio se abriram, e a turma saiu. Os colegas se apressaram ao passar por ela, fingindo não vê-la. Só Kitay ficou para trás.

— Jun vai mudar de ideia — falou.

Rin pegou a mão que o menino ofereceu e se levantou em silêncio. Limpou o rosto com a manga e fungou.

— Estou falando sério — disse Kitay. Ele colocou a mão no ombro da amiga. — O mestre suspendeu Nezha só por uma semana.

Ela puxou o ombro com violência, as lágrimas ainda escorrendo furiosamente.

— Porque Nezha nasceu com um lingote de ouro na boca. Ele escapou porque metade do corpo docente tem rabo preso com o pai dele. Nezha é de Sinegard, então é *especial, faz parte* deste lugar.

— Ah, você também faz parte da Academia. Você passou no Keju...

— O Keju não significa nada — declarou Rin, mordaz. — É só um ardil para manter os camponeses sem educação onde sempre estiveram. Se você passar no Keju, então encontram uma maneira de expulsar você, de qualquer forma. O Keju mantém as classes mais baixas anestesiadas. Deixa a gente sonhar. Não é uma maneira de subir na escada social, é uma maneira de manter pessoas como eu no lugar em que nasceram. O Keju é como uma droga.

— Rin, isso não é verdade.

— É, *sim*! — disse ela, dando um soco na parede. — Mas não vão se livrar de mim desse jeito. Não tão fácil. Não vou deixar. *Não* vou.

De repente, ela se sentiu tonta. A visão voltou a ficar escura por um instante.

— Grande Tartaruga — disse Kitay. — Você está bem?

Ela deu as costas para o amigo.

— Do que você está falando?

— Você está suada.

Suada? Ela não estava suada.

— Estou bem — respondeu.

Sua voz soava um pouco alta demais, os ouvidos zumbiam. Estava gritando?

— Rin, fique calma.

— Eu estou calma! Estou extremamente calma!

Ela estava bem longe de estar calma. Queria bater em alguma coisa. Queria gritar com alguém. A raiva pulsava nela como uma onda de calor.

Então uma dor irrompeu de sua barriga, como se tivesse sido esfaqueada. Rin arfou e agarrou o diafragma. Sentia como se alguém estivesse cortando suas tripas com uma pedra afiada.

Kitay pegou os ombros dela.

— Rin? *Rin?*

De repente, a garota sentiu vontade de vomitar. Será que os golpes de Nezha haviam causado algum dano interno?

Ah, que ótimo, pensou. *Agora você está humilhada e ferida. Espera só até verem você mancando para a sala de aula; Nezha vai adorar.*

Ela empurrou Kitay.

— Não preciso... Me deixa em paz!

— Mas você...

— Estou *bem*!

Naquela noite, Rin acordou com uma sensação grudenta e profundamente confusa.

A calça do pijama estava fria, assim como quando era pequena e fazia xixi na cama. Mas as pernas estavam pegajosas demais para estarem cobertas de urina. Com o coração martelando, Rin saiu da cama e acendeu uma lamparina com dedos trêmulos.

Ela olhou para baixo e quase deu um grito. A luz fraca mostrava poças vermelhas ao redor. Estava coberta por grandes quantidades de sangue.

Rin se esforçou para não entrar em pânico e forçou sua mente zonza a pensar de maneira racional. Não sentia nenhuma dor aguda, apenas um profundo desconforto e uma irritação enorme. Não havia sido esfaqueada. Não havia evacuado todos os órgãos internos. Sangue fresco escorria pela perna dela naquele momento; então, com os dedos ensopados, ela rastreou o líquido vermelho até a fonte.

E aí simplesmente ficou confusa.

Não havia como voltar a dormir. Ela se limpou com as partes do lençol que não estavam ensopadas de sangue, enfiou um pedaço de tecido entre as pernas e saiu correndo do dormitório para chegar à enfermaria antes de o restante do campus acordar.

Rin apareceu na enfermaria suada e sangrando, quase tendo um colapso nervoso. O médico de plantão deu uma olhada nela e chamou a assistente.

— É uma daquelas situações — disse ele.

— Certo.

A assistente parecia estar se esforçando muito para não rir. Rin não via nada nem remotamente engraçado naquilo.

A assistente a levou para trás de uma cortina, entregou-lhe roupas limpas e uma toalha e, depois de acomodar Rin, mostrou-lhe um diagrama detalhado do corpo feminino.

Talvez a prova da falta de educação sexual em Tikany fosse o fato de que Rin não sabia nada sobre menstruação até aquele momento. Durante quinze minutos, a assistente do médico explicou em detalhes as mudanças que estavam ocorrendo no corpo de Rin, apontando para vários lugares no diagrama e fazendo gestos bem vívidos com as mãos.

— Ou seja, você não está morrendo, querida. Seu corpo está apenas excretando a parede uterina.

O queixo de Rin estava caído havia um bom minuto.

— *Como é que é?*

Ela voltou para o dormitório com uma cinta bastante desconfortável presa debaixo da calça e uma meia cheia de grãos crus de arroz aquecidos. Ela colocou a meia sobre o ventre para diminuir a dor, mas a cólica estava tão ruim que Rin não conseguiu se levantar para ir à aula.

— Quer que eu chame alguém? — perguntou Niang.

— Não — murmurou Rin. — Estou bem. Pode ir.

Ela passou o dia todo na cama, desesperada com as aulas que estava perdendo.

Vai ficar tudo bem, entoava sem parar para si mesma, a fim de não entrar em pânico. Um dia não seria tão ruim. Os pupilos ficavam doentes o tempo inteiro. Kitay poderia emprestar suas anotações das aulas, se ela pedisse. Com certeza daria para recuperar o tempo perdido.

Aquilo aconteceria todo mês, esse era o problema. Todo maldito mês, seu útero se estraçalharia, enviando relâmpagos de ódio pelo seu corpo, e a deixaria inchada, torpe, desligada e, o pior de tudo, fraca. Não era surpresa que as mulheres quase nunca permanecessem em Sinegard.

Tinha que resolver aquele problema.

Se ao menos não fosse tão constrangedor. Precisava de ajuda. Venka parecia alguém que já teria começado a menstruar. Mas Rin preferia morrer a lhe perguntar como lidar com aquilo. Em vez disso, ela sussurrou suas dúvidas para Kureel certa noite, depois de ter se certificado de que Niang e Venka já haviam ido para a cama.

Na escuridão, Kureel deu uma gargalhada alta.

— Vá para a aula com a cinta. Vai ficar tudo bem. A gente acaba se acostumando com as cólicas.

— Mas com que frequência eu preciso trocá-la? E se vazar durante a aula? E se manchar meu uniforme? E se alguém *vir*?

— Calma — disse Kureel. — A primeira vez é difícil, mas você se adapta. Fique de olho no seu ciclo para saber quando a próxima vai chegar.

Não era aquilo que Rin queria ouvir.

— Não tem como parar com ela para sempre?

— Não, a não ser que arranque seu útero fora — zombou Kureel, que parou quando viu a expressão no rosto de Rin. — Brincadeira. Na verdade, é impossível.

— Não é, não. — Arda, que era aprendiz de Medicina, interrompeu a conversa falando baixinho. — Existe um procedimento que é oferecido na enfermaria. Na sua idade, não seria nem necessário fazer uma cirurgia. O médico dá uma mistura que interrompe o processo praticamente para sempre.

— Sério? — A esperança surgiu no coração de Rin. Ela olhou para as duas aprendizes. — E por que vocês não tomaram essa coisa?

As duas encararam a garota, incrédulas.

— A mistura destrói o útero — explicou Arda, por fim. — Basicamente mata um dos seus órgãos internos. Você não vai conseguir ter filhos depois.

— E dói demais — disse Kureel. — Não vale a pena.

Mas eu não quero ter filhos, pensou Rin. *Quero ficar aqui.*

Se aquele procedimento pudesse acabar com a menstruação, se pudesse ajudá-la a permanecer em Sinegard, então valia a pena.

Assim que o sangramento parou, Rin voltou para a enfermaria e disse ao médico o que queria fazer. Ele não tentou dissuadi-la; na verdade, parecia satisfeito.

— Faz anos que quero convencer as garotas daqui a fazerem isso — disse ele. — Nenhuma delas me dá ouvidos. Não é de surpreender que tão poucas consigam ir além do primeiro ano. Deveria ser obrigatório.

Ele a fez esperar enquanto entrava na sala dos fundos para misturar os ingredientes necessários. Dez minutos depois, voltou com uma caneca fumegante.

— Beba.

Rin pegou a caneca. Era de porcelana escura, então não havia como saber a cor do líquido. Ela se perguntou se deveria estar sentindo alguma coisa. Aquele era um momento significativo, não? Não teria filhos. Ninguém concordaria em se casar com ela depois de beber aquilo. Não deveria ser importante?

Não. Não, óbvio que não. Se Rin quisesse engordar com fedelhos chorões, teria ficado em Tikany. Ela fora a Sinegard para escapar daquele futuro. Por que titubear?

A garota buscou em si mesma qualquer pontada de remorso. Nada. Não sentia absolutamente nada, da mesma forma que não sentiu nada quando foi embora de Tikany, observando a cidade poeirenta desaparecer a distância.

— Vai doer — avisou o médico. — Bem mais do que quando você menstrua. Seu útero vai se destruir nas próximas horas. Depois disso, vai parar de cumprir as funções necessárias. Quando seu corpo estiver completamente amadurecido, você poderá fazer uma cirurgia para removê-lo, mas, enquanto isso, esse remédio deverá resolver seu problema. Você não será capaz de frequentar aulas ao menos por uma semana. Mas depois ficará livre para sempre. Agora, sou obrigado a perguntar outra vez se tem certeza de que é isso que quer fazer.

— Tenho.

Rin não queria pensar mais naquilo. Prendeu a respiração e levou a caneca à boca, franzindo o cenho ao sentir o gosto do líquido.

O médico havia acrescentado mel para disfarçar o amargor, mas a doçura só piorava a mistura. Tinha o mesmo gosto que o cheiro de ópio. Ela teve que dar vários goles para acabar com a caneca. Quando terminou, sua barriga estava dormente e, de uma forma estranha, saciada e inchada. Alguns minutos depois, um formigamento esquisito começou em seu ventre, como se alguém a espetasse por dentro com agulhinhas.

— Volte para o dormitório antes que comece a doer — aconselhou o médico. — Direi aos mestres que está doente. A enfermeira vai acompanhar seu estado hoje à noite. Você não vai querer comer, mas vou pedir para uma das suas colegas levar comida, de qualquer forma.

Rin agradeceu e correu mancando de volta ao dormitório, segurando o abdômen. O formigamento se transformara numa dor aguda que se espalhava pela parte de baixo da barriga. Sentia como se tivesse engolido uma faca que rodopiava devagar dentro dela.

De alguma forma, conseguiu chegar à cama.

A dor é só uma mensagem, disse a si mesma. Podia optar por ignorá-la. Podia... podia...

Era terrível. Ela gemeu alto.

Não conseguiu dormir, apenas ficou deitada num transe febril. Delirou enquanto se mexia sem parar nos lençóis, sonhando com bebês natimortos e deformados, Tobi enfiando as cinco garras na barriga dela.

— Rin. Rin?

Havia uma pessoa debruçada sobre ela. Era Niang, com uma tigela de madeira.

— Trouxe um pouco de sopa de abóbora-d'água para você.

Ela se ajoelhou ao lado de Rin e levou a cuia à boca da amiga.

Rin tomou um gole da sopa. Sentiu dores no estômago.

— Não estou com fome — disse ela, a voz fraca.

— Também trouxe esse sedativo. — Niang empurrou uma caneca na direção de Rin. — O médico falou que, se você quiser, pode tomar agora, mas que não é necessário.

— Tá brincando? Me dá isso aqui.

Rin agarrou a caneca e virou seu conteúdo de uma vez. Na mesma hora, sentiu a cabeça ficar zonza. O cômodo ficou deliciosamente desfocado. A facada na barriga desapareceu. Então, algo surgiu no fundo da garganta. Rin deu um pulo para a lateral da cama e vomitou na vasilha que deixara ali. O sangue manchou a porcelana.

Rin observou a vasilha, bastante satisfeita. *É melhor se livrar do sangue assim*, pensou, *de uma vez só, em vez de aos poucos, todo mês, por anos.*

Enquanto continuava a vomitar, ouviu a porta do dormitório se abrindo.

Uma pessoa estava parada na frente dela.

— Você é maluca — disse Venka.

Rin ergueu a cabeça, encarando-a com sangue escorrendo da boca, e sorriu.

Rin passou quatro dias delirantes na cama antes de conseguir voltar a frequentar as aulas. Quando se arrastou para fora de seu catre, contra as recomendações de Niang e do médico, percebeu que estava muito atrasada.

Havia perdido toda uma aula sobre conjugações verbais do mugenês em Linguística, o capítulo sobre a morte do Imperador Vermelho em História, as análises de Sunzi sobre previsão do tempo geográfica em Estratégia e os detalhes sobre como colocar uma tala em Medicina. Não esperava indulgência dos mestres e não recebeu nenhuma.

Os mestres a trataram como se perder aula tivesse sido culpa dela, e fora mesmo. Rin não tinha desculpas; podia apenas aceitar as consequências.

Ela errava as perguntas que os mestres lhe faziam. Tirou as piores notas da classe em todos os exames. Mas não reclamou. Por toda a semana, suportou seu desdém em silêncio.

Por mais estranho que fosse, não se sentiu desencorajada; na verdade, é como se um véu tivesse sido levantado. As primeiras semanas que passara em Sinegard foram como um sonho. Impressionada com a magnificência da cidade e da Academia, Rin se permitira um desvio de seu caminho.

Agora, fora dolorosamente lembrada que seu lugar ali não era permanente.

O Keju não significara nada. Testara sua habilidade de recitar poemas feito um papagaio. Por que havia pensado que aquilo a teria preparado para uma escola como Sinegard?

Mas se o Keju lhe ensinara algo, era que a dor era o preço do sucesso. E já fazia muito tempo que não se queimava.

Ela se tornara indolente na Academia. Preguiçosa. Perdera de vista o que estava em jogo. Precisou ser relembrada de que não era nada — que podia ser mandada de volta para casa a qualquer momento. Por mais que o que tivesse em Sinegard fosse ruim, o que a esperava em Tikany era muito, muito pior.

Ele olha para você e lambe os beiços. Leva você para o quarto. Força a mão entre suas pernas. Você dá um grito, mas ninguém te escuta.

Ela ficaria. Ela ficaria em Sinegard nem que a Academia a matasse.

Rin mergulhou de cabeça nos estudos. As aulas se tornaram semelhantes a guerras, cada interação uma batalha. Com cada mão erguida e cada dever de casa, ela competia com Nezha, Venka e todos os sinegardianos. Precisava provar que merecia continuar ali, que merecia mais treinamento.

Precisara do fracasso para se lembrar de que não era como os habitantes daquela cidade — não falava hesperiano, não sabia qual era a hierarquia do Exército Imperial, não conhecia as relações políticas entre os Doze Líderes como a palma da mão. Os sinegardianos enraizavam tais conhecimentos desde a infância. Ela precisaria desenvolvê-lo.

As horas que não passava em sala de aula ou dormindo, passava nos arquivos. Leu todos os textos exigidos pelos mestres em voz alta para si mesma, enrolando a língua com o dialeto estranho de Sinegard até conseguir erradicar todos os rastros de seu sotaque sulista.

Começou a se queimar de novo. Achava a dor libertadora; era reconfortante, familiar. Era uma troca com a qual já estava acostumada. Sucesso exigia sacrifício. Sacrifício significava dor. Dor significava sucesso.

Parou de dormir. Sentava-se na primeira fileira para que não pudesse se distrair. Sua cabeça doía sem parar. Sempre tinha vontade de vomitar. Parou de comer.

Fez da própria vida um inferno. No entanto, todas as suas opções levavam à miséria. Ela podia fugir. Podia entrar num barco e escapar para outro lugar. Podia entregar drogas para outro traficante de ópio. Podia, se fosse absolutamente necessário, voltar para Tikany, casar-se e torcer para que ninguém descobrisse que não podia ter filhos até ser tarde demais.

Mas a miséria que sentia agora era boa. Rin se deleitava nela, pois fora escolha sua.

Um mês depois, Rin tirou a melhor nota da turma num dos vários exames de Linguística de Jima. Quando a mestra anunciou os cinco melhores resultados, Rin endireitou as costas com um choque de felicidade.

Havia passado a madrugada inteira estudando os tempos verbais hesperianos, que eram muito confusos. O hesperiano moderno era um idioma sem um pingo de lógica. Suas regras eram quase aleatórias; seus guias de pronúncia, inconsistentes e marcados por exceções.

Não conseguia entender o raciocínio do hesperiano, então o memorizou, da mesma forma que memorizava tudo que não compreendia.

— Bom — disse Jima com rispidez quando lhe devolveu o pergaminho com o exame.

Rin ficou impressionada com como aquele "bom" a fez se sentir bem.

Descobriu que os elogios dos mestres a impulsionavam. Aquilo significava que ela finalmente, *finalmente*, recebera a validação de que não era nada. Ela podia ser brilhante, podia ser digna da atenção de alguém. Adorava os elogios — ansiava por eles, precisava deles, e notou que só ficava tranquila quando enfim os recebia.

Percebeu também que sua relação com os elogios era a mesma que a dos viciados com o ópio. Cada vez que recebia uma nova injeção de louvor, só conseguia pensar em como ganhar mais. O êxito era um barato. O fracasso era pior que a abstinência. Boas notas traziam alívio e orgulho temporários — ela se deleitava em seu período de alegria por algumas horas antes de começar a entrar em pânico com o próximo teste.

Desejava tanto os elogios que podia sentir nos ossos. E, exatamente como um viciado, faria qualquer coisa para ganhar mais.

Nas semanas seguintes, Rin escalou do posto das piores notas para se tornar uma das melhores alunas de cada aula. Estava sempre competindo com Nezha e Venka pelas maiores notas de praticamente todas as cadeiras. Em Linguística, perdia apenas para Kitay.

Ela tinha um apreço especial por Estratégia.

Com seus bigodes grisalhos, o Mestre Irjah fora seu primeiro professor a não se basear apenas na aprendizagem mecânica como método de ensino. Ele fazia os alunos resolverem silogismos, definirem conceitos sobre os quais nunca haviam parado para pensar, coisas como *vantagem*, *vitória* ou *guerra*. Ele os forçava a dar respostas precisas e exatas. Rejeitava frases vagas ou que poderiam ter múltiplas interpretações. Ampliava suas mentes, derrubava suas noções preconcebidas de lógica e então as colava de novo.

Ele quase nunca fazia elogios, mas, quando isso acontecia, se certificava de que todos na sala haviam ouvido. Rin ansiava por sua aprovação mais do que por qualquer outra coisa.

Ao terminarem de analisar *Princípios da guerra*, de Sunzi, Irjah passou a segunda metade da aula lançando problemas militares hipotéticos aos alunos, desafiando-os a pensar de maneira diferente em diversas situações complicadas. Às vezes, as simulações envolviam apenas questões de logística ("Calculem a quantidade de tempo e suprimentos necessários para mover um batalhão desse tamanho por essa reta"). Outras vezes, ele desenhava mapas para a turma, indicando com símbolos quantas tropas eles tinham e forçando-os a bolar um plano de batalha.

— Vocês não podem atravessar um rio — disse Irjah. — A posição de suas tropas é ideal para um ataque a distância, mas a coluna principal não tem mais flechas. O que vão fazer?

A maioria da turma sugeriu um ataque às carroças de armamento do inimigo. Venka queria abandonar a ideia de ataque a distância e fazer um ataque frontal. Nezha sugeriu que mandassem os fazendeiros locais produzirem flechas em massa durante uma noite.

— Pegar os espantalhos dos fazendeiros locais — sugeriu Kitay.

Nezha bufou.

— O quê?

— Deixe ele falar — disse Irjah.

— Coloque uniformes neles, enfie todos num barco e mande-os rio abaixo — continuou Kitay, ignorando o outro aluno. — Essa área é uma região montanhosa conhecida pelas chuvas pesadas. É possível presumir que choveu há pouco tempo, então vai ter alguma neblina. Isso vai dificultar que as forças inimigas vejam o rio com nitidez. Os arqueiros vão confundir os espantalhos com soldados e atirar até eles ficarem parecendo almofadas de alfinetes. Então mandamos nossos homens rio abaixo para coletar as flechas. E usamos as flechas do inimigo para matá-los.

Kitay ganhou aquela.

Em outro dia, Irjah os presenteou com um mapa da região das montanhas Wudang com duas cruzes vermelhas que indicavam batalhões da Federação cercando o exército nikara em ambas as pontas do vale.

— Vocês estão presos no vale. A maior parte dos moradores foi evacuada, mas o general da Federação mantém uma escola cheia de crianças como reféns. Ele diz que vai libertar as crianças se o batalhão nikara se entregar. Não há garantias de que vai honrar com a sua palavra. Como vocês respondem?

Eles encararam o mapa por muitos minutos. As tropas não tinham vantagens, nenhuma saída fácil.

Até Kitay ficou intrigado.

— Tentar um ataque pelo flanco esquerdo? — propôs. — Evacuar as crianças enquanto eles estão preocupados com uma pequena tropa de guerra?

— O inimigo está em terreno mais alto — disse Irjah. — Vão atirar em vocês antes de terem a chance de sacar as armas.

— Incendiar o vale — sugeriu Venka. — E distraí-los com a fumaça?

— Essa é uma boa maneira de queimar até a morte. — Irjah bufou. — Lembrem-se, vocês estão em terreno baixo.

Rin levantou a mão.

— Desviar do segundo batalhão e chegar até a represa. Quebrar a represa. Inundar o vale. Deixar todo mundo lá se afogar.

Os colegas de classe se viraram para encará-la, horrorizados.

— Deixar as crianças para trás — acrescentou ela. — Não há como salvá-las.

Nezha começou a gargalhar.

— Estamos tentando *ganhar* essa simulação, sua idiota.

Irjah gesticulou para que o garoto se calasse.

— Runin. Elabore, por favor.

— Não é uma vitória, de qualquer jeito — disse ela. — Mas, se os custos são tão altos, eu apostaria tudo nela. Assim, eles morrem e nós só perdemos metade das nossas tropas, nada mais. Sunzi escreveu que nenhuma batalha acontece de forma isolada. Este é apenas um pequeno movimento no grande mecanismo da guerra. Os números que Irjah nos deu indicam que esses batalhões da Federação são enormes. Presumo que eles representem um bom percentual de todo o exército da Federação. Assim, se abrirmos mão de parte das nossas tropas, diminuímos sua vantagem nas batalhas seguintes.

— Você preferiria matar o próprio povo a deixar o exército do oponente escapar? — perguntou Irjah.

— Matar não é a mesma coisa que deixar morrer — argumentou Rin.

— Ainda assim, são baixas.

Rin balançou a cabeça.

— Não se deixa um inimigo escapar quando ele será uma ameaça mais tarde. Livra-se dele. Se já avançaram tanto, conhecem a configuração de quase todo o país. Têm a vantagem geográfica. Essa é nossa única chance de derrubar a maior força de guerra do inimigo.

— Sunzi diz que sempre devemos dar uma saída ao inimigo — falou Irjah.

Em particular, Rin pensava que aquele era um dos princípios mais imbecis de Sunzi, mas logo conseguiu apresentar um contra-argumento.

— Mas ele não disse para *deixá-los* pegar essa saída. O inimigo só precisa pensar que a situação não é tão ruim, para que não fique desesperado e comece a fazer coisas idiotas que destruirão os dois lados da batalha. — Ela refletiu por um instante. — Suponho que eles podem tentar nadar.

— Ela está falando de dizimar vilarejos inteiros! — protestou Venka.

— Não dá para arrebentar uma represa assim. Elas levam anos para serem reerguidas. Todo o delta do rio vai inundar, não apenas o vale. Você está falando de fome. Desinteria. Vai bagunçar a agricultura da região, criar uma série de problemas que significarão décadas de sofrimento em cadeia...

— Problemas que podem ser resolvidos — retrucou Rin, teimosa, mantendo a sua opinião. — Qual era sua solução, deixar a Federação entrar livremente no coração da nação? Que utilidade as regiões agrícolas terão quando o país for ocupado? Você daria Nikan para eles de mão beijada.

— Chega, chega. — Irjah bateu o punho na mesa para silenciá-las. — Ninguém ganhou esse. Estão dispensados. Runin, quero falar com você. No meu gabinete.

— De onde tirou essa solução? — Irjah segurava um livreto.

Rin reconheceu os próprios garranchos na parte de cima da página.

Na semana anterior, Irjah pedira aos alunos que escrevessem respostas para outro problema imaginário — um cenário contrafactual em que o Exército perdera apoio popular numa guerra de resistência contra a Federação. Não era mais possível depender dos camponeses para dar comida aos soldados ou rações para os animais, ou usar suas casas como alojamento a não ser que forçassem a entrada. De fato, surtos rebeldes em áreas rurais acrescentavam várias camadas de obstáculos na coordenação das tropas.

A solução de Rin fora queimar uma das pequenas ilhas de vilarejos.

A diferença é que a ilha em questão pertencia ao Império.

— Na primeira aula de Yim, falamos sobre como perder Speer acabou com a Segunda Guerra da Papoula — disse ela.

Irjah franziu o cenho.

— Você baseou esse trabalho no Massacre Speerliês?

Ela assentiu.

— Perder Speer durante a Segunda Guerra da Papoula forçou Hesperia a agir — explicou a garota —, deixando-os desconfortáveis o bastante para não quererem que Mugen avançasse tanto no continente. Pensei que a destruição de outra ilhota poderia fazer o mesmo com a população nikara, convencê-los de que o verdadeiro inimigo era Mugen. Lembrá-los do que estava em jogo.

— Com certeza tropas do Exército atacando uma província do Império passaria a mensagem errada — argumentou Irjah.

— Eles não *saberiam* que eram tropas do Exército — falou Rin. — Nossos homens fingiriam ser um esquadrão da Federação. Talvez eu devesse ter sido mais clara sobre isso. Melhor ainda seria se Mugen simplesmente atacasse a ilha por nós, mas não dá para deixar essas coisas ao acaso.

Ele assentiu devagar enquanto examinava o trabalho dela.

— Cruel. Cruel, mas inteligente. Você acha que foi isso que aconteceu?

Ela levou um segundo para entender a pergunta.

— Na simulação ou durante as Guerras da Papoula?

— Nas Guerras da Papoula. — O mestre inclinou a cabeça, observando-a com atenção.

— Não tenho certeza de que não foi isso que aconteceu — respondeu a estudante. — Existe alguma evidência de que o Império permitiu que o ataque a Speer fosse bem-sucedido.

A expressão de Irjah não indicava nada, mas seus dedos tamborilaram com ponderação em sua escrivaninha de madeira.

— Explique-se.

— Acho muito difícil acreditar que a maior força de guerra do Exército possa ter sido aniquilada de maneira tão fácil. Isso e o fato de a ilha estar com tão poucas defesas que chegava a ser suspeito.

— O que está sugerindo?

— Bem, não tenho certeza, mas me parece que... quer dizer, talvez alguém do lado de dentro... um general nikara ou alguém que tivesse acesso a certas informações... soubesse sobre o ataque a Speer, mas não alertou ninguém.

— E por que seria do nosso interesse perder Speer? — questionou Irjah, baixinho.

Ela levou um tempo para formular um argumento coerente.

— Talvez soubessem que Hesperia não admitiria aquilo. Talvez quisessem gerar apoio popular para distraí-los do movimento do Junco Carmesim. Talvez fosse porque precisávamos de um sacrifício, e Speer era dispensável de uma maneira que as outras regiões não eram. Não podíamos deixar nenhum nikara morrer. Mas speerlieses? Por que não?

Ela estava arriscando quando começou a falar, mas, assim que terminou, a resposta lhe pareceu surpreendentemente plausível.

Irjah parecia bastante desconfortável.

— Você deve entender que essa é uma parte vergonhosa da história de Nikan — explicou o mestre. — A forma como tratamos os speerlieses foi... lamentável. Eles foram usados e explorados pelo Império por séculos. Seus guerreiros eram vistos como pouco mais que cães raivosos. Selvagens. Até Altan vir estudar em Sinegard, acho que ninguém pensava que os speerlieses eram capazes de raciocínio sofisticado. Nikan não gosta de falar de Speer, e por uma boa razão.

— Sim, senhor. Era só uma teoria.

Irjah apoiou as costas na cadeira.

— De qualquer forma, não era apenas isso que eu queria discutir. Sua estratégia no vale funcionou para os propósitos do exercício, mas nenhum líder competente daria ordens como aquelas. Sabe por quê?

Ela refletiu em silêncio por um minuto.

— Confundi táticas com a estratégia maior — respondeu ela por fim.

Irjah anuiu.

— Elabore.

— A *tática* teria funcionado. Poderíamos até ganhar a guerra. Mas nenhum líder teria escolhido essa opção, porque o país se despedaçaria depois. Minha tática não garante a possibilidade de paz.

— Por quê? — perguntou Irjah, aprofundando a questão.

— Venka tinha razão sobre a destruição da agricultura. Nikan teria sofrido com a fome por anos. Rebeliões como a Ópera do Junco Carmesim surgiriam em toda parte. As pessoas pensariam que a fome era culpa da Imperatriz. Se usássemos minha estratégia, o que aconteceria depois seria uma guerra civil.

— Bom — falou Irjah. Ele ergueu as sobrancelhas. — Muito bom. Sabe, você é brilhante.

Rin tentou esconder a felicidade, mas sentiu uma onda de calor se espalhando pelo corpo.

— Caso se saia bem nos Testes — falou o mestre —, seria uma ótima aprendiz de Estratégia.

Sob quaisquer outras circunstâncias, aquelas palavras a animariam. Rin conseguiu abrir um sorriso resignado.

— Não sei se vou conseguir chegar tão longe, senhor.

Ele franziu o cenho.

— Por quê?

— O Mestre Jun me baniu da aula dele. Provavelmente não vou passar nos Testes.

— E por que cargas d'água isso aconteceu? — perguntou Irjah.

Ela relatou a última aula desastrosa que tivera com Jun sem se dar ao trabalho de embelezar a história.

— Ele deu a Nezha apenas uma suspensão, mas me mandou não voltar mais.

— Ah. — Irjah enrugou a testa. — Jun não a puniu por ter brigado. Tobi e Altan fizeram coisas bem piores quando estavam no primeiro ano. Ele a puniu porque é um purista em relação a esta instituição. Acha que qualquer estudante que não é descendente de um líder militar não é digno de nosso tempo. Mas vamos deixar o que Jun pensa de lado. Você é inteligente, vai conseguir aprender as técnicas que eles cobriram este mês sem muitos problemas.

Rin balançou a cabeça.

— Não vai fazer diferença. Ele não vai me deixar voltar.

— O *quê*? — O mestre parecia ultrajado. — É um absurdo. Jima está sabendo disso?

— Jima não pode intervir em um problema de Combate. Ou não vai. Já perguntei. — Rin se levantou. — Obrigado pelo seu tempo, senhor. Se conseguir passar nos Testes, ficarei honrada em estudar com o senhor.

— Vamos dar um jeito — disse Irjah. Seus olhos brilharam. — É o que Sunzi faria.

Rin não fora completamente honesta com Irjah. O mestre tinha razão — ela *daria* um jeito.

Começando com o fato de que não desistira das artes marciais.

Jun a banira de suas aulas, mas não da biblioteca. As estantes de Sinegard continham uma boa quantidade de tomos com instruções de artes marciais, a maior coleção de todo o Império. Rin tinha à mão os segredos da maior parte das artes hereditárias, com exceção das técnicas mais bem guardadas, como a da Casa de Yin.

Em suas pesquisas, ela descobriu que a literatura sobre artes marciais era bastante abrangente e assustadoramente complexa. Aprendeu que as artes marciais tinham uma conexão profunda com a linhagem: estilos diferentes pertenciam a famílias diferentes, técnicas similares foram aprendidas e melhoradas por pupilos que compartilhavam o mesmo mestre. Com frequência, as escolas eram desfeitas devido a rivalidades ou diferenças de opinião, então técnicas se fragmentavam e se desenvolviam de forma independente das outras.

Sua história era bastante divertida, quase tão boa quanto romances. Mas a prática se mostrou muito difícil. A maioria dos tomos era densa demais para servir como manual. Praticamente todos os autores presumiam que o estudante estaria lendo o livro com um mestre que pudesse demonstrar as sequências de movimentos na vida real. Outros discorriam por páginas sobre a técnica respiratória e a filosofia de luta de certa escola, mencionando coisas como chutes e socos apenas esporadicamente.

— Não quero ler sobre o equilíbrio do universo — resmungou Rin, colocando de lado o que parecia ser o centésimo texto em que dava uma olhada. — Quero aprender a meter a porrada nas pessoas.

Ela tentou pedir ajuda aos aprendizes.

— Desculpe — disse Kureel, sem fitá-la. — Jun falou que ensinar calouros fora das salas de treino era contra as regras.

Rin duvidava daquilo, mas deveria saber que não adiantaria procurar um dos aprendizes de Jun.

Pedir a ajuda de Arda também não era uma opção; ela passava o tempo todo na enfermaria com Enro e só voltava ao dormitório depois da meia-noite.

Rin teria que ensinar artes marciais a si mesma.

Um mês e meio depois, ela enfim encontrou uma mina de ouro de informações nos textos de Ha Seejin, contramestre do Imperador Vermelho. Os manuais de Seejin tinham ilustrações maravilhosas e eram cheios de descrições detalhadas e diagramas claros e informativos.

Explodindo de alegria, Rin folheou as páginas. Era aquilo. Ela precisava daquele livro.

— Você não pode pegar esse — disse o aprendiz na mesa principal.

— Por que não?

— É das prateleiras restritas — respondeu o aprendiz, como se aquilo fosse óbvio. — Calouros não têm acesso a elas.

— Ah. Desculpe. Vou colocar de volta.

Rin caminhou até os fundos da biblioteca. Deu uma olhadela ao redor para se certificar de que ninguém estava vendo e enfiou o tomo na camisa. Então, deu meia-volta e saiu.

Sozinha no pátio, com o livro em mãos, Rin aprendeu. Aprendeu a moldar o ar com os punhos, a imaginar uma grande bola girando em seus braços para guiar os movimentos. Aprendeu a firmar as pernas no chão para não ser derrubada, nem mesmo por oponentes com o dobro do peso dela. Aprendeu a fechar as mãos com o dedão do lado de fora, a sempre manter a guarda em torno do rosto e a se mover de um lado para o outro de maneira rápida e suave.

Ela ficou muito boa em socar objetos parados.

Rin ia sempre ver as lutas nos ringues. Chegava cedo no porão para conseguir um lugar na grade e não perder nenhum chute ou soco. Torcia para que, ao observar os aprendizes lutando, pudesse absorver as técnicas.

Na verdade, aquilo ajudou... até certo ponto. Ao examinar com atenção os movimentos dos aprendizes, Rin conseguia identificar o lugar e o momento certos para várias técnicas. Quando chutar, quando se esquivar, quando dar cambalhotas loucas no chão para evitar... espera, não, aquilo fora um acidente, Jeeha havia apenas tropeçado. Rin não tinha a memória muscular de lutar com outra pessoa, então precisava manter aquelas eventualidades na cabeça. Socos imaginados eram melhores do que nada.

Ela também ia às lutas para ver Altan.

Estaria mentindo se dissesse que olhar para ele não lhe dava um grande prazer estético. Com um físico ágil e musculoso e o maxilar esculpido, não havia como negar que Altan era lindo.

Mas era também um modelo da boa técnica. Fazia tudo que o texto de Seejin recomendava. Nunca baixava a guarda, nunca permitia uma abertura, nunca perdia o foco. Nunca prenunciava o próximo movimento, não saltava por aí de forma errática ou colocava as solas dos pés inteiras no chão para indicar ao oponente quando ia chutar. Sempre atacava pela lateral, jamais pela frente.

A princípio, Rin pensara que Altan era apenas um lutador bom e forte. Agora podia ver que ele era, em todos os sentidos, um gênio. Sua técnica de luta era um estudo de trigonometria, uma bela composição de trajetórias e forças rebatidas. Ele ganhava consistentemente porque tinha o controle perfeito de distância e toque. Altan transformara a matemática da luta em ciência.

Ele lutava com bastante frequência. Ao longo do semestre, os desafiantes só cresceram em número — parecia que todos os aprendizes de Jun queriam lutar com ele.

Rin viu Altan em vinte e três combates antes do fim do outono. Ele nunca perdeu.

CAPÍTULO 6

O inverno caiu sobre Sinegard com força. Os alunos aproveitaram um último dia prazeroso sob o sol outonal para acordar na manhã seguinte e descobrir que uma camada congelante de neve caíra sobre a Academia. Foi lindo observar a neve por dois plácidos minutos. Depois, ela se tornou uma chateação.

O campus se tornou uma zona de risco — os riachos congelaram e as escadas ficaram escorregadias e traiçoeiras. As aulas dadas ao ar livre passaram para lugares fechados. Os calouros receberam a função de espalhar sal nos caminhos de pedra a intervalos regulares para derreter a neve. Ainda assim, as passagens deslizantes mandavam um fluxo regular de alunos para a enfermaria.

Quanto às aulas de Folclore, o tempo frio foi a gota d'água para a maior parte da turma, que ia ao jardim de vez em quando na esperança de encontrar Jiang. Mas esperar em um jardim cheio de drogas por um professor que nunca aparecia era uma coisa; outra era esperar por ele em temperaturas congelantes.

Desde o início do ano escolar, Jiang não aparecera para a aula. Ocasionalmente, os alunos o avistavam pelo campus fazendo coisas imperdoáveis.

Certa vez, ele derrubou a bandeja de almoço das mãos de Nezha e saiu assobiando. Depois, deu tapinhas na cabeça de Kitay enquanto arrulhava como um pombo. Em outra ocasião, tentou cortar o cabelo de Venka com a tesoura de jardinagem.

Sempre que um aluno conseguia encurralar o mestre para perguntar sobre as aulas, Jiang fazia um barulho alto de peido com a boca e o cotovelo e se esquivava.

* * *

Apenas Rin continuava frequentando o jardim de Folclore, mas só porque era um local conveniente para treinar. Agora que, por despeito, os calouros evitavam o jardim, era o único lugar onde com certeza estaria sozinha.

Estava feliz por ninguém poder vê-la folheando o texto de Seejin. Conseguira aprender os fundamentos sem grandes dificuldades, mas descobriu que mesmo o segundo conjunto de movimentos já era diabolicamente difícil de dominar.

Seejin gostava de sequências em que os pés se moviam rápido. Nesse ponto, os diagramas falharam com ela. Os pés das pessoas nas ilustrações ficavam posicionados em ângulos bem diferentes de imagem para imagem. Seejin escrevera que, se um lutador conseguisse sair de qualquer posição ruim, não importando o quanto estivesse perto de cair, ele teria alcançado o equilíbrio perfeito e, assim, a vantagem na maioria das posições de combate.

Parecia bom na teoria. Na prática, significava uma porção de quedas.

Seejin recomendava que os pupilos praticassem as primeiras posições numa superfície elevada, de preferência um galho grosso que passasse por cima de um muro. Ignorando o próprio instinto, Rin subiu até o meio do salgueiro que se assomava sobre o jardim e, hesitando, posicionou os pés na madeira.

Apesar da ausência de Jiang durante as aulas, o jardim permanecia impecável. Era um caleidoscópio extravagante de cores chamativas, com padrões coloridos semelhantes às decorações externas dos prostíbulos de Tikany. Apesar do frio, os botões violetas e escarlates das papoulas permaneciam em flor, as folhas aparadas em fileiras organizadas. Os cactos, que dobraram de tamanho desde que Rin havia começado a frequentar a instituição, foram transferidos para um novo conjunto de potes de barro pintados com padrões estranhos de preto e laranja queimado. Debaixo das prateleiras, os cogumelos luminescentes ainda pulsavam com um brilho levemente perturbador, como pequeninas lamparinas.

Rin imaginou que um viciado em ópio poderia passar vários dias ali. Perguntou a si mesma se era aquilo que Jiang fazia.

Posicionada de maneira precária no salgueiro, esforçando-se para ficar de pé com o vento forte, Rin segurava o livro em uma das mãos, murmurando instruções em voz alta enquanto posicionava os pés.

— Pé direito para a frente, reto. Pé esquerdo para trás, perpendicular à linha reta do pé direito. Passar o peso para a frente, erguer o pé esquerdo...

Ela conseguia entender por que Seejin pensava que aquela seria uma boa forma de praticar o equilíbrio. Também compreendia a recomendação do autor de não praticar aqueles exercícios sem companhia. Ela oscilou perigosamente várias vezes e recuperou o equilíbrio apenas depois de alguns segundos apavorantes, girando os braços de maneira frenética. *Acalme-se. Recupere o foco. Pé direito para cima, depois uma volta...*

O Mestre Jiang apareceu no canto, assobiando alto "O toque do Guardião".

O pé direito de Rin escorregou. Ela oscilou para fora do galho, deixou cair o livro, e teria atingido o chão de pedra se o seu tornozelo esquerdo não tivesse ficado preso numa dobra entre dois galhos.

Ela parou com o rosto a centímetros do chão e suspirou de alívio.

Jiang encarou Rin em silêncio. A garota devolveu o olhar, a cabeça doendo enquanto o sangue descia para suas têmporas. As últimas notas da música foram morrendo e desapareceram no vento uivante.

— Olá — disse ele, por fim.

A voz combinava com o comportamento do mestre: era plácida, desligada e curiosa de um jeito idílico. Em qualquer outra situação, teria sido até reconfortante.

Desajeitada, Rin se esforçou para ficar de cabeça para cima.

— Você está bem? — perguntou ele.

— Estou presa — murmurou ela.

— Hum. É o que parece.

Jiang obviamente não ia ajudá-la a descer. Rin movimentou o tornozelo para fora do galho, tombou no chão e aterrissou numa cambalhota dolorosa aos pés dele. Com as bochechas pegando fogo, ela logo se colocou de pé e limpou a neve do uniforme.

— Quanta elegância — comentou Jiang.

Ele inclinou a cabeça para a esquerda, analisando-a com atenção, como se Rin fosse um espécime particularmente interessante. De perto, Jiang parecia ainda mais bizarro do que Rin imaginava. Sua face era um enigma; nem enrugada com a idade, nem corada com a juventude, mas invulnerável ao tempo, como uma pedra lisa. Seus olhos eram de um azul pálido que ela nunca vira em ninguém no Império.

— Você é um pouco ousada, não? — Ele soava como se estivesse reprimindo uma gargalhada. — Costuma se pendurar em árvores?

— O senhor me assustou.

— Hummpf. — Ele bufou como uma criancinha. — Você é a pupila favorita de Irjah, não é?

Seu rosto corou.

— Eu... quer dizer, não...

— É, *sim*. — Ele coçou o queixo e pegou o livro do chão, folheando as páginas com uma leve curiosidade. — O pequeno prodígio camponês de pele escura. Ele não para de falar sobre você.

Rin mexeu os pés, imaginando o rumo daquela conversa. Aquilo foi um elogio? Ela devia agradecê-lo? Ela passou uma mecha do cabelo para trás da orelha.

— Hum.

— Ah, não finja que está envergonhada. Você adorou ouvir isso. — Jiang olhou de esguelha para o livro e depois para ela. — O que está fazendo com um texto de Seejin?

— Encontrei nos arquivos.

— Ah. Retiro o que disse. Você não é ousada. É só idiota.

Quando ela pareceu confusa, Jiang explicou:

— Jun proibiu expressamente os livros de Seejin até, ao menos, o segundo ano.

Ela não conhecia aquela regra. Não era de se surpreender que o aprendiz não a deixara pegar o livro emprestado.

— Jun me expulsou da aula. Não fui informada disso.

— Jun a expulsou — repetiu Jiang, devagar. Ela não sabia dizer se ele estava achando graça ou não. — O que cargas d'água você fez?

— Hum. Eu meio que bati em outro aluno durante o treino de luta. Mas foi ele quem começou — explicou ela. — O outro aluno.

Jiang parecia impressionado.

— Idiota *e* esquentadinha.

Seus olhos foram até as plantas na prateleira atrás dela. O mestre contornou Rin, levou uma flor de papoula até o nariz e a cheirou um pouco, fazendo uma careta no fim. Então, enfiou as mãos nos bolsos fundos do manto, pegou uma tesoura e cortou o caule. Por fim, jogou a planta numa pilha no canto do jardim.

Rin começou a se aproximar do portão. Talvez, se saísse naquele momento, Jiang se esqueceria do livro.

— Lamento se não deveria estar aqui...

— Ah, não lamenta, não. Só está incomodada de eu ter interrompido seu treino e espera que eu saia sem mencionar o livro roubado. — Jiang cortou outro caule da papoula. — Você é destemida, sabia disso? Foi banida da aula de Jun, então pensou em aprender *Seejin* sozinha.

Ele emitiu diversos chiados sincopados. Rin levou um instante para perceber que Jiang estava rindo.

— O que isso tem de tão engraçado? — perguntou ela. — Senhor, se vai me denunciar, só quero dizer...

— Ah, não vou *denunciar* você. Não seria nem um pouco divertido. — Ele ainda ria. — Estava tentando mesmo aprender Seejin com um livro? Quer morrer?

— Não é tão difícil — argumentou ela. — É só seguir as imagens.

Ele se virou para Rin com uma expressão de descrença alegre. Abriu o livro, folheou as páginas com a mão treinada e então parou numa que detalhava um soco. Ergueu o tomo para ela.

— Esta aqui. Faça.

Rin obedeceu. Era uma sequência complicada, cheia de movimentos e passos rápidos. Rin fechou os olhos com força enquanto se mexia. Não conseguia se concentrar direito com aqueles cogumelos luminosos, aqueles cactos bizarros que não paravam de pulsar.

Quando voltou a abrir os olhos, Jiang havia parado de rir.

— Você não está pronta para Seejin — disse ele, fechando o livro com força. — Jun tem razão. No seu nível, não deveria nem *encostar* neste texto.

Ela se esforçou para conter uma onda de pânico. Se não pudesse nem usar o tomo de Seejin, então seria melhor voltar para Tikany naquele instante. Não havia encontrado outro livro que tivesse metade da utilidade daquele.

— Você pode se beneficiar de alguns fundamentos baseados em animais — continuou Jiang. — O trabalho de Yinmen. Ele foi predecessor de Seejin. Já ouviu falar?

Rin olhou para o mestre, confusa.

— Procurei pelos livros. Os pergaminhos estavam incompletos.

— Você não vai aprender nada a partir de *pergaminhos* — falou Jiang, sem paciência. — Discutiremos isso na aula de amanhã.

— Aula? O senhor nunca nem apareceu aqui!

Jiang deu de ombros.

— Não me dou ao trabalho de ensinar calouros que não acho interessantes.

Rin pensou que aquilo era uma irresponsabilidade da parte do professor, mas queria que ele continuasse falando. Ali estava o mestre num raro momento de lucidez, oferecendo aulas de artes marciais que ela não poderia aprender sozinha. Temia que, se dissesse a coisa errada, ele sairia correndo feito uma lebre assustada.

— Então eu sou interessante? — perguntou ela, devagar.

— Você é um desastre ambulante — afirmou ele, curto e grosso. — Pratica técnicas arcanas a um ritmo que sem dúvida vai lhe causar uma lesão, e não do tipo do qual se pode recuperar. Interpretou os textos de Seejin de forma tão errada que acredito ter criado uma nova forma de arte sozinha.

Rin franziu o cenho.

— Então por que vai me ajudar?

— Para irritar Jun. — Ele coçou o queixo. — Odeio aquele homem. Você acredita que, na semana passada, ele fez uma petição para que eu fosse demitido?

Rin ficou mais surpresa por Jun não ter tentado aquilo antes.

— Além disso, qualquer pessoa obstinada assim merece alguma atenção, ao menos para termos certeza de que você não se tornará um perigo para aqueles ao seu redor — falou Jiang. — Sabe, seu movimento de pés é notável.

— Sério? — retrucou ela, corando.

— As posições são perfeitas. Belos ângulos. — Ele inclinou a cabeça. — Mas, é óbvio, tudo que está fazendo é inútil.

Rin franziu a testa.

— Bem, se não vai me ensinar, então...

— Não falei isso. Você fez um bom trabalho a partir do texto — admitiu Jiang. — Melhor do que a maioria dos aprendizes teria feito. Seu problema é a força no tronco. Ou melhor, a falta dela. — Ele agarrou o pulso de Rin e puxou seu braço para cima, como se estivesse examinando um manequim. — Tão magra. Você não era fazendeira ou coisa parecida?

— Nem todo mundo que vem do sul é fazendeiro — respondeu ela. — Eu trabalhava numa loja.

— Hum. Não fez trabalho pesado, então. Mimada. Inútil.

Ela cruzou os braços.

— Eu não fui *mimada*...

— Tá, tá. — Ele ergueu a mão para interrompê-la. — Não importa. A questão é a seguinte: a técnica é inútil se não tiver força para usá-la. Você não precisa de Seejin, garota. Precisa de *ki*. Precisa de músculos.

— Então o que quer que eu faça? Calistenia?

Ele ficou parado, contemplativo, por muito tempo. Então sorriu.

— Não. Tenho uma ideia melhor. Esteja nos portões do campus para a aula de amanhã.

Antes que Rin pudesse responder, Jiang caminhou para fora do jardim.

— Uau. — Raban baixou os palitinhos, parando de comer. — Ele deve gostar mesmo de você.

— Ele me chamou de idiota e esquentadinha — disse Rin. — E aí me disse para não me atrasar para a aula.

— Ele *com certeza* gosta de você — afirmou Raban. — Jiang nunca falou nada de bom para ninguém no meu ano. Ele praticamente só grita para ficarmos longe dos narcisos dele. Disse para Kureel que as tranças dela pareciam cobras descendo da sua nuca.

— Ouvi dizer que ele ficou bêbado de vinho de arroz na semana passada e mijou na janela de Jun — contou Kitay. — Ele parece *incrível*.

— Há quanto tempo Jiang trabalha aqui? — perguntou Rin.

O mestre de Folclore parecia ter a metade da idade de Jun. Ela não conseguia acreditar que os outros mestres aguentariam um comportamento tão irritante de alguém que era visivelmente mais novo.

— Não sei. Já estava aqui quando eu era calouro, mas isso não significa muita coisa. Ouvi dizer que ele saiu do Castelo da Noite vinte anos atrás.

— Jiang era *Cike*?

Entre as divisões do Exército, apenas o Cike tinha uma péssima reputação. Era uma divisão de soldados baseada no Castelo da Noite, bem mais acima nas montanhas Wudang, cujo único propósito era cometer assassinatos em nome da Imperatriz. O Cike lutava sem honra. Não respeitavam regras de combate e eram famosos pela brutalidade. Trabalhavam na escuridão; faziam o trabalho sujo da Imperatriz e não recebiam reconhecimento algum depois. A maioria dos alunos teria preferido abandonar o serviço militar a se juntar ao Cike.

Rin teve dificuldade de unir a imagem do extravagante mestre de Folclore com a de um assassino brutal.

— Bem, é só um rumor. Os outros mestres não falam nada sobre ele. Tenho a impressão de que Jiang é considerado uma vergonha para a escola. — Raban coçou a nuca. — Mas os aprendizes adoram fofocar. Toda turma brinca de "Quem é Jiang?". A minha estava convencida de que ele era o fundador da Ópera do Junco Carmesim. A essa altura, a verdade já foi tão castigada que a única coisa que sabemos com certeza é que não sabemos nada sobre ele.

— Mas certamente Jiang já teve aprendizes — falou Rin.

— Ele é o Mestre de *Folclore* — disse Raban, devagar, como se estivesse conversando com uma criança. — Ninguém estuda Folclore.

— Porque Jiang não aceita nenhum estudante? — sugeriu a garota.

— Porque Folclore é uma piada — respondeu Raban. — Todas as outras cadeiras de Sinegard preparam os alunos para um cargo no governo ou no Exército. Mas Folclore é... sei lá, Folclore é estranho. Acho que a ideia original era ser um estudo sobre os terra-remotenses, para ver se havia algum mérito em seus rituais mágicos, mas todos logo perderam o interesse. Sei que Yim e Sonnen já pediram a Jima para acabar com a matéria, mas ela ainda é oferecida. Não entendo por quê.

— Mas deve ter havido estudantes de Folclore no passado — falou Kitay. — O que eles disseram?

Raban deu de ombros.

— É uma disciplina nova. As outras são ensinadas desde que o Imperador Vermelho fundou a escola, mas Folclore só existe há duas décadas. E ninguém nunca conseguiu terminar o curso. Ouvi dizer que alguns otários morderam a isca uns anos atrás, mas eles saíram de Sinegard e ninguém nunca mais ouviu falar deles. Nenhuma pessoa sã estudaria Folclore. Altan era a exceção, mas ninguém sabe o que se passa na cabeça dele.

— Achei que Altan estudasse Estratégia — falou Kitay.

— Ele poderia ter estudado o que quisesse. Por algum motivo, estava bastante inclinado para Folclore, mas então Jiang mudou de ideia, e Altan teve que se contentar com Irjah.

Aquilo era novidade para Rin.

— Isso acontece com frequência? Os estudantes escolherem o mestre?

— É raríssimo. A maioria de nós fica aliviado de conseguir uma chance. É impressionante quando um aluno consegue duas.

— Quantas chances Altan teve?

— Seis. Sete, se contar com Folclore, mas Jiang retirou a oferta no último minuto. — Raban olhou para ela com um olhar sabichão. — Por que está tão curiosa sobre Altan?

— Só estava pensando — respondeu Rin, rápida.

— Apaixonada pelo nosso herói de olhos vermelhos, hein? Você não seria a primeira. — Raban sorriu. — Só tome cuidado. Altan não é muito gentil com admiradores.

— Como ele é? — Rin não conseguiu evitar a pergunta. — Como pessoa, quero dizer.

Raban deu de ombros.

— Não temos aulas juntos desde o primeiro ano. Não o conheço tão bem. Acho que ninguém conhece. Ele evita os outros na maior parte do tempo. É calado. Treina sozinho e não tem amigos.

— Parece alguém que a gente conhece. — Kitay deu uma cotovelada em Rin.

— Cala a boca. Eu tenho amigos — retrucou ela, com raiva.

— Você tem *um* amigo — falou Kitay. — No singular.

Rin empurrou o braço de Kitay.

— Mas Altan é *bom* em tudo — disse ela. — Todo mundo adora ele.

Raban deu de ombros.

— Ele é mais ou menos como um deus neste campus. Não significa que seja feliz.

Assim que a conversa mudou para Altan, Rin esqueceu metade das perguntas que queria fazer sobre Jiang. Kitay e ela arrancaram de Raban histórias sobre Altan até o fim do jantar. Naquela noite, Rin tentou perguntar para Kureel e Arda, mas nenhuma delas tinha qualquer informação substancial.

— Eu vejo Jiang na enfermaria às vezes — disse Arda. — Enro mantém um leito isolado só para ele. O professor fica lá por um ou dois dias todo mês e depois vai embora. Talvez esteja doente. Ou talvez só goste do cheiro de desinfetante. Não sei dizer. Certa vez, Enro o flagrou tentando se drogar com os vapores dos remédios.

— Jun não gosta dele — falou Kureel. — Não é difícil entender por quê. Que tipo de mestre *age* daquela maneira? Ainda mais em Sinegard? — Sua expressão era de reprovação. — Acho que ele é uma desgraça para a Academia. Por que está perguntando?

— Por nada — respondeu Rin. — Só curiosidade.

A aprendiz deu de ombros.

— Toda turma cai nessa no início. Todo mundo acha que Jiang é mais do que aparenta, que Folclore é uma matéria de verdade, digna de ser aprendida. Mas não há nada lá. Jiang é uma piada. Está perdendo seu tempo.

No entanto, o Mestre de Folclore era real. Jiang era do corpo docente da Academia, mesmo que só ficasse andando de lá para cá e perturbasse os outros mestres. Ninguém conseguiria sair incólume de tantas provocações ao Mestre Jun. Então, se Jiang nem se dava ao trabalho de aparecer para dar aulas, o que estava fazendo em Sinegard?

Rin ficou um pouco impressionada quando viu Jiang esperando nos portões do campus na tarde seguinte. Ela não teria estranhado se o mestre tivesse simplesmente esquecido. Abriu a boca para perguntar aonde iam, mas Jiang apenas gesticulou para que a aluna o seguisse.

Rin presumiu que precisaria se acostumar a ser ciceroneada por ele sem pedir maiores explicações.

Os dois mal haviam começado a descer quando encontraram Jun, retornando da patrulha da cidade com um grupo de aprendizes.

— Ah. O desmiolado e a camponesa. — Jun diminuiu a velocidade até parar. Os aprendizes pareciam um tanto receosos, como se já tivessem visto aquela interação antes. — E para onde vão neste lindo dia?

— Não é da sua conta, Loran — respondeu Jiang, jovial.

Ele tentou desviar de Jun, mas o Mestre de Combate ficou no caminho.

— Um mestre saindo do campus sozinho com uma aluna. O que será que vão dizer? — Jun semicerrou os olhos.

— Provavelmente que um mestre de tamanho calibre tem coisas melhores para fazer do que ficar zanzando com as alunas — respondeu Jiang, alegre, olhando para os aprendizes de Jun.

Kureel parecia indignada.

Jun franziu o cenho.

— Ela não tem permissão para sair do campus. Precisa da aprovação escrita de Jima.

Jiang esticou o braço direito e puxou a manga. A princípio, Rin pensou que ele daria um soco em Jun, mas Jiang apenas levou o cotovelo até a boca e fez um barulho de peido alto.

— Isso não é uma aprovação escrita.

Jun não ficara impressionado. Rin suspeitava que ele já devia ter visto aquilo muitas vezes antes.

— Sou o Mestre de Folclore — falou Jiang. — O cargo vem com privilégios.

— Privilégios como nunca ter que dar aula?

Jiang levantou o queixo e respondeu, com ares de importância:

— Ensinei aos colegas dela a sensação angustiante de se desapontarem e a lição ainda mais valorosa de que não são tão importantes quanto pensam.

— Você ensinou à turma dela e a todas as turmas anteriores que Folclore é uma piada e que o mestre da cadeira é um completo idiota.

— Então mande Jima me demitir. — Jiang ergueu as sobrancelhas. — Sei que já tentou.

Jun levantou os olhos para o céu com uma expressão de eterno sofrimento. Rin suspeitava que aquilo era apenas a pequena parte de uma briga que já durava anos.

— Vou relatar isso para Jima — avisou Jun.

— Jima tem coisas melhores com que se preocupar. Contanto que eu traga a pequena Runin a tempo do jantar, duvido que ela vá se importar. Enquanto isso, saia do caminho.

Jiang estalou os dedos e fez um gesto para que Rin o seguisse. Ela comprimiu os lábios e desceu atrás dele.

— Por que ele odeia tanto você? — perguntou Rin enquanto os dois desciam a montanha em direção à cidade.

O mestre deu de ombros.

— Dizem que eu matei metade dos homens dele durante a Segunda Guerra. Jun ainda se ressente disso.

— Bem, e o senhor matou? — Rin se sentiu obrigada a perguntar.

Ele deu de ombros de novo.

— Não faço a mínima ideia.

A garota não soube como responder àquilo, e Jiang não se estendeu no assunto.

— Então, me fale da sua turma — pediu Jiang após um tempo. — O mesmo punhado de pirralhos mimados?

— Não os conheço muito bem — admitiu Rin. — São todos... bem...

— Mais espertos? Mais bem treinados? Mais importantes que você?

— Nezha é filho do Líder do Dragão — falou Rin. — Como vou competir com isso? O pai de Venka é o ministro das Finanças. O pai de Kitay é o ministro da Defesa ou algo assim. Os parentes de Niang são os médicos do Líder da Lebre.

Jiang bufou.

— Típico.

— Típico?

— Sinegard gosta de coletar a maior quantidade possível de proles dos líderes regionais. Gosta de mantê-los sob o olhar cuidadoso do Império.

— Por quê? — perguntou ela.

— Vantagem. Doutrinação. A atual geração de líderes regionais odeia demais uns aos outros para coordenar qualquer coisa de importância nacional, e a burocracia imperial tem pouquíssima autoridade local para forçá-los a fazer isso. Basta dar uma olhada na Marinha Imperial.

— Temos uma Marinha?

— Exato. Costumávamos ter. Enfim, a esperança de Daji é que Sinegard crie uma geração de líderes que gostem uns dos outros... e, melhor ainda, obedeçam ao trono.

— Ela acertou em cheio comigo, então — murmurou Rin.

Jiang lhe lançou um sorriso de esguelha.

— Como assim, você não vai ser uma boa soldada do Império?

— Vou — respondeu Rin, rápida. — Só não acho que meus colegas gostem muito de mim. Ou que algum dia vão gostar.

— Bem, isso acontece porque você é uma caipirazinha de pele escura que não sabe pronunciar o *r* — respondeu o mestre, com um ar descontraído. Ele virou num corredor estreito. — Por aqui.

Jiang a conduziu pelo distrito do matadouro, onde as ruas viviam cheias e tinham cheiro forte de sangue. Rin sentiu vontade de vomitar e cobriu o nariz. Açougues se alinhavam pelas vielas, tão próximos entre si que quase chegavam a ficar uns em cima dos outros, como dentes tortos. Depois de vinte minutos de esquinas e curvas, eles pararam diante de um casebre no fim de um quarteirão. Jiang bateu três vezes na frágil porta de madeira.

— *Quem é?* — gritou uma voz lá de dentro.

Rin deu um salto.

— Sou eu — respondeu Jiang, imperturbável. — Sua pessoa favorita no mundo inteiro.

Então veio o som de um tilintar metálico. Um segundo depois, uma senhorinha enrugada usando um avental roxo abriu a porta. Ela cumprimentou Jiang com um aceno curto, mas olhou desconfiada para Rin.

— Essa é a Viúva Maung — disse Jiang. — Ela me vende coisas.

— Drogas — esclareceu a Viúva Maung. — Sou a traficante dele.

— Ela está falando de ginseng, raízes e coisas assim — disse o mestre. — Para minha saúde.

A mulher revirou os olhos.

Rin observou aquele diálogo, fascinada.

— A Viúva Maung tem um problema — comentou Jiang, alegre.

A mulher pigarreou e escarrou no chão empoeirado bem ao lado de Jiang.

— Eu não tenho problema nenhum. Não sei por que está inventando isso.

— Mesmo assim — prosseguiu Jiang, mantendo o sorriso idílico —, a mulher graciosamente permitiu que você a ajudasse com o problema dela. Madame, pode nos trazer o animal?

A Viúva Maung desapareceu nos fundos da construção. Jiang gesticulou para que Rin o seguisse loja adentro. Ela escutou um guincho alto vindo de trás de uma parede. Segundos depois, a Viúva Maung retornou com um animal se contorcendo nos braços. Ela o jogou no balcão diante deles.

— Eis o porco — disse Jiang.

— É um porco — concordou Rin.

O suíno em questão era pequenino, menor que o antebraço de Rin. Sua pele era rosada com manchas pretas. A curva do focinho fazia parecer que ele estava sorrindo. Era estranhamente fofo.

Rin coçou as orelhas dele, que, por sua vez, roçou no braço dela de maneira afetuosa.

— Dei-lhe o nome de Sunzi — informou Jiang, feliz.

A Viúva Maung parecia ansiosa para Jiang sair dali.

O mestre se apressou em explicar:

— A Viúva Maung precisa que o pequeno Sunzi beba água todo dia. O problema é que ele precisa de um tipo de água muito especial.

— Sunzi poderia beber água de sarjeta e ficaria bem — explicou a Viúva Maung. — Você só está inventando isso para esse exercício.

— Será que podemos fazer da forma que ensaiamos? — perguntou Jiang. Era a primeira vez que Rin via alguém deixá-lo irritado. — Você está acabando com o clima.

— Você escuta isso com frequência, não? — questionou a Viúva Maung.

Jiang riu, impressionado, e deu um tapinha nas costas de Rin.

— A situação é a seguinte: a Viúva Maung precisa que Sunzi beba esse tipo especial de água. Por sorte, essa água fresca e cristalina pode ser encontrada num riacho no topo da montanha. O problema é fazer Sunzi subir a montanha. É aí que você entra.

— O senhor só pode estar *brincando* — falou Rin.

Jiang sorriu.

— Todo dia você vai vir aqui embaixo para visitar a Viúva Maung. Vai carregar este adorável leitão até o cume da montanha e deixá-lo beber. Então, vai trazê-lo de volta e retornar à Academia. Entendeu?

— Subir e descer a montanha leva duas horas!

— Leva duas horas *agora* — falou Jiang, exultante. — Vai demorar mais quando esse rapazinho começar a crescer.

— Mas eu tenho aula — protestou ela.

— Melhor acordar cedo, então — disse Jiang. — E, de qualquer maneira, que eu saiba você não tem Combate de manhã. Lembra? Você não foi expulsa da aula?

— Mas...

— *Alguém* — disse Jiang, tropeçando nas palavras — não quer ficar em Sinegard tanto assim.

A Viúva Maung riu alto.

Carrancuda, Rin pegou o leitão nos braços e tentou não franzir o nariz com o cheiro.

— Acho que vou vê-la bastante a partir de agora — resmungou ela.

Sunzi se remexeu e se acomodou na dobra de seu braço.

Todo dia, durante os quatro meses seguintes, Rin se levantou antes de o sol nascer, correu o mais rápido que podia pela passagem da montanha e pelo distrito do matadouro para pegar Sunzi, prender o porco às costas e levá-lo montanha acima. Ela fazia o caminho mais longo, dando a volta em Sinegard para que nenhum de seus colegas a visse correndo com um porco que não parava de guinchar.

Rin com frequência se atrasava para Medicina.

— Onde você estava? E por que cheira feito um *suíno*?

Kitay franziu o nariz quando Rin ocupou o assento ao lado dele.

— Estava carregando um porco montanha acima — respondeu ela. — Obedecendo aos caprichos de um louco. Encontrando uma saída.

Era um comportamento desesperado, mas ela se encontrava num momento de desespero. Rin agora dependia do maluco do campus para permanecer em Sinegard. Começou a se sentar no fundo da sala para que ninguém sentisse os traços de Sunzi nela após retornar do açougue da Viúva Maung.

Como todo mundo mantinha distância dela, não dava para saber se a estratégia era eficaz ou não.

Jiang fez mais do que obrigá-la a carregar o porco. Numa demonstração impressionante de confiabilidade, ele a esperava todo dia no jardim na hora da aula.

— Sabe, as artes marciais baseadas em animais não foram desenvolvidas para o combate — falou. — No início, foram criadas para melhorar a saúde e aumentar a longevidade. As Folias dos Cinco Bichos — ele ergueu o pergaminho de Yinmen que Rin passara tanto tempo procurando — são, na verdade, um sistema de exercícios que promove a circulação sanguínea e atrasa a chegada dos inconvenientes da idade. Só depois essas técnicas foram adaptadas para lutas.

— Então por que estou treinando elas?

— Porque o currículo de Jun ignora completamente as Folias. Ele ensina uma versão simplificada e diluída das artes marciais adaptada para a biomecânica humana. Mas isso deixa muita coisa de fora. Corta séculos de linhagem e refinamento, tudo em nome da eficiência militar. Jun pode até tornar você uma soldada decente, mas eu posso lhe dar a chave do universo — falou Jiang num tom majestoso, segundos antes de dar de cara num galho.

O treinamento de Jiang não era nem um pouco parecido com o de Jun. Nos planos de aula do mestre de Combate, havia uma hierarquia óbvia entre as lições, uma progressão nítida das técnicas básicas para as avançadas.

Jiang, porém, ensinava Rin qualquer coisa aleatória que passava por sua cabeça bastante imprevisível. O homem revisaria uma lição se a achasse particularmente interessante; senão, fingia que ela nunca havia acontecido. De vez em quando, sem nenhum propósito aparente, embarcava em grandes discursos.

— Há cinco elementos básicos presentes no universo... não faça essa cara, não é tão absurdo quanto parece. Os mestres de outrora acreditavam que tudo era feito de fogo, água, ar, terra e metal. É óbvio, a ciência moderna provou que estavam errados. Mesmo assim, é um mnemônico útil para compreender os diferentes tipos de energia. Fogo: o calor no sangue durante uma batalha, a energia cinética que faz seu coração bater mais rápido.

Jiang bateu no peito.

— Água: a força que escoa dos músculos para o alvo, da terra para os braços, passando pela cintura. Ar: o fôlego que mantém você viva. Terra: como você fica enraizada no chão, como tira energia da forma com que se posiciona. E metal, das armas que usa. Um bom artista marcial terá todos os cinco tipos de energia em equilíbrio. Se conseguir controlar todos eles com a mesma habilidade, será imbatível.

— Como vou saber se consigo controlar todos?

Ele coçou atrás da orelha.

— Boa pergunta. Não sei.

Pedir para Jiang explicar qualquer coisa era sempre enervante. As respostas tinham palavras bizarras e eram absurdamente formuladas. Algumas não faziam sentido até depois de alguns dias, outras nunca fizeram. Se Rin lhe pedisse para elucidar algo, Jiang mudava de assunto. Se a aluna deixasse passar algum comentário mais absurdo ("Seu elemento da água está desequilibrado!"), o mestre a cutucava e questionava por que ela não fazia mais perguntas.

Jiang falava de maneira estranha, sempre um pouco rápido demais ou lento demais, com pausas esquisitas entre as palavras. Tinha duas gargalhadas: uma era desengonçada — nervosa, aguda e obviamente forçada; a outra era alta, profunda e ecoante. Ela ouvia bastante a primeira; a segunda era rara e a pegava de surpresa quando acontecia. Ele quase nunca a fitava nos olhos, encarando, em vez disso, um ponto em sua testa, entre as sobrancelhas.

Jiang andava pelo mundo como se não pertencesse àquele lugar. Agia como se viesse de um país de quase humanos, pessoas que se comportavam de forma bem parecida com os nikaras, mas não exatamente. Seu comportamento era de um visitante confuso que parara de se dar ao trabalho de tentar imitar os que estavam ao seu redor. Ele não pertencia mesmo — não apenas a Sinegard, mas à própria ideia de um mundo físico. Agia como se as leis da natureza não se aplicassem a ele.

E talvez não se aplicassem.

Certo dia, aluna e professor foram até o patamar mais alto da Academia, bem além dos alojamentos dos mestres. A única construção ali era um alto pagode em espiral, nove andares empilhados de maneira elegante um sobre o outro. Rin nunca havia entrado no prédio.

Do passeio de apresentação tantos meses atrás, ela se lembrava de que a Academia de Sinegard fora construída sobre um antigo monastério. O pagode no patamar mais alto ainda parecia um templo. Havia valas de pedra para a queima de incenso perto da entrada. Dois grandes cilindros, colocados em hastes altas para que fossem rodados, guardavam as laterais da porta. Quando olhou com mais atenção, Rin viu caracteres de nikara antigo entalhados neles.

— O que são essas coisas? — perguntou ela, intrigada, girando um dos cilindros.

— São rodas de oração. Mas não temos tempo para elas hoje — explicou Jiang. Ele gesticulou para que Rin o seguisse. — Venha.

Rin achava que os nove andares do pagode estariam conectados por lances de escada, mas o interior era apenas uma escada em caracol que levava ao topo, com um cilindro vazio no meio. Um raio de luz solitário brilhava de uma abertura quadrada do teto, iluminando nuvens de poeira que flutuavam no ar. Havia uma série de pinturas mofadas ao longo da escada. Pela aparência, fazia décadas que não eram limpas.

— Era aqui que ficavam as estátuas dos Quatro Deuses — informou Jiang, apontando para o vazio escuro.

— Onde elas estão agora?

Ele deu de ombros.

— O Imperador Vermelho destruiu e saqueou a maior parte das imagens religiosas quando tomou Sinegard. A maioria foi derretida para confecção de joias. Mas isso não importa.

Ele acenou para que Rin o seguisse pela escada e explicou:

— As artes marciais chegaram ao Império através de um guerreiro chamado Bodhidharma, que veio do continente sudeste. Quando Bodhidharma encontrou o Império durante suas viagens pelo mundo, foi até um monastério e exigiu acesso, mas o abade superior não permitiu que entrasse. Assim, ele sentou a bunda numa caverna próxima e encarou a parede por nove anos, ouvindo os gritos das formigas.

— Ouvindo o *quê*?

— Os gritos das formigas, Runin. Preste atenção.

Ela murmurou algo grosseiro. Jiang a ignorou.

— Diz a lenda que a intensidade de seu olhar criou um buraco na parede da caverna. Os monges ou ficaram tão tocados por seu compromisso religioso, ou tão impressionados com sua obstinação que enfim lhe permitiram entrar no templo. — O mestre parou diante de uma pintura que mostrava um guerreiro de pele escura e um grupo de homens pálidos usando robes. — É Bodhidharma ali no meio.

— O sujeito à esquerda tem sangue saindo por um cotoco — comentou Rin.

— Pois é. A lenda também diz que um dos monges ficou tão impressionado com a determinação de Bodhidharma que cortou a mão em um gesto de simpatia.

Rin se lembrou do mito de Mai'rinnen Tearza, segundo o qual a rainha cometera suicídio por causa da unificação de Speer com o continente. A história das artes marciais parecia ser recheada de pessoas que faziam sacrifícios inúteis.

— Enfim. Os monges do templo se interessaram pelo que Bodhidharma tinha a dizer, mas, devido a seu modo de vida sedentário e suas dietas pobres, eram molengas para cacete. Mais magros do que você, até. Perdiam a consciência durante as aulas dele. Bodhidharma achou aquilo um pouco irritante, então criou três conjuntos de exercícios para melhorar a saúde dos monges. Além disso, eles sempre corriam perigo de serem atacados por bandidos e ladrões, mas seu código religioso os proibia de carregar armas, então modificaram diversos dos exercícios para formar um sistema de autodefesa em que armas não eram necessárias.

Jiang parou diante de outra pintura, que mostrava monges enfileirados numa parede, congelados em posições idênticas.

Rin ficou impressionada.

— É a...

— Primeira posição de Seejin. — O mestre assentiu. — Bodhidharma disse aos monges que as artes marciais serviam ao refinamento individual. Se usadas da forma certa, produziriam um comandante sábio, um homem capaz de enxergar com nitidez em meio à névoa e entender a vontade dos deuses. Em sua origem, as artes marciais não eram vistas apenas como ferramentas militares.

Rin tinha dificuldade de ver as técnicas ensinadas nas aulas de Jun apenas como exercícios para melhorar a saúde.

— Mas as artes precisaram evoluir.

— Certo.

Jiang esperou que ela fizesse a pergunta que desejava ouvir.

E Rin não o desapontou.

— Quando as artes começaram a ser adaptadas para uso militar?

O mestre anuiu, satisfeito.

— Pouco antes da época do Imperador Vermelho, o Império foi invadido pelos cavaleiros das Terras Remotas do norte. A força de ocupação introduziu diversas medidas de repressão para controlar os povos originários, que incluíam a proibição do porte de armas pelos nikaras.

Jiang parou outra vez diante de uma pintura que mostrava uma horda de terra-remotenses montando corcéis gigantes. Seus rostos eram carrancas selvagens, bárbaras. Seguravam arcos maiores que os torsos. No pé da imagem, havia monges nikaras encolhidos de horror ou espalhados em vários estágios de desmembramento.

— Os templos, que um dia foram redutos contra a violência, tornaram-se santuários para rebeldes antinortistas e centros para planejamento e treinamento revolucionários. Soldados e simpatizantes usavam os robes dos monges e raspavam a cabeça, mas treinavam para a guerra dentro dos muros dos templos. Em espaços sagrados como este, tramavam a derrocada de seus opressores.

— E exercícios para melhorar a saúde não teriam sido muito úteis para eles — disse Rin. — As técnicas marciais tiveram que ser adaptadas.

Jiang assentiu de novo.

— Exato. As artes então ensinadas nos templos requeriam um domínio progressivo de práticas longas e intrincadas, que podiam levar décadas para serem aprendidas. Felizmente, os líderes da rebelião perceberam que aquela abordagem não era adequada para o desenvolvimento rápido de uma força de lutadores.

Jiang deu meia-volta para encarar Rin. Eles haviam chegado ao topo do pagode.

— E foi assim que as artes marciais modernas se desenvolveram: um sistema baseado na biomecânica humana em vez de nos movimentos dos animais. A enorme variedade de técnicas, algumas das quais eram de pouca utilidade para um soldado, foram destiladas em práticas fundamentais que podiam ser aprendidas em cinco anos, em vez de cinquenta. Essa é a base do que é lecionado em Sinegard. É o conhecimento fundamental ensinado ao Exército Imperial. É isso que seus colegas estão aprendendo. — Ele sorriu. — E vou ensiná-la a derrotá-los.

Jiang era um instrutor de combate eficiente, ainda que pouco convencional. Ele a fazia manter os chutes no ar por longos minutos até a perna começar a tremer. Ele a fazia se agachar enquanto jogava coisas da estante de armas nela. Ele a fazia repetir os exercícios vendada, para depois admitir que só havia feito aquilo porque achou que seria engraçado.

— Você é um grande babaca — falou ela. — Sabe disso, não é?

Assim que Jiang ficou satisfeito com os fundamentos, eles começaram a treinar combate. Lutavam todo dia, às vezes por horas. Pelejavam com e sem armas; de vez em quando, ela ficava com as mãos nuas e ele usava uma arma.

— O estado mental é tão importante quanto o físico — explicou Jiang. — Na confusão de uma luta, a mente deve se manter imóvel como uma rocha. Você deve estar firme em seu centro, capaz de ver e controlar tudo. Cada um dos cinco elementos precisa estar em equilíbrio. Fogo demais, e você atacará com imprudência. Ar demais, e você lutará de forma tímida, sempre na defensiva. Terra demais, e... está me escutando?

Não. Era difícil se concentrar enquanto Jiang tentava acertá-la com uma alabarda afiada, forçando-a a dançar por aí para evitar um empalamento repentino.

De modo geral, as metáforas de Jiang não faziam muito sentido para ela, mas Rin aprendeu rápido a evitar seus golpes. E talvez esse fosse o objetivo do mestre. A aluna desenvolveu memória muscular. Aprendeu que o corpo humano se movia apenas de determinadas maneiras, que apenas determinadas maneiras de atacar funcionavam, e o que ela podia esperar do oponente. Aprendeu a reagir de maneira automática. Aprendeu a prever os movimentos de Jiang com segundos de antecedência, a ler pela inclinação de seu torso e pela faísca em seus olhos o que o mestre estava prestes a fazer.

Ele não lhe dava descanso. Lutava com ainda mais afinco quando Rin estava exausta. Quando a aluna caía, ele atacava assim que a garota conseguisse ficar de pé. Rin aprendeu a ficar sempre alerta, a reagir aos menores movimentos em sua visão periférica.

Chegou o dia em que ela pressionou seu quadril no dele, forçou o peso de Jiang para o lado e aplicou toda a sua força num ângulo que o arremessou por cima de seu ombro direito.

Jiang derrapou pelo chão de pedra e bateu no muro do jardim, cujas prateleiras tremeram tanto que um cacto num vaso quase chegou a se espatifar no chão.

O mestre ficou lá por um segundo, impressionado. Então olhou para cima, encontrou os olhos de Rin e sorriu.

* * *

O último dia de Rin com Sunzi foi o mais difícil.

Sunzi não era mais um leitão adorável; tornara-se um monstro absurdamente gordo com um cheiro horrendo. Não tinha mais um pingo de fofura. Qualquer sentimento de afeição que Rin sentira por aqueles ingênuos olhos castanhos foi massacrado pela enormidade do animal.

Carregar Sunzi montanha acima era uma tortura. Ele não cabia mais numa cesta ou em qualquer suporte. Rin precisava colocá-lo sobre os ombros, segurando o porco pelas patas dianteiras.

Era difícil andar com a mesma velocidade de quando Sunzi ainda cabia em seus braços, mas ela precisava fazer aquilo, pois, de outra forma, perderia o desjejum — ou pior ainda, uma aula. Rin acordava mais cedo. Corria mais rápido. Subia a montanha arfando a cada passo. Sunzi ficava deitado em suas costas, com o focinho sobre um de seus ombros, relaxando ao sol da manhã enquanto os músculos da garota gritavam de indignação. Quando chegava ao riacho, ela largava o porco e desabava no chão.

— Beba, seu glutão — resmungava enquanto Sunzi brincava na água. — Mal posso esperar pelo dia em que você será esquartejado e comido.

Descendo a montanha, o sol começou a castigá-la, criando filetes de suor por todo o corpo de Rin, apesar do frio do inverno. A aluna se arrastou pelo distrito do matadouro até o chalé da Viúva Maung e colocou Sunzi no chão.

Ele rolou, guinchou e correu em círculos, perseguindo o próprio rabo.

A Viúva Maung saiu carregando um balde de sobras.

— Até amanhã — disse Rin, ofegante.

A Viúva Maung balançou a cabeça.

— Não vai ter amanhã. Não para ele, pelo menos. — Ela fez carinho no focinho de Sunzi. — Esse aqui vai para o açougue hoje à noite.

Rin piscou, surpresa.

— O quê? Já?

— Sunzi atingiu o peso máximo. — A mulher mais velha deu um tapa na lateral do porco. — Olha só o tamanho dele. Nenhum dos meus porcos cresceu tanto. Talvez o maluco do seu professor tenha razão sobre a água da montanha. Talvez eu devesse mandar todos os meus porcos para lá.

Rin preferia que ela não fizesse aquilo. Ainda arfando, ela fez uma reverência profunda para a viúva.

— Obrigada por me deixar carregar seu porco.

A Viúva Maung fez um barulho alto com a garganta.

— Acadêmicos esquisitões — murmurou, e começou a levar Sunzi de volta para o chiqueiro. — Venha. Vamos prepará-lo para o abate.

Oink? Sunzi lançou um olhar suplicante para Rin.

— Não me olhe assim — falou ela. — Acabou para você.

Ela não conseguiu evitar uma pontada de culpa; quanto mais olhava para Sunzi, mais se lembrava de quando ele era um leitão. A garota virou o rosto, rompeu a ligação com o olhar enfadonho e inocente do animal e voltou para a montanha.

— Já? — Jiang pareceu surpreso quando Rin anunciou o destino de Sunzi. Ele estava sentado no muro dos fundos do jardim, balançando as pernas feito uma criança inquieta. — Ah, eu tinha tantas esperanças para aquele porco. Mas, no final, suínos são suínos. Então, como se sente?

— Estou arrasada — falou Rin. — Estávamos começando a nos entender.

— Não, sua imbecil. Seus *braços*. Seu abdômen. Suas pernas. Como estão?

Ela franziu o cenho e mexeu os braços.

— Doloridos?

Jiang pulou do muro e caminhou na direção dela.

— Vou bater em você — falou ele.

— Espera, o quê?

Ela firmou os pés no chão e só conseguiu deixar os cotovelos na posição certa antes de o punho do mestre acertar seu rosto.

A intensidade do soco foi enorme — ele nunca batera com tanta força nela. Rin sabia que deveria ter desviado do golpe e dissipado o *ki* no ar, onde desapareceria sem causar danos. Mas ficou assustada demais para fazer qualquer coisa além de bloqueá-lo e mal teve tempo de se agachar para que o *ki* no soco do mestre passasse por seu corpo sem machucá-la e se espalhasse pelo chão.

Um estalo como de um raio ecoou abaixo dela.

Rin deu um salto para trás, chocada. A pedra sob seus pés havia rachado com a força da energia dispensada. Uma longa rachadura se formara até os limites do bloco de rocha.

Os dois olharam para a fenda. A rachadura continuou a se prolongar no chão de pedra, seguindo até os fundos do jardim, parando apenas na base do salgueiro.

Jiang jogou a cabeça para trás e gargalhou.

Era uma risada alta e selvagem. Ria como se fosse colocar os bofes para fora. Ria como se não fosse nem um pouco humano. Esticou os braços e os girou no ar, dançando sem vergonha alguma.

— Sua criança adorável — falou, rodando na direção dela. — Sua criança brilhante.

O rosto de Rin formou um sorriso.

Dane-se, pensou, e correu para abraçá-lo.

Ele a pegou e a rodopiou, dando voltas e voltas no caleidoscópio de cogumelos coloridos.

Ficaram sentados debaixo do salgueiro, encarando as papoulas em silêncio. O ar estava parado. A neve caía devagar sobre o jardim, mas os primeiros indícios da primavera já haviam chegado. Os ventos furiosos do inverno foram soprar em outro lugar; o ar parecia calmo, para variar. Sereno.

— Chega de treino por hoje — falou Jiang. — Descanse. Às vezes, é preciso perder o fio para deixar a flecha voar.

Rin revirou os olhos.

— Você precisa estudar Folclore — disse o mestre, animado. — Ninguém, *ninguém*, nem mesmo Altan, aprendeu as coisas tão rápido.

De repente, ela se sentiu constrangida. Como diria a ele que só havia desejado aprender combate para passar pelos Testes e estudar com Irjah?

Jiang odiava mentiras. Rin decidiu que deveria ser honesta.

— Tenho pensado em estudar Estratégia — confessou ela, hesitante. — Irjah falou que pode me dar uma chance.

Jiang fez um gesto de dispensa.

— Irjah não vai ensinar nada que você não possa aprender sozinha. Estratégia é um assunto limitado. Passe tempo suficiente no campo com os *Princípios* de Sunzi ao lado da cama e você aprenderá tudo de que precisa para ganhar uma campanha.

— Mas...

— Quem são os deuses? Onde vivem? Por que fazem o que fazem? Essas são as perguntas fundamentais de Folclore. Posso ensiná-la mais do que a manipulação do *ki*. Posso ensiná-la o caminho até os deuses. Posso transformá-la numa xamã.

Deuses e xamãs? Era difícil saber quando Jiang estava brincando, mas ele parecia genuinamente convencido de que podia conversar com os poderes celestiais.

Ela engoliu em seco.

— Senhor...

— Isso é *importante* — falou Jiang. — Por favor, Rin. Essa arte está morrendo. O Imperador Vermelho quase conseguiu acabar com ela. Se não aprendê-la, se ninguém fizer isso, então ela vai desaparecer para sempre.

O desespero repentino na voz do mestre deixou Rin desconfortável.

Ela girou uma lâmina de grama entre os dedos. Com certeza tinha curiosidade sobre Folclore, mas sabia que não deveria jogar fora a possibilidade de treinar quatro anos com Irjah para aprender um assunto no qual os outros mestres haviam perdido a fé. Ela não viera a Sinegard para escolher matérias a bel-prazer, ainda mais matérias que eram desprezadas por todos na capital.

Rin era fascinada por mitos e lendas, e pela forma como Jiang os fazia parecer quase reais. Mas estava mais interessada em passar nos Testes. E ser aprendiz de Irjah abria portas no Exército. Garantia ao menos um posto de oficial *e* a escolha da divisão. Irjah tinha contatos com todos os Doze Líderes, e seus pupilos sempre ocupavam cargos valorosos.

Um ano depois de sua formatura, poderia estar liderando as próprias tropas. Cinco anos depois, poderia ser uma comandante reconhecida em todo o país. Não podia desperdiçar aquela chance por mero capricho.

— Senhor, eu só quero aprender a ser uma boa soldada — disse ela.

A expressão de Jiang se desfez.

— Você e o resto desta escola — respondeu ele.

CAPÍTULO 7

Jiang não apareceu no jardim no dia seguinte, ou no outro. Rin ia sempre lá na esperança de que ele retornaria, mas no fundo sabia que o mestre não queria mais lhe dar aulas.

Uma semana depois, ela o viu no refeitório. Colocou a tigela na mesa abruptamente e foi direto até ele. Não fazia ideia do que diria, mas sabia que precisava ao menos conversar com o mestre. Pediria desculpas, prometeria estudar com ele mesmo que se tornasse aprendiz de Irjah, falaria *qualquer coisa...*

Antes que pudesse encurralar Jiang, ele ergueu a bandeja sobre a cabeça de um aprendiz surpreso e correu pela porta da cozinha.

— Grande Tartaruga — disse Kitay. — O que você *fez*?

— Não sei — respondeu ela.

Jiang era imprevisível e desconfiado, como um animal selvagem que se assustava facilmente, e Rin não havia percebido como era preciosa sua atenção até tê-lo afastado.

Depois daquilo, ele agia como se não a conhecesse. A garota continuava a vê-lo de relance no campus, como todos os outros, mas o mestre se recusava a olhar para ela.

Rin deveria ter tentado consertar as coisas com mais afinco. Deveria ter ido atrás dele e admitido seu erro, por mais nebuloso que fosse.

Mas viu que aquela não era sua prioridade conforme o ano letivo se aproximava do fim e a competição entre os calouros atingia um pico frenético.

Durante o ano, a possibilidade de ser expulso de Sinegard havia pairado sobre os estudantes como uma espada. Agora a ameaça era iminente. Em duas semanas, passariam pela série de exames que constituía os Testes.

Raban repassou as regras para eles. Os Testes seriam administrados e observados por todo o corpo docente. Os mestres fariam suas propostas a depender do desempenho de cada um. Se um aluno não recebesse proposta alguma, teria que deixar a Academia em desgraça.

Enro dispensou de fazer seu exame todos os alunos que não tinham intenção de estudar Medicina, mas os das outras cadeiras — Linguística, História, Estratégia, Combate e Armamentos — eram obrigatórios. Não havia, óbvio, um horário marcado para o exame de Folclore.

— Irjah, Jima, Yim e Sonnen aplicam provas orais — informou Raban. — Vocês serão sabatinados diante de todos os mestres, que farão perguntas cada um de uma vez. Se errarem, o exame para aquela disciplina chega ao fim. Quanto mais questões responderem, mais evidente será seu conhecimento. Então estudem bastante... e respondam com cuidado.

Jun não fazia prova oral. O exame de Combate consistia no Torneio.

O Torneio acontecia durante os dois dias de provas. Os calouros duelariam nos ringues com as mesmas regras usadas pelos aprendizes em suas lutas. Competiriam em três rodadas preliminares cujos participantes eram escolhidos de forma aleatória e, com base nas proporções de vitórias e derrotas, oito alunos avançariam para as rodadas eliminatórias. Esses oito seriam colocados em grupos também aleatórios e lutariam uns contra os outros até a final.

Chegar até as eliminatórias do Torneio não garantia uma vaga em Sinegard, assim como perder não garantia sua expulsão. Porém, os estudantes que chegavam longe no Torneio tinham mais chances de mostrar aos mestres suas habilidades. E o vencedor sempre recebia uma proposta de tutoria.

— Altan venceu no ano dele — contou Raban. — E Kureel no dela. Notem que os dois conseguiram as tutorias mais prestigiosas de Sinegard. Não existe um prêmio para a vitória, mas os mestres gostam de apostar. Leve uma surra, e nenhum mestre vai querer ficar com você.

— Quero estudar Medicina, mas precisamos decorar tantos textos além das leituras que já fizemos que, se eu fizer isso, não vou ter tempo para ler os livros de História... Você acha que eu deveria estudar História? Acha que Yim gosta de mim? — Niang balançou as mãos no ar, agitada.

— Meu irmão disse que não devo depender de uma tutoria em Medicina.

Quatro alunos vão prestar o exame de Enro e ela só escolhe três, então talvez eu não consiga...

— Chega, Niang — disse Venka, com raiva. — Já faz dias que você só fala disso.

— O que você vai estudar? — perguntou Niang.

— Combate. E é a última vez que falamos disso — respondeu Venka, estridente.

Se Niang dissesse mais uma palavra, era capaz de Venka gritar.

Mas Rin não podia culpar Niang. Ou mesmo Venka. Os calouros não paravam de fofocar sobre tutorias, o que era ao mesmo tempo compreensível *e* irritante. Rin aprendera a hierarquia entre os mestres bisbilhotando conversas no refeitório: propostas de Jun e Irjah eram ideais para aprendizes que queriam cargos de comando no Exército; Jima quase nunca escolhia aprendizes a não ser que fossem nobres destinados a se tornarem diplomatas da corte; e a proposta de Enro importava apenas para os poucos que desejavam ser médicos militares.

— Ser aprendiz de Irjah seria legal — falou Kitay. — É óbvio que os aprendizes de Jun podem escolher as próprias divisões, mas Irjah pode me colocar na Segunda.

— A da Província do Rato? — Rin franziu o nariz. — Por quê?

Kitay deu de ombros.

— Eles são a Inteligência Militar. Eu *adoraria* servir lá.

Jun não era uma opção para Rin, embora ela esperasse que Irjah lhe desse uma chance, mas sabia que Irjah não faria isso a não ser que ela provasse domínio das artes marciais para sustentar seu talento em Estratégia. Não havia lugar no Exército para um estrategista que não soubesse lutar. Como poderia bolar planos de batalha se nunca esteve nas linhas de frente? Se não conhecesse o combate de verdade?

Para ela, tudo dependia do Torneio.

Quanto aos aprendizes, aparentemente aquela era a coisa mais empolgante que acontecia no campus durante o ano. Eles começaram a especular sobre quem venceria e quem levaria uma surra — e nem se esforçavam para esconder os livros de apostas. Logo os rumores sobre os favoritos se espalharam.

A maior parte do dinheiro estava nos sinegardianos. Venka e Han eram competidores unânimes para as semifinais. Também se apostava muito que Nohai, um garoto enorme de uma ilha pesqueira da Província da Serpente, chegaria às quartas de final. Kitay tinha uma boa parcela de apoiadores, embora fosse mais por se esquivar tão bem que a maioria dos oponentes ficava frustrada e perdia a concentração após alguns minutos.

Por mais estranho que parecesse, um punhado de aprendizes apostou uma quantia decente em Rin. Assim que a notícia de que ela estava treinando em segredo com Jiang se espalhou, os aprendizes se interessaram bastante por ela. Ajudava o fato de Rin estar sempre atrás de Kitay em todas as aulas.

O grande favorito do ano, no entanto, era Nezha.

— Jun disse que ele é o melhor aluno que teve desde Altan — falou Kitay, espetando a comida com força. — Não para de falar de Nezha. Você devia ter visto ele acabando com Nohai ontem. Ele é uma *ameaça*.

Nezha, que era uma criança bonita e esguia no início do ano, acumulara uma quantidade absurda de músculos. Abandonara o cabelo longo e adotara um penteado curto e militar parecido com o de Altan. Diferente do restante da turma, ele já parecia pronto para um uniforme do Exército.

Ele também havia recebido a fama de bater primeiro e pensar depois. Machucara oito parceiros de luta durante o ano, em "acidentes" cada vez mais graves.

É claro que Jun nunca o punia — não de maneira tão severa quanto o aluno merecia, ao menos. Por que algo tão mundano quanto regras se aplicaria ao filho do Líder do Dragão?

Conforme a data dos exames se aproximava, um silêncio opressor tomou conta da biblioteca. O único som entre as prateleiras era o rabiscar furioso dos pincéis no papel enquanto os calouros tentavam memorizar as lições de um ano inteiro. A maioria dos grupos de estudo se desfizera, já que qualquer vantagem dada a um colega poderia muito bem se tornar um lugar perdido nas classificações.

Mas Kitay, que não precisava estudar, ajudou Rin por puro tédio.

— O Décimo Oitavo Mandamento de Sunzi.

Ele nem se dava ao trabalho de consultar o texto. Memorizara o *Princípios da guerra* inteiro na primeira leitura. Rin mataria para ter aquela habilidade.

Ela semicerrou os olhos para se concentrar. Sabia que parecia uma idiota, mas a cabeça estava zonza de novo, e aquela era a única forma de fazer o enjoo parar. Sentia muito frio e calor ao mesmo tempo. Não dormia havia três dias. Tudo que queria era cair na cama, mas uma hora de estudos valia mais que um pouco de sono.

— Não é uma das Sete Considerações... Espera, é? Não, tudo bem: sempre modifique seus planos de acordo com as circunstâncias...?

Kitay balançou a cabeça.

— Esse é o Décimo Sétimo.

Rin falou um palavrão e esfregou os punhos na testa.

— Não sei como vocês conseguem — falou Kitay, reflexivo. — Sabe, ter que se lembrar das coisas. Essa vida deve ser difícil.

— Vou matar você com esse pincel — resmungou Rin.

— O apêndice de Sunzi explica por que coisas com pontas moles são péssimas armas. Não leu essa parte?

— Silêncio! — gritou Venka da mesa em frente.

Kitay baixou a cabeça para que Venka não o visse e sorriu para Rin.

— Uma dica: Menda no templo — sussurrou ele.

Rin rangeu os dentes e fechou bem os olhos. *Ah, óbvio.*

— Toda guerra é baseada em enganação.

Para se preparar para o Torneio, a turma inteira havia seguido o Décimo Oitavo Mandamento de Sunzi. Os pupilos pararam de usar os salões de treino livre durante as horas comuns. Qualquer um que tivesse uma arte hereditária de repente parou de se gabar. Até mesmo Nezha interrompeu as apresentações noturnas.

— Isso acontece todo ano — falou Raban. — É um pouco bobo, para ser honesto. Como se artistas marciais da sua idade tivessem qualquer coisa que valesse a pena ser roubada.

Bobo ou não, a turma enlouquecera. Todo mundo era acusado de ter uma arma escondida na manga; quem nunca havia apresentado uma arte hereditária era acusado de ter uma em segredo.

Niang contara para Rin certa noite que Kitay era na verdade o herdeiro do Punho do Vento Nortista, uma arte havia muito esquecida que permitia incapacitar oponentes ao pressionar alguns poucos pontos no corpo.

— Talvez eu tenha um dedo na propagação dessa história — admitiu ele quando Rin o questionou. — Sunzi chamaria isso de guerra psicológica.

Ela bufou.

— Sunzi chamaria isso de bosta de cavalo.

Os calouros não podiam treinar após o toque de recolher, então o período de prática se tornou uma competição para ver quem conseguia encontrar as maneiras mais criativas de escapar dos mestres. Os aprendizes começaram a patrulhar o campus durante a noite para pegar alunos que fugiam para treinar. Nohai contou ter encontrado uma folha que pontuava essas capturas no dormitório dos garotos.

— É quase como se eles estivessem se divertindo — murmurou Rin, revoltada.

— É lógico que estão — falou Kitay. — Eles estão nos vendo passar pelo mesmo sofrimento que eles passaram. Nessa mesma época, no ano que vem, seremos tão insuportáveis quanto eles.

Demonstrando uma surpreendente falta de simpatia, os aprendizes também se aproveitavam da ansiedade dos calouros para estabelecer um lucrativo negócio de "suplementos de estudo". Rin deu uma risada quando Niang apareceu no dormitório com o que achava ser um pedaço de salgueiro com cem anos de idade.

— Isso é raiz de gengibre — debochou Rin. Ela pegou a raiz enrugada. — Acho que pode fazer bem no chá.

— Como você sabe? — Niang parecia decepcionada. — Paguei vinte cobres por ela!

— Costumávamos tirar raízes de gengibre do nosso jardim o tempo todo lá em casa — explicou Rin. — Depois de colocar para secar no sol, vendíamos para homens velhos que buscavam uma cura para a infertilidade. Não ajuda em nada, mas eles ficam se sentindo melhor. Também vendíamos farinha de trigo dizendo ser pó de chifre de rinoceronte. Aposto que os aprendizes estão vendendo farinha de cevada também.

Venka, a quem Rin vira guardando um frasco de pó debaixo do travesseiro algumas noites antes, tossiu e desviou o olhar.

Os aprendizes também vendiam informações para os calouros. A maioria oferecia gabaritos falsos; outros disponibilizavam listas de supostas perguntas do exame que pareciam bastante plausíveis, mas que, óbvio, só seriam confirmadas depois dos Testes. O pior, no entanto, eram os aprendizes que fingiam ser vendedores para denunciar os calouros que estavam dispostos a colar.

Menda, um garoto da Província do Cavalo, concordara em encontrar um aprendiz durante a madrugada no templo do quarto patamar para comprar uma lista das perguntas do exame de Jima. Rin não tinha ideia de como o aprendiz sabia aquilo, mas Jima estava meditando no templo bem naquela hora.

Ninguém viu Menda no campus no dia seguinte.

As refeições se tornaram silenciosas e reservadas. Todos comiam com um livro debaixo do nariz. Se qualquer aluno tentasse começar uma conversa, o restante da mesa logo o mandava se calar aos gritos. Em resumo, todos se sentiam horríveis.

— Às vezes, acho que isso é tão ruim quanto o Massacre Speerliês — disse Kitay, alegre. — Então penso... não. Nada é tão ruim quanto o genocídio casual de toda uma raça! Mas isso aqui também não é nada bom.

— Kitay, cala essa boca, *por favor*.

Rin continuou a treinar sozinha no jardim. Nunca mais viu Jiang, mas tudo bem; os mestres eram proibidos de treinar alunos para o Torneio, embora Rin suspeitasse que Nezha ainda recebia instruções de Jun.

Certo dia, ela ouviu passos ao se aproximar dos portões do jardim. Havia alguém lá dentro.

A princípio, pensou ser Jiang, mas, quando abriu o portão, viu uma figura esbelta e graciosa com cabelo preto-índigo.

Levou um segundo para entender quem havia encontrado.

Altan. Ela tinha interrompido a prática de Altan Trengsin.

Ele empunhava um tridente — não, Altan não apenas *empunhava* o tridente, ele o segurava com intimidade, fazia arcos no ar com a arma como se fosse uma fita. Era tanto uma extensão de seu braço quanto um parceiro de dança.

Ela poderia ter dado meia-volta e procurado outro lugar para treinar, mas não conseguia ignorar a própria curiosidade. Não conseguia desviar o olhar. A distância, ele era extraordinariamente bonito. De perto, era hipnotizante.

Ele se virou ao som dos passos de Rin, encarou-a e parou.

— De-desculpe — disse ela, gaguejando. — Não sabia que estava...

— O jardim é da escola — falou ele, com o tom neutro. — Não precisa sair por minha causa.

Sua voz era mais soturna do que ela previra. Havia imaginado algo mais áspero e agressivo, para combinar com os movimentos brutais do ringue, mas a voz de Altan era surpreendentemente melodiosa, suave e profunda.

Suas pupilas estavam contraídas de um jeito estranho. Rin não sabia dizer se era apenas por causa da luz do jardim, mas os olhos do rapaz não pareciam vermelhos ali. Na verdade, pareciam castanhos, como os dela.

— Nunca vi essa sequência de movimentos antes — disse ela.

Altan ergueu a sobrancelha. Na mesma hora, Rin se arrependeu de ter aberto a boca. Por que dissera aquilo? Por que *existia*? Queria se desfazer em cinzas e ser levada pelo vento.

Mas Altan pareceu só surpreso, não irritado.

— Passe tempo suficiente com Jiang e vai aprender um monte de sequências arcanas.

Ele jogou o peso para a perna de trás e levou os braços para o outro lado do torso com um movimento fluido.

As bochechas de Rin queimaram. Ela se sentiu muito grande e desajeitada, como se ocupasse um lugar que pertencia a Altan, mesmo estando na outra ponta do jardim.

— O Mestre Jiang nunca falou que outras pessoas gostavam de vir aqui.

— Jiang gosta de esquecer várias coisas. — Ele inclinou a cabeça para Rin. — Você deve ser uma aluna e tanto para ter despertado o interesse dele.

Então ela lembrou que Jiang havia retirado sua proposta para Altan logo depois de o aluno ter declarado que gostaria de estudar Folclore. Ela imaginou o que teria acontecido e se aquilo ainda o incomodava. Imaginou se mencionar Jiang o perturbara.

— Roubei um livro da biblioteca — disse Rin. — Ele achou engraçado.

Por que ela ainda estava falando? Por que ainda estava ali?

O canto da boca de Altan se curvou para cima num sorrisinho bastante atraente, que fez o coração dela acelerar.

— Que rebelde.

Ela corou, mas Altan lhe deu as costas e completou a sequência.

— Não quero atrapalhar seu treinamento — falou ele.

— Não, eu... vim aqui para pensar. Mas já que está aqui...

— Desculpe. Posso sair.

— Não, tudo bem. — Ela não sabia o que estava falando. — Eu ia... quer dizer, vou... tchau.

Rin deu passos rápidos para trás e saiu do jardim. Altan não falou mais nada.

Assim que fechou os portões, ela enterrou o rosto nas mãos e grunhiu.

— Há lugar para a fraqueza na batalha? — questionou Irjah.

Aquela era a sétima pergunta que lhe fazia.

Rin estava se saindo muito bem. O máximo de perguntas que qualquer mestre podia fazer era sete. Se acertasse aquela, receberia a nota máxima no exame de Irjah. E sabia a resposta — era tirada diretamente do Vigésimo Segundo Mandamento de Sunzi.

Ela ergueu o queixo e respondeu em alto e bom tom.

— Sim, mas apenas com o intuito de enganar. Sunzi escreveu que, se o oponente tiver um temperamento colérico, deve-se procurar irritá-lo. Finja fraqueza para que a arrogância do rival cresça. O bom estrategista brinca com o inimigo como um gato brinca com um rato. Aparente fragilidade e imobilidade, e então dê o bote.

Os sete mestres fizeram pequenas anotações em seus pergaminhos. Rin se agitou um pouco, esperando que prosseguissem.

— Bom. Sem mais perguntas. — Irjah assentiu e, com um gesto, indicou os colegas. — Mestre Yim?

Yim empurrou a cadeira para trás e se levantou devagar. Consultou o pergaminho por um instante e então olhou para Rin por cima dos óculos.

— Por que vencemos a Segunda Guerra da Papoula?

Ela prendeu a respiração. Não havia se preparado para aquela questão. Era tão básica que não achou ser necessário. Yim a fizera no primeiro dia de aula, e sua resposta era uma falácia lógica. Não havia "por quê". Nikan não havia ganhado a Segunda Guerra da Papoula. A República de Hesperia havia ganhado, e Nikan apenas se beneficiara disso para fazer um acordo vitorioso.

Rin considerou responder à pergunta de forma direta, mas então pensou em tentar uma resposta mais original. Tinha apenas uma chance. Queria impressionar os mestres.

— Porque sacrificamos Speer — respondeu ela.

Irjah tirou os olhos do pergaminho e levantou a cabeça.

Yim ergueu a sobrancelha.

— Não quer dizer porque *perdemos* Speer?

— Não. Quero dizer que sacrificar a ilha foi uma decisão estratégica para que o Parlamento hesperiano pudesse decidir pela intervenção. Acho que o alto-comando de Sinegard sabia que o ataque aconteceria e não quis avisar aos speerlieses.

— Eu *estava* em Speer — interrompeu Jun. — Na melhor das hipóteses, isso é historiografia para entretenimento, e, na pior, difamação.

— Não estava, não — disse Rin antes que conseguisse se impedir.

Jun ficou pasmo.

— Como é?

Todos os sete mestres a observavam com atenção. Rin se lembrou de que Irjah não gostava daquela teoria. E que Jun a *odiava*. Só que era tarde demais.

Não dava para recuar. Ela ponderou as consequências dos próximos passos. Os mestres premiavam coragem e criatividade. Se voltasse atrás, aquilo seria encarado como um sinal de incerteza. Ela mesma começara a cavar a própria cova. Então era melhor terminar.

Rin respirou fundo.

— O senhor não pode ter estado em Speer. Li os relatórios. Ninguém do Exército estava lá na noite em que a ilha foi atacada. As primeiras tropas só chegaram de manhã, depois da saída da Federação. Depois de os speerlieses terem sido mortos.

O rosto de Jun ficou da cor de um tomate.

— Como se atreve a me acusar...?

— Ela não está acusando ninguém de nada — interveio Jiang, sereno. Era a primeira vez que ele falava desde o início do exame dela. Rin o fitou com surpresa, mas o mestre apenas coçou a orelha, sem nem ao menos encará-la. — Estava apenas tentando dar uma resposta esperta para uma questão fútil. Honestamente, Yim, essa já é muito velha.

Yim deu de ombros.

— Pois bem. Sem mais perguntas. Mestre Jiang?

Todos os mestres se contorceram de irritação. Até onde Rin sabia, a presença de Jiang ali era mera formalidade. Ele nunca conduzia um exame; na maioria das vezes, apenas zombava dos alunos que se atrapalhavam nas respostas.

Jiang se levantou e a encarou.

Ela engoliu em seco, com a sensação incômoda de seu olhar penetrante. Era como se Rin fosse transparente como uma poça de água da chuva.

— Quem está preso em Chuluu Korikh? — perguntou ele.

Rin piscou. Durante os quatro meses em que havia treinado com Jiang, ele nunca mencionara Chuluu Korikh. Nem Yim, Irjah ou Jima. *Chuluu Korikh* não era um termo médico, não era uma referência a uma batalha famosa, não era um jargão linguístico. Podia ter um significado profundo. Podia também ser baboseira.

Ou Jiang lhe apresentara uma charada, um enigma, ou apenas queria vê-la desestabilizada.

Mas Rin não admitiria a derrota. Não queria parecer ignorante na frente de Irjah. Jiang tinha feito uma pergunta, e ele nunca perguntava nada nos Testes. Os mestres esperavam por uma resposta interessante; ela não podia desapontá-los.

Qual era a maneira mais inteligente de dizer *Não sei*?

Chuluu Korikh. Ela estudara nikara antigo com Jima por tempo suficiente para saber que aquilo era *montanha rochosa* no velho dialeto, mas isso não lhe dava pistas. Nenhuma das grandes prisões de Nikan fora construída sob montanhas; elas ficavam ou no deserto de Baghra ou nas masmorras do palácio da Imperatriz.

E Jiang não perguntara o *que* era Chuluu Korikh. Perguntara quem estava preso lá.

Que tipo de prisioneiro não podia ser contido pelo deserto de Baghra?

Ela ponderou até encontrar uma resposta frustrante para uma pergunta frustrante.

— Criminosos anormais — falou, devagar — que cometeram crimes anormais?

Jun bufou alto. Jima e Yim pareceram desconfortáveis.

Jiang fez um breve dar de ombros.

— Tudo bem — falou ele. — É só isso que tenho.

As provas orais foram concluídas ao meio-dia do terceiro dia. Os pupilos foram mandados para o almoço, mas nenhum deles comeu. Depois, foram todos ciceroneados até os ringues para o início do Torneio.

Rin tirou Han como primeiro oponente.

Quando chegou sua vez de lutar, ela desceu a escada de corda e olhou para cima. Os mestres estavam enfileirados na grade. Irjah lhe deu um leve aceno de cabeça, um pequeno gesto que a encheu de determinação. Jun cruzou os braços. Jiang mordiscava as unhas.

Rin não lutara com nenhum dos colegas desde que fora expulsa de Combate. Nunca nem os vira lutar. A única pessoa com quem trocara golpes fora Jiang, e ela não fazia ideia se ele lutava de forma parecida com seus colegas.

Entrava no Torneio em total ignorância.

Rin ajeitou os ombros e respirou fundo, forçando-se a pelo menos aparentar calma.

Han, por sua vez, parecia desconcertado. Seus olhos encaravam o corpo de Rin para depois voltarem ao seu rosto, como se ela fosse uma espécie de animal selvagem que nunca vira antes, como se não soubesse bem o que fazer com ela.

Ele está com medo, percebeu Rin.

Devia ter ouvido os boatos de que ela estudara com Jiang. Han não sabia no que acreditar. Não sabia o que deveria esperar.

Para melhorar, ela era o azarão da luta. Ninguém achava que Rin lutaria bem. Mas Han treinara com Jun o ano inteiro. Era sinegardiano. Ele *precisava* vencer, ou não conseguiria encarar os colegas depois.

Sunzi ensinava que se devia sempre identificar e explorar a fraqueza do inimigo. A fraqueza de Han era psicológica. Os riscos eram muito, muito maiores para ele, e isso o deixava inseguro. Fazia com que fosse passível de ser derrotado.

— O que foi? Nunca viu uma garota antes? — perguntou Rin.

Han corou bastante.

Bom. Ela o deixara nervoso. Abriu um sorriso largo, mostrando os dentes.

— Sorte sua — provocou Rin. — Vai ser o meu primeiro.

— Você não tem chance — vociferou ele. — Não sabe nada de artes marciais.

Ela apenas sorriu e assumiu a quarta postura de abertura de Seejin. Dobrou a perna de trás, preparando-se para saltar, e ergueu os punhos para proteger o rosto.

— Será mesmo?

O rosto de Han se turvou, em dúvida. Ele reconheceu a postura de Rin como praticada e deliberada — muito distante do que alguém sem treinamento em artes marciais faria.

Assim que Sonnen sinalizou o início da luta, Rin correu na direção dele.

Han ficou na defensiva desde o início. Cometeu o erro de permitir que ela tivesse o primeiro impulso e não conseguiu mais se recuperar. Rin assumiu o controle da luta de imediato. Ela atacava, ele reagia. Rin o conduzia naquela dança, decidindo quando deixá-lo se esquivar e para onde iriam. Lutou metodicamente, apenas usando a memória muscular. Foi eficiente. Rebatia os golpes dele e o confundia.

Os ataques de Han eram muito previsíveis — se errava um dos chutes, voltava a perna para trás e tentava de novo e de novo, até que fosse forçado a mudar de direção.

Por fim, ele baixou a guarda e deixou Rin se aproximar. Ela acertou o cotovelo no nariz do garoto com força, sentindo um estalo satisfatório. Han caiu no chão como uma marionete cujas cordas haviam sido cortadas.

Rin sabia que não o havia machucado tanto assim. Jiang socara o nariz dela ao menos duas vezes. Han estava mais chocado que ferido. Poderia ter se levantado, mas permaneceu deitado.

— Tempo — ordenou Sonnen.

Rin limpou o suor da testa e olhou para a grade.

Acima do ringue, havia silêncio. Seus colegas olharam para ela como no primeiro dia de aula — surpresos e perplexos. Nezha estava pasmo.

Então Kitay começou a aplaudir. Foi o único.

Ela lutou outras duas vezes naquele dia, variações do combate com Han — reconhecimento de padrões, confusão, golpe final. Saiu vitoriosa em ambos.

Durante o passar do dia, Rin foi de azarão para grande favorita. Todos aqueles meses passados carregando o porco idiota lhe deram uma resistência maior que a dos colegas. Aquelas horas longas e frustrantes com os movimentos de Seejin lhe deram um jogo de pernas impecável.

O restante da turma aprendera os fundamentos com Jun. Moviam-se da mesma maneira, caíam nos mesmos padrões de sempre quando ficavam nervosos. Mas não Rin. Sua maior vantagem era a imprevisibilidade. Ela não era nem um pouco como os colegas esperavam, fazia os oponentes perderem o ritmo, e então continuava ganhando.

No final do primeiro dia, Rin e seis outros, incluindo Nezha e Venka, avançaram invictos para as eliminatórias. Kitay terminara o dia com duas vitórias e uma derrota, mas avançou devido à boa técnica.

As quartas de final estavam programadas para o segundo dia. Sonnen pegou uma tabela com os nomes escolhidos por sorteio e a pendurou do lado de fora do salão principal, para que todos pudessem ver. Rin lutaria com Venka logo de manhã.

Era óbvio que Venka treinara artes marciais por anos. Ela era astuta e rápida, com um movimento de pés impecável. Lutava com uma selvageria cruel. Sua técnica era milimetricamente precisa; seu tempo, perfeito. Era tão veloz quanto Rin, talvez até mais.

A única vantagem que Rin tinha sobre ela é que Venka nunca lutara com uma lesão.

— Ah, ela já lutou várias vezes — disse Kitay. — Mas ninguém está disposto a bater nela. Todo mundo sempre interrompe o soco antes de encostar em Venka. Até Nezha. Aposto que nenhum dos tutores particulares a acertavam também. Teriam sido demitidos na hora, isso se não fossem presos.

— Você está brincando — disse Rin.

— *Eu* nunca bati nela.

Rin cobriu o punho com a outra mão.

— Então talvez isso seja bom para ela.

Mesmo assim, ferir Venka não era fácil. Mais por sorte do que por qualquer outra coisa, Rin conseguiu acertar um soco no início da luta. Subestimando a velocidade dela, Venka erguera a guarda devagar demais após a tentativa de um gancho de esquerda. Rin aproveitou a abertura e acertou o nariz da oponente com as costas da mão.

Rin sentiu um osso se quebrando sob sua mão com um ruído audível.

Venka recuou de imediato. Uma das mãos voou até o rosto, segurando o nariz que inchava. Olhou para os dedos manchados de sangue e de volta para Rin. Suas narinas se dilataram. As bochechas ficaram de um branco fantasmagórico.

— Algum problema? — perguntou Rin.

O olhar de Venka era pura sede de matar.

— Você nem deveria estar aqui — rosnou ela.

— Diga isso para o seu nariz — respondeu Rin.

Venka estava transtornada. Seu belo olhar de desdém havia desaparecido, o cabelo bagunçado, o rosto ensanguentado, os olhos desnorteados e sem foco. Ela estava tensa, fora de compasso. Tentou desferir muitos golpes selvagens até Rin acertar a lateral de sua cabeça com um chute giratório.

Venka desabou e continuou no chão. Seu peito subia e descia rápido. Rin não sabia se ela estava chorando ou arfando.

Mas, na verdade, não se importava.

Na melhor das hipóteses, os aplausos para Rin ao sair do ringue foram dispersos. A plateia estava torcendo por Venka. Era ela quem deveria ter ido para as finais.

Rin também não se importava com aquilo. Àquela altura, já estava acostumada.

E Venka não era a vitória que desejava.

Nezha abriu caminho do outro lado com uma eficiência cruel. Suas lutas eram marcadas no outro ringue, ao mesmo tempo que as de Rin, e sempre acabavam antes. Rin nunca viu Nezha em ação. Via apenas seus oponentes sendo carregados em macas.

Diferente dos outros adversários de Nezha, Kitay saiu ileso da batalha. O garoto durou um minuto e meio antes de se render.

Havia boatos de que Nezha seria desclassificado por ferimentos intencionais, mas Rin sabia que não deveria contar com aquilo. O corpo docente queria ver o herdeiro da Casa de Yin nas finais. Até onde Rin sabia, Nezha poderia matar alguém sem sofrer consequências. Jun, com certeza, permitiria aquilo.

Ninguém ficou surpreso quando Rin e Nezha ganharam suas semifinais. A final foi adiada até depois do jantar para que os aprendizes pudessem assistir.

No meio do jantar, Nezha desapareceu. Possivelmente, estava recebendo treinamento secreto de Jun. Por um tempo, Rin considerou denunciar aquilo para desclassificar Nezha, mas sabia que seria uma vitória vazia. Queria levar o Torneio até o fim.

Ela remexeu a comida. Sabia que precisava de energia, mas tinha vontade de vomitar só de pensar em comer.

Durante o intervalo, Raban se aproximou da mesa dela. Ele suava em bicas, como se tivesse corrido até lá do patamar mais baixo.

Rin pensou que ele a parabenizaria por chegar até a final, mas o aprendiz apenas falou:

— Você devia se render.

— Não mesmo — respondeu Rin. — Vou ganhar o Torneio.

— Olha, Rin… você não viu nenhuma das lutas de Nezha.

— Estava um pouco ocupada com as minhas.

— Então não sabe do que ele é capaz. Acabei de tratar o oponente dele das semifinais na enfermaria. Nohai. — Raban parecia bastante agitado. — Não sabem se o menino vai conseguir andar de novo. Nezha arrebentou a rótula dele.

— Isso é problema de Nohai.

Rin não queria nem ouvir sobre as vitórias de Nezha. Já estava enjoada o suficiente. Só conseguiria lutar a final se convencesse a si mesma de que era possível derrotar Nezha.

— Eu sei o quanto ele odeia você — continuou Raban. — E pode fazer você perder os movimentos pelo resto da vida.

— Ele é só um garoto — zombou Rin com uma confiança que não sentia de verdade.

— *Você* é só uma garota! — Raban soava preocupado. — Não importa o quanto se ache boa. Nezha tem quinze centímetros de altura e dez quilos de músculo a mais que você. E ele quer ver você morta.

— Ele tem fraquezas — insistiu ela, teimosa.

Aquilo tinha que ser verdade. Não é?

— Que diferença faz? De qualquer forma, por que o Torneio é importante para você? — perguntou Raban. — De jeito nenhum você vai ser expulsa agora. Todos os mestres vão querer você como aprendiz. Por que precisa ganhar?

Raban tinha razão. Àquela altura, Irjah não teria dúvida sobre lhe dar uma chance. O lugar de Rin em Sinegard estava garantido.

Mas aquilo não tinha mais a ver com chances, e sim com orgulho. Com poder. Se Rin se rendesse a Nezha, ele esfregaria essa vitória na cara dela pelo resto dos anos na Academia. Não, pelo resto da vida.

— Porque eu posso — respondeu ela. — Porque ele pensou que podia se livrar de mim. Porque quero quebrar aquela cara idiota.

O silêncio reinava no porão quando Rin e Nezha entraram no ringue. O ar estava cheio de antecipação, uma sede de sangue voyeurística. Meses de rivalidade e ódio chegavam a uma conclusão, e todos queriam ver a repercussão daquele conflito.

As expressões de Jun e Irjah eram deliberadamente neutras, sem revelar nada. Jiang não estava lá.

Nezha e Rin fizeram uma reverência curta, sem tirar os olhos um do outro, e ambos foram para trás na mesma hora.

Nezha manteve o olhar em Rin, os olhos completamente focados. Seus lábios estavam franzidos de concentração. Não havia zombaria nem provocações. Nem mesmo um grunhido.

Rin percebeu que Nezha a levava a sério. Que a via como uma igual.

Por alguma razão, aquilo a deixou bastante orgulhosa. Eles se encaravam, desafiando um ao outro a romper o contato visual primeiro.

— Comecem — disse Sonnen.

Imediatamente, ela saltou na direção dele. Sua perna direita atacou duas vezes, forçando-o a recuar.

Kitay passara o almoço inteiro ajudando Rin a criar estratégias. Ela sabia que Nezha podia ser rápido como um raio. Assim que conseguia impulso, não parava até o oponente estar incapacitado ou morto.

Rin precisava subjugá-lo desde o início. Precisava colocá-lo sempre na defensiva. Ficar na defensiva contra Nezha seria derrota na certa.

O problema é que ele era forte demais. Nezha não tinha a força bruta de Kobin ou mesmo de Kureel, mas era tão preciso nos movimentos que não importava. Ele canalizava o *ki* com uma exatidão brilhante, acumulando-o e então o liberando através do menor ponto de pressão para criar o máximo de impacto.

Diferente de Venka, Nezha conseguia absorver golpes e continuar. Ela o machucou uma ou duas vezes. Ele se adaptou e a atacou de volta. E os golpes *doeram*.

Estavam havia dois minutos no ringue. Rin já havia durado mais que todos os outros oponentes de Nezha, e uma coisa ficou evidente para ela: ele *não* era invencível. As técnicas que antes pareceram impossíveis e difíceis para ela se tornaram superáveis. Quando Nezha chutava, seus movimentos eram largos e óbvios como os de um javali. Os chutes eram bastante poderosos, mas apenas quando atingiam o alvo.

Rin se certificava de nunca ser atingida.

Ela não deixaria que Nezha a machucasse. Mas não estava ali apenas para sobreviver. Estava ali para ganhar.

Dragão Explosivo. Tigre Agachado. Garça Estendida. Ela passava pelos movimentos das Folias de Seejin conforme eram necessários. Movimentos que ela praticara muitas vezes antes, ligados naquela maldita sequência, entrando em jogo de maneira automática.

Contudo, se Nezha ficara impressionado com o estilo de luta de Rin, não demonstrava. Permaneceu calmo e concentrado, atacando com eficiência metódica.

Estavam no ringue havia quatro minutos. Rin sentia os pulmões em chamas, tentando bombear oxigênio para o corpo cansado. Mas sabia que, se ela estava cansada, Nezha também estava.

— Ele fica desesperado quando se cansa — dissera Kitay. — E é mais perigoso quando se desespera.

Nezha estava ficando desesperado.

Não havia mais controle do *ki*. Ele dava soco atrás de soco na direção dela. Não se importava com a regra de não ferir de verdade. Se a derrubasse, ele a mataria.

Nezha deu um chute baixo na parte traseira dos joelhos dela. Rin o deixou terminar o golpe, caindo para trás, fingindo perder o equilíbrio. Ele se moveu na mesma hora, avançando sobre ela. Ela se firmou e deu um chute para cima.

Acertou direto no peito dele com mais força do que jamais havia aplicado num chute. *Sentiu* o ar saindo do peito do oponente. Então deu uma cambalhota e ficou de pé, impressionada por Nezha ainda estar indo para trás, arfando.

Ela se jogou para a frente e deu um soco na cabeça dele.

Nezha desabou.

Murmúrios chocados circularam entre a plateia.

Rin andou em volta do garoto, torcendo para que não se levantasse, mas sabendo que o faria. Ela queria acabar com aquilo. Acertar o pé na nuca dele. Mas os mestres se importavam com honra. Se batesse em

Nezha enquanto estivesse caído, significaria fazer as malas e sair de Sinegard em minutos.

Ela duvidava que qualquer um fosse se incomodar se Nezha fizesse o mesmo.

Quatro segundos se passaram. O oponente de Rin ergueu a mão trêmula e a apoiou no chão. Foi se arrastando até ficar de pé. Sua testa sangrava, pingos vermelhos nos olhos. Ele piscou para limpá-los e olhou para ela.

Seu olhar era assassino.

— Continuem — disse Sonnen.

Rin circulou Nezha com cautela. Ele rastejava feito um animal, como um lobo ferido se erguendo sobre as ancas.

Quando Rin desferiu o golpe seguinte, Nezha agarrou seu braço e a puxou. Ela perdeu o ar. Ele passou as unhas pela cara da garota até chegar à clavícula.

Ela se livrou da mão dele e foi para trás. Sentiu uma dor aguda debaixo do olho esquerdo, um corte no pescoço.

Nezha arrancara sangue.

— Cuidado, Yin — avisou Sonnen.

Os dois o ignoraram. *Como se um aviso fosse fazer diferença*, pensou Rin. Quando Nezha avançou na direção dela, Rin o puxou para o chão. Eles rolaram, cada um tentando prender o outro e falhando.

Nezha socava o ar loucamente, lançando golpes ao acaso na direção do rosto dela.

Ela desviou do primeiro. Ele voltou com o punho e acertou a garota num golpe com as costas da mão que a deixou sem ar. A parte inferior da face de Rin ficou dormente.

Ele deu um tapa nela.

Ele deu *um tapa* nela.

Ela podia aguentar um chute. Podia absorver um golpe de mão estendida. Mas aquele tapa era brutalmente íntimo. Era uma indicação de superioridade.

Algo dentro de Rin se quebrou.

Ela não conseguia respirar. Os cantos de sua visão escureceram — primeiro preto, depois vermelho. Uma ira terrível a preencheu, consumiu todos os seus pensamentos. Rin precisava da vingança como precisava de ar. Queria *machucar* Nezha. Queria *punir* Nezha.

Atacou de volta, os dedos curvados como garras. Ele a largou para dar um pulo para trás, mas Rin o seguiu, redobrando os ataques frenéticos. Não era tão rápida quanto Nezha. Ele retaliou, e ela era lenta demais para bloquear qualquer coisa, e ele a atingiu na coxa e no braço, mas seu corpo não percebia o dano. A dor era uma mensagem que ela estava ignorando, para ser sentida depois.

Não. A dor levava ao sucesso.

Ele bateu no rosto de Rin uma, duas, três vezes. Bateu nela como um animal e, mesmo assim, ela continuava lutando.

— Qual é o seu *problema*? — sibilou ele.

Mais importante era o problema *dele*. Medo. Ela podia ver em seus olhos.

Ele a encurralou na parede, as mãos em torno de seu pescoço, mas ela agarrou os ombros do garoto, afundou o joelho nas costelas dele e um cotovelo na nuca. Ele caiu para a frente, ofegando. Ela se jogou no chão e acertou o cotovelo na lombar do oponente. Nezha gritou e arqueou as costas em agonia.

Rin prendeu o braço esquerdo de Nezha com o pé e manteve o pescoço dele no chão com o cotovelo direito. Sempre que o oponente tentava se livrar do golpe, ela acertava sua nuca com o punho e mantinha seu rosto na terra até ficar claro que ele não ia se levantar.

— Tempo — falou Sonnen, mas ela mal o ouviu.

O sangue trovejava em seus ouvidos como tambores de guerra. Sua visão era filtrada por uma lente vermelha que enxergava apenas alvos inimigos.

Ela agarrou os cabelos de Nezha e bateu a cabeça dele no chão de novo.

— *Tempo!*

Os braços de Sonnen estavam no pescoço dela, segurando-a e puxando de cima do corpo frouxo de Nezha.

Ela cambaleou para longe de Sonnen. Seu corpo queimava, fervia. Ela tropeçou, de repente tonta. Sentiu que podia explodir de calor; precisava se livrar dele, forçá-lo a sair, ou com certeza morreria, mas o único lugar em que podia colocá-lo eram os corpos daqueles que a rodeavam...

Alguma coisa profundamente enterrada em sua mente racional gritou.

Raban estendeu a mão enquanto ela saía do ringue.

— Rin, o que...

Ela afastou a mão dele.

— Sai — falou, arfando. — Sai.

Os mestres se reuniram ao redor dela, um burburinho de vozes — braços se esticando, bocas se movendo. A presença deles era sufocante. Rin sentia que, se gritasse, os desintegraria completamente. *Queria* desintegrá-los, mas a pequena parte dela que ainda era racional a impediu e a mandou correndo para a saída.

Como que por milagre, abriram caminho para ela. A garota atravessou a multidão de aprendizes e correu para a escada. Subiu os degraus a toda velocidade, passou pela porta do salão principal para o ar frio lá fora e inspirou fundo.

Não era suficiente. Ainda queimava.

Ignorando os gritos dos mestres atrás dela, Rin desatou a correr.

Jiang estava no primeiro lugar em que ela procurou, no jardim de Folclore, sentado de pernas cruzadas, olhos fechados e tão imóvel quanto a pedra em que se acomodava.

Ela passou pelos portões do jardim, agarrando-se ao batente. O mundo girava. Tudo parecia vermelho: as árvores, as pedras e, acima de tudo, Jiang. Ele queimava na frente dela como uma tocha.

O mestre abriu os olhos ao som da aluna passando pelo portão.

— Rin?

Ela parecia ter desaprendido a falar. As labaredas dentro de seu corpo foram na direção de Jiang, sentiram a presença dele como o fogo sente a da lenha e *desejavam* consumi-lo.

Rin ficou convencida de que, se não o matasse, poderia explodir.

Ela se moveu para atacá-lo. O mestre logo ficou de pé, esquivou-se das mãos esticadas de Rin e então a derrubou com um golpe ágil. A aluna caiu de costas. Jiang a prendeu no chão com os braços.

— Você está queimando — disse ele, impressionado.

— Me ajuda — falou ela, arfando. — *Me ajuda.*

Ele se inclinou e envolveu a cabeça de Rin com as mãos.

— Olhe para mim.

Rin obedeceu com dificuldade. O rosto do mestre girava diante dela.

— Grande Tartaruga — murmurou Jiang, soltando a garota.

Seus olhos se reviraram, e ele começou a balbuciar coisas indecifráveis, sílabas que não lembravam qualquer idioma que ela conhecesse.

Jiang abriu os olhos e pressionou a palma da mão na testa de Rin.

Sua mão era como gelo. O frio agudo passou da palma do mestre para a testa de Rin e se espalhou por seu corpo, usando o mesmo caminho das chamas; detendo o fogo e o acalmando nas veias. Ela sentiu como se estivesse sendo mergulhada numa banheira de água congelante. Rin se contorceu no chão, respirando, em choque, tremendo enquanto o fogo deixava seu corpo.

Então tudo ficou quieto.

O rosto de Jiang foi a primeira coisa que viu quando recuperou a consciência. As roupas dele estavam amarrotadas. Havia bolsas escuras debaixo de seus olhos, como se não dormisse havia dias. Por quanto tempo Rin ficara desacordada? Jiang permanecera ao lado dela o tempo inteiro?

Rin levantou a cabeça. Estava deitada num leito na enfermaria, mas, até onde conseguia ver, não estava ferida.

— Como se sente? — perguntou Jiang, baixinho.

— Com dor, mas bem. — Ela se sentou e estremeceu. Parecia que a boca estava cheia de algodão. Tossiu e esfregou a garganta, franzindo o cenho. — O que aconteceu?

Jiang lhe ofereceu uma caneca de água que estava ao lado da cama. Ela aceitou, grata. A água descendo pela garganta seca era a sensação mais maravilhosa do mundo.

— Parabéns — disse Jiang. — Você é a campeã do Torneio deste ano.

Seu tom de voz não era nem um pouco congratulatório.

De qualquer forma, Rin não sentiu nem um pingo da euforia que deveria ter sentido. Não conseguiu se alegrar com a vitória sobre Nezha. Não se sentia orgulhosa, apenas assustada e confusa.

— O que foi que eu fiz? — sussurrou ela.

— Você encontrou algo para o qual não estava preparada — respondeu Jiang. Ele parecia nervoso. — Nunca deveria ter lhe ensinado as Cinco Folias. Daqui em diante, você será apenas um perigo para si mesma e para todos ao seu redor.

— Não se você me ajudar — falou ela. — Não se você me ensinar a fazer diferente.

— Achei que só queria aprender a ser uma boa soldada.

— Eu quero — disse Rin.

Mas, acima de tudo, ela queria ter poder.

Rin não fazia ideia do que acontecera no ringue; seria tolice não ficar aterrorizada. Ainda assim, nunca havia sentido tanto poder. Naquele momento, sentira que podia derrotar qualquer um. Matar qualquer coisa.

Queria aquele poder de novo. Queria o que Jiang tinha a ensinar.

— Naquele dia no jardim, fui ingrata — falou, escolhendo as palavras com cuidado. Se falasse de forma obsequiosa demais, Jiang se afastaria. Mas se não pedisse desculpas, talvez o mestre achasse que ela não aprendera nada desde que se falaram pela última vez. — Não estava pensando direito. Peço desculpas.

A aluna fitou os olhos dele com apreensão, buscando a expressão distante e reveladora que indicava que ela o havia perdido.

Os traços de Jiang não se aquietaram, mas ele também não se levantou para ir embora.

— Não. A culpa foi minha. Não havia percebido como você e Altan são parecidos.

À menção daquele nome, Rin levantou a cabeça de repente.

— Sabe, ele também foi campeão no ano dele — contou Jiang. — Lutou com Tobi na final. Foi um combate cheio de raiva, assim como o seu com Nezha. Altan *odiava* Tobi. Tobi fez alguns comentários sobre Speer na primeira semana deles na escola, e Altan nunca o perdoou. Mas ele não era como você; Altan não ficou de picuinha com Tobi durante o ano, como uma galinha. Altan engoliu a raiva e a escondeu sob uma máscara de indiferença até, no último minuto, diante de uma plateia que incluía seis líderes regionais e a Imperatriz, liberar um poder tão grande que foi necessário Sonnen, Jun e eu para contê-lo. Quando a fumaça se dissipou, Tobi estava tão machucado que Enro não dormiu por cinco dias para cuidar dele.

— Eu não sou assim — disse Rin. Ela não tinha machucado tanto Nezha, tinha? Era difícil lembrar em meio àquela neblina de raiva. — Não sou... não sou como Altan.

— Vocês são iguaizinhos. — Jiang balançou a cabeça. — Imprudentes. Guardam rancor, alimentam a ira e a deixam explodir, e são descuidados com o que aprendem. Treiná-la seria um erro.

Rin sentiu um peso na barriga. De repente, ficou com medo de enlouquecer. Recebera um gostinho sedutor de um poder imenso, mas seria aquele o fim da estrada?

— Foi por isso que retirou sua proposta para Altan? — perguntou. — Que se recusou a treiná-lo?

Jiang pareceu confuso.

— Eu não retirei minha proposta — respondeu. — *Insisti* para que o colocassem sob minha guarda. Altan é speerliês, já predisposto à fúria e ao desastre. Eu sabia que era o único capaz de ajudá-lo.

— Mas os aprendizes disseram...

— Os aprendizes não sabem de merda nenhuma — falou Jiang. — Pedi a Jima para que me deixasse treinar Altan. Mas a Imperatriz interveio. Ela conhecia o valor militar de um guerreiro speerliês, estava tão *animada*... No final, os interesses nacionais se sobrepuseram à sanidade de um garoto. Colocaram Altan sob a tutela de Irjah e afiaram sua raiva como uma arma, em vez de lhe ensinarem como controlá-la. Você já o viu no ringue. Sabe como ele é.

Jiang se inclinou.

— Mas *você*... A Imperatriz não sabe de você. — Ele murmurava para si mesmo mais do que falava com ela. — Você não está a salvo, mas vai ficar... Não vão intervir, não desta vez...

Ela observou o rosto de Jiang, sem se atrever a ter esperanças.

— Isso significa que...?

Ele se levantou.

— Que vou aceitá-la como aprendiz. Espero que eu não me arrependa disso.

O mestre estendeu a mão para ela. Rin a apertou.

Dos cinquenta estudantes que se matricularam em Sinegard no início do ano letivo, trinta e cinco receberam propostas de tutoria. Os mestres enviaram os pergaminhos para o gabinete do salão principal para que os alunos fossem pegá-los.

Pediram aos que não receberam pergaminho que devolvessem os uniformes e tomassem providências para deixar a Academia de imediato.

A maior parte dos alunos recebeu apenas um pergaminho. Para a alegria de Niang, ela se juntou a dois outros estudantes em Medicina. Nezha e Venka escolheram Combate.

Convencido de que havia perdido qualquer chance no momento em que se rendeu a Nezha, Kitay puxou tanto os cabelos no caminho até o gabinete do salão principal que Rin temeu que o amigo ficaria careca.

— Foi uma idiotice — falou ele. — Covardia. Ninguém se rendeu sem sofrer um machucado nas últimas duas décadas. Ninguém vai me querer como aprendiz agora.

Antes do Torneio, ele esperava receber propostas de Jima, Jun e Irjah. Mas apenas um pergaminho o esperava na secretaria.

Kitay o desenrolou e abriu um grande sorriso.

— Irjah achou que minha rendição foi brilhante! Vou estudar Estratégia!

Havia dois pergaminhos para Rin. Sem abri-los, ela sabia que eram de Irjah e Jiang. Podia escolher entre Estratégia e Folclore.

Escolheu Folclore.

CAPÍTULO 8

A Academia de Sinegard dava quatro dias de folga aos alunos para a comemoração do Festival de Verão. O segundo ano letivo começaria assim que retornassem.

A maioria dos alunos aproveitava para visitar a família, mas Rin não tinha tempo nem vontade de ir a Tikany. Planejara passar o intervalo na Academia, até Kitay convidá-la para ficar em sua casa.

— A não ser que não queira — falou ele, nervoso. — Quer dizer, se tiver outros planos...

— Não tenho nada planejado — contou Rin. — Eu adoraria.

Ela fez as malas para a viagem à cidade, programada para a manhã seguinte. Levou poucos segundos na tarefa — tinha poucos pertences pessoais. Dobrou com cuidado os dois conjuntos de túnicas da escola na bolsa velha e torceu para Kitay não achar deselegante ela usar o uniforme durante o festival. Rin não tinha outras roupas; havia se livrado dos velhos mantos sulistas na primeira chance que surgira.

— Vou chamar um riquixá — ofereceu Rin ao encontrar Kitay nos portões da escola.

O garoto pareceu confuso.

— Por que precisamos de um riquixá?

Rin franziu o cenho.

— Como vamos chegar lá?

Kitay abriu a boca para responder na mesma hora que apareceu uma carruagem enorme. O condutor, um homem parrudo vestindo robes com ricos tons de dourado e vinho, desceu do assento do cocheiro e fez uma reverência profunda na direção de Kitay.

— Mestre Chen.

Ele hesitou diante de Rin, como se tentasse decidir se deveria fazer uma reverência para a garota também. Por fim, apenas deu um aceno formal com a cabeça.

— Obrigado, Merchi. — Kitay entregou as bagagens para o serviçal e ajudou Rin a subir na carruagem. — Confortável?

— Bastante.

De onde estavam, podiam ver quase toda a cidade no vale abaixo: os pagodes em espiral do distrito administrativo se erguendo acima do lençol de neblina, casas brancas construídas nos declives do vale com telhados curvados e as paredes de pedra serpenteantes dos caminhos que levavam ao centro da cidade.

Do interior escuro da carruagem, Rin se sentiu isolada das ruas sujas da cidade. Sentiu-se limpa. Pela primeira vez desde que chegara a Sinegard, sentiu que pertencia àquele lugar. Encostou na lateral do veículo e aproveitou a brisa morna do verão soprando em seu rosto. Já fazia um bom tempo que não descansava assim.

— Vamos discutir o que aconteceu com você em detalhes quando voltar — dissera Jiang. — Mas sua mente acabou de sofrer um trauma bastante peculiar. A melhor coisa que pode fazer agora é descansar. Deixe a experiência germinar. Deixe sua mente se curar.

Com muito tato, Kitay não perguntou a ela o que havia acontecido. Rin se sentiu grata por aquilo.

Merchi os levou a um ritmo rápido pela passagem da montanha. Continuaram no caminho principal da cidade por uma hora e então viraram à esquerda na estrada isolada que levava ao Distrito Jade.

Quando Rin chegou a Sinegard, um ano antes, ela e o Tutor Feyrik passaram pelo distrito operário, onde as hospedarias eram baratas e havia casas de apostas em cada esquina. Suas viagens diárias para ver a Viúva Maung a levaram para as partes mais barulhentas, sujas e fedorentas da cidade. Até então, o que vira de Sinegard não era tão diferente de Tikany — a capital era apenas mais ruidosa e cheia.

Agora, dentro da carruagem da família Chen, ela reparou quão esplendorosa Sinegard podia ser. As ruas do Distrito Jade haviam sido pavimentadas recentemente e brilhavam como se tivessem sido limpas naquela mesma manhã. Rin não viu barracos de madeira, nenhuma latrina evidente. Não viu donas de casa mal-humoradas fazendo pães e bolinhos em fogueiras ao ar livre, pobres demais para terem um forno. Não viu mendigos.

Achou aquela calmaria desconcertante. Tikany estava sempre explodindo com atividades — andarilhos pegando lixo para reembalar e vender; homens velhos sentados à toa, fumando ou jogando mahjong; criancinhas usando macacões que deixavam a bunda de fora, andando pelas ruas seguidas por seus avós, prontos para pegá-las se tropeçassem.

Não viu nada daquilo ali. O Distrito Jade era composto de paredes impecáveis e jardins murados. Com exceção da carruagem, a estrada estava vazia.

Merchi parou diante de enormes portões duplos, que se abriram morosamente, revelando quatro longas construções retangulares que formavam um quadrado em torno de um grande jardim. Vários cachorros correram até a entrada, pequeninas coisas brancas cujas patas eram tão imaculadas quanto o caminho de ladrilhos em que pisavam.

Kitay deu um grito, desceu da carruagem e se ajoelhou. Os cachorros pularam nele, os rabos balançando com felicidade delirante.

— Este é o Imperador Dragão. — Ele fez carinho no queixo de um dos cachorros. — Todos foram batizados em homenagem a grandes líderes.

— Qual é o Imperador Vermelho? — perguntou Rin.

— O que vai mijar no seu pé se continuar parada.

A governanta da propriedade era uma mulher baixa e roliça de pele sardenta e enrugada chamada Lan. Ela tinha uma voz amigável e infantil que não combinava com o rosto cheio de rugas. Seu sotaque sinegardiano era tão forte que, mesmo depois de vários meses de prática com a Viúva Maung, que tinha um sotaque carregado, Rin mal conseguia entender a mulher.

— O que querem comer? Posso preparar o que quiserem. Conheço o estilo culinário de todas as doze províncias. Menos o da Província do Macaco. Apimentado demais. Não faz bem. Também não faço tofu fedido. Minha única limitação é o que tem no mercado, mas consigo praticamente qualquer coisa na loja de importados. Alguma receita favorita? Lagosta? Ou castanhas-d'água? É só falar que eu cozinho.

Rin, que estava acostumada a comer a gororoba sem gosto do refeitório da Academia, ficou sem palavras. Como poderia explicar a Lan que não tinha aquele repertório culinário? Em Tikany, gostavam de um prato que chamavam de "qualquer coisa", que era feito literalmente de qualquer coisa que sobrava na loja — em geral, ovos fritos e macarrão transparente.

— Quero Sopa dos Sete Tesouros — interveio Kitay, fazendo Rin imaginar o que poderia ser aquilo. — E Cabeça de Leão.

A garota piscou, assustada.

— O quê?

Kitay parecia estar se divertindo.

— Ah, você vai ver.

— Você podia agir menos como uma camponesa impressionada, sabe? — falou Kitay conforme Lan servia codorna, ovos de codorna, sopa de barbatana de tubarão em cascos de tartaruga e tripa de porco. — É só comida.

Mas "só comida" era mingau de arroz. Talvez alguns vegetais. Um pedaço de peixe, porco ou frango quando conseguiam colocar as mãos em algo assim.

Nada na mesa era "só" alguma coisa.

Sopa dos Sete Tesouros era um mingau delicioso que misturava tâmaras vermelhas, castanhas com mel, sementes de lótus e quatro outros ingredientes que Rin não conseguiu identificar. Cabeça de Leão, descobriu ela com certo alívio, era uma bola de carne misturada com farinha e cozida com pedaços grandes de tofu branco.

— Kitay, eu *sou* uma camponesa impressionada. — Sem sucesso, Rin tentou pegar um ovo de codorna com os palitinhos. Por fim, desistiu e usou os dedos. — Você come assim? O tempo inteiro?

O garoto corou.

— Você se acostuma. Na nossa primeira semana na escola, foi difícil. A cantina da Academia é *horrível*.

Era difícil não ficar com inveja dele. Seu lavabo particular era maior que o quarto apertado que ela dividia com Kesegi. A biblioteca da casa rivalizava com as estantes de Sinegard. Tudo que Kitay tinha era fácil de substituir; quando seus sapatos ficavam sujos de lama, ele os jogava fora. Se a camisa rasgasse, ele comprava uma nova — uma feita *sob medida* para sua altura e cintura.

Kitay passou a infância num conforto luxuoso, com nada melhor para fazer do que estudar para o Keju. Para ele, passar para Sinegard fora uma surpresa agradável, a confirmação de algo que sempre soube ser seu destino.

— Cadê o seu pai? — perguntou Rin.

O pai de Kitay era o ministro da Defesa da Imperatriz. Em segredo, ela ficou aliviada por não ter que conversar com ele (só de pensar naquilo ficava apavorada), mas também não conseguia deixar de sentir certa curiosidade sobre o homem. Será que ele era uma versão mais velha de Kitay, com cabelo cacheado, tão inteligente quanto o filho e muito mais poderoso?

Kitay fez uma careta.

— Reuniões de trabalho. Não teria como você saber, mas toda Sinegard está em alerta máximo. A Guarda da Cidade inteira vai trabalhar a semana toda sem folga. Não precisamos de outro incidente com a Ópera.

— Achei que a Ópera do Junco Carmesim tivesse sido exterminada — comentou Rin.

— Em sua *maior* parte. Não dá para matar um movimento. Em algum lugar, alguns fanáticos religiosos estão determinados a matar a Imperatriz. — Kitay espetou um pedaço de tofu. — Meu pai vai permanecer no palácio até o fim do festival. Ele é diretamente responsável pela segurança da Imperatriz. Se qualquer coisa der errado, é a cabeça dele que vai rolar.

— E ele não fica nervoso?

— Na verdade, não. Já faz isso há décadas, vai ficar bem. Além disso, a Imperatriz é uma excelente lutadora; não é um alvo fácil.

Então Kitay desatou a revelar uma série de histórias que o pai lhe contara sobre servir no palácio, sobre encontros hilariantes com a Imperatriz e os Doze Líderes, sobre fofocas da corte e políticas das províncias.

Rin ouvia tudo encantada. Como era crescer sabendo que seu pai trabalhava ao lado da Imperatriz? Que diferença fazia o local de nascimento. Em outro mundo, ela poderia ter crescido numa propriedade como aquela, com todos os seus desejos à mão. Em outro mundo, poderia ter nascido em meio ao poder.

Rin passou a noite numa suíte enorme só para ela. Não dormia tanto ou tão bem desde que fora para Sinegard. Era como se seu corpo tivesse desligado após semanas de maus-tratos. Fazia meses que não acordava se sentindo tão bem e com a mente tão desanuviada.

Depois de um desjejum preguiçoso de mingau doce e ovos de ganso apimentados, Kitay e Rin caminharam até o mercado.

Rin não colocava os pés no centro de Sinegard desde que chegara com o Tutor Feyrik, um ano antes. A Viúva Maung morava no outro lado da cidade, e o cronograma exigente da Academia não lhe dera tempo de explorar a capital sozinha.

No ano anterior, ela ficara assoberbada com o mercado. Agora, com o pico de atividades durante o Festival de Verão, o lugar parecia ter explodido. Carroças de vendedores ficavam estacionadas em qualquer lugar, abarrotando becos tão apertados que os clientes precisavam se locomover em fila única. Mas as *coisas* que havia para ver... Ah, como eram lindas. Rin viu fileiras e fileiras de colares de pérolas e pulseiras de jade. Prateleiras de pedras lisas do tamanho de ovos que revelavam caracteres, às vezes poemas inteiros, quando mergulhadas na água. Mesas onde mestres calígrafos escreviam nomes em leques lindos e enormes, empunhando os pincéis de nanquim com o cuidado e a destreza dos espadachins.

— O que são essas coisas?

Rin parou em frente a um mostruário com estatuetas de meninos gordinhos. Seus mantos estavam abaixados, deixando os pênis expostos. Ela não conseguia acreditar que algo tão obsceno estivesse à venda.

— Ah, eu adoro essas — falou Kitay.

Para explicar, o vendedor pegou uma chaleira e jogou água nas estátuas. A argila escurecia conforme elas ficavam molhadas, e a água começou a jorrar dos pênis como jatos de urina.

Rin gargalhou.

— Quanto custa?

— Uma custa quatro pratas. Mas faço duas por sete.

Rin empalideceu. Ela só tinha um cordão de pratas imperiais e um punhado de moedas de cobre restantes do dinheiro que o Tutor Feyrik ajudara a trocar. Nunca precisava gastar um tostão na Academia e não tinha parado para pensar como as coisas em Sinegard podiam ser caras quando não estava vivendo às custas da Academia.

— Você quer uma? — perguntou Kitay.

Rin agitou bastante as mãos.

— Não, tudo bem. Não posso...

Então Kitay entendeu.

— De presente. — Ele entregou um cordão de pratas para o mercador. — Uma estátua mijona para minha amiga que se diverte fácil.

Rin corou.

— Kitay, não.

— Não custa nada.

— Custa muito para mim — disse ela.

Kitay colocou a estatueta na mão dela.

— Se falar de dinheiro outra vez, vou deixar você aqui sozinha.

O mercado era tão grande que Rin ficou relutante em se afastar muito da entrada; se ela se perdesse naquele labirinto, como encontraria a saída? Kitay, por outro lado, andava por lá com a calma de quem conhecia profundamente o lugar, mostrando as lojas de que gostava e as de que não gostava.

A Sinegard de Kitay era cheia de maravilhas, completamente acessível e cheia de coisas que pertenciam a ele. A Sinegard de Kitay não era assustadora, porque ele tinha dinheiro. Se tropeçasse, metade dos donos de loja da rua iriam ajudá-lo, torcendo para receber uma gorjeta generosa. Se alguém afanasse suas moedas, ele voltaria para casa e pegaria outra bolsa. Kitay podia ser uma vítima da cidade, porque tinha o luxo de fracassar.

Rin não tinha. Precisava se lembrar de que, apesar da enorme generosidade de Kitay, nada daquilo era dela. Sua única forma de permanecer na cidade era através da Academia, e ela teria que trabalhar pesado para continuar lá.

À noite, o mercado se iluminava com lanternas, uma para cada vendedor. Juntas, pareciam um enxame de vaga-lumes, criando sombras maravilhosas em tudo que sua luz tocava.

— Você já viu um teatro de sombras? — Kitay parou diante de uma tenda gigante. Havia uma fila de meninos e meninas na entrada, tirando cobres do bolso para entrar. — Quer dizer, é para crianças, mas...

— Grande Tartaruga. — Rin arregalou os olhos. Em Tikany, contavam *histórias* sobre teatros de sombras. Ela pescou uns trocados do bolso. — Eu pago.

A tenda estava lotada de crianças. Kitay e Rin ficaram mais ao fundo, tentando fingir que não eram ao menos cinco anos mais velhos que o restante da plateia. Na frente, uma enorme tela de seda pendia do teto, iluminada por trás por uma luz amarela suave.

— Vou contar para vocês sobre o renascimento desta nação.

O titereiro falava de uma caixa ao lado da tela, de forma que não era possível ver sua silhueta. A voz encheu a tenda, profunda, macia e ressonante.

— Esta é a história da salvação e da reunificação de Nikan. É a história da Trindade, os três combatentes lendários.

A luz atrás da tela diminuiu e assumiu um tom vibrante de vermelho.

— O Guerreiro.

A primeira sombra surgiu: a silhueta de um homem com uma espada quase tão grande quanto ele. O Guerreiro trajava uma armadura pesada, com espinhos saindo das ombreiras. O penacho do capacete balançava no ar.

— A Víbora.

A silhueta esbelta de uma mulher surgiu ao lado do Guerreiro. Sua cabeça se inclinou em um gesto sedutor e o braço esquerdo se dobrou como se ela carregasse algo nas costas. Um leque, talvez. Ou uma adaga.

— E o Guardião.

O Guardião era o mais magro dos três, uma figura curvada enrolada em mantos. Ao seu lado, uma enorme tartaruga se arrastava.

O tom vermelho da tela desapareceu e deu lugar ao amarelo suave que pulsava devagar, como um coração. As sombras da Trindade ficaram maiores e então desapareceram. Em seu lugar, surgiu o horizonte de uma terra montanhosa. E o titereiro logo começou sua história:

— Sessenta anos atrás, com o estourar da Primeira Guerra da Papoula, o povo de Nikan sofreu com os opressores da Federação. O país adoeceu, ardendo em febre sob as nuvens da droga da papoula. — Fitas translúcidas se agitaram sobre o horizonte, dando a impressão de fumaça. — As pessoas passavam fome. Mães vendiam seus bebês por um punhado de carne, por um pedaço de tecido. Pais prefeririam matar os filhos a vê-los sofrendo. Sim, é isso mesmo. Crianças como vocês! Os nikaras pensaram que os deuses os haviam abandonado, pois de que outra forma os bárbaros do leste poderiam ter lhes causado tanta destruição?

A tela adquiriu o mesmo tom amarelo-pálido das bochechas dos viciados em papoula. Uma fileira de camponeses nikara se ajoelhava com as cabeças no chão, como se chorassem.

— Os líderes das Doze Províncias não protegeram o povo. Outrora poderosos, eles eram agora fracos e desorganizados. Ocupados com antigas rixas, perdiam tempo e soldados lutando uns contra os outros em vez de se unirem para expulsar os invasores de Mugen. Desperdiçavam ouro em bebidas e mulheres. Inalavam a droga da papoula feito ar. Taxavam suas províncias com impostos abusivos e não davam nada em retorno. Mesmo quando a Federação destruiu seus vilarejos e estuprou suas mulheres, eles não fizeram nada. Pois não podiam fazer nada. O povo rezou por heróis. Rezaram por vinte anos. E, finalmente, os deuses os enviaram.

Uma silhueta de três crianças de mãos dadas apareceu no canto inferior esquerdo da tela. A criança no meio era mais alta que as outras. A criança à direita tinha cabelo comprido e esvoaçante. A terceira, um pouco mais afastada das outras duas, estava de perfil, olhando para a lateral da tela, como se pudesse ver algo que seus amigos não podiam.

— Os deuses não mandaram os heróis descerem do céu. Em vez disso, escolheram três crianças: órfãos de guerra, camponeses cujos pais haviam sido mortos em ataques a vilarejos. Suas origens eram muito humildes. Mas seu destino era caminhar com os deuses.

A criança no meio andou com passos decididos até o centro da tela. As outras duas a seguiram a distância, como se aquele garoto fosse o líder. As sombras se mexiam de maneira tão suave que poderiam ser homens fantasiados atrás da tela, não marionetes feitas de papel e corda. Rin se encantou com aquela técnica, mesmo enquanto se deixava envolver cada vez mais pela história.

— Quando o vilarejo deles queimou, os três formaram um pacto para se vingarem da Federação e libertarem o país dos invasores, para que nenhuma outra criança sofresse o que tinham sofrido. Eles treinaram por muitos anos com monges do templo Wudang. Quando chegaram à maturidade, suas habilidades em artes marciais eram prodigiosas, rivalizando com a de homens crescidos que treinavam havia décadas. Ao fim de seu aprendizado, eles foram até o topo da montanha mais alta de todo o país: o monte Tianshan.

Uma montanha gigantesca surgiu, ocupando quase a tela inteira; a sombra dos três heróis ficou minúscula ao lado dela. Porém, conforme caminhavam na direção do morro, o cume foi diminuindo, cada vez mais plano, até os heróis chegarem ao topo.

— Sete mil degraus levavam ao pico do monte Tianshan. Lá em cima, tão alto que nem a mais forte das águias conseguiria alcançar, fica um templo. E daquele templo, os três heróis caminharam até os céus e entraram no Panteão, a morada dos deuses.

Os três heróis se aproximavam de um portão semelhante ao que guardava a entrada da Academia. As portas tinham o dobro da altura deles, decoradas com padrões intrincados de borboletas e tigres, e eram protegidas por uma grande tartaruga que abaixou a cabeça ao deixá-los passar.

— O primeiro herói, o mais forte entre seus companheiros, foi chamado pelo Senhor dos Dragões. O rapaz era mais alto que os amigos. Suas costas eram largas, os braços eram como troncos de árvores. Os deuses consideravam que ele deveria ser o líder dos três. "Se vou comandar os exércitos de Nikan, então preciso de uma arma formidável", disse ele, ajoelhando-se aos pés do Senhor dos Dragões. O Senhor dos Dragões ordenou que se levantasse e lhe concedeu uma enorme espada. Assim ele se tornou o Guerreiro.

A figura do Guerreiro fez um grande arco acima da cabeça com a espada e a baixou com força. Faíscas vermelhas e douradas saíram do lugar golpeado pela lâmina.

— A segunda heroína era uma garota entre dois homens. Ela passou pelo Senhor dos Dragões, pelo Senhor dos Tigres e pelo Senhor dos Leões, pois aqueles eram deuses da guerra e, portanto, deuses dos homens. Ela falou: "Sou uma mulher, e as mulheres precisam de armas diferentes das dos homens. O lugar de uma mulher não é em meio ao combate. O campo de batalha de uma mulher é o da enganação e da sedução." Ela se ajoelhou diante do pedestal de Nüwa, a Deusa Serpente. A deusa Nüwa ficou satisfeita com aquelas palavras e tornou a heroína letal como uma serpente, tão sedutora quanto a mais hipnótica das cobras. E assim nasceu a Víbora.

Uma grande cobra deslizou pelo vestido da Víbora e contornou seu corpo, enrolando-se nos ombros dela. A plateia aplaudiu aquele truque gracioso de marionete.

— O terceiro herói era o mais modesto. Fraco e doente, ele nunca conseguira treinar da mesma maneira que os dois amigos. Mas era leal, e sua devoção aos deuses era inabalável. O rapaz não implorou por favores a nenhuma deidade no Panteão, pois sabia que era indigno. Em vez disso, ajoelhou-se diante da modesta tartaruga que os deixara entrar. "Peço apenas força para proteger meus amigos e coragem para proteger meu país", disse ele. A tartaruga respondeu: "Você receberá isso e mais. Pegue o molho de chaves pendurado em meu pescoço. De hoje em diante, será o Guardião. Terá a habilidade de abrir o bestiário dos deuses, onde ficam bestas de todos os tipos, tanto criaturas de extrema beleza quanto monstros destruídos por heróis de outrora. E você os comandará conforme achar melhor."

A silhueta do Guardião ergueu as mãos devagar e, de suas costas, saíram diversas sombras de formatos e tamanhos diferentes. Dragões. Demônios. Bestas. Elas envolveram o Guardião como um véu escuro.

— Quando os heróis desceram a montanha, os monges que um dia os treinaram perceberam que os três superavam a técnica até mesmo do mestre mais velho do templo. A notícia se espalhou, e lutadores de artes marciais de toda a nação se curvavam à habilidade dos três heróis. A reputação da Trindade cresceu. Agora que seus nomes eram conhecidos por todas as Doze Províncias, a Trindade convidou cada um dos líderes regionais para um grande banquete no pé do monte Tianshan.

Doze figuras, cada uma representando uma província diferente, apareceram na tela. Os penachos de seus capacetes tinham o formato dos animais de cada província: Galo, Boi, Lebre, Macaco e assim por diante.

— Os líderes regionais, que eram muito orgulhosos, estavam furiosos pelos outros onze terem sido convidados. Todos pensaram que eram convidados exclusivos. Conspiração era o que faziam de melhor e, na mesma hora, criaram um plano para se vingar da Trindade.

A tela brilhou com um roxo estranho e nebuloso. As sombras dos líderes baixaram as cabeças na direção uns dos outros acima das tigelas de comida, como se estivessem conduzindo negócios nefastos.

— Porém, durante a refeição, eles perceberam que não conseguiam se mover. A Víbora havia envenenado as bebidas com um agente paralisante, e os líderes haviam bebido muitas cuias de licor de sorgo. Enquanto se encontravam incapacitados em seus assentos, o Guerreiro se levantou e anunciou: "Hoje, eu me declaro Imperador de Nikan. Se ficarem contra mim, cortarei suas cabeças e tomarei suas terras. Mas se prometerem servir a mim como aliados, e lutar como generais sob meu estandarte, serão recompensados com prestígio e poder. Nunca mais terão que defender suas fronteiras de outro líder. Nunca mais terão que lutar pela dominação. Todos serão iguais sob meu comando, e serei o maior líder que este reino já viu desde o Imperador Vermelho."

A silhueta do Guerreiro ergueu a espada para o céu. Raios saíram da ponta, um símbolo da bênção celestial.

— Quando os líderes regionais conseguiram se mover de novo, todos concordaram em servir ao novo Imperador Dragão. Assim, Nikan foi unificada sem que uma única gota de sangue tivesse que ser derramada. Pela primeira vez em séculos, os líderes entraram em combate sob o mesmo estandarte, obedecendo às ordens da Trindade. E, pela primeira vez na história recente, Nikan apresentou um exército unido contra os invasores da Federação. Enfim, expulsamos os opressores. E o Império voltou a ser livre.

O horizonte montanhoso do país retornou, dessa vez cheio de pagodes em espiral, com templos e inúmeros vilarejos. Era um país livre de invasores. Um país abençoado pelos deuses.

— Hoje celebramos a unificação das Doze Províncias — disse o titereiro. — Celebramos a Trindade. E homenageamos os deuses que lhes concederam poder.

As crianças aplaudiram sem parar.

Kitay estava com o cenho franzido quando saíram da tenda.

— Nunca tinha percebido como essa história é horrível — falou ele, baixinho. — Quando você é pequeno, acha que a Trindade foi esperta, mas, na verdade, é só uma história de coerção e envenenamento. A política nikara de sempre.

— Não sei nada de política nikara — disse Rin.

— Mas eu sei. — Ele fez uma careta. — Meu pai me conta tudo que acontece no palácio. É exatamente como o titereiro disse: os líderes estão sempre competindo uns com os outros, disputando a atenção da Imperatriz. É patético.

— Como assim?

Kitay parecia nervoso.

— Sabe quando os líderes regionais estavam tão ocupados lutando entre si que deixaram Mugen acabar com o país durante as Guerras da Papoula? Meu pai está convencido de que vai acontecer de novo. Você se lembra do que Yim falou no primeiro dia de aula? Ele tem razão. Mugen não está à toa naquela ilha. Meu pai acha que é apenas uma questão de tempo até atacarem de novo. Ele teme que os líderes das províncias não estejam levando essa ameaça a sério.

A fragmentação do Império parecia ser uma preocupação de todos os mestres da Academia. Embora o Exército estivesse tecnicamente sob o controle da Imperatriz, suas doze divisões dependiam de soldados de suas províncias e eram comandadas pelo líder da província em questão. E as relações entre as províncias nunca foram boas — Rin jamais havia percebido quão profundo era o desprezo dos nortistas em relação ao sul até chegar em Sinegard.

Mas ela não queria falar de política. Aquela folga era a primeira vez em muito tempo em que conseguia relaxar, e não tinha vontade de discutir assuntos como uma guerra iminente sobre a qual não poderia fazer nada a respeito. Ainda estava impressionada com o espetáculo visual do teatro de sombras e queria que Kitay deixasse os assuntos sérios de lado.

— Gostei da parte sobre o Panteão — falou Rin depois de um tempo.

— Lógico que gostou. É a única parte que é pura ficção.

— Será mesmo? — indagou Rin. — Quem garante que os membros da Trindade não eram xamãs?

— Eles eram excelentes artistas marciais. Políticos. Soldados talentosíssimos, sim, mas a parte sobre xamanismo é só exagero — falou Kitay. — Os nikaras amam enfeitar histórias de guerra, você sabe.

— Mas de onde essas histórias vieram? — insistiu Rin. — Os poderes da Trindade são muito específicos para serem ficção. Se são apenas mitos, então por que o mito nunca muda? Conhecemos a Trindade lá em Tikany. Por todas as províncias, os detalhes são iguais. São sempre o Guardião, o Guerreiro e a Víbora.

Kitay deu de ombros.

— Algum poeta foi criativo e esses personagens pegaram. Não é tão difícil de acreditar. Pelo menos é mais fácil de acreditar nisso do que na possibilidade de eles serem xamãs.

— Mas já existiram xamãs antes — argumentou Rin. — Antes de o Imperador Vermelho conquistar Nikan.

— Não há provas conclusivas. São apenas histórias.

— Os escribas do Imperador Vermelho mantinham registros das importações até o último cacho de bananas — disse Rin. — É difícil acreditar que exageravam a esse ponto ao descrever os inimigos.

Kitay parecia cético.

— Sim, mas isso não significa que os membros da Trindade fossem xamãs. O Imperador Dragão está morto, e ninguém sabe onde o Guardião está desde a Segunda Guerra da Papoula.

— Talvez ele esteja escondido. Talvez ainda esteja em algum lugar, esperando pela próxima invasão. Ou talvez... e se os membros do Cike forem xamãs? — A ideia havia acabado de lhe ocorrer. — É por isso que não sabemos nada sobre eles. Podem ser os únicos xamãs que...

— O Cike é formado apenas por assassinos — desdenhou Kitay. — Eles apunhalam, matam e envenenam. Não invocam deuses.

— Até onde você sabe.

— Você está mesmo obcecada com essa coisa de xamãs, hein? É só uma história infantil, Rin.

— Os escribas do Imperador Vermelho não teriam mantido registros extensos de uma história infantil.

Kitay suspirou.

— Foi por isso que você escolheu Folclore? Acha que pode virar xamã? Acha que pode conjurar deuses?

— Não acredito em deuses — respondeu Rin. — Mas acredito em poder. E acredito que os xamãs tinham uma fonte de poder que o resto de nós não sabe como acessar, e acredito que ainda é possível aprender.

Kitay balançou a cabeça.

— Vou contar o que os xamãs são. Em algum momento da história, alguns mestres em artes marciais se tornaram realmente poderosos e, quanto mais batalhas venciam, mais as histórias se espalhavam. É provável que encorajassem essas histórias, pensando que assustariam os inimigos. Não ficaria surpreso se a própria Imperatriz tivesse inventado histórias sobre a Trindade ser formada por xamãs. Com certeza a ajudaria a se manter no poder. Ela precisa disso agora, mais do que nunca. Os líderes das províncias estão inquietos; aposto que estamos a poucos anos de um golpe. Mas se ela é mesmo a Víbora, por que não invocou cobras gigantes para subjugar os líderes regionais?

Rin não conseguia pensar num argumento para aquela teoria, então ficou em silêncio. Debater com Kitay era inútil depois de algum tempo. Ele era tão convencido de sua lógica, de seu conhecimento enciclopédico sobre a maioria das coisas, que tinha dificuldade de conceber lacunas em sua compreensão.

— Notei como o titereiro ignorou como *realmente* ganhamos a Segunda Guerra da Papoula — falou Rin depois de um tempo. — Você sabe. Speer. Massacre. Milhares de mortos numa única noite.

— Bem, no fundo, é uma história infantil — disse Kitay. — E genocídio é um pouco deprimente.

Rin e Kitay passaram os dois dias seguintes sem fazer nada, cedendo a todas as vontades preguiçosas que não podiam atender na Academia. Jogaram xadrez. Ficavam deitados no jardim, olhando para as nuvens e fofocando sobre os colegas de turma.

— Niang é bem bonitinha — falou Kitay. — Assim como Venka.

— Venka é obcecada por Nezha desde que entramos na Academia — comentou Rin. — Até eu consigo ver isso.

Kitay ergueu as sobrancelhas.

— Talvez *você* seja obcecada por Nezha.

— Não seja nojento.

— É, *sim*. Sempre fica me fazendo perguntas sobre ele.

— Porque sou curiosa — falou Rin. — Sunzi diz que devemos conhecer o inimigo.

— Sunzi coisa nenhuma. Você só acha ele bonito.

Rin atirou o tabuleiro na cabeça do garoto.

Por insistência de Kitay, Lan preparou ensopado de pimenta e, por mais delicioso que fosse, Rin teve a experiência única de chorar enquanto comia. Ela passou a maior parte do dia seguinte se arrastando para o banheiro com o reto em chamas.

— Você acha que era assim que os speerlieses se sentiam? — questionou Kitay. — E se diarreia cáustica era o preço pela devoção de toda uma vida à Fênix?

— Então a Fênix é uma deusa vingativa — resmungou Rin.

Eles provaram todos os vinhos do armarinho de bebidas do pai de Kitay e ficaram maravilhosamente bêbados.

— Nezha e eu passamos a maior parte da nossa infância atacando esse armarinho. Prova esse. — Kitay passou uma garrafinha de cerâmica para ela. — Licor de sorgo branco. Cinquenta por cento de álcool.

Rin engoliu com tudo. A bebida atravessou sua garganta com uma queimação incrível.

— Isso é fogo líquido — falou. — É sol engarrafado. É a bebida de um speerliês.

Kitay riu.

— Sabe como faziam isso? — perguntou ele. — O ingrediente secreto é urina.

Ela cuspiu o licor, o que fez Kitay gargalhar ainda mais.

— Hoje em dia, usam pó alcalino. Mas reza a lenda que um oficial insatisfeito mijou em cima de uma das destilarias do Imperador Vermelho. Provavelmente foi a melhor descoberta acidental daquela época.

Rin ficou de bruços para olhar o amigo de soslaio.

— Por que você não está na montanha Yuelu? Você deveria ser um erudito. Um sábio. Sabe tanta coisa sobre tudo.

Kitay poderia gastar horas falando de qualquer assunto, mas mostrava pouco interesse nos estudos. Ele passou pelos Testes sem dificuldade, pois sua memória eidética tornava as revisões desnecessárias, mas se rendera a Nezha no instante em que o Torneio ficou perigoso demais. Kitay era brilhante, mas não pertencia a Sinegard.

— Eu queria — admitiu ele. — Mas sou o único filho do meu pai. E ele é o ministro da Defesa. Então, que escolha tenho?

Ela brincou com a garrafa.

— É filho único, então?

Kitay balançou a cabeça.

— Tenho uma irmã mais velha. Kinata. Ela está em Yuelu agora, estudando geomancia ou algo assim.

— *Geomancia*?

— A arte de posicionar prédios e coisas. — Kitay balançou a mão no ar. — É tudo sobre estética. É supostamente importante, se o seu maior desejo é se casar com alguém importante.

— Você não leu todos os livros que existem sobre geomancia?

— Só leio o que é interessante. — Kitay ficou de bruços. — E você? Algum irmão?

— Não — respondeu Rin. Então franziu o cenho. — Bem, na verdade... não sei por que disse isso. Eu tenho um irmão... um irmão adotivo. Kesegi. Tem dez anos. *Tinha* dez anos. Está com onze agora.

— Sente saudade dele?

Rin aproximou os joelhos do peito. Não gostou do jeito como seu estômago ficou de repente.

— Não. Quer dizer... sei lá. Ele era tão pequeno quando fui embora. Eu costumava tomar conta dele. Acho que fico feliz por não ter mais que fazer isso.

Kitay ergueu a sobrancelha.

— Você escreveu para ele?

— Não. — Ela hesitou. — Não sei por quê. Acho que pensei que os Fang não iam gostar muito de ter notícias minhas. Ou que talvez seria melhor ele me esquecer.

Rin havia planejado escrever ao menos para o Tutor Feyrik no início, mas o dia a dia na Academia fora tão ruim que não suportaria contar a ele aquele tipo de coisa. Então, conforme o tempo passava e os trabalhos escolares ficavam cada vez mais cansativos, era tão doloroso pensar em Tikany que ela simplesmente decidiu parar de fazer isso.

— Você não gostava de casa, não é?

— Não gosto de pensar nela — murmurou Rin.

Ela nunca queria pensar em Tikany. Queria fingir que jamais havia morado lá. Melhor: queria fingir que o lugar não existia. Porque, se pudesse apagar o passado, então poderia escrever para si o que quisesse ser no presente. Estudante. Erudita. Soldada. Qualquer coisa, menos o que costumava ser.

O Festival de Verão culminou em um desfile no centro de Sinegard.

Rin chegou ao local com os membros da Casa de Chen — o pai de Kitay e sua esbelta mãe, dois tios com as esposas e a irmã mais velha. Rin tinha se esquecido o quanto o pai de Kitay era importante até ver a família inteira usando vestes com tons de vinho e dourado, as cores do clã.

De súbito, Kitay agarrou o cotovelo de Rin.

— Não olhe para a esquerda. Finja que está conversando comigo.

— Mas eu *estou* conversando com você.

Na mesma hora, Rin olhou para a esquerda.

E viu Nezha entre uma multidão de pessoas com roupas prateadas e cerúleas. Um enorme dragão estava bordado nas costas de seu manto, o emblema da Casa de Yin.

— Ah. — Ela virou o rosto. — Podemos ir mais para lá?

— Sim, vamos.

Após se abrigarem com segurança atrás do rotundo tio mais novo de Kitay, Rin espiou os membros da Casa de Yin. Percebeu que estava olhando para duas versões mais velhas de Nezha, uma masculina e outra feminina. Ambos já tinham mais de vinte anos e eram tão atraentes que chegava a ser injusto. Na verdade, toda a família de Nezha parecia pertencer a murais — como se fossem mais humanos idealizados do que gente de verdade.

— O pai de Nezha não veio — comentou Kitay. — Interessante.

— Por quê?

— Ele é o Líder do Dragão — respondeu ele. — Um dos Doze.

— Talvez esteja doente — sugeriu Rin. — Talvez odeie desfiles tanto quanto você.

— É, mas eu estou aqui, não é? — Kitay se atrapalhou com as mangas da roupa. — Não se pode simplesmente *faltar* ao Desfile de Verão. É uma demonstração de unidade de todas as Doze Províncias. Uma vez meu pai quebrou a perna no dia anterior e veio mesmo assim. Passou o desfile todo dopado de sedativos. Se o cabeça da Casa de Yin não veio, isso significa alguma coisa.

— Talvez esteja com vergonha — falou Rin. — Furioso pelo filho ter perdido o Torneio. Envergonhado demais para dar as caras.

Kitay sorriu.

Uma corneta soou pelo fino ar da manhã, seguida por um servo gritando para todos os membros da procissão ficarem em ordem.

Kitay se virou para Rin.

— Então, não sei se você pode...

— Não, tudo bem — respondeu ela. É óbvio que Rin não acompanharia a Casa de Chen. Não era da família de Kitay; não havia motivo para participar da procissão. Poupou o amigo do constrangimento de mencionar aquilo. — Vou assistir do mercado.

* * *

Depois de se apertar e dar algumas boas cotoveladas, Rin se livrou da multidão e encontrou um lugar em cima de uma barraca de frutas onde poderia assistir ao desfile sem ser esmagada até a morte pela horda de sinegardianos que havia se reunido no centro da cidade. Contanto que o telhado de palha não cedesse, o dono da barraca não precisava saber que ela estava ali.

O desfile começou com uma homenagem ao Rol Celestial, o grupo de criaturas místicas que, segundo a lenda, existiam na época do Imperador Vermelho. Dragões gigantes e leões serpentearam pela multidão, ondulando em varas controladas por dançarinos escondidos pelo tecido. Fogos de artifício explodiam no mesmo ritmo que eles, como trovões coordenados. Depois, surgiu uma enorme efígie vermelha sustentada por mastros que fora cuidadosamente incendiada: a Fênix Escarlate do Sul.

Rin observou a Fênix com curiosidade. De acordo com os livros de história, aquela divindade era venerada pelos speerlieses acima de todas as outras. Na verdade, Speer nunca venerara o enorme panteão de deuses de Nikan, apenas a Fênix.

A criatura que veio atrás da Fênix não se parecia com nada que Rin tivesse visto antes. Tinha cabeça de leão, chifres de veado e o corpo de um animal de quatro patas; um tigre, talvez, embora os pés tivessem cascos. Ela se moveu em silêncio; seus titereiros não batiam tambores, não entoavam cânticos, não tocavam sinos para anunciar sua chegada.

Rin refletiu sobre a criatura até se lembrar de uma descrição que ouvira em histórias contadas em Tikany. Era um kirin, a mais nobre das bestas terrestres. Kirins só eram vistos em Nikan quando um grande líder morria; portanto, apenas em momentos de grande perigo.

Então a procissão foi tomada pelas casas ilustres, e Rin logo perdeu o interesse. Depois de ver o rosto deprimido de Kitay, não era nada divertido assistir a liteiras e liteiras de gente importante usando as cores da família.

O sol brilhava forte. O suor escorria de suas têmporas. Desejou ter alguma coisa para beber. Rin protegeu o rosto com a manga da roupa, esperando o desfile terminar para encontrar Kitay.

Então a multidão ao redor começou a gritar, e Rin de repente percebeu que, na liteira de seda dourada, cercada por um batalhão de músicos e guarda-costas, a Imperatriz estava chegando.

A Imperatriz tinha várias imperfeições.

Seu rosto não era simétrico. Suas sobrancelhas formavam arcos finos, e uma delas ficava um pouco acima da outra, o que lhe dava uma expressão constante de desdém. Até sua boca era desigual, com um dos lados se curvando mais que o outro.

Mesmo assim, ela era, sem dúvida alguma, a mulher mais bonita que Rin já havia visto.

Palavras não eram suficientes para descrever seu cabelo, mais escuro que a noite e mais lustroso que asas de borboleta. Ou sua pele, mais clara e suave que qualquer sinegardiano poderia ter desejado. Ou seus lábios, da cor do sangue, como se tivesse acabado de comer uma cereja. Todas aquelas coisas poderiam ser aplicadas a mulheres normais e, sozinhas, talvez fossem até notáveis. Mas na Imperatriz eram apenas verdades casuais, inevitáveis.

Em comparação, a beleza de Venka não era nada.

A juventude, pensou Rin, era uma amplificação da beleza. Era um filtro que podia mascarar o que uma pessoa não tinha e destacar até o mais comum dos traços. Mas a beleza sem juventude era perigosa. A beleza da Imperatriz não dependia dos lábios carnudos e suaves, das bochechas rosadas ou da pele macia.

Aquele tipo de beleza perfurava como um cristal afiado. Aquele tipo de beleza era imortal.

Depois, Rin não seria capaz de dizer o que a Imperatriz estava vestindo. Não conseguiria rememorar se a Imperatriz falara alguma coisa, ou mesmo se acenara em sua direção. Não conseguiria se lembrar de nada que a Imperatriz fizera.

Ela se lembraria apenas daqueles olhos, escuros e profundos, olhos que lhe davam a sensação de sufocamento, como os do Mestre Jiang. Mas, se aquilo era se afogar, Rin não queria ar, não precisava de ar contanto que pudesse continuar fitando aqueles poços reluzentes de obsidiana.

Não conseguiu desviar o olhar. Não conseguia nem *pensar* em desviar o olhar.

Conforme a liteira da Imperatriz desaparecia na multidão, Rin sentiu uma pontada estranha no coração.

Rin teria destruído reinos por aquela mulher. Teria a seguido até os portões do inferno. Aquela era a sua líder. Era a ela quem deveria servir.

CAPÍTULO 9

— Fang Runin de Tikany, Província do Galo. Aprendiz do segundo ano.

O atendente carimbou o selo da Academia no espaço ao lado do nome dela no pergaminho de registro e lhe entregou três conjuntos dos mantos pretos dos aprendizes.

— O que vai estudar?

— Folclore — respondeu. — Com o Mestre Jiang Ziya.

Ele consultou o pergaminho de novo.

— Tem certeza?

— Absoluta — confirmou Rin, sentindo o coração bater mais rápido. Será que algo havia acontecido?

— Volto já — disse ele, desaparecendo no gabinete às suas costas.

Rin esperou junto à mesa, ficando cada vez mais ansiosa conforme os minutos se passavam.

Será que Jiang abandonara a Academia? Fora demitido? Tivera um colapso nervoso? Fora preso por posse de ópio fora do campus? Por posse de ópio *dentro* do campus?

De repente, a garota se lembrou do dia em que se matriculara em Sinegard, quando os fiscais tentaram detê-la por colar. Será que a família de Nezha tinha feito uma reclamação formal contra ela por ter roubado a vitória de seu herdeiro no campeonato? Aquilo era possível?

Por fim, o atendente voltou com um olhar envergonhado.

— Desculpe — falou ele. — Mas já faz tanto tempo que ninguém estuda Folclore que não sabíamos a cor de sua braçadeira.

No final, o tecido do uniforme dos calouros foi reaproveitado e fizeram uma braçadeira branca para Rin.

As aulas começavam no dia seguinte. Mesmo tendo escolhido Folclore, Rin ainda precisava passar metade do tempo com os outros mestres. Como era a única pessoa naquela cadeira, estudava Estratégia e Linguística com os aprendizes de Irjah. Para seu desespero, Rin descobriu que, embora não tivesse optado por estudar Medicina, os segundanistas eram obrigados a cursar uma aula de triagem de emergência com Enro. História foi substituída por Relações Exteriores com o Mestre Yim. Jun ainda não permitia que treinasse sob sua orientação, mas Rin se qualificou para estudar combate com armas sob a tutela do Mestre Sonnen.

Finalmente suas aulas matutinas haviam acabado, e Rin poderia passar metade do dia com Jiang. Ela correu escada acima até o jardim de Folclore. Era hora de encontrar seu mestre. Hora de conseguir algumas respostas.

— Diga para mim o que está estudando — falou Jiang. — O que é Folclore?

Rin piscou, sem saber o que dizer. A garota preferia que Jiang lhe contasse aquilo.

Durante a folga, a aluna tentou várias vezes entender por que escolhera estudar Folclore, mas só conseguiu pensar em obviedades.

No fundo, era uma questão de intuição. Uma verdade que ela conhecia, mas que não conseguia provar para mais ninguém. Estudava Folclore porque sabia que Jiang encontrara uma outra fonte de poder, algo real e incompreensível. Porque também encontrara a mesma fonte no dia do Torneio. Porque fora consumida pelo fogo, vira o mundo ficar vermelho, perdera o controle sobre si mesma e acabara sendo salva pelo homem que todos na escola consideravam insano.

Ela tinha visto o que havia do outro lado do véu, e agora a sua curiosidade era tão grande que Rin enlouqueceria se não entendesse o que havia acontecido.

Isso não queria dizer que ela tinha a mínima ideia do que estava fazendo.

— Coisas estranhas — respondeu. — Estamos estudando coisas muito estranhas.

Jiang ergueu uma sobrancelha.

— Quanta eloquência.

— Sei lá — disse ela. — Só estou aqui porque queria estudar com você. Por causa do que aconteceu durante os Testes. Não sei bem onde estou me enfiando.

— Ah, sabe, sim. — Jiang levantou o indicador e tocou o ponto entre as sobrancelhas de Rin, o lugar onde acalmara o fogo dentro dela. — Lá dentro, no seu subconsciente, você conhece a verdade.

— Eu quero...

— Você quer saber o que aconteceu durante o Torneio. — Jiang inclinou a cabeça. — O que aconteceu foi o seguinte: você chamou um deus, e o deus respondeu.

Rin fez uma careta. De novo aquela história de deuses? Ela passara todos os dias de descanso ansiosa para receber respostas, pensara que o mestre elucidaria as coisas quando retornasse, mas agora estava mais confusa do que nunca.

Jiang ergueu a mão antes que a pupila pudesse reclamar.

— Você ainda não sabe o que tudo isso significa. Não sabe se um dia vai conseguir repetir o que aconteceu no ringue. Mas sabe que, se não conseguir respostas agora, a fome vai consumir seu corpo, e sua mente vai se quebrar. Você viu o que há do outro lado e não vai descansar enquanto não sanar suas dúvidas. Não é?

— É.

— O que aconteceu com você era comum nos dias antes do Imperador Vermelho, quando os xamãs nikaras não sabiam o que estavam fazendo. Se o processo não tivesse sido interrompido, você teria enlouquecido. Estou aqui para garantir que isso não aconteça. Vou manter sua sanidade.

Rin se perguntou como alguém que costumava andar pelado pelo campus podia falar aquilo com a expressão séria.

E se perguntou o que o fato de confiar nele dizia sobre ela.

Como todas as coisas que envolviam Jiang, a compreensão veio em pequenas e enervantes doses. Conforme Rin aprendera antes dos Testes, o método preferido do mestre era fazer primeiro e explicar depois, se é que haveria uma explicação. Ela logo entendeu que, se fizesse a pergunta errada, não receberia a resposta que desejava.

— Só de ter me perguntado isso — dizia Jiang —, você prova que não está pronta para saber.

Rin aprendeu a ficar de boca calada e simplesmente seguir as indicações do mestre.

Apesar de suas exigências parecerem degradantes e sem sentido, Jiang lhe deu uma base. Ele a fez traduzir os livros de História em nikara antigo e de volta ao idioma atual. Obrigou Rin a passar uma tarde fria de outono agachada sobre o riacho pegando peixinhos. Exigiu que Rin, destra, fizesse os deveres de todas as aulas com a mão esquerda, de modo que levaram o dobro de tempo para serem finalizados e pareciam ter sido escritos por uma criança. Ele a forçou a viver como se o dia tivesse vinte e cinco horas por um mês. Impôs que a aluna se tornasse notívaga por duas semanas, de modo que pôde ver apenas o céu noturno e uma Sinegard estranhamente silenciosa, e não se importou nem um pouco quando ela reclamou que estava perdendo as outras aulas. Ele a mandou ver quanto tempo conseguia ficar sem dormir. Ele a mandou ver quanto tempo conseguia ficar sem acordar.

Ela engoliu o ceticismo e optou por seguir as instruções do mestre, torcendo para que a iluminação estivesse do outro lado. Ainda assim, não acreditou cegamente nele, porque sabia o que havia do outro lado. Todo dia, via a prova da iluminação diante de si.

Porque Jiang era capaz de coisas que nenhum ser humano deveria conseguir fazer.

No primeiro dia, ele fez as folhas a seus pés girarem sem mexer um músculo.

Ela pensou que era um truque do vento.

E então ele fez de novo, e depois uma terceira vez, só para provar que tinha controle completo sobre aquilo.

— Cacete — falou Rin, e repetiu: — Cacete. Cacete. Cacete. Como? Como?

— Fácil.

A aluna olhou para ele de queixo caído.

— Isso... Isso não é uma arte marcial, é...

— O quê? — perguntou Jiang.

— É sobrenatural.

O mestre estava com uma expressão convencida.

— Sobrenatural é uma palavra usada para qualquer coisa que não se encaixe na sua compreensão atual do mundo. Preciso que suspenda essa descrença. Preciso que aceite essas coisas como possíveis.

— Então devo aceitar que você é um *deus*?

— Não seja tola. Não sou um deus — disse ele. — Sou apenas um mortal que despertou, e há poder nessa consciência.

Ele fez o vento soprar ao seu comando. Fez as árvores farfalharem ao apontar para elas. Fez a água ondular sem tocá-la, e conseguia fazer sombras virarem e se alongarem ao sussurro de uma palavra.

Rin percebeu que Jiang lhe mostrou aquelas coisas porque ela não teria acreditado se o mestre tivesse apenas dito que eram possíveis. Ele erguia uma base de possibilidades para a aluna, uma teia de novos conceitos. Como explicar o conceito de gravidade a uma criança sem que ela soubesse o significado de cair?

Algumas verdades podiam ser aprendidas através da memorização, como os textos de História ou as lições de Gramática. Outras precisavam ser assimiladas aos poucos, precisavam se tornar fatos porque eram parte inevitável do padrão de todas as coisas.

O poder dita o que é aceitável, dissera Kitay certa vez para Rin. Será que o mesmo se aplicava ao tecido do mundo natural?

Jiang reconfigurou sua percepção sobre o que era real. Através de demonstrações de atos impossíveis, ele recalibrou a maneira como a aluna encarava o universo material.

Foi mais fácil porque ela estava disposta a acreditar. Rin encaixava aqueles desafios de concepção de realidade na mente sem muitos traumas. O evento traumático já havia ocorrido. Ela se sentira sendo consumida pelo fogo. Sabia o que significava arder em chamas. Não havia imaginado aquilo. Acontecera.

A pupila aprendeu a resistir à descrença em relação ao que Jiang lhe mostrava só porque aquilo não concordava com sua antiga noção de como as coisas funcionavam. Ela aprendeu a parar de se sentir chocada.

Sua experiência durante o Torneio criara um enorme buraco em sua compreensão do mundo, e Rin esperava que Jiang preenchesse aquele espaço.

* * *

Às vezes, quando chegava perto de fazer a pergunta certa, ele a mandava procurar a resposta na biblioteca.

Quando Rin questionou onde o Folclore havia sido praticado antes, o mestre a mandou numa busca sem sentido por tudo que fosse estranho e enigmático. Ele a fez ler sobre antigos andarilhos dos sonhos das ilhas do sul e suas práticas de cura espiritual com plantas. Ele a fez escrever relatórios detalhados sobre xamãs dos vilarejos das Terras Remotas ao norte, sobre como entravam em transe e faziam jornadas como espíritos em corpos de águia. Ele a fez se debruçar sobre décadas de depoimentos de camponeses do sul de Nikan que clamavam ser videntes.

— Como você classificaria essas pessoas? — perguntou Jiang.

— Como excêntricas. Pessoas com habilidades ou que fingiam ter habilidades. — Além daquilo, Rin não via qualquer outra ligação entre elas. — Como *você* as classificaria?

— Eu as chamaria de xamãs — respondeu o mestre. — Pessoas que fazem comunhão com os deuses.

Quando a aluna indagou o que ele queria dizer por deuses, Jiang mandou Rin estudar religião. Não apenas a religião nikara — todas as religiões do mundo, todas as religiões que haviam sido praticadas desde a aurora dos tempos.

— O que qualquer indivíduo quer dizer por deuses? — questionou o mestre. — Por que temos deuses? Qual é o propósito de um deus na sociedade? Investigue esses assuntos. Encontre as respostas para mim.

Uma semana depois, Rin elaborou o que pensou ser um relatório brilhante das diferenças entre as tradições religiosas nikara e hesperiana. Cheia de orgulho, apresentou suas conclusões para Jiang no jardim de Folclore.

Os hesperianos tinham apenas uma igreja. Acreditavam em uma única divindade: um Santo Criador, separado e acima de tudo que era mortal, feito à imagem dos homens. Rin argumentou que aquele deus, aquele Criador, era uma das maneiras com que o governo de Hesperia mantinha a ordem. Os padres da Ordem do Santo Criador não tinham cargos políticos; no entanto, exerciam mais controle cultural do que o governo central hesperiano. Como Hesperia era um país enorme sem líderes regionais com poder absoluto sobre seus estados, a lei precisava ser aplicada com a propagação do mito e de seus códigos morais.

O Império, por outro lado, era uma nação de ateus supersticiosos, de acordo com Rin. Claro que Nikan tinha deuses aos montes. Porém, como os Fang, a maioria dos nikaras se importava com religião apenas quando era de seu interesse. Os monges erráticos do país constituíam uma pequena minoria da população, meros curadores do passado, e não parte de qualquer instituição com poder verdadeiro.

Os deuses de Nikan eram os heróis dos mitos, os símbolos culturais, os ícones a serem reconhecidos durante eventos importantes como casamentos, nascimentos ou mortes. Eram as personificações de emoções que os nikaras sentiam. Mas ninguém acreditava de fato que uma pessoa teria azar pelo resto do ano se esquecesse de acender um incenso para o Dragão Azul. Ninguém acreditava de fato que era possível manter os entes queridos a salvo ao rezar para a Grande Tartaruga.

Ainda assim, os nikaras praticavam esses rituais, se davam ao trabalho porque havia algum conforto em fazê-los, pois eram uma maneira de expressar a ansiedade que sentiam em relação aos altos e baixos de sua sorte.

— Portanto, a religião não passa de um construto social tanto no leste quanto no oeste — concluiu Rin. — A diferença está apenas na sua utilidade.

Jiang a ouvira atentamente durante toda a apresentação. Quando Rin terminou, ele bufou feito uma criança e massageou as têmporas.

— Então você acha que a religião nikara é só superstição?

— A religião nikara é aleatória demais para ter qualquer traço de verdade — falou ela. — Nós temos os quatro deuses cardinais: o Dragão, o Tigre, a Tartaruga e a Fênix. E então temos os deuses caseiros, os deuses guardiões dos vilarejos, os deuses animais, os deuses dos rios, os deuses das montanhas... — Rin os contava nos dedos. — Como podem existir todos no mesmo espaço? Como pode haver um reino espiritual com todos esses deuses competindo pela dominação? A melhor explicação é que, quando falamos de "deuses" em Nikan, nos referimos a uma história. E nada mais.

— Então você não tem fé nos deuses? — perguntou Jiang.

— Acredito nos deuses tanto quanto qualquer nikara — respondeu ela. — Acredito nos deuses como uma referência cultural. Como metáforas. Como coisas a que recorremos para nos manter seguros quando não podemos fazer mais nada, como manifestações das nossas neuroses. Mas não como coisas que acredito piamente serem reais. Não como seres que exercem consequências verdadeiras no universo.

Ela falou aquilo com o rosto sério, mas estava exagerando.

Porque sabia que havia algo verdadeiro. Sabia que, em algum grau, havia mais no cosmos do que ela encontrava no mundo material. Não era tão cética quanto fingia ser.

Porém, a melhor maneira de fazer Jiang explicar algo era assumindo posições radicais. Quando ela defendia os extremos, ele respondia com seus melhores argumentos.

Como o mestre ainda não havia mordido a isca, ela continuou:

— Se há um criador divino, uma autoridade moral derradeira, então por que coisas ruins acontecem com pessoas boas? E por que essa deidade criaria pessoas, já que somos tão imperfeitos?

— Mas se nada é divino, por que atribuir um prestígio sagrado a figuras mitológicas? — perguntou Jiang. — Por que se curvar diante da Grande Tartaruga? De Nüwa, a Deusa Serpente? Por que queimar incenso para o panteão celestial? Acreditar em qualquer religião envolve sacrifício. Por que um fazendeiro nikara sem um tostão faria sacrifícios para entidades que ele sabe serem apenas mitos? Quem se beneficiaria com isso? Qual é a origem dessas práticas?

— Não sei — admitiu Rin.

— Então descubra. Descubra a natureza do cosmos.

Rin achou um tanto insensato pedir que ela encontrasse a resposta para algo que os filósofos e teólogos debatiam havia milênios, mas retornou à biblioteca.

E voltou com ainda mais perguntas.

— Mas como a existência ou a não existência dos deuses me afeta? Por que o surgimento do universo é importante?

— Porque você faz parte dele. Porque você existe. E, a não ser que queira ser apenas uma gotícula de existência que não compreende a sua ligação com o esquema maior das coisas, vai explorar esse assunto.

— Por que deveria?

— Porque sei que você quer poder. — Ele bateu na testa dela com a ponta do dedo de novo. — Mas como pode pegar emprestado o poder dos deuses quando não entende quem eles são?

* * *

Sob as ordens de Jiang, Rin passou mais tempo na biblioteca do que a maior parte dos alunos do quinto ano. Ele a mandava fazer trabalhos todos os dias, sempre relacionados a algum tópico a que chegavam após horas de conversa. Ele a fez traçar conexões entre textos de disciplinas diferentes, textos escritos com séculos de diferença entre si e textos em outras línguas.

"Como as teorias de Seejin sobre a transmissão de *ki* através das vias aéreas humanas se relacionam com a prática speerliesa de inalar as cinzas dos mortos?"

"Como o rol dos deuses nikaras mudou com o tempo e como isso refletiu no surgimento de diferentes líderes em diferentes momentos da história?"

"Quando a Federação começou a louvar seus monarcas como divindades e por quê?"

"Como a doutrina de separação entre igreja e estado afeta as políticas de Hesperia? E por que essa doutrina é irônica?"

Jiang despedaçava a mente de Rin para depois juntá-la, então decidia que não havia gostado do resultado e a quebrava outra vez. Ele forçava a capacidade mental da aluna exatamente como Irjah no passado. Mas Irjah o fizera dentro de parâmetros conhecidos. Seus trabalhos apenas a faziam se sentir mais esperta nos assuntos que já conhecia. Jiang obrigava a mente de Rin a se expandir para dimensões completamente novas.

Em resumo, era o equivalente mental a fazê-la carregar um porco montanha acima.

Rin sempre lhe obedecia, imaginando qual ponto de vista alternativo o mestre tentava fazer que percebesse. Ela se perguntava o que Jiang tentava lhe ensinar, além de provar que nenhuma de suas ideias sobre o funcionamento do mundo eram verdadeiras.

A meditação era a pior parte.

No terceiro mês do ano letivo, Jiang anunciou que, daquele momento em diante, Rin passaria uma hora de cada dia meditando com ele. Rin torcia para que ele esquecesse aquilo, da mesma forma que de vez em quando esquecia em que ano estavam ou o próprio nome.

Mas, de todas as regras impostas, Jiang optou por sempre cumprir aquela.

— Você vai ter que ficar sentada por uma hora, toda manhã, no jardim, sem exceção.

Ela lhe obedecia. E odiava.

— Pressione a língua no céu da boca. Sinta a espinha se alongando. Perceba o espaço entre as vértebras. *Acorde!*

Rin inalou rápido e levantou a cabeça. A voz de Jiang, sempre baixa e relaxante, fez com que pegasse no sono.

O ponto acima de sua sobrancelha esquerda formigou. Rin ficou inquieta. Jiang olharia para ela de cara feia se a aluna a coçasse. Em vez disso, ela ergueu a sobrancelha o mais alto possível. O incômodo aumentou.

— Fique quieta — mandou Jiang.

— Minhas costas estão doendo — reclamou Rin.

— É porque você não está sentada direito.

— Eu acho que é por causa das nossas lutas.

— Eu acho que você só fala merda.

Cinco minutos se passaram em silêncio. Rin virou as costas para um lado e depois para o outro. Alguma coisa estalou. Ela se retraiu.

Rin estava dolorosamente entediada. Contou os dentes com a língua. Então fez a mesma coisa, só que na direção contrária. Mudou o peso do corpo de uma nádega para a outra. Sentia uma vontade imensa de se levantar, se mexer, dar uns pulos, qualquer coisa.

Ela abriu um pouquinho um dos olhos e viu o Mestre Jiang a encarando.

— Quieta. *Quieta.*

Engoliu as palavras de protesto e obedeceu.

Acostumada a anos de estresse e estudo constante, Rin achava que a meditação era uma enorme perda de tempo. Parecia errado ficar sentada sem fazer nada, sem algo para ocupar a mente. Ela mal conseguia aturar três minutos daquela tortura, quanto mais sessenta. Ficava tão aterrorizada com o pensamento de não pensar em nada que não conseguia chegar àquele estado porque não parava de pensar em não pensar.

Jiang, por outro lado, poderia meditar para sempre. Ele ficava parado feito uma estátua, sereno e tranquilo. O mestre parecia ar, como se pudesse desaparecer se Rin não se concentrasse o suficiente nele. Parecia que havia deixado o corpo para trás e ido para outro lugar.

Uma mosca pousou no nariz de Rin, que deu um espirro alto.
— Vamos começar de novo — disse Jiang com calma.
— Cacete!

Quando a primavera retornou a Sinegard e o tempo ficou quente o suficiente para Rin parar de se empacotar no manto grosso de inverno, Jiang a levou para um passeio pelas montanhas Wudang. Caminharam por duas horas em silêncio, até o meio-dia, quando o mestre decidiu parar num abrigo ensolarado com vista para o vale abaixo.
— A aula de hoje será sobre plantas.
Ele se sentou, pegou a bolsa e despejou o conteúdo na grama. De lá saiu uma variedade de vegetais e pós, o braço arrancado de um cacto, diversas papoulas vermelhas ainda com os caules e um punhado de cogumelos secos.
— A gente vai se drogar? — perguntou Rin. — Caramba. A gente vai se drogar, não é?
— *Eu* vou me drogar — falou Jiang. — Você vai ficar olhando.
Ele amassou as sementes de papoula num pequeno pilão de pedra.
— Nenhuma dessas plantas é nativa de Sinegard. Os cogumelos foram cultivados nas florestas da Província da Lebre. Não é possível encontrá-los em nenhum outro lugar do país. Eles só crescem em climas tropicais. O cacto cresce melhor no deserto de Baghra entre a nossa fronteira norte e as Terras Remotas. Esse pó vem de um arbusto encontrado apenas nas selvas do hemisfério sul, que dá umas frutinhas alaranjadas viscosas e sem gosto. Mas a droga é feita da raiz seca e ralada da planta.
— E a posse de todas essas coisas em Sinegard é crime capital — comentou Rin, porque sentia que alguém precisava mencionar aquilo.
— Ah. A lei. — Jiang cheirou uma folha desconhecida e a jogou fora. — Tão inconveniente. Tão irrelevante. — De repente, olhou para a aluna. — Por que Nikan não aprova o uso de drogas?
Ele fazia aquilo com frequência: lançava perguntas para as quais ela não tinha respostas preparadas. Se Rin falasse rápido demais ou fizesse alguma generalização grosseira, ele questionava seu ponto e a encurralava num beco argumentativo até ela explicar o que queria dizer e justificar rigorosamente a conclusão a que chegara.

Portanto, Rin já sabia muito bem que deveria pensar com cuidado antes de abrir a boca.

— Porque o uso de psicodélicos é associado a mentes perdidas, potencial desperdiçado e caos social. Porque viciados não contribuem muito para a sociedade. Porque é uma praga sem fim no nosso país deixada pela querida Federação.

Jiang anuiu devagar.

— Bem colocado. Você concorda?

Rin deu de ombros. Já havia visto os antros de ópio de Tikany vezes suficientes para conhecer os efeitos do vício. Compreendia por que as leis eram tão severas.

— Concordo agora — falou ela, com cautela. — Mas acho que vou mudar de ideia depois de ouvir o que você tem a dizer.

A boca do mestre formou um sorriso torto.

— É natural que todas as coisas tenham um duplo propósito. Você já viu o que a papoula faz a um homem comum. E, considerando o que sabe sobre o vício, suas conclusões são razoáveis. O ópio transforma pessoas sábias em idiotas. Destrói a economia local e enfraquece nações.

Ele manteve um punhado de sementes de papoula na palma da mão.

— Mas algo tão inerentemente destrutivo tem, ao mesmo tempo, um potencial maravilhoso. Mais do que qualquer outra coisa, a flor da papoula demonstra a dualidade dos alucinógenos. Você conhece a papoula por três nomes. Em sua forma mais comum, que são pedacinhos de ópio fumados através de um cachimbo, a droga torna o indivíduo inútil, deixando-o entorpecido e fechado para o mundo. Depois, há a heroína, com um poder incrível de viciar, criada como um pó a partir do caule da planta. Mas as sementes? Essas sementes são o sonho de um xamã. Quando usadas com a preparação mental apropriada, dão acesso a todo o universo que existe em sua mente.

Ele colocou as sementes no chão e, com um gesto, indicou o leque de psicodélicos que tinha diante de si.

— Por séculos, xamãs de todos os continentes utilizaram plantas para alterar sua consciência. Os curandeiros das Terras Remotas usavam esta flor para voar até o céu como uma flecha e entrar em comunhão com os deuses. Esta aqui vai deixá-la num transe em que você poderá entrar no Panteão.

Rin arregalou os olhos. Lá estava. Aos poucos, as linhas se conectavam. Ela enfim começava a entender o motivo das buscas por respostas e da meditação dos últimos seis meses. Até então, estivera investigando duas linhas de pesquisa — os xamãs e suas habilidades, os deuses e a natureza do universo.

Agora, com a introdução de plantas psicodélicas, Jiang unia aqueles fios numa teoria unificada de conexão espiritual através de psicodélicos para o mundo dos sonhos em que os deuses talvez morassem.

Os conceitos separados em sua mente criaram conexões entre si, como uma teia de aranha que crescia de um dia para o outro. A base formativa que Jiang criara para ela de repente fez sentido.

Rin tinha um esboço, mas a imagem ainda não se desenvolvera por completo. Havia algo que ainda não fazia sentido.

— O que existe na minha mente? — repetiu ela com cuidado.

Jiang a olhou de soslaio.

— Você sabe o que a palavra *enteógeno* significa?

Ela balançou a cabeça.

— Significa a geração do deus interior — respondeu. Jiang esticou o braço e tocou no lugar de sempre da testa de Rin. — A fusão entre deus e indivíduo.

— Mas não somos deuses — disse ela. Rin passara a semana na biblioteca para traçar a teologia nikara até suas raízes. A mitologia religiosa de Nikan era repleta de encontros entre mortais e divindades, mas ela não havia encontrado nenhuma menção à criação de deuses em suas pesquisas. — Os xamãs se comunicam com os deuses. Não os criam.

— Qual é a diferença entre um deus interior e um deus exterior? Qual é a diferença entre o universo que existe na sua mente e o universo fora dela? — Jiang deu tapinhas em ambas as têmporas da aluna. — Essa não era a base de sua crítica da hierarquia teológica de Hesperia? Que a ideia de um criador divino separado de nós e nos julgando não fazia sentido?

— Sim, mas... — Ela ficou em silêncio, tentando entender o que queria falar. — Não quis dizer que somos deuses, quis dizer que... — Ela não sabia bem o que queria dizer. Olhou para Jiang em súplica.

Surpreendentemente, ele lhe deu a resposta fácil.

— Você deve misturar esses conceitos. O deus exterior. O deus interior. Assim que compreender que são a mesma coisa, assim que conseguir manter ambas as ideias em sua cabeça e saber que são verdadeiras, será uma xamã.

— Não pode ser tão simples — disse Rin, gaguejando. Sua mente ainda dava voltas. Ela se esforçou para formular os pensamentos. — Se for, então... por que todo mundo não faz isso? Por que todo mundo nos antros de ópio não encontra os deuses?

— Porque não sabem o que estão procurando. Os nikaras não acreditam nas deidades, lembra?

— Tá bom — falou Rin, recusando-se a morder a isca de ter as próprias palavras usadas contra si mesma. — Mas por que não? — Ela havia pensado que o ceticismo religioso dos nikara era razoável, mas não quando pessoas como Jiang conseguiam fazer o que faziam. — Por que não há mais crentes?

— Já houve, no passado — respondeu o mestre, e Rin ficou surpresa com o amargor em sua voz. — Já tivemos um sem-fim de monastérios. Então o Imperador Vermelho, em sua busca por unificação, veio e queimou todos. Os xamãs perderam o seu poder. Os monges, aqueles que tinham poder, morreram ou desapareceram.

— Onde estão agora?

— Escondidos. Esquecidos. Na história recente, apenas os clãs nômades das Terras Remotas e os povos de Speer tinham alguém capaz de fazer a comunhão com os deuses. Isso não é coincidência. A busca nacional por modernização e mobilização requer fé na habilidade de uma pessoa de controlar a ordem mundial. Quando isso acontece, a conexão com os deuses é perdida. Quando o homem começa a pensar que é o responsável pelo roteiro do universo, ele se esquece das forças que criaram nossa realidade. Esta Academia já foi um monastério. Hoje, é um centro de treinamento miliar. Você vai descobrir que o mesmo aconteceu em todas as grandes potências deste planeta que entraram numa suposta era civilizada. Mugen não tem xamãs. Hesperia não tem xamãs. Eles adoram homens que acreditam ser deuses, mas não os próprios deuses.

— E quanto à superstição dos nikaras? — perguntou Rin. — Quer dizer, em Sinegard, óbvio, onde as pessoas estudam, a religião está morta, mas e os vilarejos? E a religião popular?

— Os nikaras acreditam em ícones, não em deuses — respondeu Jiang. — Não entendem o que estão adorando. Priorizam os rituais em vez da teologia. Sessenta e quatro deuses no mesmo patamar? Que conveniente e, ao mesmo tempo, absurdo. A religião não pode ser colocada de forma tão simples. Os deuses não podem ser organizados assim.

— Mas eu não entendo — falou ela. — Por que os xamãs desapareceram? O Imperador Vermelho não teria ficado mais poderoso com xamãs em seu exército?

— Não. Na verdade, seria o oposto. A criação de um império requer conformidade e obediência. Requer doutrinas que possam ser produzidas em massa por todo o país. O Exército é uma entidade burocrática que só se interessa por resultados. O que eu ensino é impossível de replicar para uma turma de cinquenta alunos, muito menos para uma divisão com milhares de pessoas. O Exército é quase todo composto por indivíduos como Jun, segundo os quais as coisas só importam quando geram resultados *imediatos*, que podem ser repetidos e reutilizados. No entanto, o xamanismo é e sempre foi uma arte imprecisa. Como poderia não ser? Fala das verdades mais básicas sobre cada um e todos nós, como nos relacionamos com o fenômeno da existência. É lógico que é imprecisa. Se a entendêssemos por completo, seríamos deuses.

Rin não estava convencida.

— Mas com certeza *alguns* ensinamentos poderiam ser transmitidos.

— Você superestima o Império. Pense nas artes marciais. Por que conseguiu vencer seus colegas em combate? Porque eles aprenderam uma versão diluída, destilada e criada de acordo com o que era conveniente. O mesmo vale para a religião.

— Mas isso não pode ter sido completamente esquecido — apontou Rin. — Essa matéria ainda existe na Academia.

— Essa matéria é uma piada — respondeu Jiang.

— Eu não acho.

— Só você — disse o mestre. — Até mesmo Jima duvida do valor dessa cadeira, mas nunca consegue se obrigar a acabar com ela. De certa forma, os nikaras nunca desistiram de reencontrar seus xamãs.

— Mas o país ainda tem xamãs — disse ela. — Vou trazer o xamanismo de volta ao mundo.

Ela o encarou cheia de esperança, mas Jiang permaneceu parado, olhando além do mirante, como se sua mente estivesse bem longe dali. Parecia bastante infeliz.

— A era dos deuses acabou — disse, por fim. — Os nikaras podem falar de xamãs em suas lendas, mas não suportam a possibilidade do sobrenatural. Para eles, somos loucos. — Ele engoliu em seco. — Mas não somos. Só que... como podemos convencer alguém disso, quando o resto do mundo acredita que somos? Assim que um império se convence de sua ideologia, qualquer evidência do contrário deve ser apagada. Os terra-remotenses foram expulsos para o norte, amaldiçoados e suspeitos de praticar bruxaria. Os speerlieses foram marginalizados, escravizados, jogados em batalhas como cães selvagens e, por fim, sacrificados.

— Então vamos ensinar às pessoas — falou Rin. — Vamos fazer com que elas lembrem.

— Ninguém mais teria a paciência para aprender o que ensinei a você. Nosso trabalho é apenas manter isso em mente. Passei anos buscando um aprendiz, e apenas você compreendeu a verdade do mundo.

Rin sentiu uma pontada de decepção com aquelas palavras; não por si própria, mas pelo Império. Era difícil saber que vivia num planeta onde humanos um dia falaram livremente com os deuses, mas que agora haviam perdido essa capacidade.

Como uma nação inteira podia ignorar deuses que podiam lhes conceder um poder inimaginável?

Facilmente, na verdade.

O mundo era mais simples quando tudo que existia era o que se podia perceber à sua frente. Era mais fácil esquecer as forças fundamentais que compunham o sonho. Mais fácil acreditar que a realidade existia num único plano. Rin tinha acreditado naquilo até aquele momento, e sua mente ainda custava a se reajustar.

Porém, Rin conhecia a verdade agora, e aquilo lhe dava poder.

Ela olhou para o vale abaixo em silêncio, ainda lutando para assimilar a grandeza do que havia acabado de aprender. Enquanto isso, Jiang colocou os pós num cachimbo, acendeu-o e deu uma tragada longa e profunda.

Seus olhos piscaram até fechar. Um sorriso sereno surgiu em seu rosto.

— Lá vamos nós — disse ele.

O problema de ver alguém se drogando era que, se você não estivesse fazendo o mesmo, as coisas ficavam tediosas muito rápido. Rin cutucou

Jiang depois de alguns minutos e, como ele não se mexeu, deu meia-volta e desceu a montanha sozinha.

Se Rin pensou que Jiang a deixaria usar alucinógenos para meditar, enganou-se. Ele a fazia ajudar no jardim, regando os cactos e cultivando os cogumelos, mas proibiu a aluna de experimentar qualquer planta até que lhe desse permissão.

— Sem a preparação mental correta, os psicodélicos não vão ajudar em nada — disse o mestre. — Você só vai ficar bem irritante por um tempo.

Rin aceitara aquilo a princípio, mas semanas já haviam passado.

— Quando estarei mentalmente preparada, então?

— Quando conseguir ficar sentada quieta por cinco minutos sem abrir os olhos — respondeu ele.

— Eu consigo ficar sentada quieta! É o que estou fazendo há quase um ano! É tudo que estou fazendo!

Jiang ergueu a tesoura de poda na direção dela.

— Não levante a voz para mim.

Ela bateu com a bandeja cheia de pedacinhos de cactos na prateleira.

— Sei que há coisas que você não está me ensinando. Sei que está me atrasando de propósito. Só não entendo por quê.

— Porque você me preocupa — respondeu Jiang. — Você tem um talento para Folclore que nunca vi antes, nem mesmo em Altan. Mas é impaciente. Descuidada. E não quer meditar.

Ela *realmente* não queria. Um de seus deveres era manter um diário de meditação para documentar todas as vezes que completava uma hora com sucesso. Porém, conforme os trabalhos das outras matérias se acumulavam, Rin negligenciou o período obrigatório de não fazer nada.

— Não entendo qual é a finalidade da meditação — falou ela. — Se é foco que deseja, tenho foco. Posso me concentrar em qualquer coisa. Mas esvaziar a mente? Ficar livre de todos os pensamentos? De toda a noção do eu? Que bem isso faria?

— A finalidade é separar você do mundo material — respondeu Jiang. — Como espera alcançar o reino espiritual quando está obcecada com as coisas bem diante de seu nariz? Sei por que acha isso difícil. Você gosta de bater nos seus colegas. Gosta de guardar rancor. Sente-se bem ao odiar, não é? Até este instante, estocou a sua raiva e a usou como combustível. Porém, a não ser que aprenda a abrir mão dela, nunca vai encontrar o caminho para os deuses.

— Então me dê um psicodélico — sugeriu ela. — Me *faça* abrir mão das coisas.

— Agora você está se precipitando. Não vou deixá-la mexer com coisas que mal entende. É muito perigoso.

— Como pode ser perigoso se vou só ficar sentada quieta?

Jiang se endireitou. Abriu a mão e largou a tesoura de poda.

— Isso não é uma historinha infantil em que você faz um gesto e pede três desejos para os deuses. Não estamos de brincadeira. Essas forças podem acabar com você.

— Não vai acontecer nada comigo — disse ela, irritada. — Não acontece nada comigo há meses. Você fica falando de ver os deuses, mas tudo que acontece quando medito é ficar entediada, meu nariz coçar e todo segundo levar uma eternidade.

Ela esticou o braço para pegar as flores das papoulas.

Jiang deu um tapa na mão dela.

— Você não está pronta. Não está nem *perto* de estar pronta.

Rin corou.

— São só *drogas*...

— Só drogas? Só *drogas*? — A voz do mestre subiu de tom. — Vou dar um aviso, e vai ser a única vez que farei isso. Você não é a primeira aluna a estudar Folclore, sabia? Ah, Sinegard vem tentando produzir um xamã há anos. Mas quer saber por que ninguém leva esta aula a sério?

— Porque você não para de peidar durante as reuniões do corpo docente?

Ele não riu com aquilo, o que significava que o assunto era mais preocupante do que ela pensava.

Na verdade, Jiang parecia estar sofrendo.

— Nós tentamos — disse ele. — Dez anos atrás. Quatro alunos tão brilhantes quanto você, sem a raiva de Altan ou sua impaciência. Ensinei-os a meditar, ensinei-os sobre o Panteão, mas aqueles aprendizes só tinham uma coisa em mente: invocar os deuses e sugar seus poderes. Sabe o que aconteceu?

— Eles invocaram os deuses e se tornaram grandes guerreiros? — falou Rin, cheia de esperança.

Jiang olhou para a pupila com uma expressão pálida e sufocante.

— Todos enlouqueceram. Todos. Dois continuaram calmos o bastante para serem jogados num asilo pelo resto de suas vidas. Os outros dois se tornaram um perigo para si mesmos e para aqueles ao redor. A Imperatriz os mandou para Baghra.

Ela o encarou. Não fazia ideia do que dizer.

— Já vi espíritos que não conseguiram reencontrar seus corpos — falou o mestre. Naquele instante, ele pareceu bem velho. — Vi homens a meio caminho do reino espiritual, presos entre esse mundo e o vindouro. O que isso significa? Significa que não. Podemos. Ficar. De. Brincadeira. — Ele cutucou a testa dela a cada palavra. — Então, se não quiser perder essa sua mentezinha brilhante, é bom fazer o que eu mando.

Rin só se sentia completamente equilibrada durante as outras aulas, que agora tinham o dobro do conteúdo estudado no primeiro ano. Embora mal conseguisse acompanhá-las devido às muitas tarefas que Jiang lhe dava, era bom estudar coisas que, para variar, faziam sentido.

Rin sempre se sentira uma intrusa entre os colegas. Porém, com o passar do ano, começou a perceber que habitava um mundo separado do deles. Cada vez mais, ela se afastava da existência em que as coisas funcionavam como deveriam, em que a realidade não mudava constantemente, em que ela pensava conhecer a forma e a natureza dos elementos, em vez de ser sempre lembrada de que, na verdade, não sabia de nada.

— Sério — falou Kitay durante o almoço um dia —, o que você está aprendendo?

Como todo o restante da turma, Kitay achava que Folclore era uma cadeira de história religiosa, uma mistureba de antropologia com mitologia popular. Rin não se dera ao trabalho de corrigi-lo. Era mais fácil deixar uma mentira crível se espalhar do que convencê-los da verdade.

— Que nenhuma das minhas crenças é verdadeira — respondeu ela, desligada. — Que a realidade é maleável. Que existem conexões ocultas entre os seres vivos. Que o mundo inteiro não passa de um pensamento, do sonho de uma borboleta.

— Rin?

— Oi?

— Você está enfiando o cotovelo no meu mingau.

Ela piscou.

— Ah. Desculpe.

Kitay afastou a tigela do braço da amiga.

— As pessoas falam de você, sabe? Os outros aprendizes.

Rin cruzou os braços.

— E o que dizem?

Kitay fez uma pausa.

— Acho que você já sabe. Não é, hã, bom.

Ela esperava que fosse diferente? Rin revirou os olhos.

— Não gostam de mim. Que surpresa.

— Não é isso — falou Kitay. — Eles têm *medo* de você.

— Porque eu ganhei o torneio?

— Porque você veio para cá de um vilarejo do interior de que ninguém nunca ouviu falar, então abriu mão de estudar uma das matérias mais prestigiosas para ficar seguindo o maluco da Academia. Não conseguem entender você. Não sabem o que está tentando fazer. — Kitay baixou a cabeça para se aproximar dela. — O *que* está tentando fazer?

Rin hesitou. Conhecia o olhar no rosto de Kitay. Ficara mais comum nos últimos tempos, conforme os estudos de Rin se afastavam dos tópicos que podiam ser explicados com facilidade para um leigo. Kitay odiava não ter acesso completo a informações, e Rin odiava manter segredos dele. No entanto, como poderia explicar ao amigo o objetivo de estudar Folclore quando com frequência mal conseguia justificar aquilo para si mesma?

— Alguma coisa aconteceu comigo naquele dia no ringue — disse ela, enfim. — Estou tentando entender o quê.

Ela se preparou para lidar com o ceticismo frio de Kitay, mas o menino apenas anuiu.

— E você acha que Jiang tem as respostas?

Ela expirou.

— Se ele não tiver, ninguém mais tem.

— Mas você ouviu os boatos...

— Os loucos que saíram da Academia. Os prisioneiros de Baghra — falou Rin. Todo mundo tinha uma versão da história de terror dos antigos aprendizes de Jiang. — Eu sei. Confie em mim, eu sei.

Kitay a encarou longa e profundamente. Por fim, indicou a intocada tigela de mingau da amiga. Ela estava estudando para um dos exames de Jima e se esquecera de comer.

— Só não deixe de se cuidar — pediu ele.

Estudantes do segundo ano recebiam permissão de lutar no ringue.

Agora que Altan havia se formado, o astro dos combates passara a ser Nezha, que rapidamente se tornava um adversário ainda mais formidável sob o treinamento brutal de Jun. Depois de um mês, começou a desafiar alunos dois ou três anos mais velhos; à altura da segunda primavera, o rapaz já era campeão invicto nos ringues.

Rin tinha vontade de entrar nas partidas, mas uma conversa com Jiang pôs fim a essa vontade.

— Você não vai lutar — disse ele um dia quando os dois estavam se equilibrando sobre postes no riacho.

Rin caiu na mesma hora.

— *Como é?* — falou assim que conseguiu sair da água.

— As lutas são apenas para aprendizes que receberam permissão dos mestres.

— Então me dê permissão!

Jiang mergulhou um dedo do pé na água e o recolheu com cuidado.

— Não.

— Mas eu *quero* lutar!

— Interessante, mas irrelevante.

— Mas...

— Sem mas. Sou seu mestre. Você não questiona as minhas ordens, apenas as obedece.

— Vou obedecer às ordens que fazem sentido para mim — retrucou ela enquanto oscilava sem parar sobre o poste.

Jiang bufou.

— Os combates não são para ganhar, são para demonstrar novas técnicas. O que vai fazer? Pegar fogo diante de todos os alunos?

Diante daquele argumento, ela não o pressionou mais.

Com exceção dos combates, que Rin sempre ia assistir, ela quase nunca via as colegas de quarto: Niang ficava sempre trabalhando de madrugada com Enro, e Venka ou estava em patrulha com a Guarda da Cidade, ou treinando com Nezha.

Kitay começou a estudar com ela no dormitório feminino, mas apenas porque era o único lugar no campus que estava sempre vazio. Não havia mulheres na nova turma de calouros, e Kureel e Arda haviam se formado após o primeiro ano de Rin. Ambas receberam posições de prestígio como capitãs na Terceira e na Oitava Divisões, respectivamente.

Altan também se fora, mas ninguém sabia a que divisão ele havia se juntado. Rin achava que aquele seria o grande assunto na Academia, mas o speerliês havia desaparecido, como se nunca houvesse nem pisado em Sinegard. A lenda de Altan Trengsin já começara a diminuir entre a turma dela e, quando o grupo seguinte de calouros chegou à escola, nenhum deles sabia quem era Altan.

Com o passar dos meses, Rin percebeu que um benefício inesperado de ser a única aprendiz de Folclore era que não precisava competir com os colegas.

Isso não significava que eles haviam se tornado mais amigáveis. Mas Rin parou de ouvir piadas sobre seu sotaque, Venka não fazia mais cara de nojo quando as duas estavam no dormitório e, um a um, os outros sinegardianos começaram a ficar acostumados à presença dela, se não entusiasmados.

Nezha continuava a ser a exceção.

Tirando Combate e Folclore, frequentavam as mesmas aulas. Faziam o melhor possível para ignorar por completo a presença um do outro. Várias de suas aulas avançadas tinham tão poucos alunos que aquilo com frequência se tornava bastante constrangedor, mas Rin supunha que a indiferença fria era melhor que provocações constantes.

Ainda assim, ela prestava atenção em Nezha. Como não poderia? Ele visivelmente era o astro da turma. Inferior a Kitay talvez apenas em Estratégia e Linguística, Nezha havia se tornado basicamente o novo Altan. Os mestres o adoravam; a nova turma de alunos achava que ele era um deus.

— Ele não é tão especial assim — resmungava Rin para Kitay. — Ele nem ganhou o Torneio! Será que esses moleques sabem disso?

— Claro que sabem. — Sem tirar os olhos do dever de Linguística, Kitay falava com ela com a exasperação paciente de alguém que já travara aquela conversa muitas vezes.

— Então por que eles não *me* adoram? — reclamou Rin.

— Porque você não compete no ringue. — Kitay preencheu o último espaço em branco em sua tabela de conjugações verbais hesperianas. — E também porque é estranha e não é tão bonita.

No entanto, em geral, as disputas internas na turma de Rin haviam desaparecido. Parte disso se devia ao simples fato de estarem ficando mais velhos; outra era o fim da ansiedade dos Testes — as vagas dos aprendizes estavam garantidas contanto que mantivessem boas notas —, e uma terceira eram os deveres, tão difíceis que os alunos não podiam mais perder tempo com rivalidades mesquinhas.

Porém, no final do segundo ano, a turma começou a se dividir de novo — dessa vez, por motivos provincianos e políticos.

A causa era uma crise diplomática entre tropas da Federação nos limites da Província do Cavalo. Uma disputa num posto comercial entre comerciantes mugeneses e trabalhadores nikaras tinha terminado em derramamento de sangue. Os mugeneses mandaram tropas armadas para matar os incitadores. A patrulha da fronteira da Província do Cavalo respondeu com a mesma força.

O Mestre Irjah foi chamado de imediato para a missão diplomática da Imperatriz, o que significava que as aulas de Estratégia estavam canceladas por duas semanas. Os alunos só ficaram sabendo, contudo, quanto encontraram um bilhete escrito às pressas deixado por Irjah.

— "Não sei quando estarei de volta. Ambos os lados abriram fogo. Quatro civis mortos" — disse Niang, lendo o texto em voz alta. — Deuses! É uma guerra, não é?

— Não necessariamente. — Kitay era o único que não parecia nem um pouco nervoso. — Esse tipo de escaramuça acontece o tempo todo.

— Mas se houve mortes...

— Sempre há mortes — falou o garoto. — Isso vem se arrastando há quase duas décadas. Nós odiamos eles, eles nos odeiam e um bando de pessoas morre por causa disso.

— Mas cidadãos nikaras morreram! — exclamou Niang.

— Sim, só que a Imperatriz não vai fazer nada em relação a isso.

— Ela não *pode* fazer nada — disse Han, interrompendo. — A Província do Cavalo não tem tropas suficientes para manter um front de guerra. Nossa população é pequena demais, não há como recrutar gente nova. O verdadeiro problema é que certos líderes regionais não conseguem colocar os interesses nacionais em primeiro lugar.

— Você não sabe do que está falando — disse Nezha.

— Só sei que os homens do meu pai estão morrendo na fronteira — falou Han. O veneno repentino em sua voz surpreendeu Rin. — Enquanto isso, seu pai está sentadinho no palácio dele, fingindo que não há nada de errado, porque está seguro entre duas províncias.

Antes que qualquer pessoa pudesse se mover, a mão de Nezha agarrou a nuca de Han e forçou a cara do garoto na mesa.

A turma ficou em silêncio.

Han olhou para cima, chocado demais para retaliar. Seu nariz havia quebrado com um som audível e o sangue escorria pelo queixo.

Nezha largou a nuca do outro.

— Não fale sobre meu pai.

Han cuspiu algo que parecia um pedaço de dente.

— Seu pai é um covarde de merda.

— Eu mandei *não falar*...

— Vocês têm os maiores excedentes de tropas no Império e não querem usá-los — disse Han. — Por quê, Nezha? Pretendem fazer outra coisa com eles?

Os olhos de Nezha brilharam.

— Quer que eu quebre o seu pescoço?

— Os mugeneses não vão invadir o país — interveio Kitay. — Vão fazer uma bagunça nos limites da Província do Cavalo, mas não vão comprometer tropas. Não vão querer deixar Hesperia nervosa...

— Os hesperianos estão cagando para nós — disse Han. — Faz anos que não estão nem aí para o hemisfério oriental. Nenhum embaixador, nenhum diplomata...

— Por causa do armistício — explicou Kitay. — Eles acham que não é necessário. Mas, se a Federação causar algum desequilíbrio, vão ter que intervir. E os líderes mugeneses sabem disso.

— Eles também sabem que não temos uma defesa de fronteira coordenada nem uma marinha — disparou Han. — Deixa de se iludir.

— Uma invasão terrestre é irracional da parte deles — insistiu Kitay. — O armistício é benéfico para a Federação. Não querem milhares de soldados feridos no centro do Império. Não haverá guerra.

— Sei. — Han cruzou os braços. — Para o que estamos treinando, então?

A segunda crise veio dois meses depois. Diversas cidades fronteiriças da Província do Cavalo começaram a boicotar produtos mugeneses. Os governadores-gerais da Federação responderam ao fechar, pilhar e incendiar qualquer estabelecimento nikara que estivesse localizado no lado mugenês da fronteira.

Quando a notícia se espalhou, Han deixou a Academia para se juntar ao batalhão do pai. Jima o ameaçou com uma expulsão permanente se o aluno saísse sem permissão; Han respondeu jogando sua braçadeira na mesa dela.

A terceira crise foi a morte do imperador da Federação. Espiões nikaras reportaram que o príncipe herdeiro Ryohai era o próximo na linha de sucessão do trono. Jovem, impetuoso e agressivamente nacionalista, Ryohai era um dos principais membros do grupo de guerra de Mugen.

— Há anos ele pede por uma invasão terrestre — explicou Irjah para a turma. — Agora, tem a chance de fazer isso.

As seis semanas seguintes foram bastante tensas. Até Kitay parou de argumentar que Mugen não faria nada. Vários alunos, a maioria do norte, apresentaram pedidos para voltar para casa. Todos foram negados. Ainda assim, alguns deixaram a Academia. A maior parte, no entanto, obedeceu às ordens de Jima — se a guerra de fato explodisse, então alguma afiliação com Sinegard seria melhor do que nada.

O novo Imperador Ryohai não declarou uma invasão terrestre. A Imperatriz mandou uma missão diplomática para a ilha em formato de arco e, segundo os relatos, o grupo foi bem-recebido pela nova administração mugenesa. A crise passou, mas uma nuvem de ansiedade permanecia sobre a Academia — e nada poderia apagar o medo crescente de que aquela turma seria a primeira a se graduar durante uma guerra.

A única pessoa que parecia não se interessar por novidades sobre as políticas da Federação era Jiang. Quando questionado sobre Mugen, ele fazia cara feia e gesticulava para deixar o assunto de lado; quando pressionado, fechava bem os olhos, balançava a cabeça e cantava em voz alta como uma criancinha.

— Mas você *lutou* contra a Federação! — exclamou Rin. — Como pode ficar tão indiferente?

— Não me lembro disso — falou Jiang.

— Como não se lembra? — perguntou ela. — Você lutou na Segunda Guerra da Papoula... Todos vocês lutaram!

— É o que dizem — respondeu Jiang.

— Então como...?

— Então eu não lembro — berrou Jiang, a voz assumindo um tom frágil e trêmulo que fez Rin perceber que era melhor não insistir ou acabaria arriscando uma semana de ausência ou de comportamento instável por parte do mestre.

Porém, contanto que a Federação não fosse mencionada, Jiang continuava a conduzir as aulas da mesma maneira tortuosa e afetada. Rin levou até o final de seu primeiro ano como aprendiz para meditar por uma hora sem se mexer; assim que conseguiu realizar aquele feito, Jiang a mandou meditar por cinco. Isso demorou quase mais um ano. Quando enfim conseguiu cumprir a ordem do mestre, Jiang lhe deu um pequeno cantil opaco, do tipo usado para guardar licor de sorgo, e ordenou que levasse o objeto até o topo da montanha.

— Há uma caverna lá. Vai saber do que estou falando quando encontrá-la. Beba o conteúdo do cantil e comece a meditar.

— O que tem aqui dentro?

Jiang olhou para as unhas.

— Umas coisinhas.

— Por quanto tempo?

— Pelo tempo que precisar. Dias. Semanas. Meses. Não dá para saber antes de começar.

Rin comunicou aos outros mestres que talvez fosse necessário faltar às aulas por tempo indeterminado. Àquela altura, os outros professores já haviam se resignado com as maluquices de Jiang; dispensaram-na pedindo para que não sumisse por mais de um ano. Ela torcia para que estivessem brincando.

Jiang não a acompanhou até o cume e se despediu de Rin no patamar mais alto do campus.

— Leve essa capa para o caso de sentir frio. Lá em cima não tem como se abrigar da chuva. Vejo você do outro lado.

Choveu a manhã inteira. Rin caminhava num estado deplorável, limpando a lama dos sapatos a cada poucos passos. Quando chegou à caverna, tremia tanto que quase deixou o cantil cair.

Olhou ao redor do interior lamacento da gruta. Queria fazer uma fogueira para se esquentar, mas não conseguia encontrar madeira que já não estivesse ensopada. Acomodou-se no interior da caverna, tão longe da chuva quanto possível, e se sentou de pernas cruzadas. Então fechou os olhos.

Pensou no guerreiro Bodhidharma, meditando por anos enquanto ouvia os gritos das formigas. Rin suspeitava que as formigas não seriam as únicas coisas gritando quando terminasse.

O conteúdo do cantil era apenas um chá levemente amargo. Rin achou que poderia ser um alucinógeno destilado em líquido, mas horas se passaram, e sua mente continuava límpida.

A noite caiu. Ela meditou na escuridão.

A princípio, foi terrivelmente difícil.

Não conseguia ficar quieta. Sentiu fome após seis horas. Só conseguia pensar em seu estômago. Depois de um tempo, porém, a fome era tão avassaladora que não conseguia mais pensar nela, porque não conseguia mais se lembrar de um tempo em que não sentira tanta fome.

No segundo dia, sentiu-se tonta. Estava zonza de fome, tão faminta que não conseguia sentir o estômago. Ela tinha mesmo um estômago? O que era um estômago?

No terceiro dia, sua cabeça estava deliciosamente leve. Ela era apenas ar, apenas respiração, apenas um órgão que respirava. Um leque. Uma flauta. Dentro, fora, dentro, fora e assim vai.

No quinto dia, as coisas se mexiam muito rápido, muito devagar ou não se mexiam nem um pouco. Rin ficou furiosa com a lentidão do tempo. Seu cérebro funcionava de maneira frenética. Sentia que o coração batia mais rápido do que o de um beija-flor. Como não havia dissolvido ainda? Como não havia vibrado até se tornar nada?

No sétimo dia, ela encontrou o vazio. Seu corpo ficou parado, tão parado que Rin se esqueceu de que tinha um. Sentiu uma comichão no dedo esquerdo e ficou impressionada com aquela sensação. Não coçou, mas observou o formigamento como se estivesse do lado de fora e se encantou quando, após um longo tempo, aquilo desapareceu por conta própria.

Ela aprendeu que a respiração se movia pelo corpo como em uma casa vazia. Aprendeu como empilhar as vértebras para que a espinha formasse uma linha reta perfeita, um canal sem obstruções.

No entanto, o corpo parado ficou pesado e, quanto mais pesado ficava, mais fácil era se livrar dele e flutuar, sem peso, para aquele lugar que ela só conseguia ver com os olhos fechados.

No nono dia, sofreu um ataque geométrico de linhas e figuras sem forma nem cor, sem respeito a qualquer valor estético que não fosse a aleatoriedade.

Suas figuras idiotas, pensou ela sem parar, como um mantra. *Figuras idiotas de merda.*

No décimo terceiro dia, teve uma sensação horrível de estar presa, como se tivesse sido enterrada numa pedra, coberta por lama. Estava tão leve, tão sem peso, mas não tinha para onde ir; ricocheteava dentro do bizarro recipiente vazio chamado corpo, como um vaga-lume aprisionado.

No décimo quinto dia, ficou convencida de que sua consciência se expandira para englobar a totalidade da vida no planeta — do nascimento da menor flor até a morte da maior árvore. Viu um processo interminável de transferência de energia, crescimento e perecimento, e fazia parte de todos os seus estágios.

Viu explosões de cores e animais que não deveriam existir. Não teve visões, não exatamente, porque visões teriam sido bem mais vívidas e concretas. No entanto, aquelas aparições não eram meros pensamentos. Eram como sonhos, um plano incerto de existência que ficava no meio do caminho, e era apenas se livrando de todos os outros pensamentos em sua mente que ela conseguia ver aqueles com nitidez.

Parou de contar os dias. Viajara para algum lugar além do tempo, onde a sensação de um ano e de um minuto era a mesma. Qual era a diferença entre o finito e o infinito? Havia o ser e o não ser, e só. O tempo não era real.

As aparições ficaram sólidas. Ou ela estava sonhando, ou transcendera para algum local. No entanto, quando deu um passo à frente, seu pé encostou na pedra gelada. Olhou ao redor e viu que estava num espaço azulejado do tamanho de um lavabo. Não havia portas.

Uma forma surgiu diante dela, trajando uma vestimenta estranha. A princípio, Rin pensou ser Altan, mas o rosto da figura era mais brando, os olhos vermelhos mais redondos e gentis.

— Disseram que você viria — falou a figura. A voz era feminina, grave e triste. — Os deuses sabiam que viria.

Rin estava sem palavras. Algo naquela Mulher era profundamente familiar, e não era apenas a semelhança com Altan. Os traços de seu rosto, as roupas que usava... eles faziam surgir memórias que Rin não sabia ter, da areia, da água e do céu aberto.

— Vão pedir para você fazer o que me recusei a fazer — disse a Mulher. — Será oferecido a você um poder maior do que consegue imaginar. Mas preste atenção, pequena guerreira. O preço desse poder é a dor. O Panteão controla o tecido do universo. Para divergir da ordem premeditada, você precisará dar algo em troca. E as dádivas da Fênix cobram o preço mais alto. A Fênix quer sofrimento. A Fênix quer sangue.

— Tenho sangue em abundância — respondeu Rin. Ela não fazia ideia do que a tinha possuído para falar aquilo, mas continuou: — Posso dar à Fênix o que ela deseja, em troca de poder.

A mulher ficou agitada.

— A Fênix não *dá*. Não para sempre. A Fênix toma, toma e toma... O fogo é insaciável, único entre os elementos... ele vai devorá-la até não sobrar nada...

— Não tenho medo de fogo — falou Rin.

— Pois *deveria* — sibilou a Mulher.

Ela deslizou devagar até Rin; não mexeu as pernas, não andou exatamente, mas parecia maior e mais perto a cada segundo...

Rin não podia respirar. Não se sentia nem um pouco calma; aquilo não lembrava em nada a paz que deveria ter alcançado, aquilo era terrível... De repente, ouviu uma cacofonia de gritos ecoando em seus ouvidos, e então a Mulher estava berrando, contorcendo-se no ar como uma dançarina torturada, até mesmo ao estender a mão e agarrar o braço de Rin...

Imagens surgiram ao redor da garota, corpos de pele amarronzada dançando ao redor de uma fogueira, bocas abertas e olhares lascivos, gritando palavras num idioma que parecia algo que Rin ouvira num sonho esquecido... A fogueira se expandiu e os corpos caíram para trás, queimados, chamuscados, desintegrados em nada além de ossos brancos brilhantes... Rin pensou que era o fim — a morte acabava com as coisas —, mas os ossos se levantaram e continuaram a dançar... Um dos esqueletos olhou para ela com seu sorriso largo, gesticulando com a mão sem carne:

— Das cinzas viemos e para as cinzas retornaremos...

O toque da mulher nos ombros de Rin se intensificou; ela se inclinou para a frente e sussurrou no seu ouvido:

— Volte.

Mas Rin estava encantada com o fogo... Olhou além dos ossos para as chamas, que balançavam como algo vivo, assumindo a forma de um deus, de um animal, de uma ave...

A ave baixou o olhar para ver Rin e a Mulher.

A Mulher explodiu em chamas.

Então Rin estava flutuando de novo, voando feito uma flecha no céu em direção ao reino dos deuses.

Quando abriu os olhos, Jiang estava agachado diante dela, observando-a com os olhos claros.

— O que viu?

Ela respirou fundo. Tentou se reorientar agora que voltara a ter um corpo. Sentia-se tão atrapalhada e pesada, como um fantoche malfeito de argila úmida.

— Uma sala circular enorme — respondeu, hesitante, fechando os olhos com força para se lembrar da última visão. Não sabia se estava com dificuldade de encontrar as palavras ou se a boca simplesmente se recusava a lhe obedecer. Seu corpo parecia apenas seguir suas ordens depois de um segundo de atraso. — Era como um conjunto de trigramas, mas com trinta e duas pontas que se dividiam em sessenta e quatro. E criaturas em suportes ao redor do círculo.

— Pedestais — corrigiu Jiang.

— Tem razão. Pedestais.

— Você viu o Panteão — falou ele. — Encontrou os deuses.

— Acho que sim.

Sua voz foi morrendo. Sentia-se um pouco confusa. *Encontrara* mesmo os deuses? Ou apenas imaginara aquelas sessenta e quatro deidades rodando à sua volta como bolinhas de gude?

— Você parece não acreditar — observou ele.

— Eu estava cansada — respondeu Rin. — Não sei se era real ou... quer dizer, eu podia estar apenas sonhando. — Por que as visões dela seriam diferentes da imaginação? Vi aquelas coisas simplesmente porque queria ver?

— Sonhando? — Jiang inclinou a cabeça. — Você já havia visto algo como o Panteão antes? Num diagrama? Ou numa pintura?

Ela franziu o cenho.

— Não, mas...

— Os pedestais. Estava esperando por algo assim?

— Não — disse ela —, mas já vi pedestais, e não seria muito difícil conjurar o Panteão na minha imaginação.

— Mas por que esse sonho em particular? Por que sua mente adormecida escolheria extrair essas imagens de sua memória em vez de outras? Por que não um cavalo, ou um jardim de jasmins, ou o Mestre Jun completamente pelado cavalgando um tigre?

Rin piscou.

— Você sonha com isso?

— Responda à pergunta.

— Não sei — respondeu ela, frustrada. — Por que as pessoas sonham com o que sonham?

O mestre sorriu como se aquilo fosse exatamente o que queria ouvir.

— Por quê?

Ela não tinha uma resposta para aquilo. Encarou a entrada da caverna, ponderando, e percebeu que havia despertado de várias maneiras.

Seu mapa do mundo, sua compreensão da realidade, havia mudado. Ela conseguia ver os contornos, mesmo que não soubesse como preencher o vazio. Sabia que os deuses existiam e que falavam, e era o bastante.

Levara um bom tempo, mas ela enfim tinha como verbalizar o que estava aprendendo. Xamãs: aqueles que comungavam com os deuses. Os deuses: forças da natureza, entidades tão reais e, ainda assim, tão efêmeras quanto o vento e o fogo, elementos inerentes à existência do universo.

Quando os hesperianos escreviam sobre "Deus", referiam-se ao sobrenatural.

Quando Jiang falava dos "deuses", referia-se ao que era eminentemente natural.

Comungar com os deuses era caminhar no mundo dos sonhos, no mundo espiritual. Era abrir mão do que se era para se unir ao estado fundamental de tudo. O espaço no limbo onde a matéria e as ações ainda não tinham sido determinadas, a escuridão flutuante onde o mundo físico ainda não havia sido concebido.

Os deuses eram apenas os seres que habitavam aquele espaço, forças da criação e da destruição, do amor e do ódio, do carinho e do abandono, da luz e das trevas, do frio e do calor... eles se opunham e se completavam; eram verdades fundamentais.

Eram os elementos que formavam o universo em si.

Ela via que a realidade era uma farsa; um sonho conjurado por forças ondulantes debaixo de uma superfície fina. E, ao meditar, ao ingerir o alucinógeno, ao esquecer sua conexão com o mundo material, Rin fora capaz de acordar.

— Eu entendo a verdade das coisas — murmurou ela. — Sei o que significa existir.

Jiang sorriu.

— É maravilhoso, não é?

Rin compreendeu, então, que seu mestre estava muito longe de ser louco. Na verdade, ele talvez fosse a pessoa mais sã que já havia conhecido.

Um pensamento lhe ocorreu.

— Então o que acontece quando morremos?

Jiang ergueu a sobrancelha.

— Acho que você mesma pode responder isso.

Ela refletiu por um instante.

— Voltamos ao mundo espiritual. Nós... deixamos a ilusão. Despertamos.

Ele assentiu.

— Não *morremos*, apenas voltamos ao nada. Dissolvemos. Perdemos o ego. De apenas uma coisa, passamos a ser *todas as coisas*. A maioria de nós, ao menos.

Ela abriu a boca para perguntar o que Jiang queria dizer com aquilo, mas o mestre estendeu a mão e tocou a testa de Rin.

— Como se sente?

— Incrível — respondeu ela. Já fazia meses que não sentia a cabeça tão lúcida. Era como se, durante todo aquele tempo, ela houvesse tentado ver através de uma neblina. Agora, a neblina tinha se dissolvido. Estava em êxtase; resolvera o enigma, conhecia a fonte de seu poder, e tudo que restava era aprender a usá-lo. — E agora?

— Agora já resolvemos seu problema — falou Jiang. — Agora você sabe como se conectar à grande teia de forças cosmológicas. Às vezes, lutadores de artes marciais que estão sintonizados demais com o mundo se veem sobrecarregados por uma dessas forças. Eles sofrem um desequilíbrio, uma afinidade com um deus acima dos outros. Foi o que aconteceu com você no ringue. Mas agora você sabe de onde as chamas vieram e, quando isso voltar a acontecer, poderá ir até o Panteão para recuperar o equilíbrio. Você está curada.

Rin olhou para o mestre.

Curada?

Curada?

Jiang parecia satisfeito, aliviado e sereno, mas Rin se sentia apenas confusa. Não havia estudado Folclore para acalmar as chamas. Sim, o fogo fora horrível, mas também poderoso. *Ela* se sentira *poderosa*.

Queria aprender a canalizar o fogo, não suprimi-lo.

— Algum problema? — perguntou Jiang.

— Eu... Eu não...

Ela mordeu o lábio antes que as palavras escapassem de sua boca. Jiang era violentamente avesso a qualquer discussão sobre guerra; se ela perguntasse sobre qualquer uso militar, o mestre poderia abandoná-la do mesmo jeito que fizera antes dos Testes. Ele já a achava impetuosa demais, descuidada e impaciente; Rin sabia como era fácil assustá-lo.

Tudo bem. Se Jiang não a ensinasse a convocar o poder, Rin descobriria sozinha.

— Então qual é o objetivo disso? — perguntou ela. — Só se sentir bem?

— O objetivo? Que objetivo? Você foi iluminada. Tem uma compreensão melhor do cosmos do que a maioria dos teólogos vivos! — Jiang balançou as mãos ao redor da cabeça. — Tem ideia do que pode fazer com esse conhecimento? Os terra-remotenses interpretam o futuro há anos, lendo as ranhuras nos cascos de tartarugas para adivinhar eventos vindouros. Eles podem livrar um corpo de uma doença ao curar o espírito. Podem falar com plantas, curar males da mente...

Rin se perguntou por que os terra-remotenses fariam isso sem ter um uso militar para suas habilidades, mas ficou de boca fechada.

— E quanto tempo vai demorar para eu fazer isso?

— Não faz sentido falar dessa habilidade em anos — respondeu Jiang. — Os terra-remotenses não permitem interpretações do futuro por pessoas que não treinaram ao menos por cinco anos. O treinamento xamanístico é um processo que dura a vida inteira.

Mas ela não conseguia aceitar aquilo. Queria poder e queria agora — ainda mais quando estavam prestes a entrar em guerra com Mugen.

Jiang a observava com atenção.

Cuidado, disse para si mesma. Ela ainda tinha muito a aprender com Jiang. Teria que jogar seu jogo.

— Mais alguma coisa? — perguntou ele depois de um tempo.

Ela pensou na advertência da Mulher Speerliesa. Pensou na Fênix, no fogo e na dor.

— Não — respondeu ela. — Mais nada.

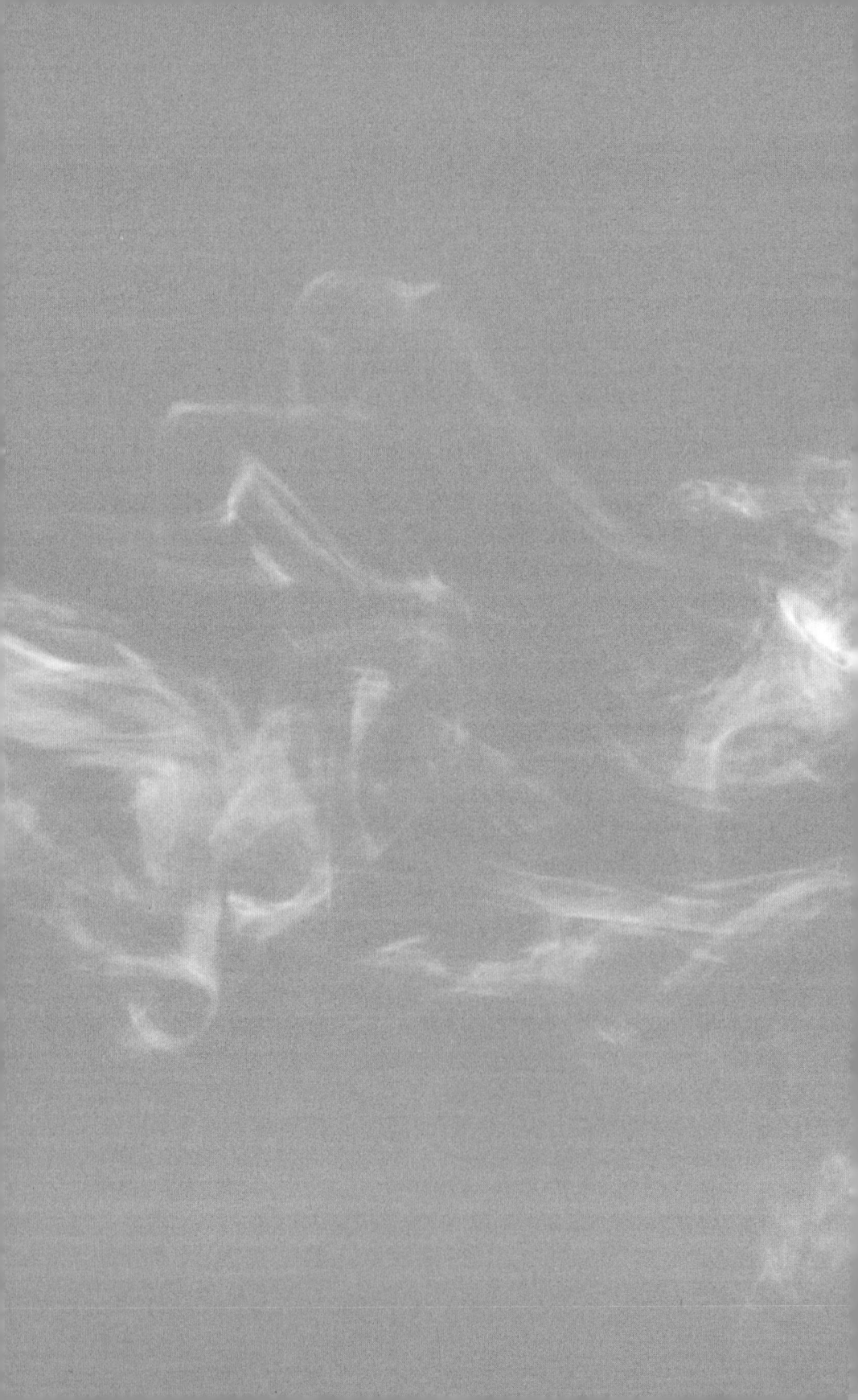

PARTE II

CAPÍTULO 10

O *Imperador Ryohai* patrulhava a fronteira leste de Nikan no mar Nariin havia doze noites. O *Ryohai* era um navio pequeno, um elegante modelo da Federação feito para deslizar rapidamente por águas revoltas. Havia poucos soldados a bordo; o convés não era grande o suficiente para carregar um batalhão. O navio não estava numa missão de reconhecimento. Não havia pombos-correios no mastro sem bandeira; nenhum espião deixou a embarcação escondido sob a neblina oceânica.

A única coisa que o *Ryohai* fazia era seguir com impaciência o litoral, indo e voltando pelo mar tranquilo como uma dona de casa ansiosa. Esperando por algo. Por alguém.

A tripulação passava os dias em silêncio. O *Ryohai* levava o mínimo necessário de marujos: o capitão, uns poucos marinheiros e um pequeno contingente das Forças Armadas da Federação. Carregava apenas uma pessoa ilustre: o General Gin Seiryu, grão-marechal das Forças Armadas e estimado conselheiro do próprio Imperador Ryohai. E havia apenas um visitante, um nikara escondido nas sombras do porão desde que a embarcação cruzara as águas do mar Nariin.

Tyr, comandante do Cike, tinha prática em se manter invisível. Naquele estado, não precisava comer nem dormir. Absorvido pelas sombras, envolto pela escuridão, mal precisava respirar.

Achava o passar dos dias enfadonho apenas por causa do tédio, apesar de ter mantido vigílias mais longas do que aquela. Passara uma semana no armário do quarto do Líder do Dragão. Ficara um mês inteiro acomodado debaixo das tábuas sob os pés dos líderes da República de Hesperia.

Agora, aguardava os homens a bordo do *Ryohai* revelarem seu propósito.

Tyr ficara surpreso ao receber ordens de Sinegard para se infiltrar num navio da Federação. Por anos, o Cike operara apenas dentro do Império, matando os dissidentes que a Imperatriz considerava problemáticos demais. A Imperatriz não mandava o Cike para além das fronteiras — não desde a desastrosa tentativa de assassinar o jovem Imperador Ryohai, que acabara com dois agentes mortos e outro tão enlouquecido que precisou ser levado, aos gritos, até uma das celas mais fundas da prisão de pedra.

Contudo, a função de Tyr não era questionar, mas obedecer. Ele se agachou na escuridão, sem ser notado por ninguém. E esperou.

Era uma noite calma, sem vento. Uma noite carregada de segredos.

Fora numa noite como aquela, havia muitas décadas, com a lua cheia e resplandecente no céu, que o mestre de Tyr o levou às profundezas dos túneis subterrâneos aonde a luz jamais chegaria. O mestre o guiara uma curva abrupta após a outra, fazendo-o dar voltas na escuridão para que não pudesse criar um mapa do labirinto debaixo da terra.

Quando chegaram ao centro daquela teia de aranha, o mestre de Tyr o abandonou lá. *Encontre a saída*, ordenara. *Se a deusa o acolher, ela o guiará. Senão, você morrerá.*

Tyr não se ressentia pelo mestre tê-lo abandonado no negrume. Era assim que as coisas deveriam ser. No entanto, o medo que sentiu fora real e urgente. Ele permaneceu nos túneis abafados por dias, em pânico. Primeiro viera a sede. Depois a fome. Quando tropeçava em objetos na escuridão, objetos que produziam ruídos ecoantes ao seu redor, Tyr sabia que eram ossos.

Quantos aprendizes haviam sido enviados para o mesmo labirinto subterrâneo? E quantos haviam saído de lá?

Apenas um na geração de Tyr. Sua linhagem xamânica permaneceu pura e forte através da habilidade comprovada de seus sucessores, e apenas um sobrevivente poderia ser incutido com os dons da deusa a serem repassados para a próxima geração. O fato de Tyr ter recebido aquela chance significava que todo aprendiz antes dele tentara, falhara e morrera.

Ele sentira muito medo então.

Não estava com medo agora.

A bordo do navio, a escuridão o abraçava outra vez, exatamente como fizera trinta anos antes. Tyr estava envolvido por ela, um bebê ainda não nascido no ventre da mãe. Rezar para sua deusa era o mesmo que retornar àquele estado primordial anterior à infância, quando o mundo era calmo. Nada podia vê-lo. Nada podia machucá-lo.

A escuna atravessava o mar da meia-noite, navegando de forma arisca, como uma criança que faz algo proibido. A pequena embarcação não era da frota nikara. Todas as marcas que a identificariam como tal haviam sido apagadas grosseiramente de seu casco.

No entanto, ela vinha do litoral de Nikan. Ou a escuna tomara uma rota muito longa e complicada para encontrar o *Ryohai* a fim de enganar o assassino que a Federação não sabia ter a bordo, ou era uma embarcação nikara.

Tyr se agachou atrás do mastro principal, a luneta apontada para o convés do outro barco.

Quando saiu da escuridão, sentiu uma tontura repentina. Aquilo acontecia com cada vez mais frequência, sempre que aguardava nas sombras por muito tempo. Caminhar no mundo material, separar-se de sua deusa, ficava mais e mais difícil.

Cuidado, advertiu a si mesmo, *ou um dia não será capaz de voltar*.

Ele sabia o que aconteceria nesse caso. Tyr se tornaria um canal abundante e incontrolável para os deuses, um portão sem tranca para o mundo espiritual. Seria um receptáculo vazio e inútil, e alguém o arrastaria até Chuluu Korikh, onde não poderia fazer mal a ninguém. Alguém registraria seu nome nas Rodas e o observaria desaparecer na prisão de pedra da mesma maneira como ele havia aprisionado tantos dos próprios subordinados.

Ele se lembrou de sua primeira visita a Chuluu Korikh, quando emparedou o próprio mestre na montanha. Diante dele, cara a cara, conforme as paredes rochosas se fechavam ao redor de seu semblante: olhos fechados. Dormindo, mas não morto.

Logo chegaria o dia em que Tyr ficaria louco se deixasse aquela vida, ou ainda mais louco se não deixasse. Mas aquele era o destino dos homens e das mulheres do Cike. Ser um assassino da Imperatriz significava morte prematura, insanidade ou ambos.

Tyr pensava que ainda teria uma ou duas décadas, assim como seu mestre quando renunciou à deusa. Pensou que teria um bom tempo para treinar um noviço e ensiná-lo a caminhar no vazio. Porém, seguia o cronograma da deusa e não tinha como saber quando ela o chamaria de volta.

Devia ter escolhido um aprendiz. Devia ter escolhido alguém do meu povo.

Cinco anos antes, pensou que poderia escolher o Adivinho do Cike, aquele garoto magricela das Terras Remotas. Mas Chaghan era tão frágil e estranho, até mesmo para aquela vida. Chaghan teria comandado o Cike feito um demônio. Conseguiria obediência absoluta de seus subalternos, mas apenas porque acabaria com o livre-arbítrio. Chaghan teria destruído mentes.

O novo tenente de Tyr, o garoto que lhe mandaram da Academia, era um candidato bem melhor. Já estava escalado para comandar o Cike quando Tyr não conseguisse mais ser seu líder.

Mas o menino já tinha um deus próprio. E deuses são egoístas.

A escuna parou sob a sombra do *Ryohai*. Uma figura coberta com um capuz entrou num bote e atravessou a curta distância entre as duas embarcações.

O capitão do *Ryohai* ordenou que as cordas fossem baixadas. Ele e metade da tripulação permaneceram no convés, esperando pelo contingente nikara subir a bordo.

Dois marinheiros ajudaram a figura coberta a subir.

Ela retirou o capuz escuro e balançou a cabeça, liberando o cabelo longo e brilhante, da cor de obsidiana. A pele era de uma brancura mineral que brilhava como o luar. Os lábios pareciam sangue recém-derramado.

A Imperatriz Su Daji estava a bordo.

Tyr ficou tão surpreso que quase caiu para fora das sombras.

Por que ela estava lá? Seu primeiro pensamento foi bastante egoísta: ela não confiava nele para cuidar daquele problema sozinho?

Algo devia ter acontecido. Estaria ali por vontade própria? A Federação havia forçado a Imperatriz a vir?

Ou suas ordens haviam mudado?

A mente de Tyr era um turbilhão de pensamentos, considerando o que fazer a seguir. Ele poderia agir naquele momento, matar os soldados antes que pudessem machucar a Imperatriz. Mas Daji sabia que ele estava lá — caso quisesse os homens da Federação mortos, teria indicado.

Ele devia esperar, então. Esperar para ver qual era a jogada de Daji.

— Vossa Majestade. — O General Gin Seiryu era enorme, um gigante entre os homens. Ele se assomava diante da Imperatriz. — Há muito esperamos por vossa chegada. O Imperador Ryohai está perdendo a paciência.

— Não sou a cadela de Ryohai para sofrer com seus desmandos. — A voz de Daji ressoou pelo navio: fria e límpida como gelo, afiada como uma lâmina.

Um círculo de soldados se formou ao redor dela, encurralando-a junto ao general. A Imperatriz, no entanto, permaneceu com o queixo erguido, sem demonstrar medo.

— Mas *será* convocada — falou o general, ríspido. — A irritação do Imperador Ryohai cresce com vosso atraso. Vossas vantagens estão diminuindo. A Imperatriz tem agora poucas cartas preciosas nas mãos e sabe disso. Deveria estar grata pelo Imperador ter se dignificado a falar com Vossa Majestade.

Os lábios de Daji se crisparam.

— Sua Majestade decerto é gracioso.

— Chega de brincadeira. Diga o que veio dizer.

— Tudo a seu tempo — falou Daji calmamente. — Mas, primeiro, há algo de que preciso cuidar.

Então, a Imperatriz olhou para as sombras onde Tyr estava.

— Que bom. Você está aqui.

Ele entendeu que aquele era o sinal.

Com as adagas na mão, Tyr correu para fora da escuridão... mas se pôs de joelhos quando Daji o prendeu com o olhar.

Ele engasgou, incapaz de falar. Seus membros ficaram dormentes, congelados; o homem mal conseguia permanecer de pé. Tyr sabia que a Imperatriz tinha o poder da hipnose, mas ela nunca o havia usado *nele*.

Todos os pensamentos desapareceram. Ele só conseguia pensar nos olhos dela. Eram grandes a princípio, brilhantes e pretos; e então ficaram amarelos como os de uma cobra, com pupilas finas que o chamavam como uma mãe apertando seu bebê, como uma imitação cruel de sua própria deusa.

E, como a deusa de Tyr, ela era tão linda. Tão, tão linda.

Atônito, Tyr baixou as adagas.

Visões dançavam diante dele. Os grandes olhos amarelos da Imperatriz pulsavam; de repente gigantescos, ocuparam todo o campo de visão de Tyr, atraindo-o para seu mundo.

Ele viu formas sem nome. Viu cores que não conseguiria descrever. Viu mulheres sem rosto dançando contra vermelho e cobalto, os corpos curvados como as tiras de seda que giravam em suas mãos. Então, com a vítima enfim encantada, a Víbora investiu com as presas e encheu Tyr de veneno.

A agressão psicoespiritual foi devastadora e imediata.

Ela despedaçou o mundo de Tyr como vidro, como se ele existisse dentro de um espelho e a Imperatriz o tivesse atirado em um canto e parado o tempo no momento da quebra. Aquilo não acabou em segundos, mas se arrastou por éons. Em algum lugar, um grito começou e ficou cada vez mais alto, e não parou. Os olhos da Víbora ficaram brancos, pálidos, invadindo a visão do homem e transformando tudo em dor. Tyr buscou abrigo nas sombras, mas sua deusa não estava em lugar algum, e aqueles olhos hipnóticos estavam em todos os lugares. Para onde se virasse, aqueles olhos o encaravam; a grande Serpente sibilou, contemplando-o, invadindo-o, paralisando-o...

Tyr clamou por sua deusa outra vez, mas ela continuou em silêncio. Fora afastada por um poder infinitamente superior à própria escuridão.

Su Daji canalizara algo mais velho que o Império. Algo tão antigo quanto o tempo.

O mundo de Tyr parou de rodar. A Imperatriz e ele ficaram à deriva no olho daquele furacão de cores, estabilizados apenas por generosidade de Daji. Ele assumiu uma forma de novo, assim como ela, não mais uma víbora, mas uma deusa à semelhança de Su Daji, a mulher.

— Não fique chateado — disse ela. — Há forças aqui que você não conseguiria compreender, para as quais a sua vida é irrelevante.

Embora parecesse mortal, a voz vinha de todos os lugares, até mesmo de dentro dele, e fazia seus ossos vibrarem. Era a única coisa que existia, até ela ceder e deixá-lo falar.

— Por que fez isso? — sussurrou Tyr.

— A presa não questiona os motivos do predador — sibilou a coisa que não era Su Daji. — Os mortos não questionam os vivos. Os mortais não desafiam os deuses.

— Eu matei por você — disse Tyr. — Teria feito tudo por você.

— Eu sei — respondeu ela, acariciando o rosto do homem. Falava com uma tristeza casual e, por um segundo, voltou a soar como a Imperatriz. As cores perderam a intensidade. — Vocês foram tolos.

Ela o empurrou para fora do navio.

A dor do afogamento, Tyr percebeu, vinha do esforço. Mas ele não podia se mover. Seu corpo estava todo paralisado, incapaz até mesmo de fechar os olhos contra o ataque da água salgada.

Tyr não podia fazer nada além de morrer.

Ele afundou de volta à escuridão. De volta às profundezas, onde sons não podiam ser ouvidos, visões não podiam ser vistas, onde nada podia ser sentido, onde nada vivia.

De volta à calma suave do ventre.

De volta à sua mãe. De volta à sua deusa.

A morte de um xamã não passava despercebida no mundo espiritual. A destruição de Tyr enviou uma onda psicoespiritual pelo reino das coisas desconhecidas.

A onda foi sentida a uma longa distância, nos picos das montanhas Wudang, onde o Castelo da Noite se escondia do mundo. Foi sentida pelo Adivinho das Crianças Bizarras, o filho perdido do último e verdadeiro khan das Terras Remotas.

O Adivinho pálido percorria o plano espiritual tão facilmente quando atravessava uma porta. Quando olhou para seu comandante, viu apenas escuridão e o contorno despedaçado de algo que um dia havia sido um ser humano. Viu, no horizonte das coisas que ainda estavam por vir, uma terra devastada por fumaça e fogo. Viu uma frota de navios cruzando o estreito. Viu o início de uma guerra.

— O que está vendo? — perguntou Altan Trengsin.

O Adivinho de cabelos brancos ergueu o rosto para o céu, expondo as cicatrizes longas e irregulares que desciam pelo pescoço pálido. Ele soltou uma risada rouca, quase cacarejada.

— Ele se foi — falou. — Ele se foi.

Os dedos de Altan apertaram o ombro do Adivinho.

De repente, os olhos do Adivinho se abriram. Atrás das pálpebras finas, não havia nada além de branco. Sem pupilas, sem íris, sem qualquer traço de cor. Apenas um horizonte montanhoso e pálido, como neve caída havia pouco tempo, como o próprio nada.

— Houve um Hexagrama.

— *Me conte tudo* — pediu Altan.

O Adivinho se virou para ele.

— Vejo a verdade em três coisas. A primeira: estamos diante de uma guerra.

— Sabíamos disso — respondeu Altan, mas o Adivinho o interrompeu.

— A segunda: temos um inimigo que amamos.

O corpo de Altan enrijeceu.

— A terceira: Tyr se foi.

Altan engoliu em seco.

— O que isso significa?

O Adivinho pegou a mão dele, levou-a até a boca e a beijou.

— Vi o fim de todas as coisas — disse ele. — O mundo mudou. Os deuses agora caminham entre os homens como não acontecia há muito, muito tempo. Tyr não voltará mais. As Crianças Bizarras agora respondem a você, e somente a você.

Altan soltou a respiração devagar. Sentia ao mesmo tempo uma enorme sensação de luto e alívio. Não tinha mais um comandante. Não. *Ele* era o comandante.

Tyr não poderá me impedir agora, pensou.

A morte de Tyr foi sentida pelo próprio Guardião, que permanecera escondido por todos aqueles anos, não exatamente morto, mas também não exatamente vivo, abrigado no corpo de um mortal, mas sem ser mortal.

O Guardião ficou desmantelado e confuso, e já havia esquecido muito de quem fora, mas uma coisa da qual nunca se esqueceria era da dor do veneno da Víbora.

O Guardião sentiu um antigo poder se dissipando pelo vazio que tanto os unia quanto os separava. Ele ergueu a cabeça para o céu, sabendo que um inimigo havia retornado.

* * *

A jovem aprendiz de Sinegard também sentiu, meditando sozinha enquanto as colegas dormiam. Era uma perturbação que a incomodou profundamente, embora não entendesse por quê.

A jovem aprendiz se perguntava, como fazia com frequência, o que aconteceria se ela desobedecesse ao seu mestre, engolisse a semente de papoula e fosse comungar de novo com os deuses.

Se fizesse mais do que comungar. Se trouxesse um deus consigo.

Pois, embora estivesse proibida de chamar a Fênix, isso não impedia a Fênix de chamá-la.

Em breve, sussurrava a Fênix enquanto ela dormia. *Em breve você clamará pelo meu poder e, quando essa hora chegar, não será capaz de resistir. Em breve você vai ignorar os avisos da Mulher e do Guardião e vai cair em meus braços incandescentes.*

Posso transformá-la em algo incrível. Posso transformá-la numa lenda.

Ela tentou resistir.

Tentou esvaziar a mente, como Jiang a ensinara; tentou se livrar da raiva e do fogo que habitavam sua cabeça.

Ela percebeu que não conseguia.

Ela percebeu que não queria.

No primeiro dia do sétimo mês, surgiu outro conflito de fronteira, entre o Décimo Oitavo Batalhão das Forças Armadas da Federação e a patrulha nikara da Província do Cavalo que fazia fronteira com as Terras Remotas no norte. Depois de seis horas de combate, as partes chegaram a um cessar-fogo. Passaram a noite numa frágil trégua.

No segundo dia, um soldado da Federação não voltou da patrulha da manhã. Após uma cuidadosa busca, o general da Federação na cidade fronteiriça de Muriden exigiu que o general nikara abrisse os portões para que o procurassem em seus campos.

O general nikara se recusou.

No terceiro dia, o Imperador Ryohai da Federação de Mugen mandou um pombo-correio para a Imperatriz Su Daji reivindicando formalmente o retorno de seu soldado em Muriden.

A Imperatriz conclamou os Doze Líderes para seu palácio em Sinegard. Eles deliberaram por setenta e duas horas.

No sexto dia, a Imperatriz respondeu formalmente que Ryohai tinha mais é que se foder.

No sétimo dia, a Federação de Mugen declarou guerra a Nikan. Por toda a ilha em formato de arco, mulheres choraram de alegria e compraram retratos do Imperador Ryohai para pendurar em suas casas, homens se alistaram para servir nas forças de reserva e crianças correram pelas ruas gritando com a celebração da sede de sangue de uma nação em guerra.

No oitavo dia, um batalhão de soldados da Federação chegou ao porto de Muriden e dizimou a cidade. Diante da resistência do Exército da província, ordenaram que todos os homens de Muriden, inclusive bebês e crianças, fossem reunidos e mortos.

As mulheres foram poupadas apenas pela pressa que o exército da Federação tinha para entrar no país. O batalhão pilhava os vilarejos por onde passava, roubando comida e animais. Matavam o que não podiam levar. Os soldados não precisavam de suprimentos. Tiravam o que precisavam da terra conforme viajavam. Marchavam pelo interior da nação numa coluna de guerra em direção à capital.

No décimo terceiro dia, uma águia com uma mensagem chegou ao gabinete de Jima Lain na Academia. Ela dizia simplesmente:

A Província do Cavalo caiu. Mugen está indo para Sinegard.

— É meio empolgante, na verdade — disse Kitay.

— Com certeza — falou Rin. — Estamos prestes a sofrer uma invasão de nossos inimigos de séculos depois de terem descumprido um acordo de paz que manteve a estabilidade de uma geopolítica frágil por duas décadas. Muito empolgante.

— Pelo menos sabemos que nosso emprego está garantido. Todo mundo quer mais soldados.

— Dá para ser um pouco menos fútil?

— Dá para ser menos deprimente?

— Dá para andarmos um pouco mais rápido? — perguntou o magistrado.

Rin e Kitay se entreolharam.

Os dois prefeririam estar fazendo qualquer outra coisa a ajudar no esforço de evacuação da cidade. Sinegard ficava muito ao norte, o que deixava todos apreensivos, então a burocracia imperial estava se mudando para a capital de tempos de guerra: a cidade de Golyn Niis, ao sul.

Quando o batalhão da Federação chegasse, Sinegard não seria nada além de uma cidade-fantasma. Uma cidade de soldados. Em teoria, isso significava que Rin e Kitay tinham o trabalho incrivelmente importante de assegurar que a liderança central do Império sobrevivesse, mesmo que a capital caísse.

Na prática, significava lidar com burocratas irritantes.

Kitay tentou colocar o último caixote na carroça e cambaleou na mesma hora com o peso.

— O que tem aqui dentro? — perguntou ele, oscilando enquanto tentava equilibrar o caixote no quadril.

Rin logo foi ajudar o amigo a colocar o item na carroça, que já estava um pouco inclinada com o peso das muitas posses do magistrado.

— Meus bules de chá — respondeu ele. — Vê a marca que fiz ao lado? Cuidado para não deixar isso cair.

— Seus bules de chá — repetiu Kitay, incrédulo. — Seus *bules de chá* são uma prioridade agora.

— Foram um presente para meu pai do Imperador Dragão, que sua alma descanse em paz. — O magistrado analisou a carroça carregada com atenção. — Ah, isso me faz lembrar: não se esqueçam do vaso no pátio.

Ele olhou suplicante para Rin.

Ela estava zonza por causa do calor da tarde, exausta pelas horas guardando os objetos do magistrado em diversos veículos que não haviam sido feitos para aquela função. Em seu estupor, Rin notou que as bochechas do homem tremiam de forma hilariante quando falava. Em outras circunstâncias, ela teria indicado aquilo para Kitay. Em outras circunstâncias, Kitay teria achado engraçado.

O magistrado indicou o vaso outra vez.

— Tome cuidado, por favor. É da época do Imperador Vermelho. Talvez seja melhor prendê-lo na parte de trás da carroça.

Rin o encarou sem acreditar.

— Senhor? — perguntou Kitay.

O magistrado olhou para o garoto.

— O que foi?

Com um resmungo, Kitay ergueu o caixote e o atirou no chão. Ele atingiu a terra empoeirada com um barulho seco, não com o ruído alto que Rin esperava. A tampa de madeira se abriu e, de lá, rolaram diversos bules de uma porcelana excelente, enfeitados com um padrão florido encantador. Apesar de tudo, pareciam intactos.

Então Kitay acertou os bules com um pedaço de pau.

Quando terminou de esmigalhá-los, o menino afastou os cachos do rosto e andou ao redor do magistrado, que suava em bicas, segurando com força seu assento, como se Kitay pudesse começar a bater nele também.

— Estamos em *guerra* — disse Kitay. — E como o senhor foi considerado importante para a sobrevivência do país, *sabem os deuses por quê*, está sendo evacuado. Então faça o seu trabalho. Acalme o povo. Ajude a gente a manter a ordem. *Não leve os seus bules de chá, droga.*

Em alguns dias, a Academia foi transformada de um campus para um acampamento militar. O local ficou infestado de soldados da Oitava Divisão vindos da Província da Cabra, com uniformes verde-musgo, e os alunos foram incorporados a seus batalhões.

Os soldados eram bruscos e estoicos. Olhavam para os alunos da Academia com má vontade, deixando bem evidente que, a seus olhos, os jovens não tinham lugar na guerra.

— É uma questão de superioridade — especulou Kitay depois. — A maioria dos soldados nunca nem tinha pisado em Sinegard. É como se fossem ordenados a trabalhar com um indivíduo que, em três anos, seria seu comandante, mesmo que você tivesse uma década de experiência a mais em combate que ele.

— Eles também não têm experiência em combate — disse Rin. — Não tivemos guerras nas últimas duas décadas. Esses homens sabem menos o que estão fazendo do que nós.

Kitay não conseguiu pensar em mais argumentos.

Ao menos a chegada da Oitava Divisão significou o retorno de Raban, que recebera a função de evacuar os calouros junto com os civis.

— Mas eu quero lutar! — protestou um aluno que mal chegava aos ombros de Rin.

— Bela ajuda você seria — respondeu Raban.

O calouro ergueu o queixo.

— Sinegard é meu lar. Vou defendê-la. Não sou mais um garotinho, não preciso mais ser escoltado como essas mulheres e crianças assustadas.

— Você *está* defendendo Sinegard. Está protegendo seus habitantes. Você é responsável pela segurança de todas essas mulheres e crianças. Seu trabalho é fazer com que cheguem à passagem da montanha. É uma função muito séria.

Raban olhou para Rin conforme conduzia os calouros pelo portão principal.

— Minha preocupação é alguns dos mais jovens tentarem voltar para cá — disse ele, baixinho.

— É mesmo fascinante — falou Rin. — A cidade deles está prestes a ser invadida, e seu primeiro instinto é defendê-la.

— Estão sendo idiotas — disse Raban. Ele falava sem a paciência costumeira. Parecia exausto. — Não é o momento para heroísmo. Estamos em guerra. Se permanecerem aqui, vão morrer.

Planos de fuga foram feitos para os alunos. Se a cidade caísse, eles escapariam por um barranco pouco conhecido no outro lado do vale, onde se reuniriam com o restante dos civis num esconderijo na montanha em que não poderiam ser pegos pelos batalhões da Federação. O plano não incluía os mestres.

— Jima acha que não temos chance — disse Kitay. — Ela e o restante do corpo docente cairão com a escola.

— Jima só está sendo cautelosa — retrucou Raban, tentando animá-los. — Sunzi não diz para criar planos para qualquer eventualidade?

— Sunzi também diz que, quando você atravessa um rio, deve queimar as pontes para que seu exército não pense em recuar — contrapôs Kitay. — Para mim, isso é o mesmo que recuar.

— Prudência não é a mesma coisa que covardia — comentou Raban. — Além disso, Sunzi também disse que você nunca deve atacar um inimigo acuado. Eles lutarão com mais afinco do que qualquer homem. Porque um inimigo acuado não tem nada a perder.

Os dias tanto pareciam durar uma eternidade quanto acabar antes que qualquer coisa pudesse ser feita. Rin tinha a incômoda sensação de que estavam apenas esperando o inimigo bater à sua porta. Ao mesmo tempo, não se sentia nem um pouco pronta, como se os preparativos da batalha não estivessem sendo feitos rápido o suficiente.

— Fico me perguntando qual é a aparência de um soldado da Federação — comentou Kitay enquanto desciam a montanha para pegar armas no arsenal.

— Imagino que tenham braços e pernas. Talvez até uma cabeça.

— Não, quero saber como eles são, com *quem* se parecem. Com os nikaras? Toda a Federação veio do continente leste. Não são como os hesperianos, então devem parecer ao menos *um pouco* normais.

Rin não conseguia ver a relevância daquilo.

— Isso importa?

— Você não quer ver o rosto do inimigo? — perguntou Kitay.

— Não, não quero — respondeu ela. — Porque assim posso acabar pensando que são humanos. E não são. Estamos falando de pessoas que deram ópio para bebês durante a última invasão. De pessoas que massacraram Speer.

— Talvez sejam mais humanos do que pensamos. Alguém já parou para perguntar o que a Federação quer? Por que lutam conosco?

— Porque aquela ilhota está entupida de gente e eles pensam que Nikan deveria ser *deles*. Porque lutaram conosco antes e quase ganharam — respondeu Rin. — Mas isso não interessa. Eles estão vindo e vamos ficar aqui; no final, quem sobreviver vai ser o vencedor. A guerra não determina quem tem razão. Ela determina quem sobrevive.

Todas as aulas em Sinegard foram interrompidas. Os mestres voltaram a ocupar posições que haviam abandonado havia décadas. Irjah assumiu o comando estratégico das Forças de Reserva Sinegardianas. Enro e seus aprendizes retornaram ao hospital central da cidade para armar um centro de triagem. Jima era agora a comandante marcial da cidade, uma posição que dividia com o Líder da Cabra. Às vezes, aquilo envolvia gritar com oficiais de Sinegard e com os obstinados chefes dos esquadrões.

As previsões não eram boas. A Oitava Divisão contava com três mil homens, muito pouco para conter a força invasora que, segundo relatórios, tinha dez mil soldados. O Líder da Cabra pediu reforços para a Terceira Divisão, que voltava de uma patrulha ao norte nas Terras Remotas, mas o grupo dificilmente chegaria antes da Federação.

Jiang estava quase sempre ocupado. Ou ficava revisando planos de contingência com Irjah no gabinete de Jima, ou nem estava no campus. Quando Rin enfim conseguiu encontrá-lo, o mestre parecia preocupado e impaciente. Ela teve que correr para acompanhá-lo enquanto descia os degraus.

— Vamos dar uma pausa nas aulas — anunciou ele. — Com certeza percebeu que não temos tempo para isso agora. Não há como eu me dedicar a treinar você de maneira adequada.

Ele tentou desviar da aluna, mas Rin agarrou a manga de sua roupa.

— Mestre, eu só queria perguntar: e se chamássemos os deuses? Quer dizer, contra a Federação?

— Do que está *falando*? — Ele parecia horrorizado. — Não é hora para isso.

— Com certeza o que estamos estudando pode ser usado em batalhas — insistiu Rin.

— Estamos aprendendo a consultar os deuses — falou Jiang. — Não a trazê-los de volta.

— Mas eles podem nos ajudar na luta!

— O quê? Não. *Não*. — Ele mexeu as mãos, cada vez mais agitado. — Você não escutou uma palavra do que eu disse nos últimos dois anos? Já *avisei* que os deuses não são armas que podemos limpar e usar. Eles não serão conjurados em batalha.

— Não é verdade — disse Rin. — Li os relatórios das cruzadas do Imperador Vermelho. Sei que monges conjuravam deuses contra ele. E os povos das Terras Remotas...

— Os terra-remotenses consultam seus deuses para cura. Buscam orientação e sabedoria — interrompeu Jiang. — Não chamam os deuses à terra porque sabem que é melhor não fazer isso. Com a ajuda divina, ganhamos todas as guerras que travamos, mas isso teve consequências terríveis. Há um preço a ser pago. Sempre há.

— Então qual é a *finalidade*? — bradou ela, com raiva. — Por que aprender Folclore, afinal?

A expressão no rosto de Jiang era horrível. Lembrava-a do dia em que Sunzi, o porco, foi morto, quando Rin revelou ao mestre que queria estudar Estratégia. Ele parecia ferido. Traído.

— A finalidade de cada lição não precisa ser a destruição — respondeu ele. — Ensinei Folclore a você para que encontrasse equilíbrio. Para que entendesse que o universo é mais do que percebemos. Não para que pudesse usar esse ensinamento como arma.

— Os deuses...

— Os deuses não serão usados como se fossem ajudantes de prontidão. Eles estão tão distantes da nossa compreensão que qualquer tentativa de usá-los como armas resultará apenas em desastre.

— E quanto à Fênix?

Jiang parou.

— Ah, não. Ah, não, não, não.

— A deusa dos speerlieses — falou Rin. — Ela sempre atendeu ao chamado. Se pudéssemos...

Jiang parecia estar sofrendo.

— Você sabe o que aconteceu com os speerlieses.

— Mas eles conseguiam canalizar o fogo bem antes da Segunda Guerra da Papoula! Eles praticaram xamanismo por séculos! O *poder*...

— O poder iria consumi-la — cortou Jiang, áspero. — É isso que fogo *faz*. Por que acha que os speerlieses nunca recuperaram a liberdade? Era de se imaginar que um povo como aquele não permaneceria subordinado por muito tempo. Eles teriam conquistado o país inteiro se o poder deles fosse sustentável. Como nunca se revoltaram contra o Império, então? O fogo os *matava*, Rin, da mesma forma que lhes dava poder. O fogo os enlouquecia, roubava deles a habilidade de raciocinar por si mesmos, até que tudo que soubessem fazer era lutar e destruir como tinham sido ordenados a fazer. Os speerlieses eram obcecados com o próprio poder e, contanto que o Imperador lhes concedesse liberdade para seguir com sua sede de sangue desenfreada, não se importavam com muita coisa. O povo de Speer era coletivamente delirante. Eles chamavam o fogo, sim, mas não vale a pena imitá-los. O Imperador Vermelho era cruel e inescrupuloso, mas até ele teve o bom senso de não treinar xamãs no Exército além dos speerlieses. Tratar os deuses como armas significa apenas morte.

— Estamos em *guerra*! Podemos morrer de qualquer maneira. Talvez chamar os deuses nos dê uma chance. O que de pior poderia acontecer?

— Você é tão jovem — falou ele, baixinho. — Não faz a menor ideia.

* * *

Depois daquilo, Rin não viu Jiang no campus. Ela sabia que o mestre a estava evitando, como fizera antes dos Testes, como fazia sempre que não queria ter uma conversa. Rin achava aquilo incrivelmente frustrante.
Você é tão jovem.
Aquela fala era ainda mais frustrante.
Ela não era tão jovem a ponto de não entender que seu país estava em guerra, a ponto de não ter recebido a incumbência de defendê-lo.
Crianças deixavam de ser crianças quando alguém colocava uma espada em suas mãos. Quando eram treinadas para lutar numa guerra, depois armadas e colocadas nas linhas de frente, não eram mais crianças. Eram soldados.

O tempo de Sinegard estava se esgotando. Todo dia, batedores informavam que as forças da Federação estavam mais próximas.
Ainda que precisasse, Rin não conseguia dormir. Cada vez que fechava os olhos, a ansiedade a esmagava como uma avalanche. Durante o dia, sua cabeça ficava mergulhada em exaustão e os olhos ardiam. Mesmo assim, ela não conseguia se acalmar o suficiente para descansar. Tentava meditar, mas o terror invadia sua mente; o coração acelerava e a respiração se contraía de medo.
À noite, sozinha na escuridão, ouvia mais e mais o chamado da Fênix. A deusa atormentava seus sonhos, sussurrava sedutoramente do outro mundo. A tentação era tão grande que Rin quase enlouqueceu.
Vou manter sua sanidade, prometera Jiang.
Mas ele não fizera isso. O mestre havia revelado um grande poder a ela, um poder maravilhoso e tentador, forte o suficiente para proteger a cidade e o país, mas então a proibira de acessá-lo.
Rin obedeceu porque Jiang era seu mestre, e a aliança entre mestre e aprendiz ainda significava algo, mesmo em tempos de guerra.
No entanto, isso não a impediu de ir até o jardim quando sabia que Jiang não estaria no campus e esconder vários punhados de sementes de papoula nos bolsos da frente.

CAPÍTULO 11

Quando a principal coluna das Forças Armadas da Federação marchou para Sinegard, seus soldados não tentaram esconder sua chegada. Não havia necessidade. A capital já sabia que estavam vindo, e o terror infligido pela Federação lhes dava uma vantagem estratégica bem maior do que o elemento surpresa. Eles avançaram em três colunas, vindas de todas as direções com exceção do oeste, onde a cidade era protegida pelas montanhas Wudang. Seguiram em frente com estandartes carmesins sobre as cabeças, iluminados por tochas erguidas.

Por Ryohai, diziam os estandartes. *Pelo Imperador*.

Em seu *Princípios da guerra*, Sunzi, o grande teórico militar, advertia sobre atacar um inimigo que ocupava um terreno mais alto. O alvo acima tinha a vantagem de poder ver todo o horizonte e não precisar cansar suas tropas subindo a colina.

A estratégia da invasão da Federação representava um gigantesco dedo do meio para Sunzi.

Para atacar Sinegard de um terreno mais alto, teria sido preciso fazer um contorno pelas montanhas Wudang, o que atrasaria o assalto da Federação em uma semana. Mugen não daria uma semana para Sinegard. Eles não precisavam disso. O país tinha as armas e os homens para atacar a cidade de baixo.

Do alto de seu ponto de vantagem na muralha ao sul, Rin observou as forças da Federação se aproximando como uma serpente em chamas que atravessava o vale, cercando Sinegard a fim de esmagá-la e engoli-la. Ela os viu chegando e estremeceu.

Quero me esconder. Quero que alguém me diga que vai ficar tudo bem, que isso é só uma brincadeira, um pesadelo.

Naquele instante, Rin percebeu que, por todo aquele tempo, estivera brincando de ser soldada, brincando de ser valente.

Mas ali, às vésperas da batalha, não havia mais como fingir.

O medo borbulhou no fundo de sua garganta, tão grosso e tangível que Rin quase se engasgou. O medo fez seus dedos tremerem tanto que ela quase largou a espada. O medo a fez esquecer como respirar. Ela precisou forçar o ar para dentro dos pulmões, fechar os olhos e contar conforme inalava e exalava. O medo a deixou tonta e enjoada, fez Rin querer vomitar por cima da muralha.

É só uma reação fisiológica, disse a si mesma. *Está tudo na sua cabeça. Você consegue controlar. Pode fazer isso desaparecer.*

Haviam estudado aquilo no treinamento. Haviam sido avisados de que poderiam se sentir daquela forma. Foram ensinados a controlar o medo, usá-lo como vantagem, aproveitar a adrenalina para permanecer alerta, para afastar a fadiga.

Mas uns poucos dias de treinamento não conseguiriam superar o que seu instinto lhe dizia: a verdade iminente era que ela logo sangraria, se machucaria e, muito provavelmente, morreria.

Quando fora a última vez que sentiu tanto medo? Ficara paralisada, com um pavor tão entorpecente, antes de entrar no ringue com Nezha dois anos atrás? Não. Estava com raiva naquele momento, e cheia de orgulho. Pensava ser invencível. Esperara a luta com ansiedade, com sede de sangue.

Aquilo parecia uma idiotice agora. Tão, tão idiota. A guerra não era um jogo em que uma pessoa lutava por honra e admiração, em que os mestres a manteriam longe de qualquer perigo real.

A guerra era um pesadelo.

Ela queria chorar. Queria gritar e se esconder atrás de alguém, atrás de um dos outros soldados; queria falar *Estou com medo, quero acordar deste sonho, por favor, me salve.*

Mas ninguém iria ajudá-la. Ninguém iria salvá-la. Não haveria um despertar.

— Tudo bem? — perguntou Kitay.

— Não — respondeu ela, tremendo. Sua voz era um guincho assustado. — Estou com medo. Kitay, nós vamos morrer.

— Não vamos, não — disse ele, fervorosamente. — Vamos vencer e vamos *viver*.

— Você também fez as contas. — Eles eram superados na proporção de três homens para um. — A vitória não é possível.

— Você precisa acreditar que é. — Kitay agarrava o cabo da espada com tanta força que seus dedos estavam brancos. — A Terceira Divisão vai chegar a tempo. Você tem que dizer a si mesma que isso é verdade.

Rin engoliu em seco e assentiu. *Você não foi treinada para choramingar e se acovardar*, disse a si mesma. A garota de Tikany, a noiva que escapou e que nunca havia visto uma cidade, teria ficado com medo. A garota de Tikany não existia mais. Ela era uma aprendiz do terceiro ano da Academia de Sinegard, era uma soldada da Oitava Divisão e fora treinada para lutar.

E não estava sozinha. Tinha as sementes de papoula no bolso. Tinha uma deusa ao seu lado.

— Me avise quando — falou Kitay.

Ele posicionou a espada sobre uma corda que segurava uma armadilha construída pelos dois para defender o perímetro. Fora Kitay quem a criara, e a acionaria assim que o inimigo estivesse ao alcance.

Os soldados inimigos estavam tão próximo que Rin via o brilho das tochas em seus rostos.

A mão de Kitay tremia.

— Ainda não — sussurrou ela.

O primeiro batalhão da Federação cruzou a divisa.

— Agora.

Kitay cortou a corda.

Uma avalanche de troncos de árvore foi liberada, rolando ladeira abaixo, puxados pela gravidade, para acertar a força principal em cheio. Os troncos rolaram de maneira aleatória, partindo membros e quebrando ossos com ruídos que lembravam trovões um depois do outro. Por um instante, o estrondo da carnificina foi tão grande que Rin pensou que poderiam ganhar aquela batalha antes mesmo de ela começar, que poderiam ter danificado o batalhão. Kitay gritou histericamente acima do tumulto, impedindo Rin de cair quando os portões começaram a tremer.

Porém, quando o clamor dos troncos morreu, os invasores continuaram avançando por Sinegard ao som constante dos tambores de guerra.

* * *

Um patamar acima de Rin e Kitay, sobre os precipícios mais altos do Portão Sul, os arqueiros dispararam uma saraivada de flechas. A maioria atingiu escudos erguidos. Algumas encontraram aberturas e afundaram suas pontas na carne desprotegida de pescoços. Contudo, os soldados altamente armados da Federação apenas marcharam sobre o corpo dos companheiros caídos e continuaram o ataque incansável aos portões da cidade.

O líder do esquadrão comandou que outra saraivada de flechas fosse lançada.

Foi praticamente inútil. Havia muito mais soldados do que flechas. Na melhor das hipóteses, a defesa externa de Sinegard era frágil. As armadilhas de Kitay foram acionadas e, embora todas tenham funcionado corretamente, com exceção de uma, não eram o bastante para causar um estrago significativo nos batalhões inimigos.

Não havia nada a fazer além de esperar. Esperar até os portões da cidade serem derrubados com o golpe derradeiro. Então os gongos de sinalização começaram a soar, gritando para todos que ainda não sabiam: a Federação enfim rompera as muralhas. A Federação estava em Sinegard.

Eles marcharam sob a cacofonia de tiros de canhões e foguetes, bombardeando as defesas externas de Sinegard.

O portão se dobrou e quebrou com a pressão.

Eles entraram como um enxame de formigas, como uma nuvem de vespas; implacáveis e infinitos, com números esmagadores.

Não temos como ganhar. Rin entrou em desespero, a espada ao seu lado. Que diferença faria se lutasse? Poderia atrasar sua sentença de morte por alguns poucos segundos, talvez minutos, mas, ao nascer do dia, estaria morta, o corpo alquebrado e ensanguentado no chão, e nada mais importaria...

Aquela batalha não era como as das lendas, em que os números não importavam, em que um punhado de guerreiros como a Trindade poderia acabar com uma legião inteira. Não importava que suas técnicas fossem boas; importavam apenas os números.

E o exército da Federação era muito mais numeroso.

O coração de Rin afundou conforme ela observava as tropas avançando pela cidade, fileiras e colunas que se estendiam até o infinito.

Vou morrer aqui, percebeu ela. *Eles vão nos aniquilar.*

— Rin!

Kitay a empurrou com força; ela caiu nas pedras no momento em que um machado afundava na parede onde sua cabeça estivera.

O homem que manejava a arma a arrancou da parede e deu outro golpe na direção deles, mas dessa vez Rin bloqueou o machado com a espada. O impacto fez a adrenalina correr por seu corpo.

Era impossível erradicar o medo. Mas também era impossível calar o instinto de sobrevivência.

Rin agachou debaixo do braço do soldado e enfiou a espada no sulco macio abaixo de seu queixo, desprotegido pelo capacete. A arma atravessou gordura e tendões, e Rin sentiu a ponta da arma cruzar a língua dele e seguir pelo nariz até o cérebro. Suas artérias carótidas explodiram em contato com o metal. O sangue escorreu da mão de Rin até o cotovelo. O homem balançou um pouco e caiu em cima dela.

Ele está morto, pensou Rin, entorpecida. *Eu o matei.*

Apesar de todo o treinamento em combate, Rin nunca havia parado para pensar em como seria tirar a vida de alguém. Em como seria destruir uma artéria, não apenas fingir fazer isso. Machucar tanto um corpo que todas as suas funções seriam interrompidas, que os movimentos parariam para sempre.

Na Academia, ensinavam-lhes a incapacitar. Os alunos treinavam lutas com amigos sob as regras rigorosas dos mestres, que os observavam com atenção para evitar ferimentos. Embora soubessem a teoria, eles não haviam sido treinados para matar, não de verdade.

Rin pensou que sentiria a vida deixando o corpo da vítima. Pensou que registraria sua morte com pensamentos mais profundos do que *Um já foi, agora só faltam dez mil*. Pensou que sentiria *alguma coisa*.

Mas não sentiu nada. Apenas um choque temporário, depois a compreensão sombria de que teria que fazer aquilo de novo, e de novo, e de novo.

Retirou a arma da mandíbula do soldado assim que outro homem deu um golpe acima de sua cabeça. Ergueu a espada e bloqueou o movimento. E desviou. E atacou. E derramou sangue de novo.

Não foi nem um pouco mais fácil na segunda vez.

Parecia que o mundo inteiro era ocupado por soldados da Federação. Todos pareciam iguais — capacetes e armaduras idênticos. *Acabe com um e logo surge outro.*

No meio da briga, Rin não tinha tempo de pensar. Lutava por reflexo. Cada ação pedia uma reação. Não conseguia mais ver onde Kitay estava; ele havia desaparecido no mar de corpos, no oceano de metal e tochas.

Combater a Federação era bem diferente do que lutar no ringue. Ela não tinha aquela prática. O inimigo vinha de todos os lados, e derrubar um oponente não a fazia chegar mais perto da vitória.

A Federação não usava artes marciais. Seus movimentos eram duros, planejados. Seus padrões eram previsíveis. Mas tinham habilidade com sequências de golpes, com combate em grupo. Moviam-se como se compartilhassem uma só mente; ações sincronizadas produzidas por anos de exercícios pesados. Seu treinamento era melhor. Seus equipamentos também.

A luta da Federação não era graciosa. Era brutal. E eles não temiam a morte. Caso se machucassem, caíam, e os companheiros avançavam sobre seus corpos mortos. Eram incansáveis. E havia *tantos deles.*

Vou morrer.

A não ser que... A não ser que...

As sementes de papoula em seu bolso imploravam para serem engolidas. Ela poderia usá-las. Poderia ir até o Panteão e conjurar um deus para levar consigo. Se todos iam morrer de qualquer forma, de que importavam os avisos de Jiang?

Ela vira a cara da Fênix. Sabia o tipo de poder que estava ao alcance de seus dedos. Bastava pedir.

Posso transformá-la em algo incrível. Posso transformá-la numa lenda.

Ela não queria ser uma lenda, só queria permanecer viva. Queria viver acima de qualquer coisa, danem-se as consequências, e se chamar a Fênix a ajudaria nisso, então que assim fosse. Os avisos de Jiang não significavam nada para ela agora, não enquanto seus patrícios e colegas estivessem sendo destruídos diante dela, não enquanto Rin não tivesse certeza de que aquele segundo seria o último. Se fosse morrer, não morreria assim — pequena, fraca e indefesa.

Ela estava ligada a uma deusa.

Ela morreria como uma xamã.

Com o coração martelando no peito, a garota se abaixou num canto protegido; pelos poucos segundos em que ninguém a viu, Rin enfiou a mão no bolso e pegou as sementes, levando-as até a boca.

Hesitou.

Se engolisse as sementes e elas não funcionassem, com certeza morreria. Não podia lutar drogada, zonza e delirante.

O som de uma trombeta cruzou o ar. Rin levantou a cabeça. Era um pedido de ajuda vindo do Portão Leste.

Mas o Portão Sul não tinha tropas para dispensar. O lugar todo era uma zona de crise. A Federação contava com o triplo do contingente deles; se perdessem metade das tropas para o Portão Leste, então poderiam muito bem deixar o inimigo entrar na cidade sem fazer nada.

Porém, o esquadrão de Rin recebera ordens de atender ao pedido de ajuda se o ouvisse. Ela congelou, incerta, com as sementes ainda na palma da mão. Bem, não podia engoli-las *naquele exato momento* — a droga levava alguns minutos para fazer efeito, e depois ela ficaria no limbo por um período indeterminado enquanto seguia para o Panteão. Mesmo que pudesse acalmar seus pensamentos por tempo suficiente para chamar os deuses, não sabia se eles responderiam.

Deveria permanecer ali, escondida, e tentar chamar um deus, ou deveria ir ajudar seus companheiros?

— Vá! — gritou o líder do esquadrão sobre os ruídos da batalha. — Vá para o portão!

Rin correu.

O Portão Sul havia sido uma batalha. Mas o Portão Leste fora um massacre.

Os soldados nikaras haviam caído. Rin correu para seus postos, mas a esperança diminuía a cada passo. Não conseguia ver ninguém com armadura nikara de pé. Os soldados da Federação simplesmente atravessavam o portão, sem ninguém para impedi-los.

Ficou óbvio que as forças da Federação fizeram do Portão Leste o alvo principal. Atacaram o lugar com o triplo de tropas, usaram armas sofisticadas para romper as muralhas da cidade. Catapultas lançavam detritos em chamas na direção de torres de vigia que não atacavam de volta.

Ela viu Niang num canto, curvada sobre um corpo inerte com o uniforme do Exército. Enquanto Rin passava, a colega ergueu o rosto, marcado por lágrimas e sangue. O corpo era de Raban.

Rin sentiu como se tivesse sido esfaqueada nas entranhas. *Não... Raban, não...*

Ela percebeu algo às suas costas e girou rapidamente. Dois soldados da Federação estavam atrás dela. O primeiro ergueu a espada e desferiu um golpe. Rin desviou da lâmina e atacou com a própria espada.

O metal encontrou tendões. Ela ficou cega pelo sangue derramado sobre seus olhos; não conseguia ver o que estava cortando, apenas sentiu uma grande tensão que depois relaxou, e então o soldado da Federação estava aos seus pés, urrando de dor.

Ela deu outro golpe sem pensar. Os gritos pararam.

Então o outro soldado bateu com o escudo no braço dela. Rin berrou e deixou a espada cair. Com um chute, o soldado afastou a lâmina e afundou o escudo nas costelas de Rin, então pegou sua arma para dar o golpe final enquanto a garota estivesse caída.

Seu braço vacilou e despencou. O soldado fez um som gorgolejante enquanto encarava, sem acreditar, a lâmina que saía de sua barriga.

Ele caiu para a frente e não se mexeu.

Os olhares de Nezha e Rin se encontraram, e o rapaz retirou a espada das costas do soldado. Com a outra mão, jogou a arma extra que tinha para ela.

Rin a pegou no ar. Seus dedos se fecharam com familiaridade ao redor do cabo. Uma onda de alívio percorreu seu corpo. Ela tinha uma espada.

— Obrigada — falou.

— À sua esquerda — respondeu ele.

Sem pensar, eles assumiram suas posições; costas unidas, lutando e resguardando os pontos cegos um do outro. Formavam uma equipe surpreendentemente boa. Rin protegia os golpes esticados de Nezha; Nezha resguardava os cantos inferiores de Rin. Ambos conheciam intimamente as fraquezas um do outro: Rin sabia que Nezha demorava para recuperar a guarda depois de perder um golpe; Nezha lutava de cima, enquanto Rin se abaixava para ataques próximos.

Rin não podia ler a mente do rapaz, mas passara tanto tempo o observando que sabia exatamente como ele atacaria. Os dois eram uma máquina lubrificada. Faziam uma dança coordenada de forma espontânea. Não eram duas partes de algo único, não exatamente, mas chegavam perto.

Se não tivessem passado tanto tempo se odiando, pensou Rin, poderiam até ter treinado juntos.

De costas um para o outro, espadas apontadas para os inimigos, lutaram com uma selvageria desesperada. Lutaram melhor que homens com o dobro de suas idades. Cada um aproveitava a força do parceiro: contanto que Nezha continuasse lutando, que não se cansasse, Rin também não se sentiria exausta. Porque agora não estava apenas lutando para se manter viva, estava lutando com alguém ao seu lado. Lutaram tão bem que quase se convenceram de que sairiam daquela ilesos. Na verdade, a ofensiva estava diminuindo.

— Estão batendo em retirada — falou Nezha, incrédulo.

O peito de Rin se encheu de esperança por um instante curto e abençoado, até perceber que Nezha havia se enganado. Os soldados não estavam se afastando deles. Estavam abrindo caminho para o general.

O general era o homem mais alto que Rin já tinha visto. Seus membros eram grossos como troncos de árvores, sua armadura tinha metal suficiente para abrigar três homens menores. Ele montava um cavalo de guerra tão grande quanto ele, uma criatura monstruosa, adornada por aço. Seu rosto estava oculto por um capacete de metal que deixava apenas os olhos à mostra.

— O que é isso? — Sua voz reverberava de um jeito que não era natural, como se o próprio chão tremesse quando ele falava. — Por que pararam?

Ele puxou as rédeas do cavalo diante de Rin e Nezha.

— Dois filhotinhos — falou, a voz baixa, como se achasse aquilo divertido. — Dois filhotinhos nikaras, protegendo os portões sozinhos. Sinegard fracassou tanto a ponto de a cidade precisar ser defendida por crianças?

Nezha tremia. Rin estava assustada demais para tremer.

— Vejam com atenção — disse o general aos seus soldados. — É assim que lidamos com a escória nikara.

Rin agarrou o pulso de Nezha.

O garoto assentiu de leve em resposta à pergunta não feita por ela.
Juntos?
Juntos.
O general recuou com o cavalo gigante e os atacou.
Não havia nada que pudessem fazer. Naquele instante, Rin só conseguiu fechar os olhos e esperar pelo fim.

O fim não veio.
Um clangor ensurdecedor encheu o espaço — o som de metal batendo em metal. O próprio ar tremeu com uma vibração anormal de uma grande força sendo impedida de seguir adiante.
Quando Rin percebeu que não havia sido atropelada ou cortada ao meio, abriu os olhos.
— Cacete — falou Nezha.
Jiang estava na frente deles, o cabelo branco parado no ar, como se tivesse sido atingido por um raio. Seus pés não tocavam o chão. Seus dois braços estavam esticados, bloqueando a enorme alabarda do general com seu bastão de ferro.
O general tentou retirar o bastão de Jiang do caminho, e seus braços tremiam com uma pressão poderosa, mas o mestre parecia não estar fazendo força alguma. O ar crepitava de maneira estranha, como o estrondo prolongado de um trovão. Os soldados da Federação recuaram, como se pudessem pressentir uma explosão iminente.
— Jiang Ziya — disse o general. — Ainda está vivo, então.
— Eu conheço você? — perguntou o nikara.
O general respondeu com outro movimento da alabarda. Jiang moveu o bastão e bloqueou o golpe tão facilmente quanto se estivesse afastando uma mosca. Ele dissipou a força da pancada no ar e no chão. As pedras do pavimento tremeram com o impacto e quase chegaram a derrubar Rin e Nezha.
— Mande seus homens recuarem.
Embora Jiang tivesse dito aquilo com calma, sua voz ecoou como se fosse um grito. Ele pareceu ficar mais alto; não maior, mas de alguma maneira prolongado, como se sua sombra se esticasse numa parede atrás dele. Não mais magricela e agitado, Jiang parecia uma pessoa completamente diferente — mais jovem, com muito mais poder.

Rin o encarava, impressionada. Aquele homem não era o constrangimento senil e excêntrico da Academia.

Aquele homem era um soldado.

Aquele homem era um xamã.

Quando Jiang voltou a falar, sua voz continha um eco próprio; comunicava-se em dois tons, um normal e outro bem mais grave, como uma sombra que repetia tudo com o dobro do volume.

— Mande seus homens recuarem ou vou conjurar coisas que não deveriam existir neste mundo.

Nezha agarrou o braço de Rin. Seus olhos estavam esbugalhados.

— *Olha*.

O ar atrás de Jiang girava, reluzia, assumia um tom mais escuro que a noite. Os olhos do mestre reviraram para dentro das órbitas. Ele entoou em voz alta, cantando num idioma desconhecido que Rin só o ouvira usando uma vez antes.

— Você foi *Selado*! — berrou o general. Mas logo se afastou e se agarrou à alabarda.

— Fui? — Jiang estendeu os braços.

Às suas costas, surgiu um uivo forte, agudo demais para pertencer a qualquer besta conhecida pela humanidade.

Algo estava vindo da escuridão.

No portal, Rin viu silhuetas que só deveriam existir como marionetes, formas de animais que pertenciam às histórias. Um leão de três cabeças. Uma raposa de nove caudas. Um ninho de serpentes enroladas, suas diversas cabeças se movimentando e mordendo em todas as direções.

— Rin. Nezha. — Jiang não se virou para olhar os alunos. — *Corram*.

Então Rin entendeu. O que quer que estivesse sendo evocado, Jiang não conseguiria controlar. *Os deuses não serão chamados de bom grado para as batalhas. Eles sempre vão exigir algo em troca.* Jiang estava fazendo exatamente o que a proibira de fazer.

Nezha ajudou Rin a se levantar. Parecia que haviam atingido sua patela esquerda com facas em chamas. Rin gemeu e cambaleou, apoiando-se nele.

Nezha a estabilizou. Seus olhos estavam arregalados, horrorizados. Não havia tempo para correr.

Jiang entrou em convulsão bem diante deles e então perdeu todo o controle. O portal explodiu, rasgando o tecido do mundo, fazendo cair as muralhas do portão ao redor deles. O mestre bateu com o bastão no ar. Uma onda poderosa surgiu e estourou, formando um anel visível. Por um segundo, tudo ficou quieto.

E então a muralha do leste desabou.

Rin gemeu e rolou para o lado. Ela mal conseguia ver ou sentir alguma coisa. Nenhum de seus sentidos funcionava; estava presa num casulo de escuridão invadido apenas por fragmentos de dor. Sua perna encontrou algo macio e humano, e ela estendeu a mão para ver o que era. Era Nezha.

Ela grunhiu e se forçou a abrir os olhos. Nezha estava caído sobre ela, sangrando bastante de um corte na testa. Seus olhos estavam fechados.

Rin se sentou, tremendo, e balançou o ombro dele.

— Nezha?

Ele se mexeu. Rin foi tomada pelo alívio.

— Temos que nos levantar... Nezha, vamos! Temos que...

Destroços irromperam no canto mais distante do portão.

Algo estava enterrado sob os escombros. Algo estava vivo.

Ela segurou a mão de Nezha e observou os detritos se movendo, torcendo para que fosse Jiang, implorando para que ele tivesse sobrevivido a qualquer que fosse o terror que havia conjurado e que estivesse bem, voltasse a ser como era, salvasse o...

A mão que surgiu dos escombros estava sangrando e era enorme, coberta por uma armadura pesada.

Rin devia ter matado o general antes que ele pudesse sair dos escombros. Devia ter pegado Nezha e corrido. Devia ter feito *alguma coisa*.

Mas seu corpo não queria obedecer aos comandos que o cérebro enviava; os nervos não registravam nada além do mesmo medo e desespero. Ela permaneceu paralisada no chão, o coração martelando o peito.

Com dificuldade, o general ficou de pé, deu um passo torto e depois outro. Seu capacete havia desaparecido. Quando virou o rosto na direção deles, Rin perdeu o fôlego. Metade de sua face fora arrasada pela explosão, revelando um sorriso esquelético assustador debaixo da pele dependurada.

— *Escória nikara* — rosnou ele enquanto avançava. Seu pé ficou preso no corpo inerte de um de seus soldados. Sem olhar, ele o chutou para longe com desgosto. Os olhos permaneciam fixos em Rin e Nezha. — Vou *esmagar* vocês.

Nezha soltou um gemido baixo de terror.

Os braços de Rin enfim responderam aos seus comandos. Ela tentou levantar Nezha, mas as pernas estavam bambas de medo, e não conseguiu se erguer.

O general se assomou sobre os dois. Ergueu a alabarda.

Em pânico, Rin levantou a espada num enorme arco. A lâmina atingiu inutilmente a armadura que cobria o torso do general.

O homem fechou a manopla ao redor da lâmina fina e a arrancou das mãos dela. Seus dedos deixaram sulcos no metal.

Tremendo, Rin soltou a espada. O homem a agarrou pelo colarinho e a jogou no que havia sobrado da muralha. Sua cabeça bateu na pedra; a vista ficou escura, depois surgiram clarões de luz e então um nada embaçado. Ela piscou devagar, e o pouco de visão que recobrou mostrava o general erguendo a arma devagar na direção de Nezha.

Rin abriu a boca para gritar bem no momento em que o homem afundava a lâmina na barriga de Nezha. O garoto soltou um grito alto e triste. Uma segunda investida o calou.

Aos prantos, Rin buscou as sementes de papoula no bolso. Pegou um bocado delas e as levou à boca, engolindo-as bem quando o general percebeu que ela ainda estava se movendo.

— Nada disso — rosnou ele, puxando o manto de Rin. Ele a trouxe para perto do rosto, observando-a com aquele meio sorriso assustador. — Chega dessa bruxaria nikara. Os deuses não vão querer ocupar recipientes mortos.

Rin se debateu para tentar se livrar do homem, as lágrimas escorrendo pelo rosto enquanto arfava em busca de ar. Sua cabeça latejava no local em que atingira a pedra. Ela se sentia flutuando, nadando na escuridão, mas, se era por causa das sementes ou do machucado na cabeça, não sabia. Ou estava morrendo, ou estava prestes a encontrar os deuses. Talvez as duas coisas.

Por favor, rezou ela. *Por favor, venham a mim. Eu faço qualquer coisa.*

Então se viu inclinada na direção do nada; estava seguindo para os céus de novo, o espírito subindo, arremessado a uma enorme velocidade rumo a um lugar desconhecido. Os cantos de sua visão escureceram e depois assumiram um tom familiar de vermelho, uma camada carmesim que se espalhou por todo o seu campo de visão como uma lente de vidro.

Em sua imaginação, Rin viu a Mulher diante de si. A figura esticou a mão em sua direção, mas...

— Saia da minha frente! — gritou Rin.

Não tinha tempo para guardiões, não tinha tempo para avisos. Precisava dos deuses, precisava da deusa *dela*.

Para sua surpresa, a Mulher obedeceu.

Então Rin atravessou a barreira, e estava ascendendo de novo. Chegou à sala dos tronos divinos, o Panteão.

Todos os pedestais estavam vazios, com exceção de um.

Ela a viu em todas as suas chamas esplendorosas. Uma voz alta e terrível ecoou em sua mente. Ecoou por todo o universo.

Posso lhe dar o poder que procura.

Rin se esforçou muito para respirar, mas a mão do general apertava seu pescoço.

Posso lhe dar força para derrubar impérios. Para queimar seus inimigos até que os ossos deles não sejam nada além de cinzas. Posso lhe dar tudo isso e mais. Você conhece o acordo. Conhece os termos.

— Qualquer coisa — sussurrou Rin. — Qualquer coisa mesmo. *Tudo.*

Algo como uma lufada de vento soprou pela sala. Rin pensou ter ouvido alguma coisa se quebrando.

Abriu os olhos. Sua cabeça não estava mais zonza. Ela levantou as mãos e segurou os pulsos do general. Estava muito fraca, seu toque devia ter sido leve como o de uma pena. Mas o brutamontes berrou e a largou. Quando ergueu os braços para desferir um golpe, Rin viu que os pulsos do general estavam vermelhos e cobertos de bolhas.

Ela desviou e levantou os cotovelos para formar um escudo patético.

Uma grande parede de fogo surgiu à sua frente. O calor atingiu seu rosto. O general tropeçou para trás.

— Não... — Ele estava boquiaberto, sem acreditar. Olhava para Rin como se estivesse vendo outra pessoa. — Você não.

Rin se esforçou para ficar de pé. As chamas continuavam a surgir ao seu redor, chamas que ela não conseguia controlar.

— Você *morreu*! — gritou o general. — Eu matei você!

Ela se ergueu devagar, e o fogo que escapava de suas mãos, as fontes que o abrigavam, deixaram o general sem escapatória. Ele gritou de dor quando as chamas lamberam suas feridas abertas, os buracos em seu rosto, em seu corpo inteiro.

— Eu vi você queimar! Vi todos vocês queimarem!

— Não a mim — sussurrou ela, abrindo as mãos na direção dele.

O fogo seguiu adiante, com sede de vingança. Rin sentia uma sensação dilacerante, como se as chamas saíssem de suas entranhas, de algum lugar dentro dela. Espalhavam-se por seu corpo, sem feri-la, mas a imobilizando. Ela era usada como um meio. Não controlava as chamas, não mais que o pavio da vela controla o fogo; elas se uniam a Rin e a envolviam.

Ela viu a Fênix em sua mente, ondulando seu pedestal no Panteão. Observando. Rindo.

Rin não conseguia ver o general através das chamas, apenas uma silhueta, uma armadura em colapso entortando, uma pilha de coisas que era menos um homem e mais um monte de carne, carvão e metal queimado.

— Pare — sussurrou ela.

Por favor, pare.

Mas o fogo continuou. A massa que fora o general caiu para trás e ruiu, uma bola de fogo que foi diminuindo até desaparecer.

Os lábios de Rin estavam secos, rachados. Quando ela os abriu, eles sangraram.

— Pare, por favor.

O fogo rugiu cada vez mais alto. Ela não conseguia ouvir; não conseguia respirar. Caiu de joelhos, os olhos bem fechados, enterrando o rosto nas mãos.

Estou implorando.

Ela viu a Fênix se recolher em sua mente, como se estivesse irritada. A deusa abriu as asas de forma ampla e furiosa e então as dobrou.

O caminho para o Panteão estava fechado.

Rin balançou e desabou.

* * *

O tempo deixou de ter significado. Havia uma batalha ao redor dela e então não mais. Rin foi abraçada por uma câmara vazia, isolada de tudo que acontecia ao seu redor. Nada mais existia até o ponto em que passou a existir.

— Ela está queimando. — Rin ouviu Niang falando. — Fervendo... Verifiquei se havia veneno nas feridas, mas não há nada.

Não é febre, Rin queria dizer, *é uma deusa*. A água que Niang gotejava em sua testa era inútil para aplacar as chamas que ainda corriam dentro dela.

Ela tentou perguntar por Jiang, mas sua boca não se movia. Não conseguia falar. Não conseguia se mexer.

Achou que conseguia ver, mas não sabia se aquilo era um sonho, porque, quando abriu os olhos, viu um rosto tão amável que quase chorou.

Sobrancelhas arqueadas, a suavidade de uma porcelana. Lábios como sangue.

A Imperatriz?

Mas a Imperatriz estava longe, com a Terceira Divisão, que ainda vinha do norte. Eles não podiam ter chegado tão cedo, antes do raiar do dia.

O dia já havia raiado? Achou que conseguia ver os primeiros raios de sol, a aurora após aquela noite longa e horrível.

— Qual é o nome dela? — perguntou a Imperatriz.

"Dela"? A Imperatriz está falando de mim?

— Runin. — Era a voz de Irjah. — Fang Runin.

— Runin — repetiu a Imperatriz. Sua voz era como o dedilhar de uma corda numa cítara: aguda, penetrante e bela ao mesmo tempo. — Runin, olhe para mim.

Rin sentiu os dedos da Imperatriz nas bochechas. Eram frios como neve, como uma brisa de inverno. Ela abriu os olhos. Os olhos dela não eram como os de uma víbora. Eram selvagens, escuros e estranhos, mas belos como os de uma corça.

E as *visões*... ela viu uma nuvem de borboletas, faixas de seda flutuando ao vento. Viu um mundo que consistia apenas em beleza, cor e ritmo. Teria feito qualquer coisa para permanecer presa naquele olhar.

A Imperatriz inalou ruidosamente, e as visões desapareceram.

Ela apertou mais o rosto de Rin.

— Eu vi você queimar — falou ela. — Achei que havia visto você morrer.

Rin tentou responder que não estava morta, mas sua língua estava pesada demais, e tudo que conseguiu produzir foi um som de engasgo.

— Shhh. — A Imperatriz colocou um dedo gelado sobre os lábios de Rin. — Não fale nada. Está tudo bem. Sei o que você é.

Então ela sentiu uma pressão fria de lábios na testa, a mesma frieza que Jiang aplicara nela durante o torneio, e o fogo dentro de Rin morreu.

CAPÍTULO 12

Quando Rin recebeu alta de Enro, foi levada até o porão do salão principal, onde as lutas costumavam acontecer. Devia ter achado aquilo estranho, mas estava confusa demais para pensar em qualquer coisa. Passava uma quantidade enorme de tempo dormindo. Não havia relógios ali, mas com frequência ela acordava e via que o sol já havia se posto. Achava difícil permanecer acordada por mais de alguns minutos. Traziam-lhe comida e, sempre que Rin comia, caía no sono quase de imediato.

Certa vez, enquanto dormia, ouviu vozes falando sobre ela.

— Isso é deselegante — disse a Imperatriz.

— Isso é *desumano* — respondeu Irjah. — Vossa Majestade está tratando a garota como uma criminosa comum. Ela pode ter vencido a batalha por nós.

— Mesmo assim, pode queimar a cidade inteira — falou Jun. — Não sabemos do que ela é capaz.

— É só uma menina — argumentou Irjah. — Ela vai sentir medo. Alguém precisa contar o que está acontecendo com ela.

— Não *sabemos* o que está acontecendo com ela — disse Jun.

— Mas é óbvio — falou a Imperatriz. — Ela é outro Altan.

— Então vamos deixar Tyr lidar com ela quando chegar — afirmou Jun.

— Tyr está vindo do Castelo da Noite — disse Irjah. — Você pretende mantê-la sedada por uma semana?

— Com certeza não vou deixá-la sair andando por aí — respondeu Jun. — Você *viu* o que o Guardião fez com a muralha do leste. O Selo dele está se partindo, Daji. Ele é uma ameaça maior do que a Federação.

— Não mais — falou a Imperatriz, categórica. — A situação com o Guardião já foi resolvida.

Quando Rin arriscou abrir os olhos, não viu ninguém por perto. Não se lembrava de tudo que haviam dito e, depois de tanto tempo, não tinha mais certeza se havia sonhado com aquilo tudo.

Por fim, recuperou os sentidos. Mas, ao tentar sair do porão, foi impedida por três soldados da Terceira Divisão.

— O que está acontecendo? — perguntou. Rin ainda se sentia um pouco tonta, mas estava consciente o bastante para saber que aquilo não era normal. — Por que não posso sair?

— É para sua própria segurança — respondeu um deles.

— Do que está falando? Quem autorizou isso?

— Temos ordens para mantê-la aqui — respondeu o soldado, seco. — Se tentar abrir caminho, teremos que impedi-la.

O soldado mais próximo já estava sacando a arma. Rin recuou. Ela compreendeu que não conseguiria fazê-los mudar de ideia.

Então ela se voltou para o mais primitivo dos métodos. Abriu a boca e gritou. Contorceu-se sem parar no chão. Bateu nos soldados e cuspiu na cara deles. Ameaçou urinar na frente deles. Gritou obscenidades sobre suas mães. Gritou obscenidades sobre suas avós.

Isso se prolongou por horas.

Enfim eles obedeceram ao seu pedido de falar com alguém no comando.

Infelizmente, essa pessoa era o Mestre Jun.

— Isso é desnecessário — disse ela, injuriada, quando Jun chegou. Rin havia arrumado rapidamente as roupas para não parecer que apenas um minuto atrás estava rolando no chão. — Não vou machucar ninguém.

O olhar de Jun indicava que a última coisa que ele faria no mundo era acreditar nela.

— Você acabou de demonstrar a capacidade de entrar em combustão espontânea. Incendiou a porção leste da cidade. Entende por que talvez possamos não querer que fique andando por aí?

Rin pensou que a combustão havia sido mais deliberada do que espontânea, mas não achava que explicar *como* ela acontecera a faria parecer uma ameaça menor.

— Quero falar com Jiang — disse ela.

A expressão de Jun era indecifrável. Ele saiu sem lhe dar qualquer resposta.

Assim que Rin superou a indignação de ter sido presa, decidiu que o melhor a fazer era esperar. Ela era leal à Imperatriz. Era uma boa soldada. Os outros mestres de Sinegard confirmariam isso, mesmo que Jun se negasse a fazê-lo. Contanto que mantivesse a cabeça fria, não havia nada a temer. Por mais absurdo que fosse, pensou que, se fosse ter problemas por alguma coisa, seria por posse de ópio.

Ao menos ela não tinha sido mantida em isolamento. Rin descobriu que poderia receber visitas no porão. Ela só não podia sair.

Niang a visitava com frequência, mas não era muito de conversar. Quando sorria, era forçado. A garota se movia de forma apática. Não ria quando Rin tentava animá-la. Elas passavam horas sentadas em silêncio, ouvindo a respiração uma da outra. Niang estava atordoada, sem saber como lidar com o luto, e Rin não sabia o que fazer para consolá-la.

— Também sinto saudade de Raban — disse ela certa vez, mas tudo que Niang fez foi chorar e ir embora.

Por outro lado, Rin interrogava Kitay sem piedade, pedindo por notícias. Ele visitava o máximo que podia, mas estava sempre sendo chamado para missões de assistência.

Aos poucos, ela foi sendo informada sobre o que acontecera após a batalha.

A Federação estava quase conquistando Sinegard quando ela matou o general. Aquilo, com a chegada na hora certa da Imperatriz e da Terceira Divisão, virou o jogo a favor deles. A Federação havia batido em retirada nesse ínterim. Kitay duvidava que retornariam tão cedo.

— As coisas acabaram bem rápido depois que a Terceira chegou — contou ele. Seu braço estava preso a uma tala, mas o amigo lhe assegurou que era apenas uma pequena torção. — Teve muito a ver com... bem, você sabe. A Federação ficou assustada. Acho que ficaram com medo de termos mais de um speerliês.

Ela se sentou.

— Como é?

Kitay parecia confuso.

— Bem, não é isso que você é? — perguntou ele.

Uma speerliesa? *Ela?*

— É o que estão falando por toda a cidade — disse Kitay. Rin sentia seu desconforto. A mente do amigo funcionava muito mais rápido do que a de uma pessoa normal, e sua curiosidade era insaciável. Ele precisava saber o que Rin havia feito, o que ela era e por que não havia lhe contado.

Mas Rin não sabia o que dizer. Ela não sabia quem era.

— O que as pessoas estão falando? — perguntou.

— Que você sentiu uma sede de sangue frenética. Que lutou como se estivesse possuída por uma horda de demônios. Que o general a atingiu várias vezes e deu dezoito facadas, e você continuou se mexendo.

Ela estendeu os braços.

— Nenhum ferimento de faca. Ele só acertou Nezha.

Kitay não riu.

— É verdade, então? Você está trancada aqui, então *deve* ser verdade.

Então Kitay não sabia sobre o fogo. Rin pensou em lhe contar, mas hesitou.

Como poderia explicar o xamanismo para Kitay, que era tão convencido da própria racionalidade? O garoto era o exemplo do modernista que Jiang desprezava. Kitay era ateu, cético, não aceitava desafios à forma como via o mundo. Ele pensaria que Rin havia enlouquecido. E ela estava cansada demais para discutir.

— Não sei o que aconteceu — disse ela. — Foi tudo um borrão. E não sei quem sou. Sou uma órfã de guerra. Posso ter vindo de qualquer lugar. Posso ser qualquer pessoa.

Ele não parecia satisfeito.

— Jun está convencido de que você é speerliesa.

Mas como isso poderia ter acontecido? Rin era um bebê quando Speer foi atacada, e não teria conseguido sobreviver se ninguém mais tivesse sobrevivido.

— Mas a Federação massacrou Speer — falou ela. — E não deixou sobreviventes.

— Altan sobreviveu — disse Kitay. — Assim como você.

Os alunos da Academia sofreram uma proporção bem maior de casualidades do que os soldados da Oitava Divisão. Cerca de metade da turma deles tinha sobrevivido, a maior parte com ferimentos menores. Quinze dos colegas de Rin morreram. Cinco estavam em condições críticas no centro de triagem de Enro, as vidas perigosamente em risco.

Nezha entre eles.

— Ele vai passar por uma terceira fase de operações hoje — contou Kitay. — Mas não sabem se vai sobreviver. Mesmo que consiga, pode ser que nunca lute de novo. Falaram que a alabarda atravessou o corpo e que a espinha foi muito danificada.

Rin ficara aliviada ao saber que Nezha não havia morrido. Não havia considerado que a alternativa poderia ser pior.

— Tomara que ele morra — disparou Kitay.

Rin se virou para ele, chocada, mas o amigo continuou:

— Se as escolhas são morrer ou viver dessa forma, torço para que ele se livre de uma vez. Nezha não desejaria continuar vivo se não pudesse lutar.

Rin não sabia o que responder.

A vitória deu tempo aos nikaras, mas não garantiu o domínio da cidade. A Inteligência da Segunda Divisão reportou que reforços da Federação estavam sendo enviados pelo mar enquanto as forças invasoras principais esperavam para encontrá-los.

Quando a Federação atacasse novamente, os nikaras não conseguiriam impedir a queda da cidade. Sinegard estava sendo evacuada. A burocracia imperial fora transferida por completo para a capital de tempos de guerra Golyn Niis, o que significava que a segurança de Sinegard não tinha sido prioridade.

— Estão acabando com a Academia — falou Kitay. — Todos nós fomos recrutados para as Divisões. Niang foi mandada para a Décima Primeira, Venka para a Sexta, em Golyn Niis. Não vão mandar Nezha para lugar algum até que... bem, você sabe. — Ele fez uma pausa. — Recebi a ordem de me apresentar à Segunda ontem. Capitão.

Era a divisão que Kitay sempre sonhara em entrar. Sob circunstâncias diferentes, Rin teria lhe dado os parabéns. Mas uma comemoração parecia simplesmente errada naquele momento. Ela tentou mesmo assim:

— Isso é ótimo. Era o que você queria, não?

Ele deu de ombros.

— Estão desesperados por soldados. Não é mais uma questão de prestígio. Começaram até a recrutar gente do campo. Mas vai ser bom servir sob o comando de Irjah. Parto amanhã.

Ela colocou a mão no ombro do amigo.

— Tome cuidado.

— Você também. — Kitay se esticou na cadeira. — Tem ideia de quando vão deixá-la sair?

— Você sabe mais do que eu.

— Ninguém vem conversar com você aqui?

Ela balançou a cabeça.

— Não desde Jun. Já encontraram Jiang?

Kitay lhe lançou um olhar solidário, e ela sabia qual era a resposta antes mesmo que o garoto abrisse a boca. Era a mesma resposta que o garoto dava há dias.

Jiang tinha sumido. Não estava morto — estava desaparecido. Ninguém o vira ou ouvira falar dele desde o fim da batalha. Os destroços da muralha do leste foram revistados com cuidado em busca de sobreviventes, mas não havia sinal do Mestre de Folclore. Não existiam provas de que morrera, mas nada garantia que estivesse vivo. Ele parecia ter sumido no próprio vazio que conjurara.

Após Kitay partir para a Segunda Divisão em Golyn Niis, não havia mais ninguém para fazer companhia a Rin. Ela passava o dia dormindo. Queria dormir o tempo todo, sobretudo após as refeições, e, quando o fazia, era um sono pesado e sem sonhos. Ela começou a se perguntar se estava sendo dopada através da comida e da bebida. De alguma forma, sentia-se quase grata por isso. Era melhor do que ficar sozinha com seus pensamentos.

Ela não estava a salvo agora que conseguira conclamar uma deusa. Não se sentia poderosa. Estava trancada debaixo da terra. Seus comandantes não confiavam nela. Metade de seus amigos estava agonizando ou havia morrido, seu mestre se perdera no vazio e ela estava sendo mantida prisioneira para sua segurança e a dos outros.

Se aquilo significava ser uma speerliesa — se é que era *mesmo* uma —, Rin não sabia se valia a pena.

Ela dormia e, quando não conseguia se forçar a dormir mais, enrolava-se no canto e chorava.

No sexto dia de confinamento, Rin havia acabado de acordar quando a porta do salão principal se abriu. Irjah olhou para dentro para se certificar de que ela estava acordada, então entrou e fechou logo a porta.

— Mestre Irjah. — Rin tentou arrumar a túnica amarrotada e se levantou.

— General Irjah agora — corrigiu ele. O homem não parecia particularmente feliz com aquilo. — Mortes levam a promoções.

— General — disse ela. — Peço desculpas.

Ele deu de ombros e acenou para Rin voltar a se sentar.

— Pouco importa nesse momento. Como você está?

— Cansada, senhor — respondeu ela.

Rin se acomodou com as pernas cruzadas no chão, porque não havia bancos ali.

Depois de um instante de hesitação, Irjah também se sentou no chão.

— Enfim. — Ele colocou as mãos nos joelhos. — Estão dizendo por aí que você é speerliesa.

— O que o senhor sabe? — perguntou ela em voz baixa.

Irjah sabia que ela havia conjurado o fogo? Sabia o que Jiang ensinara a ela?

— Eu criei Altan após a Segunda Guerra — respondeu ele. — Eu sei.

Rin sentiu uma profunda sensação de alívio. Se Irjah sabia como Altan era, do que os speerlieses eram capazes, então com certeza poderia ajudá-la, convencer o Exército de que não era perigosa. Ao menos, não para eles.

— Tomaram uma decisão em relação a você — anunciou Irjah.

— Não sabia que eu estava sendo debatida — respondeu Rin, só para espezinhar.

Irjah abriu um sorriso exausto, cujo sentimento não se refletia em seus olhos.

— Você receberá as ordens de transferência em breve.

— É mesmo? — Ela se empertigou, animada. Iam deixá-la sair. *Finalmente.* — Senhor, eu tinha esperança de me juntar à Segunda com Kitay.

Irjah a interrompeu.

— Você não vai se juntar à Segunda. Não vai se juntar a nenhuma das Doze Divisões.

Sua euforia foi substituída na mesma hora por medo. De repente, ela percebeu um leve zumbido no ar.

— Como assim?

Irjah mexeu os dedões, desconfortável, e então respondeu:

— Os líderes regionais decidiram que é melhor você ir para o Cike.

Por um segundo, ela ficou parada, encarando-o em silêncio.

O Cike? A infame Décima Terceira Divisão, o esquadrão de assassinos da Imperatriz? Os matadores sem honra, sem reputação e sem glória? Uma força de guerreiros tão vil, tão nefasta, que o Exército preferia fingir que ela não existia?

— Rin? Você compreende o que estou dizendo?

— O *Cike*? — repetiu a garota.

— Isso.

— Vão me mandar para o esquadrão das aberrações? — Sua voz tremeu. Ela foi assolada pelo desespero, pela vontade de chorar. — Vou ficar com as Crianças Bizarras?

— O Cike é uma divisão do Exército como qualquer outra — disse Irjah. Seu tom era artificialmente calmo. — É um esquadrão bastante respeitável.

— Eles são patéticos e rejeitados! São...

— Eles servem à Imperatriz da mesma forma que todos os militares.

— Mas eu... — Rin engoliu em seco. — Achei que era uma boa soldada.

A expressão de Irjah ficou mais branda.

— Ah, Rin. Você *é*. Você é uma soldada incrível.

— Então por que não posso entrar numa divisão de verdade? — Ela sabia que parecia uma criancinha mimada. Mas, diante das circunstâncias, achava que tinha o direito de agir daquela forma.

— Você sabe por quê — respondeu ele em voz baixa. — Os speerlieses não lutaram ao lado das Doze Províncias desde a última Guerra da Papoula. E antes disso, quando lutaram, a cooperação sempre foi... difícil.

Rin conhecia aquela história. Sabia a que Irjah se referia. Na última vez em que os speerlieses lutaram ao lado do Exército, os militares os trataram como aberrações bárbaras, de forma muito similar à como o Cike era encarado no momento. Os speerlieses se enfureciam e lutavam nos próprios campos; eram um risco ambulante a todos, fossem amigos ou inimigos. Seguiam ordens, mas apenas vagamente; recebiam alvos e objetivos, mas boa sorte para o oficial que quisesse tentar manobras mais sofisticadas.

— O Exército odeia os speerlieses.

— O Exército tem *medo* deles — corrigiu Irjah. — Os nikaras nunca conseguiram lidar bem com o que não entendem, e Speer sempre deixou o nosso povo desconfortável. Imagino que saiba por quê.

— Sim, senhor.

— *Eu* a recomendei para o Cike. E fiz isso por você, minha criança. — Irjah a fitou nos olhos. — A rivalidade entre os líderes regionais nunca desapareceu por completo, mesmo após a aliança sob o jugo do Imperador Dragão. Mesmo correndo o risco de todos os seus soldados a detestarem, qualquer um dos Doze Líderes ficaria feliz ao colocar as mãos numa speerliesa. Qualquer que fosse a divisão a que você se juntasse, ela teria uma vantagem injusta. E as divisões a que não se juntasse poderiam não gostar desse desequilíbrio de poder. Se eu a enviasse para qualquer uma das doze divisões, você estaria em sério perigo por causa das outras onze.

— Eu... — Rin não havia considerado aquela possibilidade. — Mas já há um speerliês no Exército — disse ela. — E Altan?

A barba de Irjah tremeu.

— Gostaria de conhecer seu comandante?

— *O quê?* — Ela piscou, sem compreender.

Irjah se virou e chamou alguém do lado de fora.

— Vamos, entre logo.

A porta se abriu. O homem que a atravessou era alto e esbelto. Não usava um uniforme do Exército, mas uma túnica preta sem qualquer insígnia. Carregava um tridente de prata amarrado às costas.

Rin engoliu em seco, lutando contra uma vontade ridícula de arrumar o cabelo. Ela sentiu um rubor familiar, um calor que começava na ponta das orelhas.

Ele havia adquirido diversas cicatrizes desde a última vez que Rin o vira, incluindo duas no antebraço e uma que atravessava o rosto, começando debaixo do olho esquerdo e indo até a parte direita do maxilar. Seu cabelo não estava mais curto como na época da escola, mas crescera de forma desgrenhada, como se não se desse ao trabalho de cuidar da aparência havia meses.

— Olá — cumprimentou Altan Trengsin. — O que você disse sobre patéticos e rejeitados?

* * *

— Como você sobreviveu às bombas?

Rin abriu a boca, mas nenhuma palavra saiu dela.

Altan. *Altan Trengsin*. Ela tentou elaborar uma resposta coerente, mas tudo em que conseguia pensar era que seu herói de infância estava diante dela.

Ele se ajoelhou na frente de Rin.

— Como você pode existir? — perguntou ele, baixinho. — Eu achava que era o único que havia sobrado.

Ela enfim encontrou a voz.

— Não sei. Nunca me contaram o que aconteceu com os meus pais. Meus pais adotivos não sabiam.

— E você nunca suspeitou?

Ela balançou a cabeça.

— Não até... quer dizer, quando eu...

Rin se engasgou de repente. As memórias que estava reprimindo surgiram em sua mente: a Mulher gritando, a Fênix gargalhando, o calor terrível que atravessava seu corpo, a maneira como a armadura do general se dobrou e derreteu com a temperatura do fogo...

Ela enterrou o rosto nas mãos e percebeu que elas tremiam.

Rin não conseguira controlar as chamas. Não conseguira impedi-las. Elas simplesmente continuavam saindo sem parar; ela poderia ter queimado Nezha, poderia ter queimado Kitay, poderia ter transformado toda Sinegard em cinzas se a Fênix não tivesse atendido às suas preces. E mesmo quando as chamas cessaram, o fogo dentro dela não parou, não até a Imperatriz beijar sua testa para extingui-lo.

Estou ficando louca, pensou. *Eu me tornei tudo que Jiang me advertiu a não ser.*

— Ei. *Ei.*

Dedos frios envolveram os pulsos dela. Com gentileza, Altan afastou as mãos de Rin do rosto.

Ela ergueu os olhos e encontrou os dele. Eram de um tom de vermelho mais vibrante do que as pétalas de uma papoula.

— Está tudo bem — disse ele. — Eu sei. Sei como é. Vou ajudar você.

* * *

— O Cike não é tão ruim depois que passa a conhecê-lo — explicou Altan enquanto a levava para fora do porão. — Quer dizer, nós matamos pessoas de acordo com as ordens que recebemos, mas, no fundo, somos gente boa.

— Vocês são todos xamãs? — perguntou ela, sentindo-se zonza.

Altan balançou a cabeça.

— Nem todos. Temos dois agentes que não se metem com os deuses: um especialista em armamentos e um médico. Mas o restante é. De todos nós, Tyr era o agente mais bem treinado antes de vir para o Cike. Ele cresceu numa seita de monges que veneravam uma deusa da escuridão. Os outros eram como você: cheios de poder e potencial xamânico, mas confusos. Nós os levamos para o Castelo da Noite, os treinamos e depois os mandamos para matar os inimigos da Imperatriz. Todo mundo sai ganhando.

Rin tentou achar aquilo reconfortante.

— E de onde eles vêm?

— De todo canto. Você ficaria surpresa com a quantidade de lugares onde as religiões antigas ainda estão vivas — falou Altan. — Há diversos cultos escondidos em todas as províncias. Alguns contribuem com um noviço para o Cike todo ano; em troca, a Imperatriz os deixa em paz. Não é fácil encontrar xamãs neste país, não nesta época, mas a Imperatriz os procura onde pode. Muitos deles vêm da prisão em Baghra. O Cike é a segunda chance deles.

— Mas vocês não fazem parte do Exército de verdade.

— Não. Somos assassinos. Em tempos de guerra, no entanto, funcionamos como a Décima Terceira Divisão.

Rin se perguntou quantas pessoas Altan já havia matado. *Quem* ele já havia matado.

— E o que fazem em tempos de paz?

— Tempos de paz? — Ele lançou um olhar irônico para Rin. — Não há tempos de paz para o Cike. Nunca falta gente que a Imperatriz quer ver morta.

Altan a instruiu a juntar suas coisas e encontrá-lo no portão. Eles marchariam para fora da cidade com o esquadrão do Oficial Yenjen da Quinta Divisão rumo ao front de guerra, para onde o restante do Cike havia ido na semana anterior.

Todos os bens de Rin foram confiscados após a batalha. Ela mal teve tempo de pegar um novo conjunto de armas do arsenal antes de atravessar a cidade. Os soldados da Quinta Divisão carregavam sacos de viagem leves e dois conjuntos de armas cada. Rin tinha apenas uma espada com uma lâmina um pouco cega. Ela parecia e se sentia terrivelmente despreparada. Não tinha nem um segundo conjunto de roupas. Suspeitava que começaria a feder muito em breve.

— Para onde estamos indo? — perguntou ela quando começaram a descer a montanha.

— Khurdalain — respondeu Altan. — Província do Tigre. Será uma marcha de duas semanas para o sul até chegarmos ao rio Murui do Oeste, então pegaremos uma carona até o porto.

Apesar de tudo, Rin sentiu uma pontada de emoção. Khurdalain era uma cidade portuária que beirava o mar Nariin, um centro florescente de comércio internacional. Era a única cidade do Império que lidava regularmente com estrangeiros; os hesperianos e os bolonianos haviam estabelecido embaixadas lá séculos antes. Até os mercadores da Federação ocuparam aquelas docas, isso até Khurdalain se tornar o principal cenário das Guerras da Papoula.

Khurdalain vira duas décadas de guerra e sobrevivera. Agora a Imperatriz voltava a estabelecer um front na cidade, visando atrair os invasores da Federação para o leste e o centro de Nikan.

Altan compartilhou a estratégia de defesa da Imperatriz com Rin conforme marchavam.

Khurdalain era o local ideal para o estabelecimento de um front inicial. As colunas armadas da Federação teriam uma vantagem esmagadora nos planaltos do norte de Nikan, mas a cidade portuária era rica em rios e riachos, favoráveis às operações de defesa.

Forçar a Federação a se deslocar para Khurdalain os deixaria em território mais fraco. O ataque a Sinegard tinha sido uma tentativa ousada de separar as províncias do norte das do sul. Se os generais da Federação pudessem escolher, era quase certo que optariam por cruzar o centro de Nikan diretamente até o sul. No entanto, se Khurdalain estivesse bem defendida, a Federação teria que mudar a direção do norte para o sul numa ofensiva do leste para o oeste. E Nikan teria espaço no sudoeste para bater em retirada e se reagrupar caso Khurdalain caísse.

O ideal seria o Exército tentar um ataque de ambos os lados, impedindo a Federação de acessar suas rotas de fuga e alcançar seus suprimentos. No entanto, o Exército não era grande nem competente o bastante para tentar algo assim. Os Doze Líderes mal conseguiram se organizar a tempo de correr em defesa de Sinegard; agora, cada um deles estava preocupado demais em defender a própria província para tentar de fato uma ação militar conjunta.

— Por que eles não podem se unir como na Segunda Guerra? — perguntou Rin.

— Porque o Imperador Dragão está morto — respondeu Altan. — Ele não pode obrigar os líderes a se unirem dessa vez, e a Imperatriz não tem como impor a mesma aliança que ele. Ah, os líderes se curvam a Sinegard e juram fidelidade à Imperatriz, mas, na hora do aperto, atendem às suas prioridades.

Defender Khurdalain não seria fácil. A ofensiva recente contra Sinegard provara que a Federação tinha superioridade militar tanto em termos de mobilidade quanto de armamento. E Mugen tinha a vantagem no litoral norte; as tropas recebiam reforços facilmente pelo mar, e novos soldados e suprimentos estavam a apenas uma viagem de navio de distância.

Khurdalain tinha poucas vantagens em termos de estruturas de defesa. Era uma cidade portuária aberta, pensada como um refúgio para estrangeiros antes das Guerras da Papoula. As melhores estruturas de defesa de Nikan haviam sido construídas ao longo do delta do rio Murui do Oeste, bem ao sul de Khurdalain. Comparada à fortemente guarnecida capital de tempos de guerra, Golyn Niis, Khurdalain era um alvo fácil, de braços abertos para receber invasores.

Mas a cidade precisava ser protegida. Se Mugen avançasse pelo centro do país e conseguisse tomar Golyn Niis, suas tropas poderiam se voltar ao leste com facilidade, perseguindo o que quer que tivesse sobrado do Exército no litoral. E se ficassem encurralados pelo mar, a pequena e patética frota naval nikara não poderia salvá-los. Assim, Khurdalain era o cruzamento vital do qual o restante da nação dependia.

— Somos o último front — disse Altan. — Se falharmos, perderemos o país. — Ele deu tapinhas no ombro de Rin. — Animada?

CAPÍTULO 13

Clang.

Rin mal conseguiu erguer a espada a tempo de impedir que o tridente de Altan partisse sua cabeça ao meio. Fez o melhor possível para se equilibrar, para dissipar o *ki* do golpe de maneira uniforme através do corpo e na direção da terra. Mesmo assim, suas pernas tremeram com o impacto.

Parecia que Altan e ela estavam lutando por horas. Seus braços doíam; seus pulmões arfavam.

Altan, contudo, não havia terminado. Ele girou o tridente, prendeu a lâmina da espada de Rin e a forçou. A pressão arrancou a espada das mãos de Rin e fez a arma tilintar no chão. Altan pressionou a ponta do tridente na garganta dela. Rin logo levantou os braços para se render.

— Suas reações são baseadas no medo — explicou ele. — Você não está controlando a luta. Tem que esvaziar a mente e se concentrar. Concentre-se em *mim*, não na minha arma.

— É um pouco difícil quando você fica tentando furar meus olhos — resmungou ela, afastando o tridente do rosto.

Altan baixou a arma.

— Você ainda está se restringindo. Resistindo. Tem que deixar a Fênix entrar. Quando se chama um deus, quando o deus está em você, é um estado de êxtase. É um amplificador de *ki*. Você não se cansa. É capaz de fazer coisas extraordinárias. Não sente dor. Você precisa mergulhar nesse estado.

Rin conseguia lembrar vividamente o estado mental que Altan queria que ela abraçasse. A sensação de que as veias pegavam fogo, as lentes vermelhas que cobriam a visão. Como outras pessoas se tornavam alvos.

Como ela não precisava descansar, só precisava da dor para alimentar as chamas.

As únicas vezes em que Rin entrara conscientemente naquele estado foram durante os Testes e depois em Sinegard. Nas duas ocasiões, ela estava furiosa, desesperada.

Mas não tinha sido capaz de reacender o mesmo estado mental desde então. Não sentira tanta raiva desde então. Sentia-se apenas confusa, ansiosa e, como naquele momento, exausta.

— Aprenda a dominar esse estado — disse Altan. — Aprenda a entrar e sair dele. Se estiver focada apenas na arma do inimigo, sempre estará na defensiva. Olhe além da arma, para o alvo. Foque naquilo que quer matar.

Altan era um professor bem melhor que Jiang. O antigo mestre era frustrantemente vago, distraído e obtuso de propósito. Gostava de dar respostas longas e evasivas, de fazer Rin rodear a verdade como um abutre faminto antes de lhe fornecer uma gota gratificante de compreensão.

Por outro lado, Altan não perdia tempo. Ia direto ao assunto, fornecia as respostas que Rin desejava. Compreendia os medos que a garota sentia e sabia do que ela era capaz.

Treinar com Altan era como treinar com um irmão mais velho. Era tão estranho para Rin ouvir alguém dizer que eram *iguais*, que as juntas dela se hiperestendiam como as dele e que, portanto, ela deveria dobrar o pé de uma determinada maneira. Ter similaridades com outra pessoa, similaridades que estavam registradas nos genes, era uma sensação maravilhosa.

Com Altan, ela sentia uma sensação de *pertencimento* — não apenas a uma divisão ou a um exército, mas a algo ainda mais significativo e antigo. Sentia sua localização numa teia de linhagem ancestral. Sentia que tinha um lugar. Que não era mais uma órfã de guerra anônima; era uma speerliesa.

Ao menos era o que todos pareciam pensar. Apesar de tudo, porém, ela não conseguia afastar a sensação de que algo estava errado. Não conseguia chamar a deusa com a mesma facilidade que Altan. Não conseguia se mover com a mesma graça que ele. Aquilo era um traço genético ou resultado de treino?

— Você sempre foi assim? — questionou ela.

Altan pareceu ficar tenso.

— Assim como?

— Como... *você*. — Ela fez um gesto vago na direção dele. — Você... você não é como os outros alunos. Os outros soldados. Sempre conseguiu convocar o fogo? Sempre conseguiu lutar dessa maneira?

Era impossível ler a expressão dele.

— Treinei por muito tempo em Sinegard.

— Eu também!

— Não como uma speerliesa. Mas você também é uma guerreira. Está no seu sangue. Não vai demorar muito para eu forçar sua ascendência a se manifestar. — Altan apontou o tridente para ela. — Pegue sua arma.

— Por que o tridente? — perguntou ela quando Altan enfim a deixou descansar. — Por que não uma espada? — Rin não vira outro soldado carregando nada além da alabarda e da espada padronizadas do Exército.

— Maior alcance — respondeu ele. — Os oponentes não se aproximam muito quando você luta dentro de uma fogueira.

Rin tocou as pontas da arma. Haviam sido afiadas várias vezes; não estavam brilhantes ou lisas, mas marcadas pelas evidências de inúmeras batalhas.

— Foi feito em Speer?

Só podia ter sido. O tridente era todo de metal, diferente das armas nikaras, que tinham cabos de madeira. Isso o deixava mais pesado, mas Altan precisava de uma arma que não queimaria quando a tocasse.

— Veio da ilha — disse ele. Então, Altan a cutucou com a ponta do cabo e gesticulou para Rin pegar a espada. — Pare de enrolar. Vamos, levante-se. Outra vez.

Ela deixou os braços caírem de exaustão.

— A gente não pode simplesmente se drogar? — perguntou.

Rin não entendia como o treinamento físico incessante a deixaria mais próxima de chamar a Fênix.

— Não, não podemos simplesmente nos drogar — respondeu Altan. Ele a cutucou de novo. — Preguiçosa. Esse tipo de pensamento é erro de principiante. Qualquer pessoa pode engolir umas sementes e chegar ao Panteão. Essa parte é fácil. Mas ter uma ligação com um deus, canalizar seu poder à vontade e chamá-lo para cá... isso requer disciplina. A não ser que tenha prática em focar a mente, é fácil demais perder o controle. Pense nisso como uma represa. Os deuses são fontes de energia em potencial, como a água que desce morro abaixo. A droga é como o portão: ela abre o caminho para os deuses passarem. Mas se o portão for grande ou frágil demais, o poder passa por ele sem obstruções. O deus ignora o seu desejo. E o caos ocorre. A não ser que queira queimar seus aliados, você precisa lembrar por que chamou a Fênix. Precisa direcionar o poder dela.

— É como rezar — falou Rin.

Altan assentiu.

— Exatamente. Todas as rezas são apenas repetições: uma imposição das suas demandas para os deuses. A diferença entre os xamãs e o restante das pessoas é que as nossas rezas realmente funcionam. Jiang não ensinou isso?

Jiang havia lhe ensinado o oposto. O mestre pedira para Rin esvaziar a mente durante a meditação, para esquecer seu ego, esquecer que era um ser separado do universo. Jiang havia lhe ensinado a apagar o próprio desejo. Altan lhe pedia que impusesse sua vontade aos deuses.

— Ele só me ensinou a acessar os deuses. Não a chamá-los de volta.

Altan pareceu impressionado.

— Então como chamou a Fênix em Sinegard?

— Não era para eu ter feito aquilo — respondeu Rin. — Jiang era contra. Disse que os deuses não deviam ser transformados em armas. Apenas consultados. Ele estava me ensinando a me acalmar, a encontrar a conexão com o cosmos e corrigir o meu desequilíbrio ou... ou qualquer coisa assim — disse ela, por fim.

Estava ficando bem aparente quão pouco Jiang de fato lhe ensinara. Ele não a havia preparado nem um pouco para a guerra; apenas tentara impedi-la de usar o poder que Rin conseguia acessar.

— Isso é inútil. — Altan parecia desdenhoso. — Jiang era um professor. Eu sou um soldado. A preocupação dele era com teologia, a minha é como destruir.

Ele ergueu o braço e abriu a mão, e um pequeno anel de fogo dançou sobre as linhas de sua palma. Com a outra mão, estendeu o tridente. As chamas correram das pontas de seus dedos, atravessaram seus ombros e lamberam todo o caminho até as três pontas afiadas da arma.

Ela ficou impressionada com o controle que Altan tinha sobre o fogo, com a maneira como o moldava, à semelhança de um escultor com a argila, como fazia as chamas obedecerem à vontade dele com o menor movimento dos dedos. Quando Rin convocou a Fênix, o fogo emanou dela de forma incontrolável. Mas Altan o dominava como uma extensão de si mesmo.

— A precaução de Jiang era justificada — comentou Altan. — Os deuses são imprevisíveis. São perigosos. E ninguém os compreende, não por completo. Mas nós, no Castelo da Noite, transformamos a prática de usar os poderes divinos em arte. Chegamos mais perto de entender as divindades do que os antigos monges. Desenvolvemos o poder de reescrever a realidade deste mundo. Se não usarmos isso, então qual é o sentido?

Depois de duas semanas marchando sem parar, quatro dias num navio e mais três dias de marcha, eles chegaram aos portões de Khurdalain pouco antes do cair da noite. Quando saíram de um bosque para pegar a estrada principal, Rin viu o oceano pela primeira vez.

Ela parou de andar.

Sinegard e Tikany eram cidades sem litoral. Rin já havia visto rios e lagos, mas nunca um corpo d'água tão grande quanto aquele. Ficou de queixo caído com a grande extensão azul, indo além do que ela conseguia ver, do que conseguia imaginar.

Altan parou ao seu lado. Observou sua expressão boquiaberta e sorriu.

— Nunca tinha visto o mar antes?

Rin não conseguia desviar o olhar. Tinha o mesmo sentimento de quando vira Sinegard pela primeira vez em todo aquele esplendor, como se tivesse sido jogada num mundo fantástico onde as histórias que ouvira eram, de alguma forma, verdadeiras.

— Já vi pinturas — respondeu ela. — Li descrições. Em Tikany, os mercadores que vinham do litoral nos contavam sobre suas aventuras no mar. Mas isso... nunca sonhei com *nada* parecido com isso.

Altan pegou a mão dela e a apontou na direção do oceano.

— A Federação de Mugen fica do outro lado do estreito. Se subir a cordilheira Kukhonin, consegue ter um vislumbre dela. E se pegar um barco para o sul, passando perto de Golyn Niis e da Província da Serpente, vai chegar a Speer.

De onde estavam, Rin não seria capaz de enxergar Speer. Ainda assim, encarou a água cintilante, imaginando uma ilhota solitária no sul do mar de Nikan. Speer passara décadas isolada antes que os grandes poderes do continente destruíssem a ilha em seus combates.

— Como era lá?

— Speer? Era um lugar lindo. — A voz de Altan era baixa e melancólica. — Chamam Speer de Ilha Morta agora, mas a única coisa de que me lembro é o verde. Num lado da ilha, você conseguia ver a costa do Império Nikara; no outro, água sem fim, um horizonte infinito. Navegávamos naquele oceano sem saber o que encontraríamos; eram jornadas na escuridão interminável para encontrar o outro lado do mundo. Os speerlieses dividiram o céu noturno em sessenta e quatro constelações, uma para cada deus. E, desde que conseguíssemos encontrar a estrela da Fênix ao sul, sempre encontraríamos o caminho de volta para casa.

Rin se perguntou como estaria a Ilha Morta. Quando Mugen destruiu Speer, havia destruído os vilarejos também? Ou as cabanas e os chalés permaneciam de pé, cidades-fantasmas esperando por habitantes que nunca retornariam?

— Por que saiu de lá? — perguntou ela.

Rin percebeu que sabia muito pouco sobre Altan. Sua sobrevivência era um mistério para ela, assim como a própria existência era um mistério para todos.

Ele devia ser bem jovem quando foi para Nikan, um refugiado da guerra que matou seu povo. Não devia ter mais que quatro ou cinco anos. Quem o retirou da ilha? E por que só ele?

E por que ela?

Mas Altan não respondeu. Apenas encarou em silêncio o céu cada vez mais escuro por um bom tempo e então voltou para a estrada.

— Venha — falou, pegando o braço dela. — Ou vamos ficar para trás.

O Oficial Yenjen hasteou a bandeira nikara do lado de fora dos portões, e então ordenou que o esquadrão se protegesse atrás das árvores até receberem uma resposta. Depois de meia hora, uma moça pequena, vestida de preto dos pés à cabeça, colocou a cabeça para fora dos portões. Ela gesticulou para que o grupo entrasse logo e então fechou o portão depois que todos atravessaram.

— Sua divisão está aguardando no antigo distrito dos pescadores. É só seguir para o norte pela estrada principal — disse ela ao Oficial Yenjen. Então, a mulher se virou para saudar seu comandante. — Trengsin.

— Qara.

— Essa é a nossa speerliesa?

— É.

Qara inclinou a cabeça enquanto avaliava Rin. Era uma mulher pequena — uma garota, na verdade — que batia nos ombros de Rin. Seu cabelo ia além da cintura numa trança escura e grossa. Seus traços eram alongados de uma maneira estranha, não exatamente nikara, mas algo que Rin não conseguia identificar.

Um falcão enorme se empoleirou em seu ombro esquerdo, também de cabeça inclinada para Rin, observando-a com uma expressão desdenhosa. Os olhos da ave e de Qara tinham o mesmo tom de dourado.

— Como estamos? — perguntou Altan.

— Bem — respondeu Qara. — Quer dizer, na maior parte do tempo.

— Quando seu irmão volta?

O falcão de Qara esticou a cabeça e então a baixou novamente, as garras arrepiadas, como se tivesse ficado perturbado. Qara ergueu a mão e acariciou o pescoço da ave.

— Quando voltar — respondeu ela.

Yenjen e seu esquadrão já haviam desaparecido pelas ruas sinuosas da cidade. Qara fez um gesto para que Rin e Altan a seguissem por uma escada adjacente às muralhas da cidade.

— De onde ela é? — sussurrou Rin para Altan.

— Ela é terra-remotesa — respondeu Altan, e segurou o braço de Rin no instante em que ela tropeçou nos degraus bambos. — Não caia.

Qara os ciceroneou por uma passagem alta que abrangia os primeiros quarteirões de Khurdalain. Lá em cima, Rin se virou e deu a primeira boa olhada na cidade portuária.

Khurdalain poderia ter sido uma cidade estrangeira cujas fundações foram arrancadas da terra e plantadas no outro lado do planeta. Era uma quimera de diferentes estilos arquitetônicos, uma amálgama bizarra de tipos de construções que abrangiam vários países de diversos continentes. Rin avistou igrejas que só havia visto em livros de história, a prova da antiga ocupação boloniana. Viu prédios com colunas em espiral, construções com elegantes torres monocromáticas com sulcos profundos nas laterais em vez dos pagodes inclinados da capital.

Sinegard era a luz do Império Nikara, mas Khurdalain era a janela de Nikan para o restante do mundo.

Qara os levou pela passagem até um teto plano. Eles avançaram por mais um quarteirão ao correr pelas casas baixas, construídas no estilo antigo de Hesperia, e então desceram para seguir pela rua quando as construções ficaram distantes demais uma das outras. Nos espaços entre as casas, Rin conseguia ver o sol poente refletido no oceano.

— Esta região era um assentamento hesperiano — explicou Qara, apontando além da arrebentação.

A longa faixa era uma alameda à beira-mar, rodeada por fachadas de lojas. A passarela era feita de tábuas grossas de madeira, encharcadas por causa da água do mar. Tudo em Khurdalain tinha um leve aroma marítimo, a brisa carregando um cheiro salgado de oceano.

— Aquelas construções ali, com os tetos retos, eram os consulados bolonianos — continuou ela.

— O que aconteceu? — perguntou Rin.

— O Imperador Dragão aconteceu — respondeu Qara. — Não conhece a própria história?

O Imperador Dragão havia expulsado os estrangeiros de Nikan nos dias caóticos que se seguiram à Segunda Guerra da Papoula, mas Rin sabia que um punhado de hesperianos havia permanecido no país — missionários que tinham o objetivo de espalhar a palavra do Santo Criador.

— Ainda há hesperianos aqui? — perguntou ela, cheia de esperança.

Rin nunca vira um hesperiano. Em Nikan, os estrangeiros não tinham permissão de viajar tanto ao norte a ponto de chegar a Sinegard; só podiam fazer comércio em algumas poucas cidades portuárias, das quais Khurdalain era a maior. Ela se perguntava se os hesperianos eram mesmo pálidos e tinham o corpo coberto de pelos, se seu cabelo era mesmo da cor de uma cenoura.

— Algumas centenas — respondeu Altan, mas Qara balançou a cabeça.

— Não mais. Eles deram no pé desde o ataque a Sinegard. O governo deles mandou um navio para buscá-los. Quase afundou com a quantidade de gente que estavam tentando enfiar lá. Sobrou um ou dois missionários, e alguns ministros estrangeiros. Estão documentando tudo que veem e mandando relatórios para seus governos. Mas só.

Rin se lembrou do que Kitay havia dito sobre pedir ajuda a Hesperia e bufou.

— Eles acham que estão ajudando fazendo isso?

— São hesperianos — retrucou Qara. — Sempre acham que estão ajudando.

A parte antiga de Khurdalain — o distrito nikara — era formada por construções baixas no meio de uma rede de vielas, cruzadas por um sistema de canais tão estreitos que até um carrinho teria dificuldade de atravessá-los. Fazia sentido o Exército nikara montar acampamento naquela parte da cidade. Mesmo que a Federação soubesse vagamente onde estavam, sua superioridade numérica não seria vantajosa naquelas ruas tortas e comprimidas.

Desconsiderando a arquitetura, Rin imaginou que, sob circunstâncias normais, Khurdalain seria uma versão mais barulhenta e suja de Sinegard. Antes da ocupação, aquele lugar devia ser um centro comercial borbulhante, mais animado até que os mercados do centro de Sinegard. Mas a Khurdalain ocupada era silenciosa, de uma maneira quase mórbida. Ela não viu civis enquanto caminhavam; ou eles já haviam sido evacuados, ou estavam seguindo os conselhos do Exército, mantendo a cabeça baixa e ficando longe de lugares onde os soldados da Federação poderiam vê-los.

Qara os inteirou sobre a situação de combate conforme caminhavam.

— Estamos na cidade há mais ou menos um mês. Temos acampamentos da Federação nos cercando em três lados, menos no caminho pelo qual vocês vieram. O pior é que eles vêm invadindo gradualmente as áreas urbanas. As muralhas de Khurdalain são altas, mas eles têm catapultas.

— Quanto da cidade eles já conquistaram? — indagou Altan.

— Só um pedacinho da praia e metade do distrito estrangeiro. Poderíamos recuperar as embaixadas bolonianas, mas a Quinta Divisão não quer cooperar.

— Não quer cooperar?

Qara franziu o cenho.

— Estamos tendo, hã, dificuldades de entrosamento. O novo general deles não ajuda. Jun Loran.

Altan pareceu tão desanimado quanto Rin.

— Jun está aqui? — perguntou ele.

— Chegou de navio há três dias.

Rin tremeu. Ao menos não estava servindo sob o comando direto dele.

— A Quinta não é da Província do Tigre? Por que o Líder do Tigre não está no comando?

— O Líder do Tigre é um menino de três anos cujo guardião é um político sem experiência militar. Jun assumiu o comando do exército da província dele. Os Líderes da Cabra e do Boi também estão aqui com suas divisões, mas passaram mais tempo discutindo um com o outro sobre suprimentos do que lutando com a Federação. E ninguém consegue bolar um plano de ataque que não coloque áreas civis em risco.

— O que os civis ainda estão fazendo aqui? — perguntou Rin. Ela achava que o trabalho do Exército seria bem mais fácil se a prioridade não fosse protegê-los. — Por que não foram evacuados como os sinegardianos?

— Porque Khurdalain não é uma cidade fácil de deixar para trás — respondeu Qara. — A maioria das pessoas daqui tira o sustento da pesca ou das fábricas. Não há agricultura por perto. Se forem para o interior, vão perder tudo. A maior parte dos camponeses veio para cá justamente para se livrar da miséria do campo. Se pedirmos para saírem, vão morrer de fome. As pessoas estão determinadas a ficar, e precisamos garantir que permaneçam vivas.

De repente, o falcão de Qara baixou a cabeça, como se tivesse ouvido alguma coisa. Ao dar vários passos, Rin conseguiu ouvir também: vozes altas vindo das instalações do general.

— Cike!

Rin se encolheu. Ela reconheceria aquela voz em qualquer lugar.

O general Jun Loran atravessava o corredor na direção deles, o rosto vermelho de raiva.

— Ei, *ei*!

Ao seu lado, Jun arrastava um menino magricela pela orelha, com puxões brutais. O garoto usava um tapa-olho do lado esquerdo do rosto, e o olho direito lacrimejava de dor enquanto cambaleava ao lado do general.

Altan logo parou.

— Pelas tetas da tigresa.

— Ramsa — falou Qara baixinho.

Rin não sabia se era um nome ou um palavrão no idioma dela.

— Você. — Jun parou diante de Qara. — Cadê seu comandante?

Altan deu um passo à frente.

— Pois não?

— *Trengsin?* — Jun encarou Altan com uma descrença sincera. — Só pode ser brincadeira. Cadê o Tyr?

Um espasmo de irritação surgiu no rosto de Altan.

— Morreu.

— *O quê?*

Altan cruzou os braços.

— Ninguém se deu ao trabalho de informá-lo?

Jun ignorou o comentário debochado.

— Ele está morto? Como?

— Ossos do ofício — respondeu Altan.

Aquilo, suspeitava Rin, significava que Altan não fazia a menor ideia.

— Então colocaram o Cike nas mãos de uma criança? — resmungou Jun. — Incrível.

Altan alternou o olhar entre Jun e o menino, que ainda estava curvado, gemendo de dor.

— O que é isso?

— Meus homens o flagraram metendo a mão no estoque de armamentos — contou Jun. — É a terceira vez essa semana.

— Achei que era a *nossa* carroça de armamentos — protestou o garoto.

— Vocês não têm uma carroça de armamentos! — berrou Jun. — Deixamos isso bem claro nas primeiras duas vezes.

Qara suspirou e passou a mão na testa.

— Eu não teria que roubar se eles simplesmente *dividissem* — reclamou o menino, apelando para Altan. Sua voz era esganiçada, e seu olho bom estava esbugalhado. — Não posso fazer o meu trabalho se não tiver pólvora.

— Se seus homens não têm equipamentos, deveriam ter trazido do Castelo da Noite.

— Usamos tudo na embaixada — resmungou o garoto. — Lembra?

Jun puxou a orelha dele para baixo, e o menino gritou de dor.

Altan pegou o tridente às suas costas.

— Largue ele, Jun.

O general olhou de relance para a arma e abriu um sorrisinho.

— Está me ameaçando?

Altan não estendeu o tridente — apontar uma lâmina para o comandante de outra divisão seria uma traição das mais altas —, mas também não largou o cabo. Rin pensou ter visto fogo faiscando por um segundo na ponta de seus dedos.

— Estou pedindo.

Jun deu um passo para trás, mas não largou o garoto.

— Seus homens não têm permissão de acessar os suprimentos da Quinta Divisão.

— E discipliná-los é prerrogativa minha, não sua — disse Altan. — Largue ele. *Agora*, Jun.

Jun fez um som de desgosto e soltou o menino, que correu para o lado de Altan, massageando a lateral da cabeça com uma expressão arrependida.

— Da última vez, eles me penduraram pelos tornozelos na praça da cidade — reclamou o menino.

Ele parecia uma criança fazendo queixa de um colega de classe para um professor.

Altan parecia ultrajado.

— Você trataria alguém da Primeira ou da Oitava assim? — questionou ele a Jun.

— Os soldados da Primeira e da Oitava têm o bom senso de não roubar o equipamento da Quinta — rebateu o general. — Seus homens só causaram problemas desde que chegaram aqui.

— Estamos fazendo a droga do nosso trabalho! — gritou o menino. — *Vocês* é que estão se escondendo atrás das muralhas, como covardes.

— Calado, Ramsa — ordenou Altan.

Jun soltou uma risada curta e zombeteira.

— Vocês são um esquadrão de dez pessoas. Não superestimem seu valor no Exército.

— Ainda assim, servimos à Imperatriz como você — falou Altan. — Deixamos o Castelo da Noite para sermos os seus reforços. Então, trate meus homens com respeito, ou a Imperatriz ficará sabendo disso.

— É claro. Vocês são os pirralhos especiais da Imperatriz — caçoou Jun. — *Reforços*. Que *piada*.

Ele lançou um olhar de desdém a Altan e se afastou. Fingiu não ver Rin.

— A semana passada foi assim — falou Qara com um suspiro.

— Você tinha dito que tudo correu bem — disse Altan.

— Eu exagerei.

Ramsa encarou seu comandante.

— Oi, Trengsin! — falou ele, alegre. — Que bom que voltou.

Altan afundou o rosto nas mãos e depois ergueu a cabeça, respirando fundo. Deixou os braços caírem, cansado.

— Onde é o meu gabinete?

— À esquerda no final daquela viela — disse Ramsa. — Limpamos o antigo gabinete aduaneiro. Você vai gostar. Trouxemos os seus mapas.

— Obrigado — disse Altan. — E os líderes?

— Estão no velho prédio do governo, logo ali na esquina. Fazem reuniões regularmente. Não nos convidam por causa de, bem... você sabe. — Ramsa desconversou, parecendo bastante culpado de repente.

Altan encarou Qara com um olhar questionador.

— Ramsa explodiu metade do distrito estrangeiro nas docas — explicou ela. — E não avisou os líderes antes.

— Eu explodi *um prédio* — corrigiu o garoto.

— Um prédio grande — falou Qara. — Ainda havia dois homens da Quinta lá.

— Eles sobreviveram? — perguntou Altan.

Qara olhou para ele, perplexa.

— *Ramsa explodiu um prédio em cima deles* — repetiu ela.

— Então suponho que não tenham feito nada de útil enquanto estive fora — comentou Altan.

— Erguemos fortificações! — falou Ramsa.

— Na linha de defesa? — perguntou o comandante, cheio de esperança.

— Não, só em volta do seu gabinete. E dos nossos aposentos. Os líderes regionais não nos deixam mais chegar perto da linha de defesa.

Altan parecia bastante irritado.

— Preciso entender algumas coisas. O prédio governamental fica naquela direção?

— Isso.

— Muito bem. — Ele olhou de relance para Rin. — Qara, ela vai precisar de equipamentos. Arranje roupas e uma acomodação também. Ramsa, venha comigo.

— Você é tenente de Altan? — perguntou Rin enquanto Qara a guiava por outra série de ruelas serpenteantes.

— Não. Meu irmão é — respondeu Qara. Ela apertou o passo, agachou-se para passar por um portão redondo e esperou Rin atravessá-lo. — Estou o substituindo até ele voltar. Você vai ficar aqui comigo.

Ela levou Rin por outra escadaria que dava num cômodo subterrâneo úmido. Era uma câmara pequena, quase do mesmo tamanho de uma casinha da Academia. Um vento soprava pela abertura do porão. Rin esfregou os braços, tremendo.

— Temos os aposentos femininos só para nós — disse Qara. — Sorte a nossa.

Rin deu uma olhada no quarto. As paredes eram de taipa, não de tijolos, o que significava que não havia isolamento. Um tapete havia sido desenrolado no canto, rodeado pelos pertences de Qara. Rin supôs que precisaria arranjar o próprio tapete para não dormir entre as baratas.

— Não há outras mulheres nas divisões?

— Não compartilhamos os aposentos com outras divisões. — Qara pegou uma bolsa perto de seu tapete, tirou de lá um conjunto de vestes e o jogou para Rin. — É melhor tirar esse uniforme da Academia. Eu fico com ele. Enki quer tecidos velhos para fazer bandagens.

Rin logo tirou a túnica, desgastada pela viagem, colocou as roupas novas e entregou as antigas para Qara. Seu novo uniforme era uma túnica preta sem nenhum traço característico. Diferente dos uniformes do Exército, não possuía a insígnia do Imperador Vermelho do lado esquerdo. Os uniformes do Cike eram feitos para não ter qualquer forma de identificação.

— A braçadeira também.

A mão de Qara estava estendida, esperando.

Rin tocou a braçadeira branca, insegura. Não a havia retirado desde a batalha, embora oficialmente não fosse mais aprendiz de Jiang.

— Preciso mesmo?

Rin vira montes de braçadeiras da Academia entre os soldados do esquadrão de Yenjen, embora eles parecessem ter passado muito da idade acadêmica. Oficiais de Sinegard com frequência usavam as braçadeiras por anos após a formatura como sinal de orgulho.

Qara cruzou os braços.

— Aqui não é a Academia. Sua afiliação a um mestre não tem importância.

— Eu sei que... — começou Rin, mas Qara a interrompeu.

— Você não está entendendo. Isto aqui não é o Exército, é o Cike. Todos chegamos aqui porque fomos considerados adequados para matar, mas inadequados para uma divisão. A maioria de nós não foi para Sinegard, e aqueles que foram não têm boas lembranças de lá. Ninguém aqui se importa com quem foi o seu mestre, e falar sobre ele não vai trazer nada de bom. Esqueça aprovação, posições, glória ou qualquer bosta que queria obter em Sinegard. Você é *Cike*. Via de regra, sua reputação não é boa.

— Não estou nem aí para a minha reputação... — protestou Rin, mas Qara a interrompeu de novo.

— Olha, me escuta: você não está mais na escola. Não está competindo com ninguém, não está tentando tirar notas boas. Você mora conosco, luta conosco, morre conosco. De agora em diante, sua maior lealdade é ao Cike e ao Império. Se quisesse ter seguido uma carreira ilustre, devia ter entrado numa divisão. Mas não fez isso, o que significa que tem algo de errado com você, o que significa que não tem saída a não ser ficar conosco. Entendeu?

— Eu não pedi para vir para cá — respondeu Rin, na defensiva. — Não tive escolha.

— Nenhum de nós teve — disse Qara. — Fica esperta.

Rin tentou criar um mapa da base na cabeça conforme andavam, uma imagem mental do labirinto que era Khurdalain, mas desistiu depois da décima quinta curva que fizeram. Ela suspeitava que Qara estava tomando o caminho mais complicado de propósito.

— Como vocês se localizam aqui? — perguntou ela.

— Decore as rotas — respondeu Qara. — Quanto mais difícil for encontrá-la, melhor. E se quiser encontrar Enki, é só seguir o choro.

Rin estava prestes a perguntar o que aquilo significava quando ouviu berros vindos da esquina.

— Por favor — implorava uma voz masculina. — Por favor, está doendo muito.

— Olha, eu entendo, entendo mesmo — falou uma segunda voz, bem mais grave. — Mas, francamente, não é problema meu. Então não me importo.

— Só umas sementinhas!

Rin e Qara dobraram a esquina. As vozes pertenciam a um homem magrelo e de pele escura e a um soldado infeliz com uma insígnia que o identificava como recruta da Quinta. O braço direito do soldado terminava num coto ensanguentado na altura do cotovelo.

Rin se encolheu com aquela visão. Praticamente conseguia ver a gangrena através do curativo mal feito. Não era surpresa alguma ele estar implorando por papoula.

— São só umas sementinhas para você, e para o próximo camarada que pedir, e para o próximo depois dele — disse Enki. — E aí eu fico sem sementes, e a minha divisão não tem mais nada com o que lutar. Então, na próxima vez que a *sua* divisão ficar encurralada, a *minha* divisão não vai poder fazer o trabalho dela e salvar vocês. Eles são prioridade. Você, não. Entendeu?

O soldado cuspiu aos pés de Enki.

— *Aberrações*.

Ele passou por Enki e voltou para a rua, olhando feio para Rin e Qara.

— Preciso sair daqui — reclamou Enki para Qara depois que ela fechou a porta. Estavam num pequeno cômodo cheio de coisas e com um cheiro forte de ervas medicinais. — Não há condições de armazenar os materiais neste lugar. Preciso de um local seco.

— Chegue mais perto dos aposentos das divisões e logo mil soldados vão bater à sua porta pedindo um remédio rápido — alegou Qara.

— Hum. Você acha que Altan me deixaria ficar com aquele armário nos fundos?

— Acho que Altan gosta de ter o próprio armário.

— É, acho que sim. Quem é essa? — Enki avaliou Rin da cabeça aos pés, como se procurasse por ferimentos. Sua voz era amável, rica e aveludada. Rin se sentia confortável apenas de ouvi-lo falar. — Algum machucado?

— Ela é a speerliesa, Enki.

— Ah! Tinha esquecido. — Enki massageou a nuca raspada. — Como *você* escapou dos dedos de Mugen?

— Não sei — falou Rin. — Eu mesma só descobri isso agora.

Enki assentiu devagar, ainda estudando Rin, como se ela fosse um espécime fascinante. Sua expressão era cuidadosamente neutra e não indicava nada.

— É óbvio. Você não fazia ideia.

— Ela vai precisar de equipamentos — falou Qara.

— Certo, sem problema.

Enki desapareceu num armário nos fundos do quarto. Elas o ouviram mexendo em coisas por um instante, então ele voltou com uma bandeja de plantas secas.

— Alguma dessas funciona com você?

Rin nunca havia visto tantos tipos diferentes de psicodélicos num só lugar. Havia uma variedade maior de drogas ali do que no jardim de Jiang inteiro. Seu antigo mestre teria ficado encantado.

Ela passou os dedos pelas vagens de ópio, pelos cogumelos enrugados e pelos pós brancos úmidos.

— Que diferença faz? — perguntou ela.

— É uma questão de preferência — explicou Enki. — Todas essas drogas vão fazer você se sentir bem, mas a ideia é encontrar uma mistura que lhe permita evocar os deuses sem ficar chapada demais a ponto de não conseguir usar sua arma. Os alucinógenos mais fortes vão levá-la direto ao Panteão, mas você perderá qualquer noção do mundo material. Chamar um deus vai ser completamente inútil se não conseguir ver uma flecha bem na sua cara. As drogas mais fracas requerem um pouco mais de foco para chegar ao estado mental certo, mas dão mais controle sobre o corpo. Se você tem prática com meditação, eu recomendaria as substâncias mais moderadas.

Rin achava que uma ocupação não era o melhor momento para experimentar, então escolheu o que conhecia. Encontrou o tipo de semente de papoula que roubara do jardim de Jiang. Estendeu a mão para pegar um punhado, mas Enki afastou a bandeja.

— Não é assim. — Ele pegou uma balança na parte de baixo do balcão e começou a medir quantidades precisas em saquinhos. — Você me procura quando precisar de mais doses, que deixarei anotadas. A quantidade que receber será determinada de acordo com o seu peso. Você não é grande, com certeza não precisará de tantas como os outros. Use com moderação e apenas quando receber a ordem. É melhor um xamã morto do que um viciado.

Rin não havia pensado naquilo.

— Isso acontece com frequência?

— Aqui? — disse Enki. — É quase inevitável.

As rações do Exército faziam o refeitório da Academia parecer um restaurante. Rin esperou por uma hora e meia na fila e recebeu uma cumbuquinha miserável de arroz empapado. Mexeu com a colher aquela sopa cinzenta e aguada, e diversos grãos crus boiaram.

Ela olhou pelo refeitório, procurando uniformes pretos, e encontrou alguns reunidos numa mesa longa nos fundos do salão. Estavam sentados longe dos outros soldados. As duas mesas mais próximas a eles estavam vazias.

— Esta é a nossa speerliesa — anunciou Qara quando Rin se sentou.

O Cike olhou para Rin com uma mistura de apreensão, interesse e cautela. Qara, Ramsa e Enki estavam sentados junto a um homem que Rin não reconheceu, os quatro usando os uniformes escuros feito piche sem qualquer insígnia ou braçadeira. Rin notou, impressionada, como eram jovens. Enki parecia o mais velho, e nem mesmo ele devia ter visto quatro ciclos completos do zodíaco. A maior parte provavelmente estava no fim dos seus vinte anos. Ramsa nem quinze aparentava ter.

Não era de surpreender que não vissem problema algum em ter um comandante da idade de Altan ou que fossem chamados de Crianças Bizarras. Rin se perguntou se o recrutamento acontecia quando eram jovens ou se eles simplesmente morriam antes de ter a chance de envelhecer.

— Bem-vinda ao esquadrão das aberrações — disse o homem ao lado dela. — Eu me chamo Baji.

Ele parecia um mercenário: grande e com uma voz ribombante. Apesar de sua barriga considerável, era de certa forma bonito, de uma maneira meio grosseira e sombria. Parecia um dos traficantes de ópio da família Fang. Às suas costas, havia um ancinho de nove pontas que parecia incrivelmente pesado. Rin imaginou a força necessária para usá-lo.

— Bonito, não? — Baji deu tapinhas no ancinho. As pontas estavam cobertas por algo marrom. — Nove dentes. É único. Não vai encontrar um desses em lugar algum.

Porque nenhum ferreiro criaria uma arma tão estranha, pensou Rin. *E porque um ancinho com pontas letais e afiadas seria inútil para fazendeiros.*

— Não parece muito prático.

— É o que *eu* sempre digo — falou Ramsa. — Você faz o quê? Planta batatas?

Baji apontou a colher para o garoto.

— Cale essa boca ou juro pelos céus que coloco nove buracos perfeitamente equidistantes na sua cabeça.

Rin levou uma colherada de arroz empapado à boca e tentou não imaginar o que Baji acabara de descrever. Seus olhos recaíram sobre um barril bem ao lado dele. A água era estranhamente opaca, e ondas surgiam na superfície de vez em quando, como se um peixe estivesse nadando lá dentro.

— O que tem dentro do barril? — perguntou ela.

— É o Monge. — Baji se virou e bateu os nós dos dedos na borda de madeira. — Ei, Aratsha! Vem dar oi para a speerliesa!

Por um segundo, não aconteceu nada. Rin se perguntou se Baji era ruim da cabeça. Ouvira rumores de que os agentes do Cike eram loucos, que eram mandados para o Castelo da Noite quando perdiam a sanidade.

Então a água começou a sair do barril, como se estivesse caindo ao contrário, e se solidificou num formato que lembrava vagamente um homem. Duas esferas bulbosas que poderiam ser olhos se abriram e giraram na direção de Rin. Algo que parecia um pouco como uma boca se mexeu.

— Ah! Você cortou o cabelo.

Rin estava impressionada demais para responder.

Baji fez um som de impaciência.

— Não, idiota, essa é a nova agente. De *Sinegard* — disse ele.

— É mesmo? — A criatura de água fez um gesto que parecia uma reverência. Ondas surgiam pelo corpo dela enquanto falava. — Bem, você deveria ter dito. Cuidado — aconselhou a Rin —, ou uma mariposa vai entrar na sua boca.

A mandíbula de Rin se fechou com um clique.

— O que aconteceu com você? — perguntou ela, por fim.

— Do que está falando? — A figura aquática pareceu alarmada. Baixou a cabeça, como se estivesse avaliando o próprio torso.

— Não, quero dizer... — gaguejou ela. — O quê...? Por que você...?

— Aratsha prefere passar seu tempo disfarçado, quando possível — explicou Baji. — Você não vai querer ver a forma humana dele. É horrível.

— Como se você fosse um espetáculo visual — zombou Aratsha.

— Às vezes, jogamos ele num rio quando precisamos envenenar a água — disse Baji.

— Sou muito bom com venenos — admitiu Aratsha.

— É mesmo? Achei que só piorava as coisas com a sua presença.

— Não seja mal-educado, Baji. É você que nem se dá ao trabalho de limpar a própria arma.

Baji colocou o ancinho perigosamente perto do barril.

— Quer que eu limpe em você? Que parte é essa, afinal? Sua perna? Seu...?

Aratsha deu um grito e voltou para o recipiente. Logo a água ficou quieta, num barril que poderia conter apenas água da chuva.

— Ele é esquisito — falou Baji, animado, voltando-se para Rin. — É devoto de uma divindade menor dos rios. Bem mais comprometido com sua religião do que o restante de nós.

— Que deus você convoca?

— O deus dos porcos.

— Como assim?

— Convoco o espírito guerreiro de um javali irado. Não me olhe assim. Nem todos os deuses são tão gloriosos quanto o seu, docinho. Escolhi o primeiro que vi. Os mestres ficaram desapontados.

Os mestres? Baji frequentara Sinegard? Rin se lembrou de Jiang falando sobre estudantes de Folclore antes dela, estudantes que haviam enlouquecido. Mas eles deviam estar em asilos ou em Baghra. Eram instáveis, haviam sido presos para o próprio bem.

— Então isso significa que...?

— Significa que esmago coisas muito bem, docinho.

Baji esvaziou a tigela, inclinou a cabeça para trás e arrotou. Sua expressão dizia que ele não queria mais falar sobre aquilo.

— Pode chegar um pouquinho mais para o lado?

Um jovem muito magro com um cavanhaque fino se aproximou da mesa com uma cumbuca cheia de raiz de lótus e se sentou no banco de Rin.

— Unegen pode se transformar numa raposa — disse Baji, apresentando-o.

— *Se transformar numa...?*

— Meu deus me permite mudar de forma — falou Unegen. — A sua deixa você cuspir fogo. Não é nada demais. — Ele enfiou uma colherada quente na boca, engoliu, fez uma cara feia e arrotou. — Acho que o cozinheiro não está nem tentando mais. Como não podemos ter sal? Estamos do lado do oceano.

— Não dá para simplesmente colocar água do mar na comida — interveio Ramsa. — Tem um processo sanitário.

— Não pode ser tão difícil. Somos soldados, não bárbaros. — Unegen se debruçou, batendo na mesa para chamar a atenção de Qara. — Cadê a sua outra metade?

Ela pareceu irritada.

— Em algum lugar.

— Bem, e quando ele volta?

— Quando voltar — respondeu ela, exasperada. — Chaghan vai e volta como quer. Você sabe disso.

— Contanto que a programação dele considere o fato de que estamos em guerra — disse Baji. — Ele podia ao menos se apressar.

Qara bufou.

— Vocês dois nem gostam de Chaghan. Por que querem que ele volte?

— Já faz dias que só comemos arroz empapado. Está na hora de termos algumas sobremesas por aqui. — Baji sorriu, exibindo os incisivos afiados. — Estou falando de açúcar.

— Achei que Chaghan tivesse ido buscar algo para Altan — disse Rin, confusa.

— E foi — falou Unegen. — Isso não significa que ele não possa parar numa padaria quanto estiver voltando.

— Ele está perto, pelo menos? — perguntou Baji.

— Não sou o pombo-correio do meu irmão — resmungou Qara. — Vão saber onde ele está quando voltar.

— Vocês não podem fazer aquela coisa? — Unegen bateu nas têmporas com as pontas dos dedos.

Qara fez cara feia.

— Somos gêmeos ancorados, não poços-espelho.

— Ah, vocês não podem fazer poços-espelho?

— Ninguém pode fazer poços-espelho — disse Qara, com raiva. — Não mais.

Unegen olhou para Rin do outro lado da mesa e piscou, como se irritar Qara fosse uma coisa que Baji e ele fizessem por diversão.

— Ah, deixem Qara em paz.

Rin se virou para encarar Altan, que caminhava até seu esquadrão.

— Alguém precisa fazer a patrulha no perímetro exterior. Baji, é a sua vez.

— Não posso — respondeu Baji.

— Por que não?

— Estou comendo.

Altan revirou os olhos.

— *Baji*.

— Mande Ramsa — reclamou Baji. — Ele não faz patrulha desde…

Bang. As portas do refeitório se escancararam. Todos os rostos se viraram para aquele lado do salão quando uma figura trajando os mantos escuros do Cike entrou cambaleando. Os soldados da divisão que guardavam a saída mal tiveram tempo de desviar e abrir caminho para o enorme estranho.

Apenas o Cike permaneceu imperturbável.

— Suni voltou — disse Unegen. — Demorou.

Suni era um homem gigantesco com cara de menino. Seus braços e pernas eram cobertos por pelos dourados, mais pelos do que Rin já havia visto num homem. Ele caminhava de forma estranha, como um macaco, como se preferisse se balançar nas árvores em vez de se mover a passos pesados pelo chão. Seus braços eram quase da grossura do torso de Rin; ele parecia capaz de esmagar a cabeça dela feito uma noz se quisesse.

Ele seguiu direto para a mesa do Cike.

— Grande Tartaruga — murmurou Rin. — O que ele é?

— A mãe de Suni trepou com um macaco — respondeu Ramsa, rindo.

— Cala a boca, Ramsa. Suni canaliza o Deus Macaco — explicou Unegen. — Ainda bem que ele está do nosso lado, hein?

Rin não tinha certeza se aquilo a fazia sentir menos medo dele, mas Suni já havia alcançado a mesa.

— Como foi? — perguntou Unegen, animado. — Eles viram você?

Suni parecia não ter ouvido Unegen. Ele baixou a cabeça, como se estivesse cheirando os outros soldados do Cike. Suas têmporas estavam sujas de sangue seco. O cabelo despenteado e o olhar vazio lhe davam uma aparência mais animalesca do que humana, como uma besta silvestre que não conseguia se decidir entre fugir ou atacar.

Rin ficou tensa.

Havia algo errado.

— É tão barulhento — falou Suni. Sua voz era um grunhido baixo, rouco e gutural.

O sorriso de Unegen desapareceu.

— O quê?

— Eles ficam gritando.

— Quem fica gritando?

Os olhos de Suni correram a mesa. Eram selvagens e sem foco. Rin ficou tensa um segundo antes de Suni se jogar em cima da mesa. Ele bateu com o braço no pescoço de Unegen, prendendo-o no chão. Unegen ficou sem ar, golpeando o enorme tronco de Suni sem parar.

Rin pulou para o lado, erguendo a cadeira como uma arma no mesmo momento em que Qara pegava seu arco.

Suni brigava furiosamente com Unegen no chão. Houve um barulho de estalo, e então uma raposinha vermelha surgiu onde antes estava Unegen. Ela quase escapou do aperto de Suni, mas o homem segurou a garganta do animal com mais força.

— Altan! — gritou Qara.

O speerliês correu por cima da mesa caída, empurrando Rin para fora do caminho. Ele pulou em Suni antes que o homem quebrasse o pescoço de Unegen. Surpreso, Suni deu um golpe com o braço esquerdo, acertando Altan no ombro. Altan ignorou a pancada e bateu com força no rosto de Suni.

Suni rugiu e largou Unegen. A raposa correu para os pés de Qara, onde desabou, arfando.

Suni e Altan lutavam no chão, cada um tentando dominar o outro. Altan parecia minúsculo em comparação a Suni, que devia ter o dobro de seu peso. Suni prendeu os ombros de Altan, mas o speerliês agarrou o rosto de Suni e enfiou os dedos nos olhos dele.

Suni uivou e jogou Altan para longe. Por um instante, Altan pareceu um fantoche, arremessado no ar, mas caiu de pé, tensionado como um gato, bem quando Suni o atacou de novo.

O Cike formou um círculo ao redor de Suni. Qara encaixou uma flecha no arco, apontando para a testa de Suni. Baji manteve o ancinho de prontidão, mas Suni e Altan davam tantas voltas no chão que ele não conseguiria golpear um sem acertar o outro. Rin apertou o cabo da espada.

Altan acertou um chute forte no esterno de Suni. O barulho de algo se partindo foi ouvido pelo salão. Suni foi para trás, surpreendido. Altan ficou agachado entre ele e o restante do Cike.

— Para trás — falou Altan, baixinho.

— Eles são tão barulhentos — disse Suni. Ele não soava irritado. Soava assustado. — *São tão barulhentos!*

— Mandei irem *para trás*!

Relutantes, Baji e Unegen recuaram. Qara, no entanto, permaneceu onde estava, mantendo a flecha apontada para a cabeça de Suni.

— Eles são tão barulhentos — reclamou Suni. — Não consigo entender o que estão falando.

— Eu posso dizer tudo que precisa saber — murmurou Altan. — É só abaixar os braços, Suni. Pode fazer isso por mim?

— Estou com medo — choramingou ele.

— Não apontamos flechas para os nossos amigos! — berrou Altan sem mover a cabeça.

Qara baixou o arco. Seus braços tremiam.

Altan caminhou lentamente na direção de Suni, braços abertos em súplica.

— Sou eu. Só eu.

— Vai me ajudar? — perguntou Suni.

A voz não combinava com seu comportamento. Ele soava como uma criança pequena: aterrorizada, indefesa.

— Só se me deixar — respondeu Altan.

Suni baixou os braços.

A espada de Rin estremeceu em suas mãos. Ela tinha certeza de que Suni quebraria o pescoço de Altan.

— Eles são tão barulhentos — falou Suni. — Ficam me mandando fazer coisas, não sei quem escutar...

— Escute a mim — disse Altan. — Apenas a mim.

Com passos rápidos e curtos, ele se aproximou de Suni.

Suni ficou tenso. As mãos de Qara voltaram a segurar o arco; Rin se preparou para avançar.

A enorme mão de Suni segurou a de Altan. Ele respirou fundo. Altan tocou a cabeça dele com gentileza e uniu a testa de Suni à dele.

— Está tudo bem — sussurrou ele. — Você está bem. Você é Suni e faz parte do Cike. Não precisa dar ouvidos a voz nenhuma. Só precisa dar ouvidos a mim.

De olhos fechados, Suni assentiu. Sua respiração forte foi ficando mais branda. Um sorriso torto surgiu em seu rosto. Quando abriu os olhos, a selvageria neles havia desaparecido.

— Oi, Trengsin — falou ele. — Que bom que voltou.

Altan exalou devagar, então anuiu e deu tapinhas no ombro do companheiro.

CAPÍTULO 14

— Boa parte de uma ocupação é ficar sentado sem fazer nada — reclamou Ramsa. — Você sabe quantas lutas de verdade aconteceram desde que a Federação desembarcou um bando de soldados na praia? Nenhuma. Estamos apenas analisando uns aos outros, testando os limites, fingindo covardia.

Ramsa recrutara Rin para ajudá-lo a fortificar os becos na interseção com o cais.

Aos poucos, estavam transformando as ruas de Khurdalain em linhas de defesa. Cada casa evacuada se tornava um forte; cada cruzamento, uma armadilha de arame farpado. Os dois passaram a manhã fazendo buracos nas paredes para transformar o labirinto de passagens num sistema de transporte navegável cujo mapa apenas os nikaras conheciam. Agora estavam enchendo sacos com areia para proteger os espaços entre as paredes contra os bombardeios da Federação.

— Achei que você tivesse explodido uma embaixada — falou Rin.

— Só uma vez — disse Ramsa. — E foi mais do que qualquer pessoa tentou fazer desde que chegamos aqui, de qualquer forma.

— Quer dizer que a Federação ainda não nos atacou?

— Eles mandaram grupos de batedores para dar uma olhada nas fronteiras. Mas ainda não houve qualquer movimento importante com as tropas.

— E estão fazendo isso há quanto tempo? *Por quê?*

— Porque Khurdalain tem uma fortificação melhor que Sinegard. Khurdalain resistiu às duas Guerras da Papoula e com certeza vai sobreviver à terceira. — Ramsa se abaixou. — Pode me passar aquele saco?

Ela entregou o saco, e Ramsa o colocou no topo da fortificação com um grunhido.

Rin não conseguia deixar de gostar daquele moleque franzino, que a lembrava um Kitay mais novo, se ele fosse um piromaníaco caolho com uma adoração infeliz por explosões. Ela se perguntou há quanto tempo Ramsa devia fazer parte do Cike. O menino parecia jovem demais. Como uma criança acabava nas linhas de frente de uma guerra?

— Seu sotaque é de Sinegard — observou ela.

Ramsa assentiu.

— Morei lá por um tempo. Todos na minha família trabalhavam como alquimistas do Exército na capital. Supervisionavam a produção de pó de fogo.

— Então o que está fazendo aqui?

— No Cike? — Ramsa deu de ombros. — Longa história. Meu pai se envolveu com algumas coisas políticas, acabou chamando a atenção da Imperatriz. Extremistas, sabe? Pode ter sido a Ópera, mas não dá para ter certeza. Enfim, ele tentou detonar um míssil no palácio e acabou explodindo a fábrica. — Ele apontou para o tapa-olho. — Queimou o meu olho na hora. Os guardas de Daji cortaram as cabeças de qualquer um remotamente envolvido. Execução pública e tudo.

Rin piscou, impressionada com a calma de Ramsa.

— E quanto a você?

— Eu me safei fácil. O pai nunca me contava muito sobre seus planos, então, depois de perceberem que eu não sabia de nada, só me jogaram em Baghra. Provavelmente pensaram que ia pegar mal se matassem uma criança.

— *Baghra?*

Ramsa assentiu, sereno.

— Os piores dois anos da minha vida. Quando não estava aguentando mais, a Imperatriz me visitou e disse que me deixaria sair se eu trabalhasse com armamentos para o Cike.

— E você simplesmente concordou?

— Você tem noção de como é em Baghra? Àquela altura, estava disposto a fazer qualquer coisa — disse Ramsa. — Baji também esteve na prisão. Pergunte a ele.

— Por que Baji estava lá?

Ramsa balançou a cabeça.

— Sei lá. Ele não quer dizer. Mas só ficou preso por uns meses. A verdade é que mesmo Khurdalain é bem melhor do que uma cela em Baghra. E o trabalho aqui é *incrível*.

Rin o olhou de soslaio. Ramsa parecia alegre com aquela situação. Ela decidiu mudar de assunto.

— O que foi aquilo que aconteceu no refeitório?

— Como assim?

— O... hã... — Ela balançou os braços. — O homem-macaco.

— Hein? Ah, Suni é assim mesmo. Ele faz aquilo quase todo dia. Acho que gosta da atenção. Altan é bonzinho demais com ele; Tyr costumava prendê-lo por horas até o homem se acalmar. — Ramsa entregou outro saco a ela. — Mas não fique assustada. Ele é bem legal quando não está tocando o terror. É só aquele deus atazanando a cabeça dele.

— Então você não é um xamã? — perguntou ela.

Ramsa fez que não, enérgico.

— Não mexo com essa merda. Deixa todo mundo louco. Você viu como Suni está. Meu único deus é a ciência. Combine seis partes de enxofre, seis partes de salitre e uma parte de erva aristolóquia, e você tem pólvora. Padronizado. Confiável. Imutável. Eu entendo o apelo, sério mesmo, mas gosto de ter a minha mente só para mim.

Três dias se passaram antes de Rin falar com Altan de novo. Ele passava boa parte do tempo em reuniões com os líderes regionais, tentando consertar o relacionamento com as lideranças militares antes que piorasse ainda mais. Ela o via voltando às pressas para seu gabinete entre as reuniões, parecendo cansado e furioso. Por fim, Altan mandou Qara chamá-la.

— Oi. Estou prestes a convocar uma reunião. Mas antes queria conversar com você. — Altan não olhou para ela enquanto falava; estava concentrado rabiscando algo no mapa que cobria sua escrivaninha. — Desculpe não fazer isso antes, estou lidando com muita merda burocrática.

— Tudo bem. — Ela ficou mexendo nas mãos, ansiosa. Altan parecia exausto. — Como são os líderes?

— Praticamente inúteis. — Altan bufou, desgostoso. — O Líder do Boi é um político puxa-saco, e o da Cabra é um tolo inseguro que se dobra para onde quer que o vento sopre. Jun tem os dois na palma da mão, e a única coisa com que todos concordam é que odeiam o Cike. Isso significa que não recebemos suprimentos, reforços ou dados de inteligência, e que eles não nos deixariam entrar no refeitório se pudessem. É uma forma idiota de travar uma guerra.

— Sinto muito por ter que aturar isso.

— Não é problema seu. — Ele tirou os olhos do mapa. — Então, o que achou da nossa divisão?

— Eles são estranhos — respondeu Rin.

— É?

— Nenhum deles parece perceber que estamos em guerra — explicou.

Todo soldado das divisões regulares que ela encontrava estava de cara feia e cansado, mas o Cike falava e se portava como se fossem crianças agitadas, entediadas, desequilibradas e sem noção, mas não assustadas.

— Eles são assassinos profissionais — disse Altan. — Perderam a sensibilidade ao perigo... todos menos Unegen, pelo menos; aquele lá se assusta com tudo. Mas o restante consegue agir como se não entendesse por que todos estão tão nervosos.

— É por isso que o Exército os odeia?

— O Exército nos odeia porque temos acesso ilimitado a psicodélicos, porque podemos fazer coisas que não podem, e os soldados não entendem o motivo. É muito difícil justificar o comportamento do Cike para pessoas que não acreditam em xamãs.

Rin entendia o lado do Exército. Os ataques de raiva de Suni eram frequentes e aconteciam em público. Qara conversava aos sussurros com seus pássaros à vista de todos. E os rumores sobre o rico boticário de alucinógenos de Enki se espalharam feito fogo; os soldados das divisões não compreendiam por que apenas o Cike tinha acesso à morfina.

— Então por que não tenta explicar a eles? — perguntou ela. — Como o xamanismo funciona, quero dizer.

— Ah, sim, porque é uma conversa fácil. Mas confie em mim. Eles logo vão ver. — Altan deu batidinhas com o pincel no mapa. — Estão tratando você bem? Fez algum amigo?

— Gosto de Ramsa.

— Ele é encantador. Como um filhotinho. Você acha que ele é adorável até mijar em todos os seus móveis.

— Ele fez isso?

— Não. Mas cagou no travesseiro de Baji uma vez. Não o provoque. — Altan franziu o cenho.

— Quantos anos ele tem? — Rin não conseguiu evitar a pergunta.

— Pelo menos doze. Não deve ter mais que quinze. — Altan deu de ombros. — Baji tem uma teoria de que Ramsa na verdade é um homem de quarenta anos que não envelhece, porque ele não fica mais alto, mas não é maduro o suficiente.

— E você o coloca em zonas de guerra?

— Ramsa se coloca em zonas de guerra — retrucou Altan. — Tente impedi-lo da próxima vez. Já conheceu os outros? Sem problemas?

— Sem problemas — respondeu ela, rápido. — Está tudo bem, mas...

— Não temos outros alunos de Sinegard — completou ele. — Não há rotina. Não há disciplina. Você não está acostumada a nada disso. Estou certo?

Ela assentiu.

— Não pode pensar neles apenas como a Décima Terceira Divisão. Não dá para comandá-los como tropas comuns. Eles são como peças de xadrez, só que não combinam entre si e são superpoderosos. Baji é o mais competente e deveria ser o comandante, mas se distrai com qualquer coisa que tenha pernas. Unegen é bom para coleta de dados, mas tem medo da própria sombra. É péssimo em combates a céu aberto. Aratsha é inútil a não ser que estejamos do lado de um corpo d'água. É sempre bom ter Suni por perto durante um confronto, mas ele não tem sutileza, de forma que não é possível colocá-lo para fazer mais nada. Qara é a melhor arqueira que já vi e provavelmente é a mais útil de todos, mas é medíocre em combate corpo a corpo. E Chaghan é uma bomba psicoespiritual ambulante, mas só quando está aqui. — Altan ergueu as mãos. — Tente criar uma estratégia com tudo isso.

Rin observou os traços no mapa.

— Mas você pensou em alguma coisa, não foi?

— Acho que sim. — Um sorriso surgiu em seu rosto. — Que tal chamarmos os outros?

Ramsa foi o primeiro a chegar. Estava com um odor suspeito de pólvora, embora Rin não pudesse imaginar onde o garoto teria arranjado aquilo. Baji e Unegen apareceram minutos depois, trazendo o barril de Aratsha.

Qara veio com Enki, tendo uma discussão acalorada no idioma dela. Quando viram os outros, logo ficaram em silêncio. Suni foi o último, e Rin ficou aliviada quando o homem se sentou do outro lado da sala.

O gabinete de Altan tinha apenas uma cadeira, então eles se sentaram no chão, formando uma roda como crianças na escola. Aratsha balançava no canto, um pouco acima deles, como uma planta aquática grotesca.

— A gangue está reunida de novo — falou Ramsa, feliz.

— Menos Chaghan — comentou Baji. — Quando ele volta? Qara? Localização estimada?

Qara lançou um olhar assassino para ele.

— Esquece — decidiu Baji.

— Estão todos aqui? Que bom.

Altan entrou no recinto carregando um mapa enrolado. Ele o desenrolou na escrivaninha e então o prendeu na parede. Os lugares cruciais da cidade haviam sido marcados com tinta vermelha e preta, com círculos pontilhados de tamanhos variados.

— Esta é a nossa posição em Khurdalain — falou. Apontou para os círculos pretos. — Estes somos nós. — E então para os vermelhos. — Estes são Mugen.

Os mapas faziam Rin se lembrar de um jogo de wikki, uma variação do xadrez que Irjah ensinara à turma na aula de Estratégia do terceiro ano. Um jogo de wikki não envolvia confronto direto, mas a dominação através de cercos estratégicos. Tanto os nikaras quanto a Federação haviam evitado confronto direto até então, ocupando lugares vazios na complicada rede de canais que era Khurdalain para estabelecer uma vantagem relativa. As forças opostas mantinham um equilíbrio frágil, aumentando aos poucos os riscos conforme os reforços chegavam à cidade de ambos os lados.

— O cais agora é a principal linha de defesa. Nós isolamos os distritos civis contra acampamentos da Federação na praia. Eles não tentaram entrar mais na cidade porque as três divisões estão concentradas na boca do rio Sharhap. Mas isso só vai durar enquanto desconhecerem nossos números. Não sabemos se a inteligência deles é boa, mas achamos que têm consciência de que, em campo aberto, teríamos mais ou menos a mesma quantidade de homens. Depois de Sinegard, as forças da Federação não querem arriscar um confronto direto. Não querem colocar as tropas em risco até terem que seguir para o interior do país. Só vão atacar quando tiverem certeza da superioridade numérica.

Altan indicou no mapa um ponto que circulara, uma área ao norte de onde estavam.

— Daqui a três dias, a Federação vai trazer uma frota para ajudar as tropas no rio Sharhap. Serão doze sampanas com homens, suprimentos e pólvora para desembarcar na costa. Os pássaros de Qara os viram atravessando o estreito. Na velocidade atual, achamos que vão desembarcar depois do pôr do sol do terceiro dia — anunciou Altan. — Quero naufragá-los.

— E eu quero dormir com a Imperatriz. — Baji olhou ao redor. — Ah, desculpe, achei que era para revelarmos nossas fantasias.

Altan não achou engraçado.

— Olhe para o seu mapa — sugeriu Baji. — O Sharhap está cheio de homens de Jun. Não dá para atacar a Federação sem agravar a situação. Isso vai forçá-los a agir. E os líderes regionais não vão concordar; eles não estão prontos, querem esperar a Sétima chegar.

— Eles não vão desembarcar no Sharhap — explicou Altan. — Vão desembarcar no Murui, bem longe do cais. Os civis não pescam no Murui: o litoral raso indica uma zona entremarés grande e muita correnteza. O que significa que o contorno da costa muda com frequência. Desembarcar não vai ser fácil. E o terreno além das praias está longe de ser ideal; é um cruzamento de rios e riachos com pouquíssimas estradas boas.

Baji parecia confuso.

— Então por que vão desembarcar lá?

A expressão de Altan era presunçosa.

— Exatamente pela mesma razão de a Primeira e a Oitava estarem reunindo tropas no Sharhap. O Sharhap é o ponto de desembarque óbvio. A Federação pensa que ninguém vai estar protegendo o Murui. Mas eles não contam com, sabe, pássaros falantes.

— Perfeito — falou Unegen.

— Obrigada. — Qara parecia orgulhosa.

— A costa do Murui leva a uma apertada rede de canais de irrigação ao lado de um arrozal — continuou Altan. — Vamos atrair os barcos o máximo que pudermos para o interior, e Aratsha vai prendê-los revertendo a correnteza e acabando com uma rota de fuga.

Eles olharam para Aratsha.

— Você consegue fazer isso? — perguntou Baji.

A bolha de água que era a cabeça de Aratsha foi de um lado para o outro.

— Uma frota desse tamanho? Não vai ser fácil. Posso dar a vocês trinta minutos. Uma hora, no máximo.

— É mais que o suficiente — decretou Altan. — Se conseguirmos prender todos juntos, eles vão pegar fogo em segundos. Mas precisamos encurralá-los no estreito. Ramsa. Você pode criar uma distração?

O garoto jogou uma coisa redonda dentro de um saco em cima da escrivaninha de Altan.

O comandante pegou o saco e o abriu, fazendo uma careta.

— O que *é* isso?

— É a Bomba Escalda-Ossos de Fogo Líquido Mágico — respondeu Ramsa. — O último modelo.

— Legal. — Suni se inclinou na direção do saco. — O que tem nela?

Ramsa ditou os ingredientes com prazer.

— Óleo de tungue, sal amoníaco, suco de cebola e fezes.

Altan pareceu um pouco alarmado.

— Fezes de *quem*?

— Não importa — respondeu Ramsa, rápido. — Isso pode derrubar pássaros do céu a quinze metros de altura. Posso colocar uns foguetes de bambu também, mas vai ser difícil acender o pavio nessa umidade.

Altan ergueu uma sobrancelha.

— Ah, é. — Ramsa deu uma risadinha. — Amo os speerlieses.

— Aratsha vai reverter a correnteza para prendê-los — continuou Altan. — Suni, Baji, Rin e eu vamos defender a costa. Eles terão visibilidade reduzida devido à combinação de fumaça e neblina, então vão pensar que somos um esquadrão bem maior.

— E o que faremos se tentarem atacar a costa? — perguntou Unegen.

— Eles não podem — falou Altan. — É um brejo. Vão afundar na lama. De noite, vai ser impossível encontrar terra firme. Vamos defender esses pontos cruciais em duplas. Qara e Unegen vão separar os barcos de suprimento e levá-los para o canal principal. O que não conseguirmos pegar, queimaremos.

— Um problema — disse Ramsa. — Acabou a pólvora. Os líderes regionais não querem compartilhar.

— Eu lido com os líderes — falou Altan. — Só continue fazendo essas bombas de bosta.

Sunzi, o grande estrategista militar, escreveu que o fogo deveria ser usado em noites secas, quando as labaredas poderiam se espalhar com a menor das provocações. Que o fogo deveria ser usado quando se estivesse a favor do vento, para que a fumaça, a irmã das chamas, fosse levada na direção do acampamento inimigo. Que o fogo deveria ser usado em noites claras, quando não haveria chance de as chamas serem apagadas pelas chuvas.

O fogo não deveria ser usado numa noite como aquela, em que os ventos úmidos da praia não deixariam que se espalhasse, quando a furtividade era importantíssima, sendo que qualquer tocha denunciaria a posição do Cike.

No entanto, eles não usariam fogo comum. Não precisavam de nada tão rudimentar quanto lenha e óleo. Não precisavam de tochas. Tinham speerlieses.

Rin se agachou nos juncos ao lado de Altan, os olhos fixos no céu cada vez mais escuro, esperando o sinal de Qara. Estavam deitados de bruços na margem lamacenta. A água invadia a túnica de Rin, e a turfa tinha um cheiro tão forte de ovo podre que respirar pela boca lhe dava vontade de vomitar. Na outra margem, ela viu Suni e Baji se arrastando pelo rio e se escondendo entre as plantas. Ambos os grupos ocupavam os únicos pedaços de terra firme do arrozal, duas tiras finas de turfa seca que se alongavam pelo pântano como dedos.

A neblina grossa que poderia ter umedecido a lenha agora lhes fornecia uma vantagem. Ela seria um presente para a Federação quando os soldados desembarcassem, mas também esconderia o Cike e daria a impressão de estarem em maior número.

— Como sabia que haveria neblina? — sussurrou ela para Altan.

— Tem neblina sempre que chove. É a época de chuva para os arrozais. Os pássaros de Qara estão observando as nuvens desde semana passada — respondeu Altan. — Conhecemos esse lugar como a palma das nossas mãos.

A atenção de Altan para os detalhes era impressionante. O Cike usava um sistema de sinais que Rin nunca teria sido capaz de decifrar se não tivessem lhe ensinado à exaustão no dia anterior. Quando o falcão de

Qara voou acima deles, era o sinal para Aratsha iniciar sua manipulação sutil da corrente fluvial. Meia hora antes, uma coruja voara baixo sobre o rio, indicando que Baji e Suni deveriam ingerir um punhado de fungos coloridos. O tempo de reação da droga fora calculado com precisão para a chegada da frota.

Os amadores são obcecados com estratégias, dissera Irjah certa vez para a turma. *Os profissionais são obcecados com logística.*

Rin engolira um bocado de sementes de papoula quando viu o primeiro sinal de Qara; elas passaram com dificuldade pela garganta, mas se assentaram bem no estômago. Rin sentiu os efeitos quando se levantou; estava chapada o suficiente para ficar de cabeça leve, mas não zonza a ponto de não conseguir manejar uma espada.

Altan não havia ingerido nada. Por qualquer razão que fosse, ele não parecia precisar de drogas para evocar a Fênix. Canalizava o fogo tão casualmente quanto alguém assobiava. Era uma extensão dele que o rapaz conseguia manipular sem precisar de concentração.

Um grasnado leve acima. Rin mal conseguia ver a silhueta da águia de Qara, passando sobre eles pela segunda vez para indicar a chegada da Federação. Rin ouviu um farfalhar baixo vindo do canal.

Rin observou o rio e não viu uma frota de barcos, mas uma fila de soldados da Federação, caminhando na água. Estavam até os ombros debaixo d'água e carregavam tábuas de madeira acima da cabeça.

Ela percebeu que aqueles homens eram sapadores. Usariam as tábuas para construir pontes para a frota que estava a caminho e facilitar o desembarque dos suprimentos. *Inteligente*, pensou. Cada um dos sapadores segurava uma lamparina à prova d'água acima do canal enlameado, criando uma iluminação estranha sobre a água.

Altan gesticulou para Suni e Baji se agacharem mais, de modo que não fossem vistos acima dos juncos. A grama comprida fez cócegas nas orelhas de Rin, mas ela não se moveu.

Na boca do canal, Rin percebeu a centelha de uma lanterna de sinalização. A princípio, conseguiu ver apenas o barco na dianteira.

Então toda a frota emergiu da neblina.

Rin contou as embarcações. Eram doze — sampanas esguias e bem-feitas —, cada uma com oito homens, sentados em fila com caixotes de equipamentos em pilhas altas no centro.

A frota parou numa bifurcação no rio. A Federação tinha duas escolhas: um dos canais levaria os barcos para uma baía larga em que seria relativamente fácil fazer o desembarque; o outro os faria virar à esquerda para o labirinto de águas lamacentas onde o Cike os esperava.

O Cike precisava que eles pegassem o caminho à esquerda.

Altan levantou o braço e balançou a mão, como se estivesse usando um chicote. Pequenas chamas escaparam de seus dedos, indo para todas as direções como cobras brilhantes. Rin ouviu um chiado conforme o fogo atravessava o pântano.

Então, com um assobio muito agudo, o primeiro dos foguetes de Ramsa explodiu no céu.

Ramsa preparara a estrutura de forma que a ignição de um foguete acenderia o outro em sequência, com um espaço de alguns segundos entre as explosões. Os mísseis encheram o lugar com um fedor pungente que se sobrepôs até ao odor sulfuroso da turfa.

— Pelas tetas da tigresa — resmungou Altan. — Ele não estava de brincadeira quando falou das fezes.

As explosões continuaram, uma reação em cadeia de pólvora para simular o barulho e a devastação de um exército que não estava ali. Bombas de bambu distantes irromperam com o som do que pareciam trovões. Uma sequência de foguetes menores explodiu com barulhos ressonantes e enormes pilares de fumaça; esses não pegavam fogo, mas serviam para confundir os soldados da Federação e obstruir sua visão, de modo que não pudessem ver aonde estavam indo com os barcos.

As explosões incitaram a Federação diretamente para a zona morta criada por Aratsha. Com o primeiro clarão, os barcos da Federação logo desviaram de onde vinham as explosões. As embarcações bateram umas nas outras, seus cascos raspando, e se enfiaram no riacho estreito enquanto seguiam de forma desajeitada. Os arrozais altos, abandonados desde que a ocupação tivera início, forçaram os barcos a se apertarem.

Percebendo o erro que havia cometido, o capitão ordenou que os homens mudassem a direção, mas gritos de pânico foram ouvidos das embarcações quando os marujos perceberam que não conseguiam comandá-las.

A Federação estava presa.

Era hora do ataque real.

Enquanto os foguetes continuavam a ser atirados na direção da frota da Federação, uma série de flechas em chamas atravessou a noite e acertou os caixotes de carga. A saraivada foi tão rápida que parecia que um esquadrão inteiro estava escondido no pântano, atirando de direções diferentes, mas Rin sabia que era apenas Qara, escondida com segurança na margem oposta, soltando flechas com a velocidade deslumbrante de uma caçadora treinada das Terras Remotas.

Depois, Qara atacou os sapadores. Acertou a testa de cada um deles, derrubando a ponte feita pelos homens com uma precisão surreal.

Atacada de ambos os lados por fogo inimigo, a frota da Federação começou a queimar.

Os soldados da Federação abandonaram os barcos flamejantes em pânico. Eles pulavam para a margem, mas acabavam ficando presos no pântano lodoso. Homens escorregavam e caíam na água do arrozal, que chegava até a cintura, enchendo suas armaduras pesadas. Então, após um sussurro de Altan, os juncos na margem também começaram a pegar fogo, cercando a Federação como uma armadilha mortal.

Mesmo assim, alguns chegaram à outra margem. Alguns soldados — dez, vinte — subiram em terra firme, mas deram de cara com Suni e Baji.

Rin havia se perguntado como Suni e Baji pretendiam proteger sozinhos aquele pedaço de turfa. Eles eram apenas dois e, até onde a garota percebera de suas habilidades xamânicas, os guerreiros não conseguiam controlar um elemento grande como Altan ou Aratsha. Com certeza, seriam sobrepujados.

Ela não deveria ter se preocupado.

Eles acertaram os soldados como pedregulhos rolando num campo de trigo.

Na luz fraca das chamas de Ramsa, Suni e Baji eram um turbilhão de movimento que lembrava o combate rápido do teatro de sombras.

Eram o oposto de Altan. O speerliês lutava com a graciosidade praticada de um artista marcial. Altan se movia como um filete de fumaça, um dançarino. Mas Baji e Suni eram um estudo em brutalidade, exemplos de força pura e desmedida. Não utilizavam nenhuma das sequências de golpes econômicas de Seejin. Seu único objetivo era esmagar tudo que estivesse ao redor — o que faziam com toda a tranquilidade, atirando homens de volta à água assim que chegavam à margem.

Um lutador de artes marciais treinado em Sinegard valia por quatro homens do Exército. Mas Suni e Baji valiam por pelo menos vinte.

Baji fatiava corpos como um cozinheiro cortava vegetais. Seu ancinho de nove pontas, aquela arma absurda, que seria de difícil manuseio nas mãos de qualquer outro soldado, tornava-se uma máquina de matar nas suas. Ele enfiava lâminas de espadas entre as nove pontas, prendendo três ou quatro antes de arrancá-las dos dedos dos oponentes.

Seu deus não lhe concedia uma transformação aparente, mas ele lutava com a fúria de um guerreiro, um verdadeiro javali selvagem com sede de sangue.

Suni lutava sem armas. Enorme, ele parecia ter crescido até o tamanho de um pequeno gigante, alcançando mais de três metros. Não deveria ser possível para Suni desarmar homens com espadas de aço da maneira como fazia, mas ele era tão terrivelmente forte que seus inimigos pareciam crianças em comparação.

Enquanto Rin observava, Suni agarrou a cabeça dos dois soldados mais próximos e as bateu uma contra a outra. Elas racharam como melões maduros. Sangue e massa cinzenta se espalharam pelo lugar, sujando todo o torso de Suni, mas ele mal parou para limpar aquilo da cara e logo enfiou o punho na cabeça de outro soldado.

Pelos cresceram em seus braços e costas; pareciam servir como um escudo orgânico, repelindo metal. Um soldado enfiou uma lança por trás de Suni, mas a lâmina simplesmente se torceu. Suni deu meia-volta e se curvou um pouco, colocou os braços ao redor da cabeça do homem e a arrancou com tanta facilidade que parecia mais estar tirando a tampa de um pote.

Quando Suni se voltou para o pântano, Rin teve um vislumbre de seus olhos na luz do fogo. Estavam completamente pretos.

Ela estremeceu. Aqueles eram os olhos de uma besta. O que quer que estivesse lutando ali, não era Suni. Era uma entidade antiga, malévola e feliz, em êxtase por receber permissão total para quebrar corpos humanos como brinquedos.

— A outra margem! Vão para a outra margem!

Um punhado de soldados desesperados saiu da frota atolada e se aproximou de onde Altan e Rin estavam.

— Nossa vez, garota — disse ele, levantando-se, o tridente girando nas mãos.

Rin logo se colocou de pé, mas ficou tonta quando os efeitos da papoula a acertaram como um porrete na lateral da cabeça. Tropeçou. Sabia que estava numa posição perigosa. A não ser que conseguisse chamar a deusa, a papoula apenas a tornaria inútil na batalha, chapada e desorientada. No entanto, quando buscou o fogo dentro de si, não encontrou nada.

Tentou cantarolar no idioma antigo de Speer. Altan lhe ensinara aquele encantamento. Rin não entendia as palavras; o próprio Altan mal as compreendia, mas aquilo não importava. O que importava eram os sons ásperos, a repetição de feitiços que pareciam cuspidos. A língua de Speer era primitiva, gutural e selvagem. Soava como uma maldição. Como uma condenação.

Ainda assim, aquilo desacelerou sua mente, deixando-a no centro do redemoinho que eram seus pensamentos, e estabeleceu uma conexão direta com o Panteão.

Mas Rin não sentiu que estava entrando no nada. Não ouviu um sibilo. Não estava ascendendo. Tentou buscar dentro de si, procurando a ligação com a Fênix, e... sem resultado. Não sentiu coisa alguma.

Algo atravessou o ar e afundou na lama aos seus pés. Com grande dificuldade, ela examinou o objeto, como se estivesse olhando através de uma neblina pesada. Por fim, sua mente drogada identificou uma flecha.

A Federação estava revidando.

Rin ficou levemente consciente de que Baji gritava para ela do outro lado do canal. Tentou se livrar das distrações e direcionar a mente para dentro, mas o pânico borbulhava em seu peito. Não conseguia se concentrar. Estava focada em tudo ao mesmo tempo: nos pássaros de Qara, nos soldados inimigos, nos corpos que se aproximavam cada vez mais da margem.

Um grito sobrenatural veio do outro lado da baía. Suni emitia uma série de guinchos agudos como um macaco insano, batia os punhos no peito e uivava para o céu noturno.

Ao seu lado, Baji jogou a cabeça para trás e gargalhou, um som que também não parecia desse mundo. Ele estava feliz demais, mais encantado do que qualquer pessoa em meio a tamanha carnificina tinha o direito de estar. E Rin percebeu que não era Baji que ria, era o deus dentro dele que via sangue derramado como veneração.

Baji levantou o pé e jogou os soldados na água, derrubando-os como dominós; ele os mandava direto para o rio, onde os homens se debatiam e tentavam se manter na superfície do pântano encharcado.

Quem controlava quem? Era o soldado que chamara o deus ou o deus no corpo do soldado?

Ela não queria ser possuída. Queria permanecer livre.

Mas a dissonância cognitiva estava provocando um combate em sua cabeça. Três ordens competiam pela prioridade no cérebro de Rin: o conselho de Jiang para esvaziar a mente, a insistência de Altan para afiar a raiva como uma navalha e seu medo de permitir que o fogo pulsasse por ela novamente, porque, assim que começava, ela não sabia como pará-lo.

No entanto, não podia simplesmente ficar ali *parada*.

Vamos, vamos... Ela buscou pelas chamas e não as encontrou. Estava presa entre o Panteão e o mundo material, incapaz de ficar num lugar só. Perdeu o equilíbrio; estava desorientada, controlando o corpo como se estivesse bem longe.

Algo frio e pegajoso agarrou seus tornozelos. Rin deu um salto quando um soldado saiu da água. Ele puxou o ar com arfadas roucas; deve ter prendido a respiração por todo o comprimento do canal.

Ele a viu, gritou e caiu para trás.

Tudo que Rin conseguiu registrar era como ele parecia *jovem*. Não era um soldado treinado, experiente. Talvez aquela fosse a primeira vez que entrava em combate. Ele nem pensou em sacar a arma.

Ela foi até o inimigo devagar, caminhando como se estivesse num sonho. A mão que segurava a espada parecia alheia à garota; foi outra pessoa que baixou a lâmina, foi o pé de outra pessoa que chutou o ombro do soldado...

Ele foi mais rápido do que ela pensou que seria; o rapaz desviou e deu um chute em sua patela, fazendo-a desabar na lama. Antes que Rin pudesse reagir, ele a atacou, prendendo-a no chão com os dois joelhos.

Ela olhou para cima. Seus olhares se cruzaram.

Medo puro estampava o rosto do soldado, redondo e delicado como o de uma criança. Ele era só um pouco mais alto que ela. Não devia ser mais velho do que Ramsa.

Ele se atrapalhou com a adaga, teve que apoiá-la na barriga para poder segurá-la direito e enfiá-la...

Três pontas de metal brotaram de sua clavícula, perfurando o lugar onde a traqueia encontra os pulmões. Sangue escorreu dos cantos de sua boca. Seu corpo desabou sobre o pântano.

— Está tudo bem? — perguntou Altan.

Diante deles, o soldado se debatia e gorgolejava. Altan havia mirado cinco centímetros acima do coração, roubando do garoto a chance de uma morte rápida e misericordiosa e o condenando a se afogar no próprio sangue.

Rin assentiu sem falar nada, procurando a espada na lama.

— Fique abaixada — mandou ele. — E atrás de mim.

Ele a empurrou às suas costas com mais força do que o necessário. Rin tropeçou nos juncos e olhou para cima a tempo de ver Altan se acender como uma tocha.

O efeito foi o mesmo de um fósforo aceso encostando em óleo. As chamas explodiram de seu peito, saindo de seus ombros nus e formando filetes em fluxo contínuo, cercando-o, protegendo-o. Ele era uma fogueira viva. Seu fogo assumiu a forma de um par de asas enormes que se desdobravam de maneira magnífica ao seu redor. A água evaporava em um raio de um metro e meio de distância dele.

Rin precisou proteger os olhos.

Aquele era um speerliês completamente desenvolvido. Era um deus dentro de um homem.

Altan afastou os soldados como uma onda. Eles recuaram, preferindo se arriscar nos barcos em chamas a enfrentar aquela aparição terrível.

Ele avançou sobre os soldados, e a carne de seus corpos se desfez.

Rin não conseguia suportar aquela visão. Ainda assim, não conseguia afastar os olhos.

Ela se perguntou se fora assim que queimara em Sinegard.

Naquele momento, porém, com as chamas saindo de todos os orifícios, ela com certeza não fora tão graciosa. Quando Altan se mexia, as asas de fogo giravam e se moviam como um reflexo, varrendo de maneira indiscriminada a pequena frota e incendiando o que encontravam.

Fazia sentido, pensou ela, atordoada, que os agentes do Cike se tornassem manifestações vivas de seus deuses.

Quando Jiang lhe ensinou a acessar o Panteão, mostrou apenas como se ajoelhar diante das deidades.

Mas o Cike as trazia de volta ao mundo mortal e, quando isso acontecia, os deuses eram devastadores, caóticos e terríveis. Quando os xamãs do Cike rezavam, não pediam para os deuses fazerem coisas por eles, mas para agirem *através* deles; quando abriam as mentes para o céu, transformavam-se em receptáculos vazios para serem habitados pelas deidades que escolhiam.

Quanto mais Altan se movia, mais pegava fogo, como se a própria Fênix queimasse devagar através dele para romper a divisão entre o mundo dos sonhos e o mundo material. Todas as flechas atiradas em sua direção eram inutilizadas pelas labaredas; as armas caíam para o lado, chiando nas águas pantanosas.

Rin tinha medo de que Altan ardesse por completo, até não restar nada além do fogo.

Naquele momento, achou impossível acreditar que os speerlieses haviam sido massacrados. Que coisa maravilhosa o exército speerliês devia ter sido. Um regimento completo de guerreiros que entravam em combustão com a mesma glória que Altan... como alguém conseguiria apagar aquele povo? Um speerliês era amedrontador; mil seriam implacáveis. Eles teriam sido capazes de queimar o mundo.

Qualquer que fosse a arma que tivessem usado naquela época, os soldados da Federação já não eram mais tão poderosos assim. Sua frota estava em completa desvantagem: encurralada de todos os lados, com chamas por trás, um pântano lodoso sob os pés e deuses de verdade protegendo os únicos pedaços de terra firme ao redor.

Os barcos atolados haviam começado a queimar para valer; os caixotes de uniformes, cobertores e remédios ardiam e estalavam, emitindo uma fumaça grossa que cobria o brejo como uma mortalha impenetrável. Os homens nas embarcações se dobravam, tossindo, e aqueles que haviam se amontoado na água rasa, incertos, começaram a gritar, pois ela agora fervia com o calor daquele inferno escaldante.

Era uma carnificina completa. Era lindo.

A estratégia de Altan fora perfeita. Sob circunstâncias normais, um esquadrão de oito pessoas não teria chance contra aqueles homens. Mas

Altan escolhera um campo de batalha onde cada uma das vantagens da Federação foi inutilizada pelo ambiente, e as vantagens do Cike foram amplificadas.

No fim das contas, o que importava era que a menor divisão do Exército destruíra uma frota inteira.

Altan não perdeu o equilíbrio quando subiu na dianteira do barco. Ele se ajustou ao chão inclinado de forma tão majestosa que parecia estar andando em terra firme. Enquanto os soldados da Federação se debatiam em pânico e se afastavam, ele dava golpes sem parar com o tridente, derramando sangue e silenciando os gritos a cada movimento.

Os homens caíam diante dele como adoradores. Altan os cortava como juncos.

Eles tombavam na água, e os gritos ficavam mais altos. Rin os viu fervendo até a morte, a pele escaldada com bolhas tão vermelhas quanto caranguejos, para depois estourarem; cozinhados por dentro e por fora, os olhos esbugalhados em agonia mortal.

Rin tinha lutado em Sinegard; havia incinerado um general com as próprias chamas, mas, naquele momento, mal conseguia compreender a destruição casual que Altan causava. O rapaz lutava com uma intensidade que não deveria ser humana.

Só o capitão da frota não gritou, não pulou na água para escapar dele. Em vez disso, permaneceu parado e orgulhoso, como se estivesse em sua embarcação intacta, não nos destroços em chamas de sua frota.

O capitão sacou a espada devagar e a ergueu diante de si.

De forma alguma poderia vencer Altan em combate, mas Rin achou a tentativa estranhamente honrada.

Os lábios do capitão se mexeram rápido, como se estivesse murmurando um encantamento para a escuridão. Rin se perguntou se o capitão era um xamã, mas, quando ele diminuiu a velocidade de seu mugenês, ela percebeu que o homem rezava.

— Não sou nada diante da glória do Imperador. Por sua dádiva, sou feito puro. Por sua graça, tenho propósito. É uma honra servir. É uma honra viver. É uma honra morrer. Por Ryohai. Por Ryohai. Por...

Altan andou com leveza pelo convés chamuscado. As labaredas lambiam suas pernas, envolviam seu corpo, mas não podiam machucá-lo.

O capitão levou a espada até o pescoço.

Altan se lançou para a frente no último segundo, de repente consciente do que o homem pretendia fazer, mas estava longe demais.

O capitão fez um movimento veloz com a lâmina. Seus olhos encontraram os de Altan e, um segundo antes de a vida desaparecer deles, Rin pensou ter visto uma centelha de vitória. Então, seu corpo tombou no lamaçal.

Quando Aratsha deixou de controlar a corrente, os destroços que voltaram para o mar Nariin eram uma bagunça de barcos carbonizados, suprimentos inutilizáveis e homens traumatizados.

Altan ordenou uma retirada antes de os soldados da Federação terem a chance de se reagrupar. O número de sobreviventes era bem maior do que o de baixas, mas o objetivo do Cike nunca fora destruir o exército. Naufragar os suprimentos era suficiente.

Mas não todos. Na confusão da batalha, Unegen e Qara pegaram dois barcos e os esconderam num canal interno. Estavam a bordo deles naquele momento, e Aratsha os guiava através dos canais apertados de Khurdalain em direção a um local no centro da cidade perto do cais.

Ramsa foi encontrá-los quando retornaram.

— Deu certo? — perguntou. — Os foguetes funcionaram?

— Foi uma beleza. Bom trabalho, garoto — respondeu Altan.

Ramsa gritou de alegria. Altan deu tapinhas em seu ombro, e o menino abriu um sorriso largo. Rin conseguia ver na expressão de Ramsa que ele adorava Altan como a um irmão mais velho.

Era difícil não sentir o mesmo. Altan era tão competente e brilhante que tudo que ela queria era agradá-lo. Ele dava ordens rigorosas e os elogios não eram tão rotineiros, mas, quando aconteciam, era maravilhoso. Rin queria aqueles elogios, desejava-os como algo tangível.

Na próxima vez. Na próxima vez, ela não seria um peso morto. Aprenderia a canalizar aquela raiva à vontade, mesmo que, para isso, precisasse arriscar a própria sanidade.

Naquela noite, celebraram com um saco de açúcar pilhado de um dos barcos roubados. O refeitório estava trancado e não havia nada em que poderiam polvilhar o açúcar, então comeram direto com uma colher. Em outra ocasião, Rin teria achado aquilo nojento; agora, enfiava grandes colheradas na boca quando lhe passavam o saco compartilhado na roda.

Sob a insistência de Ramsa, Altan concordou em acender uma fogueira num campo aberto.

— Vocês não têm medo de sermos vistos? — perguntou Rin.

— Estamos dentro do território nikara. Então tudo bem. Só não jogue nada no fogo — alertou o comandante. — Não dá para fazer experimentos pirotécnicos tão perto dos civis.

Ramsa bufou.

— Você que manda, Trengsin.

Altan olhou para ele, exasperado.

— Estou falando sério desta vez.

— Você tira a graça de tudo — resmungou Ramsa enquanto Altan se afastava da fogueira.

— Não vai ficar? — perguntou Baji.

Altan balançou a cabeça.

— Preciso falar com os líderes regionais. Estarei de volta em algumas horas. Continuem com a celebração. Estou bastante satisfeito com o desempenho de vocês hoje.

— *Estou bastante satisfeito com o desempenho de vocês hoje* — imitou Baji quando Altan se afastou. — Alguém tem que dizer para ele deixar de ser um pentelho.

Apoiado nos cotovelos, Ramsa se deitou e cutucou Rin com o pé.

— Ele era tão insuportável assim na Academia?

— Não sei — respondeu ela. — Não o conheci tão bem em Sinegard.

— Aposto que sempre foi assim. Um velho preso no corpo de um jovem. Será que ele sorri?

— Apenas uma vez por ano — comentou Baji. — Por acidente, enquanto dorme.

— Ora, vamos — disse Unegen, embora também estivesse rindo. — Ele é um bom comandante.

— Ele *é mesmo* um bom comandante — concordou Suni. — Melhor do que Tyr.

O tom gentil da voz dele surpreendeu Rin. Quando não era dominado por seu deus, Suni era bastante quieto, quase tímido, e falava apenas após uma atenta deliberação.

Rin o observou sentado calmo na frente do fogo. Seus traços largos estavam relaxados e plácidos; ele parecia em paz consigo mesmo. Ela imaginou qual seria a próxima vez em que o homem perderia o controle e sucumbiria às vozes que gritavam em sua cabeça. Suni era terrivelmente forte — ele despedaçara homens como ovos. Matava bem e com eficiência.

Ele poderia ter matado Altan. Três noites antes no refeitório, Suni poderia ter quebrado o pescoço de Altan com a mesma facilidade com que teria torcido o de uma galinha. O pensamento a deixava com a boca seca de medo.

Ela pensou em como Altan sabia daquilo e mesmo assim fora até Suni, colocara sua vida nas mãos do subordinado.

De alguma forma, Baji tinha conseguido uma garrafa de licor de sorgo de um dos muitos depósitos de Khurdalain. Eles a passavam pela roda. Haviam acabado de garantir uma grande vitória; podiam se dar ao luxo de relaxar por uma noite.

— Ei, Rin. — Ramsa ficou de bruços e apoiou o queixo nas mãos.

— Oi?

— Isso significa que os speerlieses não estão extintos, afinal? — questionou ele. — Você e Altan vão fazer bebês e repovoar Speer?

Qara riu alto. Unegen cuspiu um bocado de licor.

Rin ficou completamente corada.

— Acho que não — disse ela.

— Por que não? Você não gosta de Altan?

Que merdinha petulante.

— Não, quero dizer que não posso — respondeu ela. — Não posso ter filhos.

— Por que não? — perguntou Ramsa.

— Destruí meu útero na Academia — explicou ela, abraçando as pernas bem perto do peito. — Ele estava, hã, interferindo no meu treinamento.

Ramsa pareceu tão perplexo que Rin começou a gargalhar. Qara sorriu para o cantil.

— *Como é?* — questionou ele, indignado.

— Eu explico para você um dia — falou Baji. Ele havia tomado o dobro de licor do que o restante e já estava começando a arrastar as palavras. — Quando crescer pelo no seu saco.

— Eu *já* tenho pelo no saco.

— Então quando sua voz engrossar.

Eles passaram a garrafa em silêncio por um instante. Agora que o frenesi do pântano havia acabado, o Cike parecia menor de alguma forma, como se eles só pudessem ser animados pela presença dos deuses e, em sua ausência, eram apenas conchas vazias sem vitalidade.

Pareciam completamente humanos, vulneráveis e frágeis.

— Então você é a última do seu povo — falou Suni após um segundo de silêncio. — Isso é triste.

— Acho que sim. — Rin colocou mais um galho na fogueira. Ela ainda não estava acostumada à sua nova identidade. Não tinha lembranças de Speer, nenhuma ligação real com o lugar. O único momento em que achava que ser speerliesa significava algo era quando estava com Altan. — Tudo que envolve Speer é triste.

— Culpa daquela rainha idiota — falou Unegen. — Eles nunca teriam morrido se Tearza não tivesse se matado com uma faca.

— Ela não se matou com uma faca — disse Ramsa. — Ela queimou até a morte. Explodiu de dentro para fora. *Bum*. — Ele esticou os dedos no ar.

— *Por que* ela se matou? — perguntou Rin. — Nunca entendi essa história.

— Na versão que ouvi, ela era apaixonada pelo Imperador Vermelho — respondeu Baji. — Ele vai até a ilha dela, e a mulher fica obcecada por ele na mesma hora. Ele ameaça invadir a ilha se Speer não concordar em se tornar um estado vassalo. E ela fica tão transtornada por aquela traição que foge para o seu templo e se mata.

Rin franziu o nariz. Cada versão que ouvia daquele mito fazia Tearza parecer mais besta.

— Não é uma história de amor — falou Qara pela primeira vez naquela noite. Os olhares de todos correram para ela com uma leve surpresa. — Esse mito é propaganda nikara. A história de Tearza foi copiada do mito de Han Ping, porque é melhor do que a verdade.

— E qual é a verdade? — questionou Rin.

— Você não sabe? — Qara encarou Rin com um olhar sombrio. — Mais do que qualquer um, os speerlieses deviam saber.

— É óbvio que eu não sei. Pode me contar?

— Eu não contaria como uma história de amor, mas como uma história de deuses e humanos. — A voz de Qara ficou tão baixa que o

Cike precisou se inclinar para ouvi-la. — Dizem que Tearza poderia ter chamado a Fênix e salvado a ilha. Dizem que, se Tearza tivesse evocado as chamas, Nikan nunca conseguiria anexar Speer. Dizem que, se tivesse sido o desejo dela, Tearza poderia ter conjurado um poder tão grande que o Imperador Vermelho e seus exércitos nunca teriam se atrevido a colocar os pés em Speer, não por mil anos.

Qara fez uma pausa. Ela não tirou os olhos de Rin.

— E depois? — perguntou ela.

— Tearza se recusou — falou Qara. — Disse que a independência de Speer não justificava o sacrifício exigido pela Fênix. A deusa declarou que Tearza havia quebrado seus votos como regente de Speer e então a puniu.

Rin ficou em silêncio por um instante. Então perguntou:

— Você acha que ela tinha razão?

Qara deu de ombros.

— Acho que Tearza foi sábia. *E* acho que ela era uma líder ruim. Xamãs devem saber quando resistir ao poder dos deuses. Isso é sabedoria. Mas soberanos devem fazer tudo que puderem para salvar seu país. Isso é responsabilidade. Se o destino do país está nas suas mãos, se você aceitou a obrigação que tem com o povo, então sua vida deixa de ser apenas sua. Quando se aceita o título de soberana, suas escolhas são feitas para você. Naquela época, governar Speer significava servir a Fênix. Os speerlieses eram um povo orgulhoso. Um povo livre. Quando Tearza se matou, eles se tornaram pouco mais que os cães loucos do Imperador. A rainha tem o sangue de Speer nas mãos. Recebeu o que merecia.

Quando Altan voltou da reunião com os líderes, a maior parte do Cike já havia adormecido. Rin continuava acordada, encarando a fogueira cintilante.

— Oi — disse ele, sentando-se ao seu lado.

Cheirava a fumaça.

— Como eles receberam a notícia? — perguntou ela, dobrando os joelhos até o peito.

Altan sorriu. Era a primeira vez que Rin o via sorrir desde que chegaram a Khurdalain.

— Não conseguiram acreditar. Como você está?

— Com vergonha — respondeu ela, franca — e ainda um pouco chapada.

Ele se inclinou para trás e cruzou os braços. Seu sorriso desapareceu.

— O que aconteceu?

— Não consegui me concentrar — respondeu. *Fiquei com medo. Eu me segurei. Fiz tudo que você disse para não fazer.*

Altan parecia levemente intrigado e mais do que um pouco desapontado.

— Desculpa — falou ela, baixinho.

— Não, a culpa é minha. — Ele usou um tom cuidadosamente neutro. — Coloquei você em combate antes de estar pronta. No Castelo da Noite, você teria treinado por meses antes de entrar em campo.

Ele tinha dito aquilo para confortá-la, mas ela só sentiu mais vergonha.

— Não consegui clarear a mente — falou.

— Então esqueça isso — disse Altan. — A meditação é para monges. Ela só a leva até o Panteão, não traz o deus de volta com você. Não é necessário abrir a mente para todas as sessenta e quatro deidades. Precisa apenas de um deus. Precisa apenas do fogo.

— Mas Jiang disse que era perigoso.

Rin pensou ter visto um espasmo de impaciência no rosto de Altan, mas seu tom permaneceu cuidadosamente neutro.

— Porque Jiang tinha *medo*, então tentou reter você. Você estava agindo de acordo com as ordens dele quando chamou a Fênix em Sinegard?

— Não — admitiu ela —, mas...

— Conseguiu *alguma vez* chamar um deus com sucesso seguindo as instruções de Jiang? Ele sequer ensinou você a fazer isso? Aposto que fez o contrário. Aposto que queria afastá-los de você.

— Ele estava tentando me proteger — protestou Rin, embora não soubesse bem por quê. Afinal, sua frustração com Jiang era precisamente aquela. Porém, de alguma maneira, depois do que ela havia feito em Sinegard, as precauções de Jiang pareciam fazer mais sentido. — Ele me avisou que eu poderia... que as consequências...

— Grandes perigos estão sempre associados a grandes poderes. A diferença entre os grandes e os medíocres é que os grandes estão dispostos a correr o risco. — Altan franziu o cenho. — Jiang era um covarde, com medo do que havia descoberto. Era um tolo senil que não percebeu os talentos que tinha. Os talentos que *você* tem.

— Ainda assim, ele foi meu mestre — disse ela, sentindo uma necessidade instintiva de defendê-lo.

— Não é mais. Você não tem um mestre. Tem um comandante. — Altan colocou uma mão no ombro dela. — O atalho mais simples para aquele estado é a raiva. Alimente-a. *Nunca* se livre dela. A raiva lhe dá poder. O cuidado, não.

Rin queria acreditar nele. Ficara impressionada com o poder de Altan. E sabia que poderia ter o mesmo poder, bastava que se permitisse.

Ainda assim, as advertências de Jiang ecoavam no fundo de sua mente.

Já vi espíritos que não conseguiram reencontrar seus corpos. Vi homens a meio caminho do reino espiritual, presos entre este mundo e o vindouro.

Aquele era o preço do poder? Perder a sanidade, como havia acontecido com Suni? Ela se tornaria uma neurótica paranoica, como Unegen?

Mas a mente de Altan continuava intacta. Dentre os membros do Cike, Altan era o que usava suas habilidades de forma mais abrangente. Baji e Suni precisavam de alucinógenos para chamar seus deuses, mas o fogo estava a apenas um sussurro de distância para Altan. Ele parecia estar sempre no estado de raiva que desejava que Rin cultivasse. Mesmo assim, nunca perdia o controle. O que quer que estivesse acontecendo abaixo daquela máscara imparcial, ele dava uma ilusão incrível de sanidade e estabilidade.

Quem está preso em Chuluu Korikh?

Criminosos anormais, que cometeram crimes anormais.

Ela suspeitava que sabia agora o que a pergunta de Jiang significava.

Rin não queria admitir que estava com medo. Com medo de entrar num estado em que tinha pouco controle sobre si mesma, muito menos do fogo que saía dela. Com medo de ser consumida pelas chamas, tornando-se um meio para que sua deusa exigisse cada vez mais sacrifícios.

— Da última vez, não consegui parar — falou Rin. — Tive que implorar. Não sei... não sei como me controlar quando chamo a Fênix.

— Pense nisso como uma vela — disse Altan. — É difícil acender. Mas é ainda mais difícil apagar o fogo e, se não tomar cuidado, vai se queimar.

No entanto, aquilo não a ajudava em nada — ela *tentara* acender a vela, mas nada acontecera. Então o que aconteceria se ela enfim entendesse como fazer aquilo, mas fosse incapaz de apagar as chamas?

— Como *você* faz isso? Como faz as chamas pararem?

Altan se inclinou para longe da fogueira.

— Não faço — respondeu ele.

CAPÍTULO 15

Os Líderes da Cabra e do Boi logo mudaram de lado e apoiaram Altan assim que perceberam que o Cike conseguira fazer o que nem a Primeira, a Quinta e a Oitava Divisões sequer tentaram. Ao espalhar a notícia para os homens de seus batalhões, deram a entender que também haviam sido responsáveis pelo sucesso da missão.

Os cidadãos de Khurdalain fizeram um desfile para comemorar a vitória, levantar o moral e coletar suprimentos para os soldados. Os civis doaram comida e roupas. Quando os líderes regionais desfilaram pelas ruas, foram recebidos com aplausos.

Os moradores da cidade acreditavam que o triunfo no pântano havia sido alcançado por um grande ataque conjunto. Altan não tentou corrigi-los.

— Babacas mentirosos — reclamou Ramsa. — Estão recebendo crédito por uma coisa que você fez.

— Deixa eles — disse Altan. — Se isso significa que vamos trabalhar juntos, podem falar o que quiserem.

Altan precisava daquela vitória. Num grupo de generais que sobrevivera às Guerras da Papoula, ele era décadas mais jovem que o comandante mais novo. A batalha lhe dera uma credibilidade bastante necessária aos olhos do Exército e, mais importante, aos olhos dos líderes regionais. Agora o tratavam com respeito em vez de condescendência, consultavam-no durante os conselhos de guerra e não apenas ouviam os dados de inteligência do Cike, como os usavam.

Apenas Jun não parabenizou Altan.

— Você deixou mil soldados inimigos no pântano sem suprimentos e comida — disse o antigo mestre.

— Sim — respondeu Altan. — Isso não é bom?

— Seu idiota — falou Jun. Ele caminhou pelo gabinete, voltou e então bateu com as mãos na escrivaninha de Altan. — Seu *idiota*. Percebe o que fez?

— Assegurei uma vitória — disse Altan —, o que é mais do que você conseguiu fazer nas semanas em que esteve aqui. O barco deles precisou voltar até a ilha do arco para adquirir novos suprimentos. Atrasamos os planos de Mugen em pelo menos duas semanas.

— Você deu abertura para uma retaliação! — berrou Jun. — Aqueles soldados estão com frio e fome. Talvez não se importassem tanto com essa guerra quando cruzaram o mar estreito, mas agora ficaram com raiva. Estão putos, humilhados e, acima de tudo, precisam de suprimentos. Você aumentou os riscos para eles.

— Os riscos já eram altos — disse Altan.

— Sim, e agora você incluiu orgulho nisso tudo. Sabe o quanto os comandantes da Federação valorizam a reputação? Precisávamos de tempo para criar fortificações, mas você diminuiu esse prazo. O quê? Achou que eles dariam meia-volta com o rabo entre as pernas e voltariam para casa? Sabe o que vão fazer em breve? Vão vir atrás da gente.

Porém, quando a Federação veio, foi com uma bandeira branca e um pedido de cessar-fogo.

Depois que os pássaros de Qara viram a delegação mugenesa se aproximando, ela mandou Rin alertar Altan. Animada, a garota abriu caminho por três assessores de Jun para entrar no gabinete do Líder da Cabra.

— Três representantes da Federação — relatou ela. — Com uma carroça.

— Atire neles — sugeriu Jun de imediato.

— Estão com uma bandeira branca — falou Rin.

— Uma artimanha. Atire neles — repetiu o antigo mestre, e os ajudantes assentiram, concordando.

O Líder do Boi ergueu a mão. Era um homem enorme, duas cabeças mais alto que Jun e com o triplo da circunferência. Sua arma favorita era um machado de guerra de lâmina dupla com o mesmo tamanho que o torso de Rin. O líder o mantinha na mesa à sua frente, passando o dedo nas lâminas sem parar.

— Eles podem estar vindo se render.

— Ou podem estar vindo para envenenar a nossa água, ou para matar qualquer um de nós — rebateu Jun. — Acham mesmo que ganhamos a guerra tão fácil?

— Estão com uma bandeira branca — disse o Líder do Boi, lentamente, como se falasse com uma criança.

O Líder da Cabra ficou calado. Nervosos, seus olhos arregalados iam de Jun para o outro líder. Rin conseguiu ver o que Ramsa quis dizer: o Líder da Cabra parecia um menininho esperando que alguém lhe dissesse o que fazer.

— Uma bandeira branca não significa nada para essa gente — insistiu Jun. — É um truque. Quantos tratados falsos eles assinaram durante as Guerras da Papoula?

— Você colocaria uma chance para a paz em risco? — perguntou o Líder do Boi, provocador.

— Eu não colocaria a vida dos nossos cidadãos em risco.

— Não é você que decide se vai aceitar ou não o cessar-fogo — disse o Líder da Cabra.

Jun e o Líder do Boi olharam para ele, e o homem gaguejou em sua pressa para explicar.

— Quer dizer, acho que devemos deixar o rapaz cuidar disso. A vitória no pântano foi dele. Estão se rendendo a ele.

Todos os olhares se voltaram para Altan.

Rin ficou impressionada com as políticas sutis que estavam acontecendo ali. O Líder da Cabra era mais astuto do que ela imaginava. Sua sugestão fora uma maneira inteligente de se livrar da responsabilidade. Se as negociações não dessem certo, a culpa recairia sobre Altan. Se fossem bem-sucedidas, o Líder da Cabra ainda sairia por cima com toda a sua magnitude.

Altan hesitou, dividido entre os seus pensamentos e o desejo de ver o alcance completo da vitória que obtivera em Khurdalain. Rin vislumbrou a esperança refletida na expressão dele. Se a rendição da Federação fosse genuína, então Altan seria o único responsável por vencer a guerra e se tornaria o comandante mais jovem a ter alcançado um êxito militar tão grande.

— Atire neles — repetiu Jun. — Não precisamos de negociações de paz. No momento, nossas forças estão em mesmo número. Se tudo der certo no ataque ao cais, podemos mantê-los lá até a Sétima chegar.

Mas Altan balançou a cabeça.

— Se rejeitarmos essa rendição, a guerra vai continuar até que um dos lados destrua o outro. Khurdalain não pode esperar tanto. Se há uma chance de acabarmos com esse conflito agora, precisamos aproveitá-la.

Eles encontraram os representantes da Federação na praça da cidade. Os mugeneses não portavam armas ou trajavam armaduras. Usavam uniformes azuis leves e apertados, feitos para mostrar que não carregavam nada escondido.

Seu líder, a posição superior indicada pelas faixas no uniforme, deu um passo à frente quando os viu.

— Vocês falam a nossa língua? — disse ele em um dialeto nikara titubeante e ultrapassado, com um péssimo sotaque de Sinegard.

Os líderes regionais hesitaram, mas Altan respondeu:

— Eu falo.

— Que bom — falou o representante, agora em mugenês. — Assim podemos continuar sem mal-entendidos.

Aquela era a primeira vez que Rin via um mugenês fora do caos da batalha. A garota ficou desapontada ao constatar como eram parecidos com os nikaras. O ângulo dos olhos e o formato das bocas não eram tão pronunciados quanto os livros alegavam. Os cabelos tinham o mesmo tom escuro que os de Nezha, e a pele era tão pálida quanto a de qualquer nortista.

Na verdade, pareciam mais sinegardianos que Rin e Altan.

Com exceção do idioma, que era mais recortado e rápido que o nikara de Sinegard, eram praticamente indistinguíveis dos próprios nikaras.

Rin ficou perturbada ao ver que os soldados da Federação eram tão semelhantes ao seu povo. Ela teria preferido um inimigo monstruoso, sem rosto, ou uma entidade completamente estrangeira, como os hesperianos de cabelos claros do outro lado do oceano.

— Quais são os seus termos? — perguntou Jun.

— Nosso general pede um cessar-fogo pelas próximas quarenta e oito horas enquanto nos encontramos para negociar os termos da rendição — falou o representante, gesticulando na direção da carroça. — Sabemos que a cidade não recebe especiarias desde o início do combate. Trazemos uma oferenda de sal e açúcar. Um gesto de nossa boa vontade.

— Ele colocou a mão na tampa do baú mais próximo. — Posso?

Altan permitiu com um aceno de cabeça. Os representantes levantaram a tampa, revelando montes de cristais brancos e caramelizados que brilhavam ao sol vespertino.

— Coma — disse Jun.

O líder mugenês inclinou a cabeça.

— Perdão?

— Prove o açúcar — ordenou ele. — Para que saibamos que não está tentando nos envenenar.

— Essa seria uma maneira bastante ineficiente de conduzir uma guerra — respondeu o homem.

— Mesmo assim.

Dando de ombros, ele obedeceu ao pedido de Jun.

— Não há veneno — decretou o representante.

Jun lambeu o próprio dedo, enfiou-o no baú e colocou a ponta nos lábios. Ele remexeu o açúcar na boca e pareceu desapontado quando não conseguiu encontrar traços de qualquer outro material.

— É só açúcar — disse o outro homem.

— Excelente — disparou o Líder do Boi. — Levem isso para o refeitório.

— Não — objetou Altan, rápido. — Deixe aqui. Vamos dar uma pequena quantidade para cada família.

Ele olhou para o Líder do Boi, e Rin percebeu por que Altan dissera aquilo. Se as porções fossem levadas para o refeitório, as divisões brigariam na mesma hora pela distribuição de recursos. Altan deixou as mãos do líder nikara atadas ao dar a comida para o povo.

De qualquer forma, um punhado de civis khurdalainanos curiosos já começava a se reunir ao redor da carroça. Sal e açúcar haviam se tornado memórias saudosas desde o início da ocupação. Rin suspeitava que um levante popular teria acontecido se os líderes regionais tivessem confiscado a carroça para os militares.

O homem deu de ombros.

— Você que sabe, garoto.

Altan olhou ao redor, preocupado. Com a quantidade de soldados do Exército presente, a multidão de civis considerava seguro se reunir em torno dos três representantes. No entanto, Rin notou a hostilidade nos olhos das pessoas. Se os soldados não tentassem impedi-las, elas acabariam com aqueles mugeneses muito em breve.

— Vamos continuar as negociações num lugar com mais privacidade — sugeriu Altan. — Longe de todos.

O representante inclinou a cabeça.

— Como quiser.

— O Imperador Ryohai está bastante impressionado com a resistência de Khurdalain — falou o representante. O tom era direto e cortês, apesar das palavras. — Seu povo lutou bem. O Imperador Ryohai gostaria de dar os parabéns aos cidadãos de Khurdalain, que provaram ser mais fortes do que o restante do povo dessa terra de covardes lamurientos.

Jun traduziu para os líderes. O Líder do Boi revirou os olhos.

— Vamos pular para a parte em que vocês se rendem — disse Altan.

O representante ergueu a sobrancelha.

— Infelizmente, o Imperador Ryohai não tem intenção alguma de abandonar seus planos referentes ao continente nikara. A expansão é um direito divino da gloriosa Federação de Mugen. O governo provinciano de Nikan é fraco e frágil. Sua tecnologia está séculos atrasada em comparação à do oeste. O isolamento os deixou para trás enquanto o restante do mundo se desenvolveu. Seu fim é apenas uma questão de tempo. Esta terra pertence a um país que pode impulsioná-la para o próximo século.

— Veio aqui para nos insultar? — perguntou Jun. — Não é uma maneira inteligente de se render.

Os lábios do representante se curvaram.

— Viemos aqui apenas para *discutir* a rendição. O Imperador Ryohai não deseja punir os cidadãos de Khurdalain. Sua Majestade admira o espírito lutador dessa gente. Diz que a resistência daqui se provou digna da Federação. E acrescenta que os khurdalainanos seriam ótimos súditos para a Coroa de Mugen.

— Ah — falou Jun. — É *esse* tipo de negociação.

— Não queremos destruir esta cidade — continuou o representante. — É um porto importante. Um centro de comércio internacional. Se Khurdalain largar suas armas, o Imperador Ryohai a considerará território da Federação, e não encostaremos um dedo em qualquer homem, mulher ou criança. Todos os cidadãos serão perdoados, sob a condição de jurarem lealdade ao Imperador Ryohai.

— Espere — falou Altan. — Está pedindo para nos rendermos a *vocês*?

O representante inclinou a cabeça.

— Estes são termos generosos. Sabemos que Khurdalain sofre com a ocupação. O povo está faminto. Seus suprimentos só vão durar mais alguns meses. Quando invadirmos, levaremos a batalha para as ruas, e muitos vão perecer. Vocês podem evitar isso. Deixem a frota da Federação passar, e o Imperador vai recompensá-los. Nós permitiremos que vivam.

— Inacreditável — murmurou Jun. — Absolutamente inacreditável.

Altan cruzou os braços.

— Diga aos seus generais que, se sua frota der meia-volta e deixar o litoral, permitiremos que *vocês* vivam.

O representante apenas o encarou com certa curiosidade.

— Você deve ser o speerliês que nos atacou no pântano.

— Sou — respondeu Altan. — E serei o speerliês que vai aceitar sua rendição.

O representante sorriu.

— É óbvio — disse ele, com a voz baixa. — Só uma criança acreditaria que uma guerra poderia acabar tão rápido e com tão pouco sangue derramado.

— Essa criança fala por todos nós — interrompeu Jun, a voz tão firme quanto aço. Ele mudou o idioma para nikara. — Pegue suas condições e diga ao Imperador Ryohai que Khurdalain nunca vai se curvar à ilha do arco.

— Neste caso — falou o representante —, todo homem, toda mulher e toda criança em Khurdalain morrerá.

— Palavras ousadas para um homem cuja frota acabou de ser reduzida a cinzas — zombou Jun.

O representante respondeu com um nikara sem emoção.

— A derrota no pântano nos atrasou em várias semanas. Mas estamos nos preparando para esta guerra há duas décadas. Nossos centros de treinamento são muito superiores à sua patética Academia de Sinegard. Estudamos as técnicas bélicas ocidentais enquanto vocês passaram os últimos vinte anos desfrutando do isolamento. O Império Nikara pertence ao passado. Vamos aniquilar o seu país.

O Líder do Boi pegou o machado.

— Ou posso arrancar sua cabeça agora mesmo.

O representante não pareceu nem um pouco preocupado.

— Mate-me, se quiser. Na ilha do arco, aprendemos que nossas vidas são insignificantes. Sou apenas um numa horda de milhões. Vou morrer e reencarnar para servir outra vez ao Imperador Ryohai. Mas, no caso de vocês, hereges que não se curvaram ao trono divino, a morte será o fim.

Altan se levantou. Ele estava pálido de raiva.

— Vocês estão encurralados numa faixa estreita de terra. Estão em menor número. Pegamos os seus suprimentos. Incendiamos os seus barcos. Afundamos suas munições. Seus homens testemunharam a ira de um speerliês e queimaram.

— Ah, speerlieses não são tão difíceis de matar — respondeu o homem. — Já fizemos isso antes. Vamos fazer de novo.

A porta dupla do gabinete se escancarou. Ramsa correu para dentro, os olhos arregalados.

— É salitre! — gritou ele. — Aquilo não é sal, é *salitre*.

O gabinete ficou em silêncio.

Os líderes olharam para Ramsa como se não conseguissem entender o que o garoto dissera. Altan estava boquiaberto, confuso.

Então o representante jogou a cabeça para trás e gargalhou com a despreocupação de um homem que sabia que estava prestes a morrer.

— Lembrem-se de que poderiam ter salvado Khurdalain — falou.

Rin e Altan se levantaram na mesma hora.

Ela mal teve tempo de pegar a espada quando uma explosão partiu o ar feito um raio.

Num segundo, ela estava de pé atrás de Altan. No seguinte, estava no chão, confusa, com um zumbido feroz nos ouvidos que se sobrepunha a qualquer outro som.

Rin colocou a mão no rosto e percebeu que a palma voltou encharcada de sangue.

Como que para compensar a surdez, sua visão ficou muito brilhante; as imagens borradas pareciam as sombras de um show de marionetes, ao mesmo tempo rápidas e lentas demais para serem compreendidas. Rin percebia os momentos como se estivesse num sonho febril induzido por drogas, mas aquilo não era um sonho: seus sentidos simplesmente se recusavam a aceitar o que havia acabado de acontecer.

Ela viu as paredes do gabinete tremerem e se inclinarem tanto que teve certeza de que o prédio ia desmoronar com eles lá dentro, para, por fim, se endireitar.

Ela viu Ramsa empurrar Altan para o chão.

Ela viu Altan se esforçando para recuperar o equilíbrio e pegando o tridente.

Ela viu o Líder do Boi cortando o ar com seu machado.

Ela viu Altan gritando "Não, *não*!" antes de o Líder do Boi decapitar o representante da Federação.

A cabeça do homem rolou até parar no batente, os olhos esbugalhados e vidrados, e Rin pensou ter visto um sorriso ali.

Braços fortes agarraram seus ombros e colocaram Rin de pé. Altan a girou para ficarem cara a cara, o olhar percorrendo seu corpo como se procurasse por ferimentos.

A boca de Altan se mexia, mas nenhum som saía dela. Rin balançou a cabeça sem parar, apontando para os ouvidos.

As palavras formadas pelos lábios de Altan eram: "*Você está bem?*"

Rin examinou o próprio corpo. De alguma forma, todos os quatro membros estavam funcionando, e ela não sentia dor no local onde a cabeça tinha sido ferida. Ela assentiu.

Altan a largou e se ajoelhou na frente de Ramsa, que estava em posição fetal no chão, pálido e tremendo.

No outro lado do recinto, o General Jun e o Líder da Cabra se levantaram com dificuldade. Nenhum deles estava lesionado: a explosão os derrubara, mas não os ferira. Os aposentos dos Líderes ficavam longe do centro da cidade, e a explosão apenas sacudiu aquelas construções.

Até Ramsa parecia que ia ficar bem. Os olhos estavam sem foco, e ele oscilou quando Altan o colocou de pé, mas estava assentindo e falando, e não parecia ter nenhum ferimento.

Rin suspirou de alívio.

Estavam bem. Não havia funcionado. Eles estavam bem.

Mas então ela se lembrou dos civis.

* * *

Era estranho como os outros sentidos se ampliavam quando se perdia a audição.

Khurdalain parecia a Academia nos primeiros dias do inverno. Rin semicerrou os olhos. A princípio, pensou que a visão ainda estava embaçada, mas aí percebeu um pó fino no ar que encobria tudo como uma mistura bizarra de neblina e neve, um cobertor de inocência que se juntava ao sangue, obscurecendo a amplitude completa da explosão.

A praça fora esmagada, as lojas e os prédios residenciais implodidos, os destroços formando linhas estranhamente simétricas dentro do raio da explosão, como se estivessem dentro da pegada de um gigante.

Muito além daquele ponto, os prédios não haviam implodido, mas sofreram com a explosão. Eles se inclinavam em ângulos esquisitos, com paredes inteiras derrubadas. Havia uma perversidade estranhamente íntima na forma como o interior daquelas casas fora revelado, exibindo quartos e lavabos para o mundo.

Homens e mulheres foram atirados nas paredes dos prédios. Permaneciam lá parados com uma espécie de adesão pavorosa, presos como borboletas em quadros. A pressão intensa das bombas havia lhes pulverizado as roupas; os corpos jaziam nus como numa exibição grotesca da figura humana.

O fedor de carvão, sangue e carne queimada era tão forte que Rin conseguia sentir o gosto. Ainda pior era o cheiro enjoativo e um pouco mais fraco de açúcar caramelizado soprando pelo ar.

Ela não sabia quanto tempo havia ficado lá parada, encarando. Começou a se mover apenas quando um par de soldados com uma maca a tirou do caminho às pressas, lembrando-a de que tinha um trabalho a fazer.

Encontrar sobreviventes. Ajudar sobreviventes.

Rin desceu a rua, mas seu equilíbrio parecia ter desaparecido com a audição. Ela bamboleava de um lado para o outro enquanto tentava caminhar e seguia pela rua se equilibrando com a ajuda de móveis, como um bêbado.

À esquerda, viu um grupo de soldados tirando duas crianças de uma pilha de escombros. Não conseguia acreditar que elas haviam sobrevivido — parecia impossível tão perto do centro da explosão —, mas o menininho estava se mexendo, chorando e se esforçando para permanecer vivo. A irmã não teve tanta sorte: a perna foi mutilada, esmagada pelas ruínas da casa. Ela segurava os braços do soldado com força, pálida, sentindo dor demais para chorar.

— Socorro! *Socorro!*

Uma voz baixinha conseguiu sobrepujar o zumbido na audição de Rin, como alguém gritando a uma longa distância, mas era o único som que ela escutava.

Olhou para cima e viu um homem se agarrando, desesperado, aos restos de uma parede com uma só mão.

O chão da construção explodira bem embaixo dele. Era uma hospedaria de cinco andares; sem a quarta parede, parecia uma daquelas casas de boneca feitas de porcelana que Rin vira no mercado, do tipo que se abria para revelar seu interior.

Os andares estavam inclinados na direção da abertura; a mobília e os outros hóspedes já haviam escorregado, formando uma pilha grotesca de cadeiras e corpos arrebentados.

Uma pequena multidão estava reunida ao redor da hospedaria instável para observar o homem.

— *Socorro!* — pediu ele. — Alguém me ajude...

Rin sentia como se aquilo fosse um espetáculo, como se o homem fosse a única coisa que importava no mundo. Mesmo assim, não conseguia pensar no que fazer. A construção explodira; parecia estar a minutos de colapsar, e o homem estava num lugar alto demais para ser alcançado pelos tetos dos prédios ao redor.

Tudo que podia fazer era observar, preocupada e embasbacada, enquanto o homem lutava em vão para se segurar.

Rin se sentiu completamente inútil. Mesmo se pudesse chamar a Fênix, convocar o fogo não salvaria aquele homem da morte.

Porque tudo que o Cike sabia causar era destruição. Mesmo com todos aqueles poderes e deuses, eles não podiam proteger o povo. Não podiam voltar no tempo. Não podiam ressuscitar os mortos.

Podiam ter ganhado a batalha no pântano, mas eram inúteis diante das consequências.

Altan gritou alguma coisa, talvez pedindo um cobertor para impedir a queda do homem, porque, segundos depois, Rin viu diversos soldados correndo para a praça com um pedaço de tecido.

Porém, antes que conseguissem chegar ao final da rua, a hospedaria se inclinou perigosamente. Rin pensou que ia desabar e esmagar o homem, mas as tábuas de madeira pararam de repente.

Ele estava agora a apenas quatro andares de distância. Levou a outra mão até o telhado, numa tentativa de se segurar melhor. Pode ser que tenha sido encorajado pela proximidade do chão. Por um segundo, Rin achou que o homem conseguiria — mas então a mão escorregou no vidro quebrado e ele caiu para trás, escorregando completamente do teto.

Ele pareceu parar no ar por um instante antes da queda.

A multidão recuou.

Rin virou o rosto, grata por não conseguir ouvir o corpo quebrando no chão.

Um silêncio tenso recaiu sobre a cidade.

Todos os soldados foram despachados para a linha de defesa de Khurdalain, esperando um ataque por terra. Rin ocupou um posto na muralha exterior por horas, os olhos analisando o perímetro. Se a Federação fosse tentar derrubar as muralhas, com certeza seria naquele momento.

Mas a noite caiu, e nenhum ataque foi feito.

— Não é possível que os mugeneses estejam com medo — murmurou Rin, tremendo.

A audição enfim retornara, mas um zumbido agudo ainda soava em seus ouvidos.

Ramsa balançou a cabeça.

— Eles estão planejando algo a longo prazo. Vão continuar tentando nos enfraquecer, nos deixar assustados, com fome e sem ânimo.

Por fim, a linha de defesa relaxou. Se a Federação fizesse um ataque à meia-noite, o sistema de alarme da cidade faria as tropas voltarem para seus lugares; naquele ínterim, não havia nenhum trabalho urgente a ser feito.

Parecia bastante irônico que os civis haviam dançado naquelas ruas apenas algumas horas antes, celebrando o que pensaram ser uma rendição da Federação. Khurdalain tivera a esperança de ganhar a guerra. Khurdalain pensara que as coisas voltariam ao normal.

Mas Khurdalain era resistente. Khurdalain havia sobrevivido às duas Guerras da Papoula. Khurdalain sabia lidar com a devastação.

Em silêncio, os civis procuravam pelos entes queridos nas ruínas. Quando enfim se passaram horas suficientes para que os únicos corpos encontrados fossem os dos mortos, construíram uma balsa funerária, atearam fogo e a empurraram ao mar. Fizeram aquilo com uma eficiência triste e treinada.

Os batalhões de médicos de todas as três divisões criaram um centro de triagem no meio da cidade. Pelo restante do dia, civis foram até lá, com torniquetes amadores amarrados de qualquer jeito nos membros feridos — tornozelos quebrados, mãos destruídas.

Rin teve um ano de treinamento em medicina de guerra com Enro, então Enki a colocou para trabalhar fazendo novos garrotes naqueles que estavam sangrando na fila à espera de atendimento médico.

Sua primeira paciente foi uma jovem, não muito mais velha que ela. A moça estendeu o braço envolvido no que parecia ser um vestido velho.

Rin retirou o tecido ensopado de sangue e franziu o nariz sem querer ao analisar o dano. Dava para ver o osso até o cotovelo. A mão teria que ser decepada.

A garota esperou pacientemente pelo exame de Rin, os olhos vidrados, como se tivesse se rendido havia muito tempo à nova deficiência.

Rin tirou uma faixa de linho de um pote de água fervente e a amarrou no braço da jovem, passou uma das pontas por um pedaço de madeira e girou para apertar. A garota gemeu de dor, mas cerrou os dentes e continuou olhando para a frente.

— Provavelmente vão ter que arrancar a mão. Isso vai fazer com que você não perca mais sangue, então vai ser mais fácil amputá-la. — Rin prendeu o nó e deu um passo para trás. — Sinto muito.

— Sabia que deveríamos ter saído daqui — comentou ela.

Rin não sabia se a paciente estava se dirigindo a ela ou a si mesma.

— Sabia que deveríamos ter saído assim que aqueles barcos desembarcaram na praia.

— Por que não saíram? — perguntou Rin.

A moça olhou para ela. Seus olhos estavam vazios, acusadores.

— Acha que tínhamos outro lugar para ir?

Rin encarou o chão e foi para o próximo paciente.

CAPÍTULO 16

Horas depois, Rin recebeu permissão para deixar o centro de triagem. Ela se arrastou de volta aos aposentos do Cike, os olhos cansados e a cabeça zonza pela falta de sono. Pretendia se jogar na cama e dormir até alguém forçá-la a se apresentar para o serviço logo depois de falar com Altan.

— Enki finalmente liberou você?

Ela olhou para trás.

Unegen e Baji viravam a esquina, voltando da patrulha. Os dois se juntaram a ela na caminhada pelas ruas sinistramente vazias. Os líderes regionais haviam imposto lei marcial na cidade; os civis precisavam obedecer a um toque de recolher rigoroso e não podiam mais ir além do próprio quarteirão sem permissão do Exército.

— Tenho que voltar em seis horas — falou Rin. — E vocês?

— Patrulhar sem parar até que algo mais interessante aconteça — disse Unegen. — Enki já sabe a quantidade de mortos e feridos?

— Seiscentos mortos — respondeu ela. — Mil feridos. Cinquenta soldados. O restante, civis.

— Nossa — murmurou Unegen.

— Pois é — falou ela, apática.

— E os Líderes não fizeram droga nenhuma — reclamou Baji. — As bombas acabaram com o juízo deles. Inúteis de merda. Será que não veem? Não podemos aceitar esse ataque. Temos que revidar.

— Revidar? — repetiu Rin.

Aquela ideia soava superficial, desrespeitosa e sem sentido. Tudo que ela queria fazer era ficar em posição fetal e colocar as mãos nas orelhas e fingir que nada estava acontecendo. Deixar que outra pessoa resolvesse aquela guerra.

— O que podemos fazer? — disse Unegen. — Os líderes não querem atacar. Vamos ser massacrados a céu aberto.

— Não dá para simplesmente esperar pela Sétima. Vai levar semanas...

Os três chegaram ao quartel-general ao mesmo tempo que Qara saía do gabinete de Altan. Ela fechou a porta devagar; quando notou os companheiros, seu rosto congelou.

Baji e Unegen pararam. O silêncio pesado que se instaurou parecia contar uma mensagem não verbalizada que todo mundo entendeu, menos Rin.

— Tão ruim assim? — perguntou Unegen.

— Pior — respondeu Qara.

— O que está acontecendo? — questionou Rin. — Altan está aí?

Qara olhou para Rin com cautela. Por alguma razão, a garota tinha um cheiro forte de fumaça. Sua expressão era indecifrável. Rin pensou ter visto marcas de lágrimas nas bochechas, ou talvez fosse um truque da luz da lamparina.

— Ele está indisposto — falou Qara.

A retaliação da Federação não acabou com o bombardeio.

Dois dias após as explosões, Mugen enviou agentes bilíngues para negociar com os pescadores famintos na cidade de Zhabei, ao sul de Khurdalain, e disse a eles que o país liberaria seus barcos para a pesca se os homens capturassem todos os cães e gatos de rua de lá.

Apenas civis esfomeados obedeceriam a uma ordem tão estranha. Os pescadores estavam desesperados, e entregaram os animais que conseguiram encontrar sem fazer perguntas.

Os soldados da Federação amarraram gravetos nas caudas dos bichos e atearam fogo. Então os soltaram em Zhabei.

Os incêndios resultantes duraram três dias, até a chuva enfim apagá-los. Quando a fumaça passou, não restava mais nada de Zhabei além de cinzas.

Milhares de civis perderam suas casas do dia para a noite, e o problema dos refugiados em Khurdalain se tornou incontrolável. Os homens, as mulheres e as crianças de Zhabei se apertavam nas partes cada vez menores da cidade que não estavam ocupadas pela Federação. A falta de higiene e de água pura, além de um surto de cólera, transformou os distritos civis num pesadelo.

A opinião popular se voltou contra o Exército. A Primeira, a Quinta e a Oitava Divisões tentaram manter a lei marcial, mas encontraram resistência e rebeliões.

Desesperados por um bode expiatório, os líderes das províncias culparam Altan pelos revezes, apoiando-se no dano à sua credibilidade como comandante causado pelo bombardeio. O speerliês havia conquistado sua primeira vitória em combate, mas ela lhe foi arrancada e transformada numa derrota trágica, um exemplo das consequências de agir sem pensar.

Quando Altan enfim saiu do gabinete, parecia encarar a situação com calma. Ninguém mencionou sua ausência; todo o Cike aparentava fingir que nada havia acontecido. Altan não demonstrava sinais de insegurança — na verdade, seu comportamento se tornou quase obsessivo.

— Então voltamos à estaca zero — falou, caminhando rápido pelo gabinete. — Tudo bem. Vamos revidar. Na próxima vez, seremos mais minuciosos. Na próxima vez, venceremos.

Ele planejou um número enorme de operações, muito mais do que era possível colocar em prática. Mas o Cike não era formado por soldados, e sim por assassinos. A batalha no pântano fora uma façanha inédita de trabalho em equipe para eles. O treinamento do grupo focava em exterminar alvos cruciais, não batalhões inteiros. Mas assassinatos não garantiam uma vitória na guerra. A Federação não era como uma cobra que morreria se tivesse a cabeça cortada. Quando um general morria em campo, um coronel era promovido de imediato para assumir seu lugar. A forma usual de trabalho do Cike, com um assassinato depois do outro, seria uma maneira lenta e ineficiente de travar uma guerra.

Assim, Altan usava seus soldados como uma força de guerrilha. Roubavam suprimentos, faziam ataques-relâmpago e causavam o máximo de transtornos que podiam nos acampamentos inimigos.

— Quero toda essa área protegida — declarou Altan, fazendo um grande círculo no mapa. — Sacos de areia. Arame farpado. Temos que minimizar os pontos de acesso nas próximas vinte e quatro horas. Quero recuperar esse galpão.

— Não dá — disse Baji, desconfortável.

— Por que não? — perguntou Altan, nervoso.

Uma veia pulsou em seu pescoço e havia olheiras profundas em seus olhos. Rin achava que ele não dormia havia dias.

— Porque a Federação tem mil homens nesse círculo. É impossível.
Altan examinou o mapa.
— Talvez para soldados normais. Mas nós temos *deuses*. Eles não podem nos derrotar a céu aberto.
— Podem se tiverem mil homens. — Baji se levantou, empurrando a cadeira com um rangido. — Sua confiança em nós é tocante, Trengsin, mas essa é uma missão suicida.
— Não estou...
— Temos *oito soldados*. Qara e Unegen não dormem há dias, Suni está a uma crise psicodélica de ir parar na montanha Rochosa e Ramsa ainda não conseguiu se recuperar mentalmente da explosão. Talvez pudéssemos fazer isso com Chaghan, mas imagino que a missão que você deu para ele seja mais importante...
O pincel na mão de Altan se partiu.
— Está me contradizendo?
— Estou apontando seus delírios. — Baji colocou a cadeira de lado e jogou o ancinho nas costas. — Você é um bom comandante, Trengsin, e vou me arriscar quando me pedir para fazer isso, mas só vou obedecer às ordens que tiverem algum sentido. Essa não chega nem perto.
Ele saiu do gabinete cheio de raiva.
Até as operações executadas pelo Cike tinham um ar fatalista e desesperado. Rin suspeitava que cada bomba plantada, cada campo incendiado, não passavam de transtornos irritantes para a Federação. Embora Qara e Unegen fornecessem valiosos dados de inteligência, a Quinta se recusava a usá-los. E todos os problemas que Suni, Baji e Ramsa conseguiam criar eram apenas detalhes comparados ao enorme acampamento que crescia conforme mais e mais embarcações desembarcavam na costa.
O Cike estava no limite, sobretudo Rin. Todo momento que não passava em missão, passava em patrulha. E, quando não estava em patrulha, treinava com Altan.
No entanto, essas sessões chegaram a um impasse. Ela fez progresso rápido com a espada, desarmando Altan com frequência, mas não ficou mais próxima de chamar a Fênix do que estivera no pântano.
— Não entendo — disse Altan. — Você já fez isso antes, em Sinegard. Por que não consegue?
Rin sabia qual era o problema, embora não quisesse admitir.

Estava com medo.

Com medo de que aquele poder a consumisse. Com medo de criar um buraco no vazio, como Jiang fizera, e desaparecer na força que ela mesma conclamara. Apesar do que Altan dissera, ela não podia simplesmente ignorar dois anos de aprendizado com Jiang.

E, como se conseguisse sentir aquela apreensão, a Mulher Speerliesa ficava cada vez mais vívida sempre que Rin meditava. A garota agora via detalhes que nunca percebera antes; rachaduras na pele, como se ela tivesse sido despedaçada e remontada, cicatrizes de queimadura onde cada fragmento se encontrava.

— Não ceda — disse a Mulher. — Você tem sido tão corajosa... mas é necessário mais do que coragem para resistir ao poder. O garoto não conseguiu, e você está prestes a ceder... mas é o que ela quer, é precisamente o que planejou.

— Os deuses não querem nada — falou Rin. — São apenas forças. Forças para serem exploradas. Como pode ser errado usar coisas que existem na natureza?

— Não essa deusa — respondeu a Mulher. — Sua essência é destruir. Sua essência é ser gananciosa, nunca ficar satisfeita com o que consumiu. Tome cuidado...

Uma luz surgiu pelas rachaduras da Mulher Speerliesa, como se estivesse sendo iluminada por dentro. Seu rosto se contorceu de dor, e ela desapareceu, rompendo aquele espaço no vazio.

Conforme a guerra afetava cada vez mais a vida dos civis, a cidade foi permeada por uma atmosfera de suspeita. Duas semanas após a explosão do salitre, seis fazendeiros nikaras foram sentenciados à morte pelos homens de Jun por espionar para a Federação. Era provável que os inimigos tivessem prometido a eles uma saída segura da Khurdalain sitiada se fornecessem informações valiosas. Ou talvez apenas precisassem de comida. De qualquer forma, milhares de pescadores, mulheres e crianças observaram, com uma mistura de júbilo e nojo, Jun degolá-los em praça pública, colocar seus corpos em postes e deixá-los à vista na muralha exterior.

A justiça popular que os civis impunham uns aos outros era maior — e mais cruel — do que qualquer coisa que o Exército poderia instituir. Quando surgiram rumores de que a Federação planejava envenenar a água da cidade, homens armados com porretes tomaram as ruas, parando e revistando indivíduos aleatórios. Qualquer um que estivesse de posse de uma substância em pó era espancado. No final, soldados das divisões tiveram que intervir para salvar um grupo de mercadores que tentava entregar ervas medicinais no hospital e que estava prestes a ser massacrado pela multidão.

Com o passar das semanas, os ombros de Altan ficaram curvados, e o rosto, carrancudo e abatido. Ele agora tinha olheiras permanentes. Mal dormia; parava de trabalhar bem depois de qualquer um deles e acordava mais cedo do que todos. Descansava por períodos curtos e inquietos, se tanto.

O comandante passava muitas horas caminhando sem parar pelas muralhas da cidade, de olho em qualquer sinal de movimento da Federação, como se desejasse que o próximo ataque acontecesse logo, para que pudesse encarar todo o exército mugenês sozinho.

Certa vez, quando Rin entrou no gabinete de Altan para lhe entregar um relatório de inteligência, encontrou-o dormindo à escrivaninha. Sua bochecha estava suja de tinta, em cima de uma pilha de planos de guerra sobre os quais deliberava havia horas. Seus ombros estavam caídos no tampo de madeira. Dormindo, as rugas de tensão em geral presentes em seu rosto desapareciam, fazendo sua idade diminuir em ao menos cinco anos.

Ela sempre esquecia como Altan era jovem.

Ele parecia tão vulnerável.

Ainda cheirava a fumaça.

Rin não conseguiu evitar. Esticou o braço e o tocou de leve no ombro.

Ele se levantou de imediato. Por instinto, uma das mãos agarrou uma adaga na cintura; a outra foi para a frente, pegando fogo na hora. Rin deu um passo rápido para trás.

Demorou várias respirações desesperadas para Altan perceber que era Rin.

— Sou só eu — disse ela.

O peito do rapaz subia e descia, e então sua respiração ficou mais devagar. Rin pensou ter visto medo em seus olhos, mas ele engoliu em seco, e uma máscara impassível cobriu seu rosto.

As pupilas estavam pequenas de uma maneira estranha.

— Não sei — falou ele após um instante. — Não sei o que estou fazendo.

Ninguém sabe, Rin queria dizer, mas foi interrompida pelo barulho alto de um gongo de sinalização.

Havia alguém nos portões.

Qara já estava de sentinela na muralha ocidental quando os dois subiram a escadaria.

— Eles chegaram — disse ela antes que Altan pudesse fazer qualquer pergunta.

Rin se inclinou sobre a muralha para ver um exército se aproximando devagar. Era uma força de ao menos dois mil homens. Ela ficou nervosa a princípio, até ver que usavam armaduras nikaras. Na dianteira havia um estandarte nikara, o símbolo do Imperador Vermelho sobre os emblemas dos Doze Líderes.

Reforços.

Rin se recusou a sentir esperança. Não podia acreditar.

— Deve ser uma armadilha — falou Altan.

Mas, além do estandarte, Rin observou um rosto entre os soldados: um garoto lindo, com a pele mais pálida e os olhos amendoados mais encantadores, caminhando sobre as duas pernas como se sua coluna nunca tivesse sido partida. Como se nunca tivesse sido empalado pela alabarda de um general.

Como se pudesse sentir seu olhar, Nezha levantou a cabeça.

Seus olhares se cruzaram sob o luar. O coração de Rin deu um pulo.

O Líder do Dragão atendera ao chamado. A Sétima Divisão chegara.

— Não é uma armadilha — disse ela.

CAPÍTULO 17

— Você está melhor mesmo?

— Estou praticamente curado — respondeu Nezha. — Assim que consegui ficar de pé, eles me colocaram no grupo de soldados que viria para cá.

A Sétima Divisão trouxera consigo três mil homens e carruagens com suprimentos muito necessários do interior do país — bandagens, remédios, sacos de arroz e especiarias. Era a melhor coisa que acontecia em Khurdalain havia semanas.

— Três meses — disse ela, impressionada. — E Kitay achou que você nunca mais fosse andar.

— Ele exagerou. Eu dei sorte. A lâmina passou bem entre meu estômago e meu rim. Não cortou nada quando saiu. Doeu à beça, mas o ferimento sarou sem complicações. Só a cicatriz ficou horrível. Quer ver?

— Não precisa tirar a camisa — falou ela, depressa. — Mesmo assim... três meses? É incrível.

Nezha olhou para o outro lado, observando a área silenciosa da cidade sob a muralha que haviam sido designados para patrulhar. Ele hesitou, como se tentasse decidir se devia falar algo ou não, mas mudou de assunto de repente.

— Então. Gente gritando com pedras. Isso é normal por aqui?

— É só o Suni. — Rin partiu um pão de trigo pela metade e ofereceu um pedaço a Nezha. As rações de pão haviam aumentado para duas vezes na semana, e valia a pena saborear um pouco. — Basta ignorar.

Nezha pegou o pão, mastigou e fez uma careta. Mesmo em tempos de guerra, ele agia como se esperasse luxos.

— É difícil ignorar quando a pessoa está gritando bem do lado da sua tenda.

— Vou pedir para ele evitar a sua tenda.

— Você me faria esse favor mesmo?

Deixando as piadinhas de lado, Rin ficou muito feliz por Nezha estar em Khurdalain. Por mais que tivessem se detestado na Academia, achou reconfortante ter um colega de classe ali, no outro lado do país, tão longe de Sinegard. Era bom ter alguém que poderia entender, de alguma forma, o que ela estava passando.

Ajudava o fato de Nezha ter parado de agir feito um babaca. A guerra trazia à tona o pior das pessoas, mas, no caso dele, o conflito o transformou, acabando com suas presunções esnobes. Parecia mesquinharia manter o rancor antigo. Era difícil não gostar de alguém que havia salvado sua vida.

E, embora não quisesse admitir, Nezha era um alívio bem-vindo em relação a Altan, que nos últimos tempos começara a lançar objetos em seus agentes ao menor sinal de desobediência. Rin ficou surpresa ao se ver pensando por que ela e Nezha não haviam se tornado amigos antes.

— Você sabe que acham o seu batalhão bizarro, não sabe? — disse o garoto.

Mas então, é claro, ele falava coisas daquele tipo. Rin se arrepiou. Eles eram *mesmo* bizarros. Mas eram os bizarros *dela*. Apenas o Cike podia falar do Cike daquela maneira.

— Eles são os melhores soldados do Exército.

Nezha ergueu uma sobrancelha.

— Não foi um de vocês que explodiu uma embaixada estrangeira?

— Foi um acidente.

— E aquele grandalhão peludo não estrangulou o seu comandante no refeitório?

— Tá bom, Suni é bem estranho... mas os outros são perfeitamente...

— Perfeitamente normais? — Nezha gargalhou. — É mesmo? Seu pessoal toma drogas, fala aos murmúrios com animais e grita a noite inteira só de vez em quando?

— Efeitos colaterais do talento em batalha — falou ela, forçando uma leveza na voz.

Nezha não parecia convencido.

— Parece mais que o talento em batalha é um efeito colateral da loucura.

Rin não queria pensar naquilo. Era uma perspectiva horrível, e ela sabia que era mais do que um boato. Porém, quanto mais assustada ficava, menor seria a possibilidade de convocar a Fênix e maior a possibilidade de deixar Altan nervoso.

— Por que os seus olhos não estão vermelhos? — questionou Nezha de repente.

— Hein?

Ele esticou a mão e tocou na lateral da cabeça de Rin, ao lado do olho esquerdo.

— As íris de Altan são vermelhas. Achei que os olhos dos speerlieses fossem vermelhos.

— Não sei — respondeu Rin, subitamente desnorteada. Nunca havia pensado naquilo, e Altan jamais mencionara o fato. — Meus olhos sempre foram castanhos.

— Talvez você não seja speerliesa.

— Talvez.

— Mas eles ficaram vermelhos antes. — Nezha parecia confuso. — Em Sinegard. Quando você matou aquele general.

— Você nem estava consciente. Tinha uma lança atravessada na barriga.

Nezha arqueou a sobrancelha.

— Eu sei o que vi.

Os dois ouviram passos às suas costas. Rin deu um salto, embora não tivesse razão alguma para se sentir culpada. Ela estava de patrulha, mas não era proibido jogar conversa fora.

— Encontrei você — falou Enki.

Nezha logo se levantou.

— Estou saindo.

Rin olhou para ele, confusa.

— Não, não precisa...

— É melhor ele ir — disse Enki.

Nezha deu um aceno de cabeça para o médico e logo desapareceu na esquina da muralha.

Enki esperou alguns segundos até o som dos passos de Nezha na escada desvanecer. Então olhou para Rin com um ar solene.

— Você não comentou que o pirralho do Líder do Dragão era um xamã.

Rin franziu o cenho.

— Do que está falando?

— A insígnia. — Enki fez um gesto indicando as costas, onde Nezha usava o emblema da família no uniforme. — É uma marca de dragão.

— É só o emblema da família — falou Rin.

— Ele não foi ferido em Sinegard? — questionou Enki.

— Foi. — Rin se perguntou como Enki sabia daquilo, mas Nezha era filho do Líder do Dragão e sua vida pessoal era de conhecimento público no Exército.

— Foi muito feio?

— Não sei — respondeu Rin. — Eu não estava completamente consciente quando aconteceu. O general golpeou... duas vezes, na barriga, acho... Por que isso importa? — A garota achava estranha a rápida recuperação de Nezha, mas não entendia por que Enki a interrogava sobre o assunto. — A arma não acertou nenhum órgão vital — explicou ela, embora aquilo tenha parecido implausível assim que as palavras saíram de sua boca.

— Dois ferimentos na barriga — disse Enki. — Dois ferimentos feitos por um experiente general da Federação que provavelmente não erraria. E ele está de pé e caminhando depois de alguns meses?

— Sabe, considerando que um de nós mora literalmente num *barril*, a sorte de Nezha não é tão absurda.

Enki não soava convencido.

— Seu amigo está escondendo alguma coisa.

— Então pergunte a ele — disse ela, irritada. — Você queria falar alguma coisa?

As sobrancelhas de Enki estavam franzidas, contemplativas, mas ele assentiu.

— Altan quer ver você. No gabinete dele. Agora.

O lugar estava uma zona.

Havia livros e pincéis por todo o chão. Mapas estavam espalhados de forma aleatória na escrivaninha, e plantas da cidade, presas em cada centímetro das paredes, tudo coberto pelos garranchos de Altan, detalhando estratégias que só faziam sentido para ele. O comandante circulara algumas regiões críticas com tanta força que mais parecia ter marcado a parede com a ponta de uma faca.

Altan estava sentando sozinho à escrivaninha quando Rin entrou. A região ao redor dos seus olhos tinha um tom tão proeminente de índigo que mais pareciam hematomas.

— Mandou me chamar? — perguntou ela.

Ele baixou o pincel.

— Você está passando tempo demais com o fedelho do Líder do Dragão.

Rin estremeceu.

— O que quer dizer com *isso*?

— Quero dizer que não vou mais permitir isso — respondeu ele. — Nezha está do lado de Jun. Devia saber que não pode confiar nele.

Rin abriu a boca e voltou a fechá-la, incerta se Altan estava mesmo falando sério. Por fim, disse:

— Nezha não está com a Quinta. Jun não dá ordens a ele.

— Jun era o mestre de Nezha. Vi a braçadeira dele. O garoto estudou Combate. É leal a Jun, vai contar tudo a ele...

Rin o encarou, indignada.

— Nezha é só meu *amigo*.

— Ninguém é seu amigo. Não quando se faz parte do Cike. Ele está nos espionando.

— *Espionando*? — repetiu Rin. — Altan, estamos no mesmo exército.

Ele se levantou e bateu com os punhos na mesa.

Rin recuou.

— *Não estamos no mesmo exército*. Somos o Cike. Somos as Crianças Bizarras. Somos o batalhão que não deveria existir, e Jun quer o nosso fracasso. Quer que *eu* fracasse — falou. — Todos querem.

— As outras divisões não são nossas inimigas — disse Rin, baixinho.

Altan caminhou pelo cômodo, os braços com espasmos involuntários, observando os mapas como se pudesse criar exércitos que não existiam. Sua aparência era de um louco.

— Todos são nossos inimigos — falou. Ele parecia estar se dirigindo mais a si mesmo do que a ela. — Todos querem nos ver mortos, longe daqui... mas não vou embora assim...

Rin engoliu em seco.

— Altan...

Ele virou a cabeça abruptamente na direção dela.

— Já conseguiu canalizar o fogo?

A garota sentiu uma pontada de culpa. Por mais que tentasse, não podia acessar a deusa, não podia chamá-la como em Sinegard.

Antes que ela pudesse responder, no entanto, Altan fez um som de desgosto.

— Esquece. É óbvio que não. Você ainda acha que tudo isso é uma brincadeira. Que ainda está na escola.

— Não, *não* acho.

Ele atravessou o gabinete, agarrou-lhe pelos ombros e a sacudiu com tanta força que Rin ofegou alto. No entanto, só a trouxe mais para perto até ficarem cara a cara, olho no olho. Suas íris eram de um vermelho furioso.

— Não é tão difícil. — Seus dedos se apertaram, afundando na clavícula dela. — *Por que* é tão difícil para você? Não é como se fosse algo novo. Você já fez isso antes, por que não consegue fazer agora?

— Altan, você está me machucando.

A pressão das mãos só aumentou.

— Você podia ao menos tentar, *porra*...

— Eu tentei! — berrou ela. — Não é fácil, tá bom? Não posso... Eu não sou *você*.

— Você é um bebê? — perguntou Altan, como se estivesse curioso. Ele não gritou. Na verdade, sua voz ficou monótona, cuidadosamente controlada e mortalmente baixa. Por isso Rin sabia que Altan estava furioso. — Ou talvez seja uma idiota fingindo ser soldada. Você falou que precisava de tempo. Já se passaram meses. Em Speer, a essa altura, você já teria sido deserdada. Seus parentes teriam a jogado no mar simplesmente pela *vergonha* que sentiriam.

— Desculpa — sussurrou Rin, arrependendo-se logo depois.

Altan não queria um pedido de desculpas. Queria humilhá-la. Queria que queimasse de ultraje, que se sentisse tão miserável até não aguentar mais.

E conseguiu. Como Altan conseguia transformá-la em algo tão pequeno? Naquele momento, Rin se viu mais imprestável do que quando Jun a escorraçara em Sinegard na frente de todos. Era pior. Mil vezes pior, porque, diferente de Jun, ela se importava com Altan. Ele era speerliês, era seu *comandante*. Rin precisava da aprovação dele como precisava de ar.

Ele a empurrou com força.

Rin se esforçou para não encostar na clavícula, onde sabia que logo surgiriam dois hematomas deixados pelos dedões de Altan, duas marcas no formato de lágrimas. Engoliu em seco, desviou o olhar e não falou nada.

— Você se considera uma soldada treinada em Sinegard?

A voz de Altan diminuíra até pouco mais de um sussurro. Ela preferia que ele tivesse gritado. *Queria* que ele tivesse gritado. Qualquer coisa seria melhor do que aquela estripação fria.

— Você não é uma soldada — prosseguiu ele. — É um peso morto. Até conseguir canalizar o fogo, é *inútil* para mim. Está aqui porque em teoria é speerliesa. Ainda não consegui ver prova disso. Corrija seus erros. Prove seu valor. Faça a merda do seu trabalho ou suma daqui.

Ela segurou as lágrimas até sair do gabinete. Seus olhos ainda estavam vermelhos quando entrou no refeitório.

— Você estava *chorando*? — perguntou Nezha, sentando-se em frente a Rin.

— Vá embora — resmungou.

Ele não se afastou.

— O que aconteceu?

Rin mordeu o lábio inferior. Não deveria estar conversando com Nezha. Seria uma traição dupla reclamar de Altan para ele.

— Foi Altan? Ele falou alguma coisa?

Ela desviou o olhar.

— Espera. O que é isso? — Nezha esticou o braço para alcançar a clavícula dela.

Rin deu um tapa na mão do garoto e puxou o uniforme.

— Você vai aceitar sem fazer nada? — perguntou ele, sem acreditar.

— Eu me lembro de uma garota que me deu um soco na cara por ter feito um comentário ruim sobre o professor dela.

— Com Altan é diferente — disse ela.

— Não diferente o bastante para ele poder falar com você dessa forma — rebateu Nezha. Seus olhos passaram pelo pescoço de Rin. — Então foi *mesmo* Altan. Pelas tetas da tigresa. Os soldados da Quinta dizem que ele enlouqueceu, mas nunca achei que se rebaixaria a *isso*.

— Olha quem fala — debochou Rin, irritada. Por que Nezha achava que podia ser confidente dela agora? — Você zombou de mim por anos em Sinegard. Não me dirigiu uma única palavra agradável até Mugen bater à nossa porta.

Ao menos Nezha teve a decência de parecer culpado.

— Rin, eu...

Ela o interrompeu antes de o garoto conseguir continuar.

— Eu era uma órfã de guerra do sul e você, um garoto rico de Sinegard. Você me atormentou, transformou Sinegard num inferno para mim, Nezha.

Era bom falar aquilo em voz alta. Era bom ver a expressão rígida no rosto dele. Desde a chegada de Nezha, os dois não haviam tocado naquele assunto, agindo como se tivessem sido amigos na Academia, porque a rixa que havia entre eles parecia bastante infantil comparada às batalhas verdadeiras que travavam no momento. Mas se Nezha queria difamar o comandante dela, então Rin lembraria a ele com quem estava falando.

O garoto bateu com o punho na mesa, exatamente como Altan fizera, mas, dessa vez, ela não recuou.

— Você não foi a única vítima! — falou ele. — Rin, você me deu um soco na cara no primeiro dia de aula. Depois, me deu um chute no saco. E aí me enfrentou na frente da turma. Na frente de Jun. Na frente de *todo mundo*. Como acha que me senti? Acha que não fiquei envergonhado? Olha, desculpa, tá bom? Sinto muito mesmo. — O remorso em sua voz parecia genuíno. — Mas eu salvei a sua vida. Isso não deixa a gente ao menos um pouco quites?

Quites? *Quites?* Ela teve que rir.

— Você quase me fez ser expulsa!

— E você quase me matou.

Aquilo calou a boca de Rin.

— Eu tinha medo de você — confessou Nezha. — E exagerei. Foi burrice minha. Agi como um pirralho mimado. Fui um idiota. Pensava que era melhor do que você, e não sou. Sinto muito.

Rin ficou chocada demais para responder, então virou o rosto.

— Eu não deveria nem estar falando com você — disse ela, rígida, encarando a parede.

— Tá bom — concordou Nezha, irritado. — Desculpa por tentar. Vou deixar você em paz.

Ele pegou o prato, levantou-se e foi embora. Ela o deixou ir.

A patrulha noturna era solitária sem Nezha. Todos no Cike tinham a função de fazer a ronda em turnos, mas, naquele momento, Rin estava convencida de que Altan a colocara lá como um castigo. Qual era a utilidade de ficar de olho numa praia em que nada acontecia? Se outra frota se aproximasse, os pássaros de Qara a veriam com dias de antecedência.

Rin esfregou os dedos enquanto se encolhia encostada numa parede, tentando se esquentar. *Idiota*, pensou, olhando para as próprias mãos. Provavelmente não sentiria tanto frio se pudesse criar um pouco de fogo.

Tudo estava horrível. Tremia só de pensar em Altan e Nezha. De maneira vaga, sabia que tinha estragado tudo, que talvez tivesse feito algo que não deveria, mas não conseguia encontrar uma solução para aquele dilema. Rin nem sabia ao certo *qual* era o problema, só que os dois estavam furiosos com ela.

Então ela ouviu um zumbido, tão fraco no início que pensou ser sua imaginação. Mas o ruído logo aumentou, como um enxame de abelhas se aproximando em alta velocidade. O som atingiu o ápice e ficou evidente que eram gritos humanos. Ela semicerrou os olhos; a comoção não vinha da praia, mas dos distritos no centro da cidade. Rin saiu de onde estava e correu para observar o outro lado. Uma multidão desesperada de civis corria em pânico pelas ruas apertadas. Ela procurou entre as pessoas e viu Qara e Unegen saindo de seus aposentos. Desceu a muralha e abriu caminho pela torrente de corpos, empurrando-os para chegar até os dois.

— O que está acontecendo? — Ela segurou o braço de Unegen. — Qual é o motivo dessa correria?

— Não faço a mínima ideia — respondeu ele. — Encontre os outros.

Uma civil — uma senhora idosa — tentou passar por Rin, mas tropeçou. A garota se abaixou para ajudá-la, mas a mulher já havia se levantado, correndo mais rápido do que Rin já havia visto alguém daquela idade correr. Homens, mulheres e crianças se desembestavam ao redor dela, alguns descalços, outros seminus, todos com a mesma expressão de terror no frenesi para atravessar os portões da cidade.

— O que está acontecendo? — Baji, sem camisa e com os olhos cansados, abriu caminho na multidão até eles. — Grande Tartaruga. A cidade está sendo evacuada?

Alguma coisa bateu no joelho de Rin. Ela olhou para baixo e viu uma criança minúscula, com metade da idade de Kesegi. O menino estava sem calça. Ele tateava a perna da garota às cegas, berrando. Devia ter se perdido dos pais naquela confusão. Rin o pegou no colo, da mesma forma que fazia quando Kesegi chorava.

Enquanto buscava na multidão alguém que parecia ter perdido uma criança, viu três flamas no formato de pequenos dragões voando para o céu. Só podia ser o sinal de Altan.

Apesar do barulho, Rin ouviu seu grito rouco:

— Cike, reúnam-se aqui!

Ela colocou o menino nos braços do primeiro civil que encontrou e atravessou a massa de gente até onde Altan se encontrava. Jun também estava lá, cercado por mais ou menos dez de seus homens, entre eles Nezha. O garoto não olhou para Rin.

Altan parecia mais furioso do que nunca.

— Eu *disse* para não evacuar a cidade sem me avisar.

— Isso não é coisa minha — falou Jun. — Os civis estão fugindo de alguma coisa.

— Do quê?

— Não faço ideia — retrucou ele, com raiva.

Altan deu um suspiro profundo de impaciência, esticou o braço até a horda de gente e puxou uma pessoa qualquer. Uma mulher jovem, pouco mais velha do que Rin, estava apenas de camisola. Ela gritou em protesto, mas calou a boca quando viu os uniformes do Exército.

— O que está acontecendo? — perguntou Altan. — Do que estão fugindo?

— De um chimei — respondeu ela, aterrorizada e sem fôlego. — Tem um chimei na cidade, perto da praça...

Um chimei? O nome era vagamente familiar. Rin tentou se lembrar de onde tinha sido visto pela última vez — em algum lugar da biblioteca, talvez, num dos tomos absurdos que Jiang a obrigou a ler quando conduzia uma investigação rigorosa sobre cada detalhe de conhecimento arcano produzido pela humanidade. Ela achou que talvez fosse uma besta, alguma criatura mitológica com habilidades bizarras.

— Ora, vamos — falou Jun, cético. — Como sabe que é um chimei?

A jovem o encarou.

— Porque está arrancando os rostos dos cadáveres — respondeu ela, a voz vacilando. — Eu vi os corpos, eu vi...

A moça ficou em silêncio.

— Como ele é? — perguntou Altan.

A mulher estremeceu.

— Não consegui ver muito de perto, mas acho... acho que parecia um animal enorme de quatro patas. Grande como um cavalo, mas com braços de macaco.

— Um animal — repetiu Altan. — Mais alguma coisa?

— O pelo era preto, mas os olhos...

Ela engoliu em seco.

— Como eram os olhos? — indagou Jun, pressionando.

A mulher hesitou.

— Como os *dele* — respondeu, apontando para Altan. — Vermelhos como sangue. Vivos como fogo.

Altan permitiu que a jovem seguisse seu caminho, e ela desapareceu entre a multidão que batia em retirada.

Os dois comandantes se entreolharam.

— Precisamos mandar alguém — falou Altan. — Alguém tem que matar a besta.

— Sim. — Jun concordou na mesma hora. — Meus soldados estão controlando a multidão, mas posso reunir um esquadrão.

— Não precisamos de um esquadrão. Um dos meus homens será o bastante. Não há como mandar todo mundo. Mugen pode aproveitar essa chance para atacar nossa base. Pode ser uma distração.

— Eu vou — disse Rin, voluntariando-se.

Altan franziu o cenho.

— Você sabe como lidar com um chimei?

Ela não sabia. Acabara de lembrar *o que* era um chimei — e apenas por causa das leituras que fez na Academia, pouco nítidas em sua memória. Mas com certeza sabia mais do que qualquer soldado das divisões ou do Cike, porque nenhuma outra pessoa fora forçada a ler bestiários arcanos em Sinegard. E Rin não estava disposta a admitir incompetência para Altan na frente de Jun. Ela podia dar conta do trabalho. *Precisava* dar conta do trabalho.

— Tão bem quanto qualquer outra pessoa, senhor. Li os bestiários.

Altan considerou aquilo por um instante e então assentiu.

— Vá contra a multidão e se mantenha nas travessas.

— Eu também vou — disse Nezha.

— Não é necessário — rebateu Altan.

— Ela deve ser acompanhada por um homem do Exército — argumentou Nezha. — Por precaução.

Altan olhou para Jun, e Rin percebeu o que estava acontecendo. O antigo mestre queria que alguém fosse com ela para o caso de Altan não compartilhar qualquer informação com ele.

Rin não conseguia acreditar que aquelas picuinhas políticas estavam acontecendo mesmo naquele momento.

Altan parecia pronto para discutir, mas não havia tempo. Ele passou por Nezha na direção da turba e arrancou uma tocha da mão de um civil.

— Ei! Isso é meu! — reclamou o homem.

— Cale a boca — ordenou Altan, empurrando-o. Então entregou a tocha para Rin e a levou até um beco lateral onde poderia evitar as pessoas. — *Vão*.

Rin e Nezha não conseguiriam chegar ao centro da cidade indo contra a debandada de gente. No entanto, as construções daquele distrito tinham tetos baixos e planos, fáceis de escalar. Os dois correram por eles, as tochas balançando. Quando chegaram ao fim do quarteirão, aterrissaram num beco e atravessaram outro quarteirão em silêncio.

Enfim, Nezha perguntou:

— O que é um chimei?

— Você escutou a mulher — respondeu Rin, seca. — Bicho grande. Olhos vermelhos.

— Nunca ouvi falar.

— Então provavelmente não deveria ter vindo.

Ela virou uma esquina.

— Eu também li os bestiários — comentou Nezha depois de conseguir alcançá-la. — E não me lembro de ter visto nada sobre um chimei.

— Você não leu os textos antigos no porão dos arquivos. É uma criatura da era do Imperador Vermelho. É mencionada poucas vezes, mas está lá. Às vezes, é retratada como uma criança de olhos vermelhos. Às vezes, como uma sombra escura. O chimei arranca os rostos das vítimas, mas deixa o resto do cadáver intacto.

— Assustador — comentou Nezha. — Qual é o problema dele com rostos?

— Não sei bem — admitiu Rin. Ela vasculhou a memória por qualquer outra coisa que conseguisse lembrar. — Os bestiários não mencionam. Acho que ele os coleciona. Os livros dizem que o chimei pode imitar qualquer pessoa: seus entes queridos, indivíduos que você nunca machucaria.

— Até gente que ele não matou?

— Provavelmente sim — disse ela. — Ele coleciona rostos há milhares de anos. Com tantos traços e características reunidos, poderia ficar parecido com qualquer um.

— E daí? Como isso o deixa perigoso?

Ela olhou para Nezha.

— Você conseguiria esfaquear algo com o rosto da sua mãe?

— Eu saberia que não é real.

— Lá no fundo, você saberia, sim. Mas conseguiria dar o golpe na hora? Fitando os olhos da sua mãe, ouvindo ela implorar enquanto enfia a lâmina na garganta dela?

— Se eu soubesse que aquela não poderia ser minha mãe de jeito nenhum, sim — respondeu ele. — O chimei só parece aterrorizante se pegar você de surpresa. Mas não se você *souber*.

— Acho que não é assim tão simples — falou Rin. — Essa coisa não assustou uma ou duas pessoas. Assustou metade da cidade. Além disso, os bestiários não dizem como matá-lo. Não há uma única derrota de chimei registrada na história. Estamos tateando no escuro aqui.

Fazia silêncio nas ruas do meio da cidade — portas fechadas, carroças paradas. O que deveria ser um mercado movimentado estava quieto.

Mas não vazio.

Havia corpos em vários estados empilhados pelas ruas.

Rin se agachou ao lado do mais próximo e o virou. Não havia nada diferente nele, com exceção da cabeça. O rosto fora arrancado a mordidas da maneira mais grotesca possível. As órbitas oculares estavam vazias, o nariz havia desaparecido, os lábios foram arrancados.

— Você falou sério — comentou Nezha. Ele cobriu a boca com uma das mãos. — Pelas tetas da tigresa. O que faremos quando encontrarmos ele?

— Eu vou matá-lo — respondeu Rin. — Você pode ajudar.

— Rin, você é insuportavelmente convencida de suas habilidades em combate — falou Nezha.

— Eu acabei com você na escola. Sou apenas honesta em relação às minhas habilidades em combate — disse ela.

Agir com presunção a ajudava. Diminuía o medo.

A alguns passos de distância, Nezha revirou outro cadáver. Ele usava o uniforme azul-escuro das Forças Armadas da Federação. Uma estrela amarela de cinco pontas presa no lado direito do peito indicava que era um oficial.

— Pobre coitado — disse ele. — Alguém se esqueceu de avisar a ele.

Rin passou por Nezha e ergueu a tocha no beco cheio de sangue. Um esquadrão inteiro da Federação jazia sobre os paralelepípedos.

— Não acho que os mugeneses enviaram o chimei — declarou ela, devagar.

— Talvez tenham mantido a besta enjaulada esse tempo todo — sugeriu Nezha. — Talvez não soubessem o que ela era capaz de fazer.

— A Federação não se arrisca assim — disse Rin. — Você viu como foram cuidadosos com as catapultas em Sinegard. Não liberariam uma besta que não pudessem controlar.

— Então o chimei apareceu aqui sozinho? Um monstro que não é visto há séculos decidiu dar as caras numa cidade ocupada?

Rin tinha uma suspeita cada vez maior de onde o chimei viera. Ela já havia visto o monstro antes, numa ilustração do *Bestiário do Imperador Jade*.

Vou conjurar coisas que não deveriam existir neste mundo.

Quando Jiang abriu aquele portal em Sinegard, fez um buraco no tecido entre este mundo e o espiritual. Agora, com o Guardião desaparecido, os demônios atravessavam a passagem à vontade.

Há um preço a ser pago. Sempre há.

Agora Rin conseguia entender o que o mestre queria dizer.

Ela afastou aqueles pensamentos e se ajoelhou para analisar os corpos com mais atenção. Nenhum dos soldados sacara as armas. Aquilo não fazia sentido. Com certeza não podiam ter sido todos pegos de surpresa. Se estivessem lutando com uma besta monstruosa, teriam morrido com as espadas em punho. Deveria haver sinais de luta.

— Onde acha...? — disse ela, mas Nezha logo cobriu a sua boca com a mão gelada.

— Escute — sussurrou ele.

Rin não conseguiu ouvir nada. Então, do outro lado do mercado, um som baixo surgiu de uma carroça derrubada, o ruído de algo se balançando. Depois, o barulho parou e deu lugar a um choro agudo.

Rin se aproximou com a tocha para investigar.

— Enlouqueceu? — Nezha segurou o braço dela. — Pode ser o chimei.

— E aí vamos fazer o quê? Correr para longe?

Rin puxou o braço e continuou andando na direção da carroça.

Nezha hesitou, mas Rin enfim ouviu os passos dele atrás de si. Quando chegaram à carroça, eles se entreolharam sob a luz da tocha. Rin assentiu, sacou a espada e, juntos, ela e Nezha puxaram o tecido que cobria o veículo.

— Sai daqui!

A coisa debaixo da coberta não era um animal. Era uma garotinha, que batia na cintura de Nezha, encolhida na parte de trás da carroça. Seu vestido fino estava coberto de sangue. Ela gritou quando os viu, metendo o rosto entre os joelhos. Seu corpo inteiro tremia com soluços violentos e aterrorizados.

— Sai daqui! Sai de perto de mim!

— Abaixe a espada, você está assustando ela! — Nezha foi para a frente de Rin, escondendo-a da garotinha. Passou a tocha para a outra mão e acariciou de leve o ombro dela. — Ei. Ei, está tudo bem. Vamos ajudar você.

A garota fungou.

— O monstro horrível...

— Eu sei. O monstro não está aqui. Nós... assustamos ele. Não vamos machucar você, prometo. Pode olhar para mim?

Devagar, a menina ergueu a cabeça e encarou Nezha. Seus olhos estavam enormes, esbugalhados e assustados, no rosto marcado por lágrimas.

Quando Rin fitou aqueles olhos, foi tomada por uma sensação estranha, um desejo forte de proteger aquela criança a qualquer custo. Sentiu uma urgência física, um desejo maternal que lhe era novo. Teria preferido morrer a deixar que alguém machucasse aquela menina inocente.

— Você não é um monstro? — choramingou ela.

Nezha esticou os braços na direção da garota.

— Somos humanos — falou ele com calma.

A garota caiu em seus braços, e os soluços diminuíram.

Rin observou Nezha, impressionada. Ele parecia saber exatamente como agir com a menininha, ajustando o tom de voz e a linguagem corporal para ser o mais reconfortante possível.

Com uma das mãos, Nezha passou a tocha para Rin e, com a outra, acariciou a cabeça da garota.

— Quer ajuda para sair daí?

Ela assentiu, hesitante, e ficou de pé. Nezha pegou sua cintura, tirou-a da carroça quebrada e a colocou gentilmente no chão.

— Pronto. Está tudo bem. Consegue andar?

Ela assentiu de novo e esticou a mão trêmula para pegar a dele. Nezha a apertou com firmeza, envolvendo aquela mãozinha em seus dedos finos.

— Não se preocupe, vou ficar com você. Qual é o seu nome?

— Khudali — sussurrou ela.

— Khudali. Está tudo bem agora — prometeu Nezha. — Você está conosco. E nós matamos monstros. Mas precisamos da sua ajuda. Vai precisar ser corajosa, tá bom?

Khudali engoliu em seco e concordou.

— Boa menina. Agora, pode nos contar o que aconteceu? Qualquer coisa que conseguir lembrar.

Khudali respirou fundo e começou a falar num tom hesitante e trêmulo:

— Eu estava com os meus pais e a minha irmã. A gente estava voltando para casa de carroça. O Exército falou que era proibido ficar de noite na rua, então a gente queria voltar logo, mas aí...

A menina voltou a soluçar.

— Tudo bem — falou Nezha. — Sabemos que o bicho apareceu. Só preciso que me dê qualquer detalhe que puder. Qualquer coisa que lembrar.

Ela assentiu.

— Todo mundo começou a gritar, mas os soldados não fizeram nada. E quando ele chegou perto, a Federação só ficou assistindo. Eu me escondi na carroça. Não vi a cara dele.

— Sabe para onde ele foi? — perguntou Rin de repente.

Khudali estremeceu e se encolheu atrás de Nezha.

— Você está assustando ela — repetiu ele com a voz baixa, gesticulando para Rin se afastar. Então, voltou-se para a menina. — Pode me mostrar a direção para onde o bicho correu? — indagou. — Para onde ele foi?

— Eu... não sei dizer como chegar lá. Mas posso levar você — respondeu ela. — Eu me lembro do que vi.

Ela avançou alguns passos até a esquina de uma travessa e parou.

— Foi aqui que ele comeu o meu irmão. E depois desapareceu.

— Espera um minuto — falou Nezha. — Você disse que estava com a sua irmã.

Khudali o encarou mais uma vez com aqueles olhos redondos e suplicantes.

— Ih, é mesmo — comentou ela.

E então sorriu.

Num segundo, ela era uma menininha; no seguinte, era uma besta de membros compridos. Com exceção da face, era inteiramente coberta por pelos pretos feito piche. Seus braços arqueados chegavam até o chão, como os de Suni, os braços de um macaco. A cabeça era pequena, ainda a cabeça de Khudali, o que o tornava ainda mais grotesco. O bicho pegou Nezha com os dedos grossos e o ergueu no ar pelo colarinho.

Rin sacou a espada e atacou as pernas, os braços e o torso da criatura. Mas a pelugem grossa do chimei era como um casaco de agulhas de ferro, repelindo a lâmina melhor do que um escudo.

— O rosto — gritou ela. — Mire no rosto!

Mas Nezha não se mexia. As mãos estavam dependuradas, inúteis, ao seu lado. Ele observava o rosto pequenino do chimei, o rosto de Khudali, hipnotizado.

— O que está fazendo? — gritou Rin.

Devagar, o chimei mexeu a cabeça para encará-la e a fitou.

Rin cambaleou e caiu para trás, sem ar.

Quando encarava aquele olhar, aquele olhar encantador, o corpo monstruoso do chimei desaparecia de sua visão. Ela não via mais o pelo preto, o porte animalesco, o torso bruto salpicado de sangue. Apenas o rosto.

Não era a face de uma besta. Era a face de algo lindo. Ficou desfocada por um instante, como se não conseguisse se decidir o que queria ser, e então assumiu feições que ela não via em muito tempo.

Bochechas suaves, da cor de barro. Cabelo preto desgrenhado. Um dente de leite um pouco maior que o restante, outro dente de leite faltando.

— Kesegi? — disse ela.

Rin largou a tocha. Kesegi deu um sorriso incerto.

— Você me reconhece? — perguntou o menino com a voz doce. — Depois de tanto tempo?

Rin sentiu o coração partir.

— *Óbvio* que reconheço.

Kesegi olhou para ela, cheio de esperança. Então abriu a boca e soltou um berro completamente inumano. O chimei correu na direção da garota — Rin levantou as mãos para proteger o rosto —, mas algo impediu a criatura.

Nezha havia se libertado e agora estava nas costas dele, onde não poderia ver seu rosto. O garoto golpeava com a adaga, mas a arma tilintava inútil na clavícula do animal. Tentou de novo, dessa vez na face. Na face de Kesegi.

— Não! — gritou Rin. — Kesegi, não...

Nezha errou — a lâmina ricocheteou na pelugem de ferro. Ele ergueu a arma para um segundo ataque, mas Rin avançou e colocou a espada entre a adaga de Nezha e o chimei.

Ela precisava proteger Kesegi, não podia deixar Nezha machucá-lo, não *Kesegi...* Ele era só um menino, indefeso, pequeno...

Fazia três anos que ela o deixara para trás. Rin o abandonara com dois traficantes de ópio, indo para Sinegard sem mandar uma única carta naquele período, naqueles três anos impossivelmente longos.

Parecia tão distante. Uma vida inteira.

Então por que Kesegi não havia crescido?

Ela vacilou, a mente confusa. Responder àquela pergunta era como tentar ver por uma neblina densa. Ela sabia que devia haver alguma razão para aquilo não fazer sentido, mas não conseguia entender o que era... Sabia apenas que havia algo de errado com o Kesegi diante dela.

Não era o Kesegi *dela*.

Não era Kesegi.

Ela se esforçou para se recuperar, piscando rápido, como se estivesse tentando clarear a visão. *É o chimei, sua idiota*, disse a si mesma. *Ele está brincando com as suas emoções. É isso que ele faz. É assim que ele mata.*

E agora Rin se lembrava de que vira algo de errado no rosto de Kesegi... seus olhos não estavam gentis e castanhos como antes, mas vermelhos-vivo, como dois lampiões acessos que demandavam a sua atenção...

Uivando, o chimei enfim conseguiu arrancar Nezha das costas, atirando o garoto numa parede. Ele bateu a cabeça numa pedra, caiu no chão e não se mexeu mais.

O chimei saltou para as sombras e desapareceu.

Rin correu até o corpo inerte do amigo.

— Merda, *merda*...

Ela pressionou a mão na nuca dele e sentiu os dedos pegajosos. Rin tateou, sentindo o contorno do corte, e ficou aliviada ao descobrir que não era muito profundo. Mesmo pequenos, ferimentos na cabeça costumavam sangrar muito. Nezha provavelmente ficaria bem.

Mas para onde o chimei tinha fugido...?

Rin ouviu um farfalhar acima da cabeça. Ela se virou, mas foi tarde demais.

O chimei deu um pulo e aterrissou nas costas dela, agarrando seus ombros com uma força horrenda. Ela se mexeu feito fera, golpeando para trás com a espada. Mas os ataques foram em vão; os pelos do chimei ainda eram um escudo impenetrável e a lâmina de Rin só conseguia arranhá-los.

Com uma das mãos enormes, a criatura pegou a espada e a quebrou, emitindo um barulho soberbo e jogando os pedaços na escuridão. Então envolveu o pescoço de Rin com os braços, agarrando-se às costas dela feito uma criança — uma criança gigante e monstruosa. Os músculos pressionaram seu pescoço. Os olhos de Rin se arregalaram. Ela não conseguia respirar. Caiu de joelhos e esticou o braço em direção à tocha caída, desesperada.

Ela sentiu a respiração quente do chimei no cangote. Ele arranhava seu rosto, puxando a boca e as narinas, como um bebê faria.

— Brinca comigo — insistiu ele com a voz de Kesegi. — Por que não quer *brincar comigo*?

Não consigo respirar...

Os dedos de Rin encontraram a tocha. Ela a pegou e a ergueu rápido para trás.

A ponta em chamas acertou o rosto exposto do chimei com um chiado alto. Ele guinchou e saiu das costas de Rin, contorcendo-se no chão, os membros girando em ângulos bizarros conforme o monstro gritava de dor.

Rin também gritou — seu cabelo estava pegando fogo. Ela levantou o gorro e esfregou o tecido na cabeça para apagar as chamas.

— Irmã, por favor — balbuciou o chimei.

Em sua agonia, ele, de alguma forma, conseguiu soar ainda mais como Kesegi.

Obstinada, Rin engatinhou na direção do bicho, evitando seu olhar. Segurava a tocha com firmeza. Precisava queimá-lo de novo. Pelo visto aquela era a única forma de machucá-lo.

— *Rin*.

Daquela vez, ele falou com a voz de Altan.

Daquela vez, ela não conseguiu evitar e o encarou.

A princípio, era apenas o rosto de Altan; depois *era* Altan, esparramado no chão, sangrando pela lateral da cabeça. Tinha os olhos de Altan. Tinha a cicatriz de Altan.

Bruto, soltando fumaça, ele rosnou para Rin.

Evitando as tentativas do chimei de arrancar seu rosto, Rin o prendeu no chão, pressionando os braços do animal com os joelhos.

Precisava queimar o rosto dele. As faces eram a fonte de seu poder. O chimei colecionava as feições de cada pessoa que matava, cada rosto que arrancava. Sobrevivia à base da aparência humana e estava tentando conseguir a dela.

Ela forçou a tocha na face dele.

O chimei gritou outra vez. *Altan* gritou outra vez.

Rin nunca havia ouvido Altan gritar, não de verdade, mas sabia que o grito dele soaria daquela maneira.

— Por favor — choramingou Altan, a voz rouca. — *Por favor, não.*

Rin cerrou os dentes e pegou a tocha com mais firmeza, aumentando a pressão na cabeça da criatura. O cheiro de carne queimada invadiu suas narinas. Ela engasgou, e a fumaça encheu seus olhos de lágrimas, mas Rin não parou. Tentou desviar os olhos dos do bicho, mas eles eram atraentes demais. O animal conseguiu sua atenção e a forçou a encará-lo.

— Você não pode me matar — chiou Altan. — Você me ama.

— Eu não amo você — respondeu Rin. — E posso matar qualquer coisa.

Quanto mais ele queimava, mais se parecia com Altan, um poder terrível. O coração de Rin martelava no peito. *Limpe a mente. Bloqueie os pensamentos. Não pense. Não pense. Não pense. Não...*

No entanto, a garota não conseguia separar a aparência de Altan do chimei. Eles eram um só. Ela amava o chimei, ela amava Altan, e ele a mataria. A não ser que ela o matasse primeiro.

Mas não, aquilo não fazia sentido...

Rin tentou focar de novo, para abrandar o terror e recuperar a razão; daquela vez, porém, ela se concentrou não em separar Altan do chimei, mas na decisão de matar o animal não importava quem achasse que ele fosse.

Rin estava matando o chimei. Estava matando Altan. Ambos eram verdade. Ambos eram necessários.

Ela não tinha uma semente de papoula consigo, mas não precisava chamar a Fênix naquele momento. Tinha a tocha e a dor, e aquilo era o bastante.

Acertou a ponta apagada da tocha no rosto de Altan. E acertou de novo, com mais força do que achou que seria capaz. A madeira abriu espaço até o osso. A bochecha do chimei se desfez, criando um buraco cavernoso onde deveria haver carne e osso.

— Você está me machucando. — Altan soava chocado.

Não, estou matando você. Ela o acertou de novo, e de novo, e de novo. Assim que o braço pegou o ritmo, não conseguiu mais parar. O rosto de Altan se tornou uma massa de osso e carne em pedaços. A pele marrom ficou vermelha-clara. O rosto perdeu completamente o formato. Ela bateu naqueles olhos, bateu até sangrarem, para que nunca mais precisasse vê-los. Quando o monstro tentava revidar, ela virava a tocha e queimava suas feridas. Então ele gritava.

Por fim, o chimei parou de reagir. Seus músculos ficaram moles, suas pernas pararam de chutar. Rin cambaleou por cima da cabeça dele, arfando. Ela havia queimado o rosto dele até o osso. Embaixo da camada de pele chamuscada, havia uma caveira branca impecável.

Rin saiu de cima do cadáver e respirou fundo. E então vomitou.

— Desculpa — disse Nezha quando acordou.
— Tudo bem — falou Rin. Estava esparramada na parede ao lado dele, o conteúdo de seu estômago espalhado na calçada. — Não é culpa sua.
— É culpa minha. Você não congelou quando o viu.
— Congelei, *sim*. Um esquadrão inteiro congelou. — Com o dedão, Rin apontou para os cadáveres da Federação no mercado da cidade. — E você me ajudou a sair do transe. Não se culpe.
— Foi burrice minha. Devia ter imaginado que aquela garotinha...
— Nenhum de nós imaginou — disparou Rin.

Nezha não disse nada.

— Você tem uma irmã? — perguntou Rin depois de um tempo.
— Tive um irmão — respondeu ele. — Um irmão menor. Morreu quando éramos mais novos.
— Ah. — Ela não sabia o que dizer. — Sinto muito.

Nezha ergueu as costas e se sentou.

— Quando o chimei estava gritando comigo, parecia... parecia que era culpa minha de novo.

Rin engoliu em seco.

— Quando o matei, senti que estava cometendo um assassinato.

Nezha a fitou por um bom tempo.

— Com quem ele se parecia?

Rin não respondeu.

Eles voltaram mancando para a base em silêncio, de vez em quando parando em algum canto escuro para ter certeza de que não estavam sendo seguidos. Fizeram isso mais por hábito do que por necessidade. Rin imaginava que nenhum soldado da Federação daria as caras naquela parte da cidade por um tempo.

Quando chegaram ao cruzamento entre o quartel-general do Cike e a base da Sétima Divisão, Nezha parou e se virou para Rin.

O coração dela perdeu o compasso.

Ele era tão bonito, parado ali exatamente no lugar em que o luar recaía sobre seu rosto, iluminando um lado e formando sombras profundas no outro. Parecia porcelana esmaltada, vidro imaculado. Não era humano, mas a interpretação de uma pessoa por um escultor. *Ele não pode ser real*, pensou ela. Um garoto feito de carne e osso não poderia ser tão perfeito assim, sem uma única falha ou defeito.

— Então. Sobre hoje mais cedo... — comentou ele.

Rin cruzou os braços.

— Não é uma boa hora.

Nezha deu uma risada seca.

— Estamos numa guerra. Nunca vai ter uma boa hora.

— Nezha...

Ele colocou a mão no braço dela.

— Eu só queria pedir desculpas.

— Não precisa...

— Preciso, sim. Fui um idiota. E não tinha o direito de falar sobre seu comandante daquele jeito. Peço perdão.

— Eu perdoo você — falou Rin, cautelosa. E descobriu que estava sendo sincera.

Altan estava esperando Rin voltar à base em seu gabinete. Abriu a porta antes mesmo de a garota bater.

— Está resolvido?

— Está resolvido — confirmou ela. Engoliu em seco, o coração ainda acelerado. — Senhor.

Ele fez um aceno curto com a cabeça.

— Ótimo.

Eles se entreolharam em silêncio por um instante. Altan estava escondido na escuridão formada pela porta. Rin não conseguia ver sua expressão e ficou feliz por isso. Não queria encará-lo naquele momento.

Não conseguiria olhar para Altan sem pensar no rosto queimando, quebrando sob suas mãos, dissolvendo-se numa massa de carne, sangue e tendões.

Todos os pensamentos sobre Nezha foram expulsos da cabeça de Rin. Como poderia pensar nele naquele momento?

Ela havia acabado de matar Altan.

O que aquilo significava? O que significava o chimei ter pensado que ela não seria capaz de matar Altan, mas Rin ter conseguido fazer isso de qualquer forma?

Se conseguia fazer aquilo, o que não poderia fazer?

Quem ela não poderia matar?

Talvez aquele fosse o tipo de raiva necessário para chamar a Fênix da maneira que Altan fazia, com facilidade e regularidade. Não apenas raiva, não apenas medo, mas um ressentimento profundo e fervente, atiçado por um tipo particularmente cruel de abuso.

Talvez ela tivesse aprendido algo, afinal.

— Mais alguma coisa? — perguntou Altan.

Ele deu um passo na direção de Rin. Ela se retraiu. Altan deve ter notado e, mesmo assim, se aproximou.

— Quer me contar algo?

— Não, senhor — sussurrou ela. — Nada.

CAPÍTULO 18

— As margens dos rios estão livres — comentou Rin. — Pequenos indícios de atividades no nordeste, mas nada que não tenhamos visto antes. É possível que seja apenas o transporte de mais suprimentos para o lado mais distante do acampamento. Duvido que tentem algo hoje.

— Ótimo — disse Altan.

Ele marcou um ponto no mapa e então colocou o pincel na mesa. Massageou as têmporas e parou como se tivesse esquecido o que ia dizer.

Rin ficou mexendo na manga da camisa.

Fazia semanas que não treinavam juntos. Mas tudo bem. Não havia mais tempo para treinar. Após meses de ocupação, a posição nikara em Khurdalain era frágil. Mesmo com os reforços da Sétima Divisão, a cidade portuária estava perigosamente próxima de ser invadida pela Federação. Três dias antes, a Quinta Divisão tinha perdido um território importante nos arredores de Khurdalain que servia como centro de transporte, expondo boa parte do leste da cidade para a Federação.

Além disso, os nikaras também haviam perdido uma boa quantidade de seus suprimentos, o que os forçou a adotar rações ainda menores do que estavam acostumados. Sobreviviam à base de arroz papado e inhame, duas coisas em que Baji declarou que nunca voltaria a tocar depois da guerra. No entanto, do jeito que as coisas andavam, era mais provável que, no futuro, eles teriam que engolir punhados de arroz cru, deixando refeições cozidas do refeitório para trás.

As unidades da linha de frente de Jun estavam recuando e sofrendo perdas pesadas. A Federação tomava forte após forte nas margens do rio. Fazia dias que a correnteza estava vermelha, forçando Jun a enviar homens para buscar barris de água que não tivesse sido contaminada por cadáveres.

Além do centro de Khurdalain, os nikaras ainda ocupavam três prédios cruciais nas docas — dois depósitos e um antigo posto comercial hesperiano —, mas a força cada vez mais limitada se tornava pequena demais para garantir a posse daquelas construções por muito mais tempo.

Ao menos haviam acabado com as fantasias de uma vitória rápida da Federação. Por meio de mensagens interceptadas, sabiam que a expectativa inicial de Mugen era tomar Khurdalain após uma semana. Mas a batalha já durava meses. No relatório, Rin notara que, quanto mais protegiam Khurdalain de Mugen, mais tempo havia para Golyn Niis reunir suas defesas. Já haviam ganhado mais tempo do que jamais imaginaram conseguir.

No entanto, isso não melhorava a sensação de que haviam falhado com Khurdalain por completo.

— Mais uma coisa — disse ela.

Altan gesticulou para que Rin continuasse.

Ela falou rápido:

— A Quinta quer fazer uma reunião sobre a ofensiva na praia. Querem sair de lá para não perderem mais tropas no armazém. No máximo até depois de amanhã.

Altan ergueu a sobrancelha.

— Por que a Quinta está fazendo um pedido por você?

Na verdade, o pedido viera por meio de Nezha, falando em nome do pai, o Líder do Dragão, que, por sua vez, fora procurado por Jun. O mestre não queria dar crédito a Altan indo até o quartel-general do Cike. Rin achava aqueles joguinhos políticos muito irritantes, mas não podia fazer nada a respeito.

— Porque ao menos um deles gosta de mim. Senhor.

Altan piscou, intrigado. Rin se arrependeu de ter dito aquilo na mesma hora.

Antes que o comandante pudesse responder, um grito irrompeu no ar da manhã.

Altan chegou ao topo da torre de vigia primeiro, mas Rin estava logo atrás, o coração martelando. Era um ataque? Mas ela não via soldados da Federação nas proximidades, nenhuma flecha voando acima de sua cabeça...

Qara estava caída no chão, sem ninguém por perto. Eles a encontraram se contorcendo sobre as pedras, fazendo sons baixos e atormentados com o fundo da garganta. Seus olhos haviam se revirado por completo. Os membros tremiam sem controle.

Era a primeira vez que Rin via uma pessoa reagir a um ferimento daquela maneira. Será que ela havia sido envenenada? Mas por que a Federação atacaria uma sentinela e mais ninguém? Por instinto, Rin e Altan se abaixaram, ficando fora da possível linha de tiro, mas nenhuma outra flecha foi lançada, se é que houvera mesmo uma primeira. Tirando as contrações de Qara, eles não viram nada fora do normal.

Altan ficou de joelhos. Pegou os ombros de Qara e a colocou sentada.

— O que foi? O que aconteceu?

— *Dói...*

Altan a balançou com força.

— *O que foi?*

Ela apenas gemeu outra vez. Rin ficou abismada com a grosseria de Altan, apesar de sua agonia evidente, mas percebeu depois que Qara não tinha ferimentos visíveis. Não havia sangue no chão ou nas roupas.

Altan deu um tapa leve em Qara para conseguir a atenção dela.

— Ele voltou?

Rin olhou para os dois, confusa. De quem Altan estava falando? Do irmão de Qara?

O rosto dela se retorcia em sofrimento, mas Qara assentiu.

Altan soltou um palavrão em voz baixa.

— Ele está machucado? Cadê ele?

Com o peito subindo e descendo, Qara agarrou a túnica de Altan. Fechou bem os olhos, como se estivesse se concentrando.

— No portão leste — disse ela, por fim. — Ele está lá.

No momento em que Rin conseguiu ajudar Qara a descer a escada, Altan já havia desaparecido.

Ela olhou para cima e viu arqueiros da Quinta Divisão parados no topo da muralha, as flechas preparadas nos arcos. Conseguia ouvir aço batendo em aço do outro lado, mas nenhum soldado estava atirando.

Altan só podia estar do outro lado. Será que os homens temiam acertá-lo? Ou apenas não queriam ajudar?

Ela colocou Qara sentada na parede mais próxima e subiu correndo a muralha que dava para o portão leste.

Do outro lado, um esquadrão inteiro de soldados da Federação cercava Altan. Ele lutava montado num cavalo, abrindo caminho num esforço frenético para voltar a Khurdalain. Seus braços se moviam mais rápido do que os olhos de Rin conseguiam acompanhar. O tridente brilhou uma, duas vezes ao sol do meio-dia, reluzindo com sangue. Cada vez que a arma voltava, um homem da Federação caía no chão.

A multidão de soldados foi diminuindo conforme cada um deles tombava, e enfim Rin viu por que Altan não havia usado as chamas. Um jovem estava sentado à sua frente no cavalo, curvado sem forças nos braços dele. O rosto e o peito estavam cobertos de sangue. A pele estava tão pálida quanto seu cabelo. Por um momento, Rin pensou — *esperou* — que fosse Jiang, mas aquele rapaz era mais baixo, visivelmente mais novo e bem mais magro.

Altan fazia o melhor possível para derrubar os mugeneses, mas eles bloqueavam o caminho.

Lá embaixo, Rin viu o Cike se reunindo do lado de dentro.

— Abram o portão! — gritou Baji. — Deixem eles entrarem!

Os soldados se entreolharam, relutantes, e não se moveram.

— Estão esperando o quê? — berrou Qara.

— São o-ordens de Jun — disse um deles, gaguejando. — Não devemos abrir sob nenhuma circunstância...

Rin voltou a olhar para o lado de fora e percebeu um esquadrão de reforço da Federação se aproximando. Ela se inclinou sobre a muralha e balançou os braços para chamar a atenção de Baji.

— Tem mais soldados vindo!

— Foda-se.

Baji chutou um dos soldados para fora do caminho, acertou a bunda do outro com a ponta do ancinho e começou a abrir o portão enquanto Suni afastava os guardas atrás dele.

As portas pesadas se abriram devagar.

Atrás da abertura, Qara retirou flecha atrás de flecha da aljava, atirando-as rápido nos homens da Federação. Com aquele ataque, os mugeneses recuaram por tempo suficiente para Altan se livrar do bloqueio.

Baji começou a empurrar os portões até fechá-los.

Altan puxou as rédeas, forçando o cavalo a parar de repente.

Qara correu até ele, gritando num idioma que Rin não conhecia. Sua fala foi intercalada por uma boa variedade de impropérios nikaras.

Altan ergueu a mão para silenciá-la. Desceu do cavalo com um movimento fluido, depois ajudou o jovem a descer. Ele quase caiu quando as pernas tocaram o chão, e precisou usar o animal como apoio. Altan lhe ofereceu um ombro, mas o rapaz o dispensou.

— Ele está lá? — indagou Altan. — Você o viu?

Arfando, o rapaz assentiu.

— Está com os diagramas? — perguntou o comandante.

Ele assentiu de novo.

Do que os dois falavam? Rin lançou um olhar questionador para Unegen, mas ele parecia tão pasmo quanto ela.

— Tudo bem — disse Altan. — Tudo bem. Então. Você é um idiota.

Ele e Qara começaram a gritar com o recém-chegado.

— Você é *burro*...

— ... podia ter morrido...

— ... sem cuidado algum...

— Não estou nem aí para o quanto acha que é poderoso, como se atreve...

— Olha — falou o rapaz, começando a tremer, com as bochechas tão brancas quanto a neve. — Fico feliz em discutir isso, de verdade, mas, no momento, estou perdendo vida em três feridas diferentes e acho que vou desmaiar. Podem me dar um segundo?

Altan, Qara e o recém-chegado ficaram trancafiados no gabinete de Altan por toda a tarde. Mandaram Rin buscar Enki para prestar atendimento médico. Depois, Altan ordenou, em alto e bom som, que ela sumisse dali. Rin vagueou pela cidade, entediada, nervosa e sem comandos para seguir. Queria pedir uma explicação sobre o que acabara de acontecer, mas Unegen e Baji estavam numa missão de reconhecimento e não voltaram até a hora da janta.

— Quem era aquele? — perguntou assim que eles apareceram no refeitório.

— O rapaz da entrada dramática? É o tenente de Altan — respondeu Unegen. Ele se sentou no banco em frente a Rin e falou de uma maneira insolente e afetada. — O primeiro e único Chaghan Suren das Terras Remotas.

— Até que ele demorou bastante — resmungou Baji. — Estava o quê, de férias?

— Aquele é o irmão de Qara? Foi por isso...

Rin não sabia como perguntar de forma educada sobre a crise sofrida por Qara, mas Baji compreendeu a expressão de dúvida no rosto dela.

— Eles são gêmeos ancorados. É uma espécie de... conexão espiritual — disse ele. — Qara nos explicou uma vez, mas esqueci os detalhes. Resumindo: eles têm um vínculo. Se você cortar Chaghan, Qara sangra. Se matar Qara, Chaghan morre. Coisa assim.

O conceito não era completamente novo para Rin. Jiang já havia comentado sobre aquele tipo de dependência antes. Ela lera sobre xamãs das Terras Remotas que às vezes se encoravam uns aos outros para aumentarem suas habilidades. Mas depois de ver Qara caída no chão daquele jeito, Rin pensou que aquilo não era uma vantagem, e sim uma terrível vulnerabilidade.

— Onde ele estava?

— Em vários lugares. — Baji deu de ombros. — Altan o mandou sair meses atrás, mais ou menos na época em que soubemos sobre a invasão de Sinegard.

— Mas *por quê*? O que Chaghan estava fazendo?

— Ele não nos contou. Por que não pergunta para ele? — Baji indicou um ponto acima do ombro de Rin com a cabeça.

Ela se virou e levou um susto. Chaghan estava bem atrás dela; Rin sequer o ouvira se aproximando.

Para alguém que perdera tanto sangue de manhã, o rapaz parecia muito bem. O braço esquerdo havia sido enfaixado junto ao torso, mas, fora isso, parecia ileso. Rin se perguntou o que Enki fizera para curá-lo tão rápido.

De perto, a semelhança de Chaghan com Qara era óbvia. Ele era mais alto do que a irmã, mas os dois tinham o mesmo perfil diminuto semelhante ao de um pássaro. As bochechas eram altas e magras; os olhos eram tão fundos que ficavam na sombra de seu olhar pálido.

— Posso me juntar a vocês? — indagou ele.

A maneira com que falava fazia aquilo parecer uma ordem, e não uma pergunta.

Na mesma hora, Unegen se mexeu para abrir espaço. Chaghan contornou a mesa e se sentou bem na frente de Rin. Colocou os cotovelos delicadamente no tampo, juntou os dedos e descansou o queixo neles.

— Então você é a nova speerliesa — falou.

Para Rin, Chaghan era muito parecido com Jiang. Não apenas por causa do cabelo branco e da silhueta esbelta, mas pela maneira como olhava para ela, como se visse além de Rin, sem encará-la, mas observando um ponto às suas costas. Quando a fitou, Rin teve a sensação incômoda de ser revistada, como se Chaghan estivesse vendo direto por suas roupas.

A garota nunca encarara olhos como aqueles. Eram anormalmente grandes e dominavam o rosto magricela. Não tinham pupilas ou íris.

Ela fingiu estar calma e pegou uma colher.

— Sou eu.

Chaghan abriu um sorrisinho.

— Altan disse que o seu desempenho não é bom.

Baji se engasgou e tossiu a comida.

Rin sentiu as bochechas ficando mais quentes.

— *Como é?*

Altan e Chaghan haviam passado a tarde discutindo aquilo? Pensar que seu comandante compartilhara suas falhas com aquele recém-chegado era humilhante demais.

— Conseguiu chamar a Fênix alguma vez desde Sinegard? — inquiriu ele.

Aposto que conseguiria chamar ela agora, seu babaca. Os dedos de Rin apertaram a colher com mais força.

— Estou me esforçando para fazer isso.

— Altan acha que você empacou.

Parecia que Unegen queria estar em qualquer outro lugar, menos ali. Rin cerrou os dentes.

— Bem, ele está enganado.

Chaghan deu um sorriso condescendente.

— Posso ajudar você, sabe? Sou o Adivinho dele. É isso que faço. Eu viajo pelo mundo espiritual. Falo com os deuses. Não os evoco, mas conheço o Panteão melhor do que ninguém. E, se estiver com problemas, posso ajudá-la a encontrar o caminho de volta para a sua deusa.

— Não estou *com problemas* — falou Rin. — Fiquei com medo no pântano. Não estou mais com medo.

E era verdade. Rin suspeitava que conseguiria convocar a Fênix naquele instante, bem ali no refeitório, se Altan pedisse. Se Altan se dignificasse a falar com ela além de lhe dar ordens. Se Altan confiasse o suficiente nela para lhe designar uma tarefa além de patrulhar pedaços da cidade onde nunca acontecia nada.

Chaghan ergueu a sobrancelha.

— Altan não tem tanta certeza.

— Bem, talvez Altan devesse deixar de ser um escroto — retrucou ela, arrependendo-se logo depois.

Desapontar o comandante era uma coisa; falar mal dele para o tenente do Cike era outra.

Ninguém na mesa se dava ao trabalho de fingir que comia; Baji e Unegen estavam inquietos, loucos para fugir dali, olhando para qualquer coisa que não fosse Rin e Chaghan.

Mas o terra-remotês pareceu impressionado.

— Ah, você acha que ele é um escroto?

A raiva queimou dentro dela. O pouco de cautela que lhe restara desapareceu.

— Ele é impaciente, exigente, paranoico e...

— Olha, todo mundo está no limite — interrompeu Baji. — Não devíamos reclamar. Chaghan, não há necessidade de... quer dizer, veja...

O Adivinho bateu a ponta do dedo na mesa.

— Baji. Unegen. Quero ter uma palavrinha com Rin.

Ele falou de forma tão imperiosa, tão arrogante, que Rin pensou que com certeza Baji o mandaria à merda, mas ele e Unegen simplesmente pegaram suas tigelas e saíram. Impressionada, a garota os observou caminhando para o outro canto do cômodo sem dizer nada. Nem mesmo Altan conseguia aquele tipo de subordinação inquestionável.

Quando os dois estavam longe o bastante para não conseguirem ouvir a conversa, Chaghan se debruçou sobre a mesa.

— Se voltar a falar de Altan assim — disse ele, com prazer —, mando alguém matar você.

Ele pode ter conseguido intimidar Baji e Unegen, mas Rin estava furiosa demais para ter medo daquele garoto.

— Vá em frente — respondeu. — Até porque temos muitos soldados sobrando, não?

Ele abriu um sorrisinho.

— Bem que Altan falou que você era difícil.

Ela lhe lançou um olhar cansado.

— Nisso ele acertou.

— Então você não o respeita.

— Eu respeito Altan — falou. — É só que... ele está...

Diferente. Paranoico. Não é o comandante que pensava conhecer.

O que Rin não queria admitir é que Altan estava a assustando.

Mas Chaghan pareceu surpreendente compreensivo.

— Você precisa entender. Altan se tornou comandante há pouco tempo. Ele está tentando entender o que fazer da mesma forma que você. Está com medo.

Ele está com medo? Rin quase gargalhou. As operações que Altan tentava colocar em ação haviam crescido tanto em escala nas últimas duas semanas que era como se o comandante estivesse tentando vencer a Federação inteira sozinho.

— Altan não sabe o que *medo* significa.

— Altan é, possivelmente, o lutador de artes marciais mais poderoso em Nikan no momento. Talvez no mundo — disse Chaghan. — Apesar disso, pela maior parte da sua vida, ele foi bom apenas em seguir ordens. A morte de Tyr foi um choque para nós. Altan não estava pronto para assumir seu lugar. Ele acha o comando difícil. Não sabe como se reconciliar com os líderes regionais. Está sobrecarregado. Quer vencer uma guerra com um esquadrão de dez pessoas. E vai perder.

— Você não acha que podemos proteger Khurdalain?

— Acho que proteger Khurdalain nunca foi o objetivo — respondeu Chaghan. — Acho que Khurdalain é um sacrifício para o tempo pago em sangue. Altan vai perder porque é impossível vencer em Khurdalain e, quando isso acontecer, ele vai surtar.

— Altan não vai surtar — decretou Rin.

Altan era o lutador mais forte que ela já vira. Não *podia* surtar.

— Ele é mais frágil do que você pensa — rebateu Chaghan. — Não vê que o peso da liderança está o deixando em frangalhos? Isso tudo é novo para ele, e Altan está instável porque é dependente demais da vitória.

Rin revirou os olhos.

— O país inteiro depende da nossa vitória.

Chaghan balançou a cabeça.

— Não foi isso que eu quis dizer. Altan está acostumado a *vencer*. Foi colocado num pedestal por toda a vida. Era o último speerliês, uma raridade nacional. Melhor aluno da Academia. O favorito de Tyr no Cike. Altan recebeu um fluxo constante de elogios por ser muito bom em destruir coisas, mas não vai receber elogio algum aqui, ainda mais quando seus soldados são abertamente insubordinados.

— Não estou sendo...

— Ah, Rin, deixa disso. Você está sendo uma pentelha, e só porque Altan não deu uns tapinhas nas suas costas e falou que o seu trabalho é ótimo.

Ela se levantou e bateu na mesa com os punhos.

— Olha, seu imbecil, não preciso que me diga o que fazer.

— Mesmo assim, como seu tenente, este é exatamente o meu trabalho. — Chaghan lançou um olhar cansado para ela. Sua expressão era tão convencida que Rin precisou se esforçar para não bater com a cabeça dele no tampo. — Sua função é obedecer. A minha é fazer com que pare de estragar tudo. Então sugiro que deixe toda essa merda de lado, aprenda a convocar o maldito do fogo e tire uma preocupação da cabeça de Altan. Fui claro?

CAPÍTULO 19

— Então, quem é o recém-chegado? — perguntou Nezha casualmente.

Rin não sabia se conseguiria falar de Chaghan sem quebrar alguma coisa, o que seria ruim, visto que precisavam permanecer escondidos. Mas os dois já estavam de tocaia na barricada pelo que pareciam horas, e Rin estava entediada.

— É o tenente de Altan.

— Por que nunca o vi antes?

— Ele não estava aqui — respondeu ela.

Uma saraivada de flechas zuniu acima deles. Nezha se protegeu atrás da barricada.

A Sétima Divisão estava fazendo um ataque conjunto com o Cike às embaixadas no cais, uma tentativa de dividir o maior acampamento da Federação. Em teoria, se conseguissem conquistar os antigos quarteirões hesperianos, poderiam dividir as forças inimigas e impedi-las de acessar as docas. Enviaram dois regimentos: um que atacava perpendicularmente ao rio e outro que avançava de maneira furtiva, vindo dos canais.

No entanto, precisavam passar por cinco cruzamentos fortemente protegidos para chegar ao cais, e cada um deles seria um banho de sangue diferente. A Federação não os encarara a céu aberto porque não precisava; abrigados e seguros atrás das paredes dos prédios que ocupavam nas docas, os soldados responderam às investidas nikaras subindo até o teto e atirando das janelas mais altas das embaixadas.

A única opção da Sétima Divisão era fazer um ataque maciço à Federação e às suas fortificações. Precisavam apostar que a pressão dos corpos nikaras seria suficiente para expulsar os mugeneses. Aquilo se transformara numa disputa de carne contra aço, com o Exército determinado a acabar com a Federação sob o peso de seus corpos.

— Quer dizer que não faz ideia? — perguntou Nezha enquanto um foguete explodia acima deles.

— Quero dizer que isso não é assunto do seu interesse.

Rin não sabia se Nezha estava tentando obter informações para o pai ou apenas tentando bater papo. No fundo, não fazia diferença. A presença de Chaghan não era segredo, ainda mais depois do resgate dramático no portão leste. Talvez fosse por causa disso, no entanto, que o Exército parecesse ter mais medo dele que do restante do Cike.

A vários metros de distância, Suni acendeu uma das bombas especiais de Ramsa e a arremessou sobre a barricada.

Eles voltaram a se abaixar e enfiaram os dedos nos ouvidos até um familiar fedor acre e sulfúrico encher suas narinas.

A chuva de flechas parou.

— Isso é *merda*? — questionou Nezha.

— Longa história — respondeu Rin.

Na calmaria temporária obtida pela bomba de bosta de Ramsa, eles avançaram pela barricada e correram pela rua para chegar ao cruzamento seguinte.

— Ouvi falar que ele é esquisito — continuou Nezha. — E que é das Terras Remotas.

— Qara também é das Terras Remotas. E daí?

— Daí que me disseram que ele é anormal — disse Nezha.

Rin bufou.

— Ele é do Cike. Somos *todos* anormais.

Uma explosão enorme partiu o ar na frente deles, seguida por uma série de rajadas de fogo.

Altan.

Era ele quem liderava o ataque. Suas chamas rodopiantes, combinadas aos diversos foguetes de pólvora de Ramsa, criavam um sem-número de incêndios que melhorava em muito a visibilidade noturna.

Altan ultrapassou o cruzamento seguinte. Os nikaras avançaram.

— Mas ele pode fazer coisas que os speerlieses não conseguem — falou Nezha enquanto avançavam. — Dizem que consegue ver o futuro. Enlouquecer pessoas. Meu pai falou que até os líderes regionais já ouviram falar dele, sabia? E aí fica a dúvida: se o tenente de Altan é poderoso o bastante para assustar os líderes, por que ele o mandou para outro lugar? O que estão planejando?

— Não vou espionar a minha divisão para você — falou Rin.

— Não pedi para fazer isso — retrucou Nezha, delicadamente. — Só estou pedindo para manter a mente aberta.

— E você poderia manter o seu nariz longe dos assuntos da minha divisão.

Mas Nezha havia parado de escutar. Ele olhava acima do ombro de Rin, para algo distante no cais, onde o primeiro batalhão de soldados nikaras lutava.

— O que é *aquilo*?

Rin esticou o pescoço para ver. Então semicerrou os olhos, confusa.

Uma neblina estranha, verde-amarelada, começava a se espalhar pelo bloqueio na direção dos esquadrões.

Como se fosse um sonho, a luta parou. O esquadrão mais à frente interrompeu os movimentos e baixou as armas com um fascínio quase hipnótico enquanto a nuvem se aproximava, parava, assomava-se como uma onda e avançava pelas trincheiras.

Então a gritaria começou.

— Bater em retirada! — berrou o líder do esquadrão. — *Rápido!*

O Exército deu meia-volta, iniciando uma debandada confusa para longe do gás. Eles abandonaram as posições obtidas com muito esforço no cais num frenesi para se afastar daquela nuvem venenosa.

Rin tossia e olhava para trás enquanto corria. Os soldados que não conseguiram evitar o gás estavam no chão, tendo espasmos, arranhando os rostos como se estivessem sendo atacados pelas próprias gargantas. Outros nem se moviam mais.

Uma flecha raspou pela bochecha dela e caiu no chão. Rin sentiu a lateral da boca explodir de dor; ela apertou o machucado com a mão e continuou correndo. Os soldados da Federação atiravam de trás da neblina venenosa. Queriam acertá-los um por um...

A floresta estava diante dela. Rin ficaria bem se chegasse lá e se protegesse entre a folhagem.

Ela abaixou a cabeça e correu na direção das árvores. Apenas cem metros... cinquenta... vinte...

Rin ouviu um grito estrangulado às suas costas. Virou a cabeça para olhar e tropeçou numa pedra no momento em que outra flecha passou por cima de sua cabeça. O sangue das bochechas manchou seus olhos. Ela o limpou, furiosa, e rolou no chão.

O grito havia vindo de Nezha. Ele engatinhava sem parar para a frente, mas o gás o cercava. O olhar deles se cruzou pela neblina. O garoto talvez tivesse erguido a mão na direção de Rin.

Horrorizada, ela viu a boca de Nezha se abrir num grito silencioso, o gás o envolvendo.

Através da nuvem, silhuetas seguiam em frente: soldados da Federação usando engenhocas enormes na cabeça, máscaras que protegiam o pescoço e o rosto, para não serem afetados pelo gás.

Um deles ergueu a mão enluvada enorme e apontou para onde Nezha estava.

Sem pensar, Rin respirou fundo e correu na direção da neblina.

Sua pele queimou no momento em que entrou em contato com ela.

Rin cerrou os dentes e avançou apesar da dor — no entanto, mal conseguira dar dez passos quando alguém agarrou seu ombro e a retirou da zona com o gás. Irada, ela tentou se livrar de quem a segurava.

Altan não a largou.

— Me solta!

Ela acertou o cotovelo no rosto dele. Altan foi para trás e levou a mão ao nariz. Rin tentou passar por ele, mas Altan segurou o pulso de Rin e a fez dar meia-volta.

— O que está fazendo? — questionou ele.

— Pegaram Nezha! — gritou ela.

— Não estou nem aí. — Ele a empurrou na direção da floresta. — Temos que recuar.

— Você está deixando um dos seus homens para morrer!

— Ele não é um dos meus homens, é um dos homens da Sétima. *Rápido*.

— Não vou deixar meu amigo para trás!

— Vai fazer o que eu mandar.

— Mas *Nezha*...

— Não acho que eu vou me arrepender disso — falou ele.

Então deu um soco no peito de Rin.

Chocada e paralisada, ela caiu de joelhos.

Rin ouviu Altan gritar uma ordem, e então alguém a pegou e a jogou por cima dos ombros, como se Rin fosse uma criança. Ela berrou e bateu no soldado, que corria na direção do acampamento. Das costas do homem, achou ter visto os soldados mascarados da Federação arrastando Nezha para longe.

O ataque a gás causou o efeito exato pretendido pela Federação. A bomba de açúcar fora devastadora; o ataque de gás, monstruoso. Khurdalain ficou devastada. Embora o gás tivesse se dissipado dentro de uma hora, os rumores sobre ele se espalharam rápido. A neblina era um inimigo invisível, que matava indiscriminadamente. Não havia como se esconder dela. Os civis começaram a abandonar a cidade em massa, sem mais confiar na capacidade do Exército de protegê-los. O pânico tomou as ruas.

Os homens de Jun ficaram roucos de tanto gritar nas ruelas, tentando convencer os civis de que permaneceriam mais seguros atrás das muralhas da cidade. As pessoas não lhes davam ouvidos. Sentiam que estavam numa armadilha. As passagens apertadas e serpenteantes de Khurdalain significavam morte certa no caso de outro ataque como aquele.

Enquanto a cidade mergulhava no caos, os comandantes começaram uma reunião de emergência no quartel-general mais próximo. O Cike se apertou no gabinete do Líder da Cabra com os outros líderes e seus capitães. Rin se recostou na parede, ouvindo enquanto os comandantes discutiam a estratégia imediata.

Apenas um dos soldados de Jun na praia havia sobrevivido ao ataque. Ele ficara mais ao fundo e largou as armas e correu quando viu os colegas perdendo o fôlego.

— Era como respirar fogo — relatou. — Como se agulhas pelando estivessem perfurando meus pulmões. Achei que estava sendo estrangulado por um demônio invisível... Minha garganta fechou, eu não conseguia respirar...

Ele tremia.

Rin escutou e ficou com raiva do homem por ele não ser Nezha.

Eram só cinquenta metros. Eu poderia ter salvado Nezha. Poderia ter tirado nós dois de lá.

— Precisamos evacuar o centro da cidade o quanto antes — falou Jun. Estava calmo demais para alguém que tinha acabado de perder mais de cem soldados para uma nuvem venenosa. — Meus homens vão...

— Seus homens vão controlar a multidão — interrompeu Altan. — Os civis vão passar uns por cima dos outros para sair daqui, e vai ser mais fácil para Mugen encurralá-los se não estiverem organizados.

Surpreendentemente, Jun não discutiu.

— Vamos guardar tudo do quartel-general e nos mudar para o depósito Sihang — continuou o comandante do Cike. — Podemos jogar o prisioneiro no porão.

Rin ergueu o rosto.

— Que prisioneiro?

Ela sabia que não deveria falar. Como soldada rasa do Cike, tecnicamente não fazia parte daquela reunião e com certeza estava passando dos limites. Mas estava exausta e enlutada demais para se importar.

Unegen se curvou e sussurrou no ouvido dela:

— Um dos soldados da Federação foi pego pelo próprio gás. Altan arrancou a máscara dele e o tirou de lá.

Rin piscou, sem acreditar.

— Você voltou? — perguntou ela, a voz ressoando alta nos ouvidos. — Com uma máscara?

Altan a encarou, irritado.

— Não é hora para isso — disse ele.

Rin se colocou de pé.

— Você deixou um dos nossos morrer?

— Podemos discutir esse assunto depois.

Na teoria, ela compreendia o benefício estratégico de conseguir um soldado da Federação como prisioneiro; os últimos soldados mugeneses capturados espionando do outro lado do rio foram espancados na hora por civis raivosos. Ainda assim...

— Não dá para *acreditar* — falou Rin.

— Vamos evacuar os quartéis-generais — disse Altan, com a voz mais alta do que a dela. — E nos reagruparemos no depósito.

Jun deu um aceno curto com a cabeça e murmurou algo para seus oficiais. Eles o saudaram e deixaram o local às pressas.

Enquanto isso, Altan dava ordens ao Cike.

— Qara, Unegen, Ramsa: certifiquem-se de que haja um caminho seguro para o depósito e levem os oficiais de Jun para lá. Baji e Suni, ajudem Enki a juntar as coisas. O restante pode voltar para as suas posições, caso haja outro ataque a gás. — Ele parou na porta. — Rin. Você fica.

Ela permaneceu no lugar enquanto os outros se retiravam do gabinete. Unegen lhe lançou um olhar nervoso quando saiu.

Altan esperou até ficarem sozinhos e então fechou a porta. Depois, atravessou o cômodo para ficarem cara a cara.

— Nunca mais me contradiga — falou ele em voz baixa.

Rin cruzou os braços.

— Nunca ou só na frente de Jun?

Altan não cedeu à provocação.

— Você vai responder a mim como uma soldada responde ao seu comandante.

— Ou o quê? Vai mandar Suni me arrastar para fora do gabinete?

— Você está passando dos limites. — A voz de Altan alcançou um volume perigosamente baixo.

— E você deixou o meu amigo morrer — respondeu Rin. — Ele estava caído lá e *você o deixou para trás*.

— Você não teria conseguido pegá-lo.

— Teria, sim — disse ela, fervilhando de raiva. — E, mesmo que não pudesse... você poderia ter conseguido, poderia ter salvado o meu *amigo* em vez de pegar um soldado da Federação que deveria ter morrido lá...

— Prisioneiros de guerra têm mais valor estratégico do que soldados — explicou Altan, com calma.

— Para de falar merda — rosnou ela.

Altan não respondeu. Ele se aproximou e deu um tapa em Rin.

Aquilo a pegou de surpresa. O tapa fora tão poderoso que o rosto foi para o lado. O impacto repentino fez seus joelhos fraquejarem, derrubando-a no chão. Rin levou a mão à bochecha, chocada. Os dedos ficaram sujos de sangue; Altan reabrira a ferida feita pela flecha.

Devagar, Rin olhou para Altan. Seus ouvidos zumbiam.

Os olhos escarlates do comandante encontraram os dela, e a raiva pura na expressão de Altan a surpreendeu.

— Como se *atreve*? — bradou ele, a voz alta, distorcida pelos ouvidos trovejantes. — Não compreende a natureza da nossa relação? Não sou seu amigo. Não sou seu irmão, embora possamos ser do mesmo povo. Sou seu comandante. Você não discute as minhas ordens. Você as segue sem pestanejar. Ou me obedece, ou sai do Exército.

A voz dele tinha o mesmo timbre duplo da voz de Jiang quando o mestre abriu o portal em Sinegard. Os olhos de Altan queimavam vermelho — não, vermelho não, eram da própria cor do fogo. As chamas se inflamavam atrás deles, labaredas mais claras e mais quentes do que qualquer fogo que ela pudesse convocar. Rin era imune ao próprio fogo, mas não ao dele; seu rosto ardia, o ar lhe escapava, e ela teve que recuar.

O zumbido nos ouvidos de Rin alcançou um crescendo.

Ele não pode fazer isso com você, falou uma voz na mente dela. *Não pode assustar você.* Ela não havia chegado tão longe para se acovardar. Não diante de Altan. Nem de ninguém.

Ela se levantou enquanto buscava algo em seu interior — um lugar rancoroso, sombrio e horrível — e abriu caminho para a entidade que já sabia estar esperando pela convocação. O cômodo se distorceu para a frente, como se visto por um longo prisma escarlate. A sensação de calor voltara às suas veias, a queimação que exigia sangue e cinzas.

Através da névoa vermelha, Rin pensou ter visto os olhos de Altan se arregalarem de surpresa. Ela ajeitou os ombros, e chamas os cercaram, labaredas iguais às de Altan.

Rin deu um passo na direção dele.

Um som crepitante encheu o cômodo. Rin sentiu uma pressão enorme. Tremeu sob seu peso. Ouviu a risada de uma ave. Ouviu o suspiro impressionado de uma deusa.

Crianças, murmurou a Fênix. *Suas crianças ridículas e tolas.* Minhas *crianças.*

Altan pareceu atônito.

Porém, assim como seu fogo resistia ao dele, Rin começou a sentir um calor desconfortável, sentiu as chamas de Altan começando a queimá-la. As labaredas de Rin eram explosões incendiárias, clarões impulsivos de raiva. O fogo de Altan se alimentava de um ódio sem fim. Era algo profundo, que queimava aos poucos. Rin quase conseguia sentir seu gosto, o propósito malévolo, o sofrimento antigo, e aquilo a deixou horrorizada.

Como alguém conseguia sentir tanto ódio?

O que havia *acontecido* com ele?

Rin não tinha mais capacidade de manter as chamas. As labaredas de Altan eram mais quentes que as dela. Eles travaram uma luta entre forças de vontade, e ela perdeu.

Rin se esforçou por mais um instante, e então as chamas diminuíram tão rápido quanto haviam surgido. O fogo de Altan desapareceu um segundo após o dela.

É isso, pensou Rin. *Fui longe demais. Acabou.*

Mas Altan não parecia furioso. Não parecia prestes a matá-la.

Não. Ele parecia *satisfeito*.

— Então esse é o limite — falou.

Rin estava exausta, como se o fogo tivesse consumido algo em seu interior. Não conseguia nem sentir raiva. Mal podia ficar de pé.

— Vai se foder — disse ela. — *Vai se foder.*

— Volte para o seu posto, soldada — mandou Altan.

Ela saiu do gabinete e bateu a porta.

Foda-se.

CAPÍTULO 20

— Achei você.

Ela encontrou Chaghan no topo da muralha do norte. De braços cruzados, ele observava os civis atravessando as ruas lotadas de Khurdalain como formigas abandonando um formigueiro destruído. Eles passavam pelos portões da cidade com seus pertences atulhados em carroças, presos nas laterais de bois ou cavalos, pendurados em bastões feitos para carregar água ou apenas arrastados em sacos. Decidiram que era melhor se arriscar a céu aberto do que passar outro dia naquela cidade condenada.

O Exército permaneceria em Khurdalain — que ainda era uma base estratégica e, portanto, precisava ser protegida —, mas eles não defenderiam nada além de construções vazias dali em diante.

— Khurdalain está perdida — falou Chaghan, encostado na muralha. — Inclusive o Exército. Não haverá suprimentos depois disso. Ou um hospital. Ou comida. Os soldados travam batalhas, mas são os civis que mantêm os batalhões vivos. Sem a fonte de recursos, é impossível vencer a guerra.

— Preciso falar com você — disse Rin.

Ele se virou para encará-la, e Rin suprimiu um tremor ao ver aqueles olhos sem pupilas. Chaghan parecia observar a marca vermelha em formato de mão na bochecha dela. Os lábios pressionados formaram uma linha fina, como se soubesse exatamente como aquela marca havia aparecido ali.

— Briga de casal? — indagou ele.

— Diferença de opiniões.

— Você não deveria ter mencionado aquele garoto — falou ele. — Altan não tolera esse tipo de merda. Ele não é muito paciente.

— Ele não é *humano* — retrucou Rin, relembrando a raiva horrível que alimentava o poder de Altan.

Ela tinha achado que o entendia. Pensara que havia conseguido chegar ao homem por trás do cargo de comandante. Mas agora percebia que não o conhecia nem um pouco. O Altan que conhecera... ou, ao menos, o Altan na cabeça dela... teria feito qualquer coisa para salvar as tropas. Nunca teria deixado alguém para trás para morrer.

— Ele... eu nem sei o *que* ele é.

— Altan nunca recebeu permissão para ser humano — falou Chaghan, com uma voz estranhamente gentil. — Desde pequeno, foi visto como propriedade do Exército. Seus mestres na Academia davam ópio para ele atacar os colegas de turma e o treinaram feito um cão para esta guerra. Agora, ele recebeu a posição de liderança mais difícil que há no Exército, e você quer saber por que ele não está preocupado com o seu namoradinho?

Rin quase bateu em Chaghan, mas se conteve e cerrou os dentes.

— Não estou aqui para falar de Altan.

— Então, diga-me: por que está aqui?

— Quero que me mostre o que consegue fazer — pediu ela.

— Eu faço um monte de coisas, querida.

Ela se arrepiou.

— Preciso que me leve até os deuses.

Chaghan exibiu uma expressão arrogante.

— Achei que não tinha problemas para chamar os deuses.

— Não consigo fazer isso tão fácil quanto Altan.

— Mas *consegue*.

As mãos dela se fecharam em punhos.

— Quero fazer o que Altan faz.

Chaghan ergueu a sobrancelha.

Ela respirou fundo. O Adivinho não precisava saber o que havia acontecido no gabinete.

— Já estou tentando há meses. Acho que consegui, não sei, mas tem algo... alguém me impedindo.

Intrigado, Chaghan inclinou a cabeça de uma forma que lembrava tanto Jiang que chegava a ser doloroso.

— Você está sendo assombrada?

— É uma mulher.

— Sério?

— Vem comigo — falou ela. — Vou mostrar.

— Por que agora? — Ele cruzou os braços. — O que aconteceu?

Ela não respondeu.

— Preciso fazer o que ele faz — disse Rin. — Preciso conseguir canalizar o mesmo poder que ele.

— E não pensou em pedir a minha ajuda antes porque...?

— Porque você não estava aqui!

— E quando eu voltei?

— Estava seguindo os conselhos do meu mestre.

A voz de Chaghan soava exultante.

— E esses conselhos não têm mais serventia?

Ela cerrou os dentes de novo.

— Percebi que os mestres inevitavelmente decepcionam você.

Ele assentiu devagar, embora sua expressão não indicasse nada.

— E se você não conseguir se livrar desse... fantasma?

— Então, pelo menos, você vai entender. — Ela estendeu as mãos. — *Por favor.*

Aquela súplica foi o bastante. Chaghan assentiu de leve e então indicou para Rin se sentar ao lado dele. Retirou itens da mochila e os espalhou pelo chão. Ali dentro havia um suprimento impressionante de psicodélicos, distribuído de forma organizada em mais de vinte bolsinhos.

— Essas coisas não vêm da papoula — disse ele enquanto misturava pós num vidrinho. — Esta droga é bem mais potente. Uma overdose pequena pode te deixar cega. Mais do que isso, e você vai morrer em minutos. Confia em mim?

— Não. Mas não importa.

Rindo baixinho, Chaghan agitou o vidrinho. Colocou a mistura na palma da mão, lambeu o indicador e o mergulhou de leve na droga, de forma que a ponta ficou coberta por uma fina camada azul.

— Abra a boca — pediu ele.

Rin engoliu o nervosismo e obedeceu.

Chaghan pressionou a ponta do dedo na língua dela.

Rin fechou os olhos. Sentiu o psicodélico se espalhando pela língua.

A sensação foi imediata e esmagadora, como se uma onda escura do oceano tivesse quebrado de repente sobre ela. O sistema nervoso de Rin desligou por completo; ela perdeu a habilidade de ficar sentada e desabou aos pés de Chaghan.

Rin estava à mercê do terra-remotês, absolutamente vulnerável. *Ele poderia me matar neste instante,* pensou, sem emoção. Não sabia por que aquele havia sido o primeiro pensamento a surgir em sua mente. *Ele poderia se livrar de mim se quisesse.*

Mas Chaghan, só se ajoelhou ao seu lado, pegou o rosto de Rin e colocou a testa na dela. Os olhos do garoto estavam muito abertos. Ela os encarou, fascinada; eram como a cor branca se expandindo, uma janela para um horizonte nevado, e ela passeava por eles...

E aí os dois começaram a subir em alta velocidade.

Ela não sabia o que esperar. Durante os dois anos de treinamento, Jiang jamais a guiara até o mundo espiritual. Sempre fora apenas a mente de Rin, apenas a alma de Rin no nada, fazendo a jornada até os deuses.

Com Chaghan, a garota sentia como se um pedaço dela tivesse sido arrancado e depois guardado na palma de sua mão para ser levado a um lugar que ele escolhesse. Ela era imaterial, sem corpo ou forma, mas Chaghan, não; permanecia tão sólido e real quanto antes, talvez até mais. No mundo material, ele era magro e esmaecido, mas, no mundo espiritual, era maciço e presente...

Ela compreendeu, então, por que Chaghan e Qara precisavam ser duas metades de uma coisa só. Qara era enraizada, material, feita de terra. Chamá-los de gêmeos ancorados era um erro — *ela* era a âncora para o irmão etéreo, que pertencia mais ao reino dos espíritos do que ao mundo de carne e osso.

Àquela altura, Rin já conhecia o caminho para o Panteão, assim como seu portão. Mais uma vez, a Mulher se materializou na frente dela. Mas havia algo diferente dessa vez; a Mulher parecia menos um fantasma e mais um cadáver: metade de seu rosto tinha sido arrancado, revelando os ossos abaixo, e as vestes de guerreira haviam sido incineradas.

A Mulher estendeu a mão para Rin, como se suplicasse.

— Ele vai comer você viva — entoou. — O fogo vai consumi-la. Descobrir a nossa deusa é libertar o inferno na terra, pequena lutadora. Você vai queimar e queimar, e nunca encontrará a paz.

— Que curioso — disse Chaghan. — Quem é você?

A Mulher se virou para ele.

— Você sabe quem eu sou — respondeu ela. — Sou a protetora. Sou a Traidora e a Amaldiçoada. Sou a redenção. Sou a última chance de salvação dessa garota.

— Compreendo — murmurou Chaghan. — Então é aqui que tem se escondido?

— Do que está falando? — questionou Rin. — Quem é ela?

Mas Chaghan a ignorou, falando diretamente com a mulher.

— Você deveria ter sido emparedada em Chuluu Korikh.

— Chuluu Korikh não pode me deter — sibilou a Mulher. — Sou speerliesa. Minhas cinzas são livres. — Ela acariciou a bochecha machucada de Rin como uma mãe faz com um filho. — Você não me quer longe. Precisa de mim.

Rin tremeu ao toque dela.

— Preciso da minha deusa. Preciso de poder e do fogo.

— Se chamá-lo agora, levará o inferno para a terra — avisou a Mulher.

— Khurdalain é o inferno na terra — falou Rin.

Ela viu Nezha gritando na nuvem de gás, e sua voz vacilou.

— Você não sabe o que é sofrer de verdade — insistiu a Mulher, com raiva.

As mãos de Rin se fecharam. De repente, ela ficou irada. Sofrer de verdade? Rin vira os amigos sendo feridos por alabardas, acertados por flechas, cortados por espadas, queimados até a morte por uma neblina venenosa. Vira Sinegard sendo consumida pelas chamas. Vira Khurdalain sendo ocupada por invasores da Federação quase de um dia para o outro.

— Vi uma boa quantidade de sofrimento — rebateu ela.

— Estou tentando salvá-la, pequenina. Por que não percebe isso?

— E Altan? — perguntou Rin. — Por que nunca tentou impedi-lo?

A Mulher inclinou a cabeça.

— É essa a questão? Tem inveja do que ele consegue fazer?

Rin abriu a boca, mas nada saiu. Não. Sim. Fazia diferença? Se fosse tão forte quanto Altan, ele não teria sido capaz de contê-la.

Se fosse tão forte quanto Altan, teria conseguido salvar Nezha.

— Aquele rapaz está além de qualquer redenção — falou a Mulher. — Seu espírito está partido como o dos outros. Mas você, *você* ainda é pura. Ainda pode ser salva.

— Eu não quero ser salva! — berrou Rin. — Quero poder! Quero o poder de Altan! Quero ser a xamã mais poderosa que já existiu, para que possa salvar o mundo!

— Esse tipo de poder pode queimar o mundo — falou a Mulher, triste. — Esse tipo de poder vai destruir tudo que já amou. Você vai derrotar seu inimigo, mas a vitória se transformará em cinzas na sua boca.

Chaghan enfim recuperara a compostura.

— Você não tem o direito de ficar aqui — disse ele. Sua voz tremia um pouco, mas ele ergueu a mão fina na direção da Mulher num gesto de banimento. — Você pertence ao reino dos mortos. Volte para eles.

— Não se atreva — vociferou a Mulher. — Não pode me banir. Na minha época, venci xamãs bem mais poderosos do que você.

— Não há xamãs mais poderosos do que eu — respondeu Chaghan, e começou a entoar um cântico em seu idioma, a linguagem áspera e gutural que Jiang falara certa vez, a linguagem que Rin reconhecia agora como pertencente às Terras Remotas.

Seus olhos ficaram dourados.

A Mulher começou a tremer, como se estivesse num terremoto, e então de súbito explodiu em chamas. As labaredas lamberam seu rosto, vindas de dentro, como um carvão acesso, como um óleo prestes a estourar.

Ela se desfez.

Chaghan segurou o pulso de Rin e *puxou*. Ela ficou imaterial de novo, correndo pelo espaço em que as coisas não eram reais. Não escolhia para onde iam; conseguia se concentrar apenas em permanecer inteira, permanecer sendo *ela mesma*, até o terra-remotês parar e Rin poder recuperar os sentidos sem se sentir completamente perdida.

Aquilo não era o Panteão.

Ela olhou em volta, confusa. Estavam num lugar levemente iluminado do tamanho do gabinete de Altan, com um pé-direito baixo e curvado que os obrigava a ficarem curvados. Para onde quer que ela olhasse, pequenos azulejos se rearranjavam em mosaicos, formando cenas que Rin não reconhecia ou compreendia. Um pescador com uma rede cheia de soldados usando armaduras. Um menino cercado por um dragão. Uma mulher de cabelos compridos chorando sobre uma espada quebrada e dois corpos. No centro, havia um grande altar hexagonal, gravado com sessenta e quatro caracteres do antigo nikara numa caligrafia intrincada.

— Onde estamos? — perguntou Rin.

— Num lugar seguro que escolhi — respondeu Chaghan. Ele estava visivelmente agitado. — Ela era bem mais forte do que eu esperava. Então trouxe a gente para o primeiro lugar em que pensei. Este é o Divinatório. Podemos fazer perguntas sobre a Mulher aqui. Venha até o altar.

Rin olhava em volta, impressionada, conforme o seguia, passando os dedos pelos azulejos intrincados.

— Este lugar faz parte do Panteão?

— Não.

— Então é real?

— É real na sua cabeça — disse Chaghan. — Ou seja, tão real quanto qualquer outra coisa.

— Jiang nunca me falou sobre ele.

— Porque vocês, nikaras, são tão *primitivos*. Ainda acham que há um sistema estritamente binário entre o mundo material e o Panteão. Acham que convocar um deus é como chamar um cachorro para dentro de casa. Mas não conseguem conceber o mundo espiritual como um lugar físico. Os deuses são pintores. O mundo material é a tela. E aqui, no Divinatório, podemos ver as cores na palheta. Não é um *lugar*, é mais um *ponto de vista*. No entanto, você o interpreta como um cômodo porque sua mente humana não consegue entendê-lo de outra maneira.

— Mas e esse altar? Os mosaicos? Quem construiu isso tudo?

— Ninguém. Você ainda não entendeu. Essas coisas são construções mentais para que possa compreender conceitos que já foram escritos. Talwu vê este lugar de forma completamente diferente.

— Talwu?

Com o queixo, Chaghan indicou algo na frente deles.

— Você voltou cedo — disse uma voz fria e alienígena.

Na meia-luz, Rin não havia notado a criatura de pé atrás do altar hexagonal. Ela deu a volta com calma e fez uma grande mesura para Chaghan. Não se parecia com nada que Rin já vira; era semelhante a um tigre, mas o pelo tinha uns sessenta centímetros de comprimento. O rosto era o de uma mulher; os pés, de um leão; os dentes, de um porco; e havia também uma cauda longa que poderia ter pertencido a um macaco.

— É uma deusa. Guardiã dos Hexagramas — informou Chaghan, fazendo uma mesura tão profunda quanto a que recebera.

Ele puxou Rin para que ela também se curvasse.

Talwu mergulhou a cabeça na direção de Chaghan.

— O tempo para suas indagações acabou. Mas *você*... — Ela olhou para Rin. — Você nunca me fez uma pergunta. Pode prosseguir.

— Que lugar é este? — questionou Rin. — O que... *ela*... pode me contar?

— Os Hexagramas são mantidos no Divinatório — respondeu o rapaz. — Sessenta e quatro combinações diferentes de linhas partidas e intactas. — Chaghan indicou a caligrafia nas laterais do altar, e Rin percebeu que cada caractere era de fato formado por seis linhas. — Faça uma pergunta a Talwu, lance um Hexagrama, e a deusa lerá as linhas para você.

— Ela pode me contar o futuro?

— Ninguém pode adivinhar o futuro — afirmou Chaghan. — Ele sempre muda, dependendo das escolhas individuais. Mas Talwu pode dizer as forças que estão em jogo. A silhueta subjacente das coisas. A cor de eventos vindouros. O futuro é um padrão que depende dos movimentos do presente, mas Talwu pode interpretar as correntes para você, assim como um marinheiro experiente pode adivinhar o comportamento que o mar terá. Tudo que precisa fazer é apresentar uma questão.

Rin começava a entender por que Chaghan conseguia impor tanto medo. Ele era como Jiang — inofensivo e excêntrico até você compreender o poder enorme que havia por trás da fachada frágil.

Como Jiang apresentaria uma questão? Ela pensou por um momento nas palavras que usaria. Então deu um passo na direção de Talwu.

— O que a Fênix quer que eu saiba?

Talwu quase sorriu.

— Jogue as moedas seis vezes.

Três moedas apareceram de repente, empilhadas no altar hexagonal. Não eram moedas do Império Nikara; eram grandes demais, cunhadas no formato hexagonal, diferentes dos taéis redondos e dos lingotes que Rin conhecia. Ela as pegou e as sopesou. Eram mais pesadas do que pareciam. Um dos lados exibia o perfil inconfundível do Imperador Vermelho; o outro tinha caracteres de nikara antigo que Rin não conseguia decifrar.

— Cada moeda lançada determinará uma linha do Hexagrama — explicou Chaghan. — Essas linhas são padrões escritos no universo. São combinações imemoriais, descrições de estados que existiam muito antes de qualquer um de nós nascer. Não farão sentido para você. Mas Talwu vai lê-las e eu poderei interpretá-las.

— Por que *você* vai interpretar?

— Porque sou um Adivinho. Fui treinado para isso — respondeu ele. — Nós, terra-remotenses, não convocamos os deuses como vocês. Nós vamos *até* eles. Nossos xamãs passam horas em transe, aprendendo os segredos do cosmos. Já passei mais tempo no Panteão do que no seu mundo. Decifrei Hexagramas suficientes para saber como eles descrevem o estado do nosso planeta. E se tentar interpretá-los sozinha, vai apenas se confundir. Deixe-me ajudar.

— Tá bom.

Rin lançou as três moedas no altar hexagonal.

Todas caíram com a coroa para cima.

— *A primeira linha, intacta* — falou Talwu. — *O indivíduo está pronto para agir, mas suas pegadas estão cruzadas.*

— O que isso significa? — perguntou Rin.

Chaghan balançou a cabeça.

— Um monte de coisas. Cada uma das linhas tem tons de significado que depende das outras. Termine o Hexagrama.

Ela jogou as moedas outra vez. Todas deram cara.

— *A segunda linha, dividida* — falou Talwu. — *O indivíduo ascende até seu lugar ao sol. Haverá muitíssima felicidade.*

— Isso é bom, não é? — questionou Rin.

— Depende de quem vai ser feliz — respondeu Chaghan. — O indivíduo não necessariamente é você.

A terceira combinação de moedas resultou em uma cara e duas coroas.

— *A terceira linha, dividida. Chegou o fim do dia. A rede foi lançada sob o sol poente. Isso pressagia infortúnios.*

Rin sentiu um frio súbito. O fim de uma era, o sol poente de um país... Ela não precisava da ajuda de Chaghan para interpretar aquela linha.

— Vamos perder a guerra, não é? — perguntou ela a Talwu.

— Eu só leio os Hexagramas — respondeu a deusa. — Não posso confirmar ou negar nada.

— É a rede que me preocupa. É uma armadilha — falou Chaghan. — Deixamos passar alguma coisa. Algo foi posto para nós, mas não conseguimos ver.

As palavras de Chaghan confundiram Rin tanto quanto a linha, mas ele a mandou jogar as moedas outra vez. Duas coroas, uma cara.

— *A quarta linha, intacta* — disse Talwu. — *O indivíduo chega, repentinamente com fogo, com morte, para ser rejeitado por todos. Como uma saída; como uma entrada. Como se queimasse, como se morresse, como se fosse descartado.*

— Essa é bem óbvia — comentou Chaghan, embora Rin tivesse mais perguntas sobre essa linha do que sobre as outras. Ela abriu a boca, mas o terra-remotês balançou a cabeça. — Jogue as moedas.

Talwu olhou para baixo.

— *A quinta linha, dividida. O indivíduo chora rios de lágrimas, geme em sofrimento.*

Chaghan pareceu abatido.

— É mesmo?

— Os Hexagramas não mentem — respondeu Talwu. Sua voz não tinha um pingo de emoção. — As únicas mentiras estão na interpretação.

A mão do rapaz começou a tremer de repente. As contas de madeira de seu bracelete se debatiam, ecoando por aquele lugar silencioso. Rin olhou para ele, preocupada, mas Chaghan balançou a cabeça e indicou para ela terminar. Com os braços pesados de medo, Rin jogou as moedas pela sexta e última vez.

— *Um povo é abandonado* — disse Talwu. — *Um governante começa uma campanha. O indivíduo encontra grande felicidade ao decapitar inimigos. Isso significa maldade.*

Os olhos pálidos de Chaghan se arregalaram.

— Você lançou o Vigésimo Sexto Hexagrama. A Rede — anunciou Talwu. — Há um agrupamento e um conflito. Acontecerão coisas que só existem lado a lado. Adversidade e vitória. Libertação e morte.

— Mas a Fênix... a Mulher...

Rin não recebera as respostas que queria. Talwu não a ajudara nem um pouco; apenas avisara sobre eventos ainda piores, acontecimentos que Rin não tinha poder para impedir.

A deusa ergueu as garras.

— Sua hora de fazer perguntas acabou. Retorne após um mês lunar e poderá lançar outro Hexagrama.

Antes que Rin pudesse abrir a boca, Chaghan se jogou de joelhos e puxou Rin para fazer o mesmo.

— Obrigado, Iluminada — agradeceu. Para Rin, ele murmurou: — Não fale nada.

O local se dissolveu conforme Rin caía de joelhos e, com um choque gelado, como se estivesse sendo jogada em água fria, ela percebeu que havia voltado para o corpo material.

Respirou fundo e abriu os olhos.

Ao seu lado, Chaghan se ajeitou até ficar sentado. Seus olhos pálidos estavam bem abertos, fundos nas órbitas sombrias. Ele parecia observar algo muito distante, algo que não era completamente desse mundo. Aos poucos, voltou a si, e, quando enfim notou a presença de Rin, sua expressão assumiu um tom de ansiedade profunda.

— Precisamos encontrar Altan — disse ele.

Se Altan ficou surpreso ao ver Chaghan entrando às pressas no depósito Sihang com Rin a tiracolo, não demonstrou. Na verdade, parecia cansado demais para que qualquer coisa o perturbasse.

— Convoque o Cike — falou Chaghan. — Precisamos sair desta cidade agora.

— Baseado em quê? — perguntou Altan.

— Num Hexagrama.

— Pensei que você não pudesse fazer outra pergunta por um mês.

— Não foi minha — falou o terra-remotês. — Foi dela.

Altan nem mesmo olhou para Rin.

— Não podemos deixar Khurdalain. Precisam da gente aqui mais do que nunca. Estamos prestes a perder a cidade. Se a Federação passar por nós, poderá chegar ao interior do país. Somos a última linha de frente.

— Você está travando uma batalha que a Federação não precisa ganhar — disse Chaghan. — Os Hexagramas falaram de uma grande vitória e de grande destruição. Khurdalain não passou de uma frustração para ambos os lados. Há outra cidade que Mugen quer no momento.

— Impossível — falou Altan. — Não podem marchar até Golyn Niis tão rápido partindo do litoral. A rota do rio Golyn é estreita demais para as tropas. Teriam que encontrar a passagem na montanha.

Chaghan ergueu as sobrancelhas.

— Pois aposto que encontraram.

— Tudo bem, então. — Altan se levantou. — Acredito em você. Vamos.

— Assim? — perguntou Rin. — Sem checar a informação?

Altan saiu do cômodo e atravessou o corredor às pressas. Eles tiveram que correr para manter o mesmo passo. Então Altan desceu a escada do depósito até parar em frente à cela no porão onde o prisioneiro da Federação era mantido.

— O que está fazendo? — indagou ela.

— Checando a informação — respondeu Altan, escancarando a porta.

A cela tinha um cheiro forte de fezes.

O prisioneiro fora acorrentado a um poste, as mãos e os pés presos, um pedaço de pano enfiado na boca. Estava inconsciente quando entraram e não se mexeu quando Altan abriu a porta, atravessou o cômodo e se ajoelhou ao lado dele.

O homem fora espancado; um dos olhos estava inchado e tinha um tom arroxeado marcante, e havia sangue coagulado ao redor do nariz quebrado. Mas o pior dano fora causado pelo gás: os pedaços de pele que não ficaram roxos estavam cheios de irritações vermelhas, de forma que o rosto do homem não parecia nem um pouco humano, mas uma combinação assustadora de cores. Rin sentiu uma satisfação cruel ao ver a cara do soldado queimada e desfigurada daquele jeito.

Altan enfiou dois dedos numa ferida aberta na bochecha dele e fez uma pressão rápida e leve.

— Acorde — falou ele em mugenês fluente. — Como está se sentindo?

Grunhindo, o prisioneiro abriu os olhos inchados devagar. Quando viu Altan, juntou catarro e cuspiu aos pés do speerliês.

— Resposta errada — disse Altan, enfiando a unha no machucado.

O prisioneiro gritou. Altan retirou o dedo.

— O que você quer? — perguntou o homem da Federação.

O mugenês dele era áspero e arrastado, a um mundo de distância do sotaque polido que Rin estudara em Sinegard. Ela demorou um instante para decifrar o dialeto.

— Khurdalain nunca foi o alvo principal — falou o comandante de maneira casual, ficando de cócoras — Talvez você pudesse nos dizer qual é.

O soldado sorriu, formando uma careta horrível que retorcia as cicatrizes de queimadura no rosto ensopado de sangue.

— *Khurdalain* — repetiu ele, articulando a palavra nikara como se tivesse catarro na boca. — Quem ia querer capturar esta cidade de merda?

— Não se preocupe com isso — falou Altan. — Para onde as tropas principais estão indo?

O prisioneiro olhou para ele e bufou.

Altan bateu na lateral machucada do rosto do soldado. Rin recuou. Ao acertar as feridas abertas do homem, Altan causava mais dor do que qualquer outro golpe.

— Para onde as outras tropas estão indo? — perguntou ele outra vez.

O prisioneiro cuspiu sangue no chão.

— *Responda!* — gritou Altan.

Rin deu um salto de susto.

O mugenês levantou a cabeça.

— Porco nikara — rosnou.

Altan agarrou os cabelos da nuca do prisioneiro e acertou o olho já inchado dele. E de novo. E de novo. O sangue voou pela cela, espalhando-se pelo chão sujo.

— Pare — guinchou Rin.

Altan se virou para ela.

— Saia daqui ou cale a boca — falou.

— Ele vai acabar desmaiando assim — respondeu Rin, o coração martelando no peito. — E não temos tempo para reanimá-lo.

Altan a encarou por um instante, os olhos arregalados. Então assentiu brevemente e se voltou para o prisioneiro.

— Sente-se direito.

O soldado murmurou alguma coisa que nenhum deles conseguiu entender.

Altan deu um chute em suas costelas.

— *Sente-se direito!*

O homem cuspiu sangue mais uma vez nas botas de Altan. A cabeça se reclinou para o lado. Altan limpou os pés no chão com uma lentidão planejada e então se ajoelhou na frente do soldado. Colocou dois dedos embaixo do queixo dele e ergueu seu rosto para encará-lo com um gesto que parecia quase íntimo.

— Ei, estou falando com você. Ei. Acorde.

O comandante do Cike deu tapinhas nas bochechas do mugenês até seus olhos voltarem a se abrir.

— Não tenho nada a dizer para você — disse ele, sorrindo com desdém.

— Mas dirá — afirmou Altan. Sua voz ficou mais baixa, um grande contraste em relação aos gritos anteriores. — Você sabe o que é um speerliês?

Confuso, o prisioneiro franziu o cenho.

— O quê?

— Com certeza sabe — falou Altan, devagar. Seu tom de voz se tornou um ronronar baixo e suave. — Com certeza já ouviu histórias sobre nós. Com certeza a ilha do arco não esqueceu. Você devia ser um menino na época em que seu povo massacrou Speer, não? Sabe que fizeram aquilo da noite para o dia? Mataram os homens, as mulheres e as crianças, sem exceção.

O suor escorria das têmporas do soldado, misturando-se às gotas de sangue. Altan estalou os dedos na frente dos olhos dele.

— Consegue ver isso? Consegue ver os meus dedos? Sim ou não.

— Sim — falou o prisioneiro, rouco.

Altan inclinou a cabeça.

— Dizem que o seu povo morria de medo dos speerlieses. Que os generais ordenaram que nenhuma criança speerliesa deveria sobreviver, porque estavam assustados com o que poderíamos nos tornar. Sabe por quê?

O prisioneiro continuou olhando para a frente.

Altan estalou os dedos de novo. O dedão e o indicador pegaram fogo.

— Por causa disso — falou ele.

Os olhos do homem se esbugalharam de terror.

Altan estendeu a mão para o rosto do prisioneiro, as chamas ameaçando lamber as bolhas causadas pelo gás.

— Vou queimar você pedacinho por pedacinho — falou Altan. Sua voz era tão branda que ele poderia estar conversando com uma amante.

— Começaremos pela sola dos pés. Será apenas um pouco de dor de cada vez, para que não perca a consciência. As feridas vão cauterizar no momento em que surgirem, então você não vai nem perder sangue. Quando os pés estiverem esturricados, completamente pretos, vou seguir para os dedos. Farei cada um deles cair e colocarei os cotocos carbonizados num fio, para que possa carregá-los no pescoço. Quando acabar com as suas extremidades, partirei para os testículos. Vou chamuscá-los tão devagar que você vai enlouquecer de agonia. *Aí* você vai falar.

Os olhos do prisioneiro se mexiam sem parar, mas ele balançou a cabeça.

O tom de Altan ficou ainda mais leve.

— Não precisa ser assim. Sua divisão deixou que fosse capturado por nós. Você não deve nada a eles. — A voz dele tinha um tom relaxante e hipnótica, quase gentil. — Os outros queriam matar você, sabia? Queriam executá-lo em público, na frente dos civis, que, aliás, teriam acabado com a sua raça. Olho por olho. — A voz de Altan era linda. Ele conseguia ser tão bonito, tão carismático quando queria. — Mas não sou como os outros. Sou razoável. Não quero machucá-lo. Quero apenas a sua cooperação.

O soldado engoliu em seco. Seus olhos percorreram o rosto de Altan; o homem estava confuso, tentando analisar a expressão do speerliês, mas sem concluir nada. Altan usava duas máscaras o tempo inteiro, fingia ser duas entidades contrastantes, e o prisioneiro não sabia qual delas agradar ou o que esperar.

— É só me contar o que quero e posso libertá-lo — disse Altan, gentil. — Fale e deixo você ir.

O prisioneiro continuou em silêncio.

— Não? — Altan perscrutou a face do mugenês. — Tudo bem.

As chamas dobraram de intensidade, faiscando no ar.

— Golyn Niis! — gritou o prisioneiro.

Altan manteve o fogo perigosamente próximo aos olhos do soldado.

— Explique melhor.

— Nunca foi necessário tomar Khurdalain — falou o homem. — O objetivo sempre foi Golyn Niis. Seus melhores batalhões correram para o litoral assim que a guerra começou. Idiotas. Nosso propósito jamais foi dominar esta cidade de praia.

— Mas e a frota? — falou Altan. — Khurdalain foi seu ponto de entrada em todos os ataques. Não dá para chegar a Golyn Niis sem passar por aqui.

— Havia outra frota — sibilou o prisioneiro. — Havia muitas outras, velejando ao sul desta cidade patética. Elas encontraram a passagem da montanha. Seus idiotas, acharam mesmo que iam conseguir manter aquilo em segredo? Estão indo direto para Golyn Niis. Sua capital de guerra vai queimar, as nossas Forças Armadas estão atravessando o interior de Nikan, enquanto ainda estão encurralados aqui neste lugarzinho de merda.

A mão de Altan foi para trás. Por instinto, Rin se encolheu, pensando que ele bateria no homem de novo.

Mas Altan apenas apagou as chamas e deu tapinhas condescendentes na cabeça do prisioneiro.

— Bom garoto — sussurrou ele. — Obrigado.

Ele gesticulou com a cabeça para Rin e Chaghan, indicando que estavam de saída.

— Espera — disse o prisioneiro, rápido. — Você prometeu que ia me libertar.

Altan encarou o teto e suspirou. Uma gota fina de suor escorreu por seu pescoço.

— Ah, sim — disse. — Vou libertar você.

Ele açoitou o pescoço do prisioneiro com a mão e, na mesma hora, o sangue começou a jorrar.

O prisioneiro o encarou com uma expressão de espanto. Fez um último som surpreso de engasgo. Então as pálpebras se fecharam, e a cabeça tombou para a frente. O cheiro de carne e sangue queimados encheu o ar.

Rin sentiu gosto de bile no fundo da garganta. Levou um bom tempo para se lembrar de como respirar.

Altan se levantou. À meia-luz, era possível ver as veias protuberantes em seu pescoço. Ele inspirou fundo e soltou o ar devagar, como um usuário de ópio, como um homem que acabara de encher os pulmões com uma droga. Ele se virou para Rin e Chaghan. Seus olhos brilhavam vermelhos na escuridão. Não pareciam humanos.

— Tudo bem — disse ele ao tenente. — Você tinha razão.

Chaghan não se movera durante o interrogatório.

— Eu quase sempre tenho — retrucou ele.

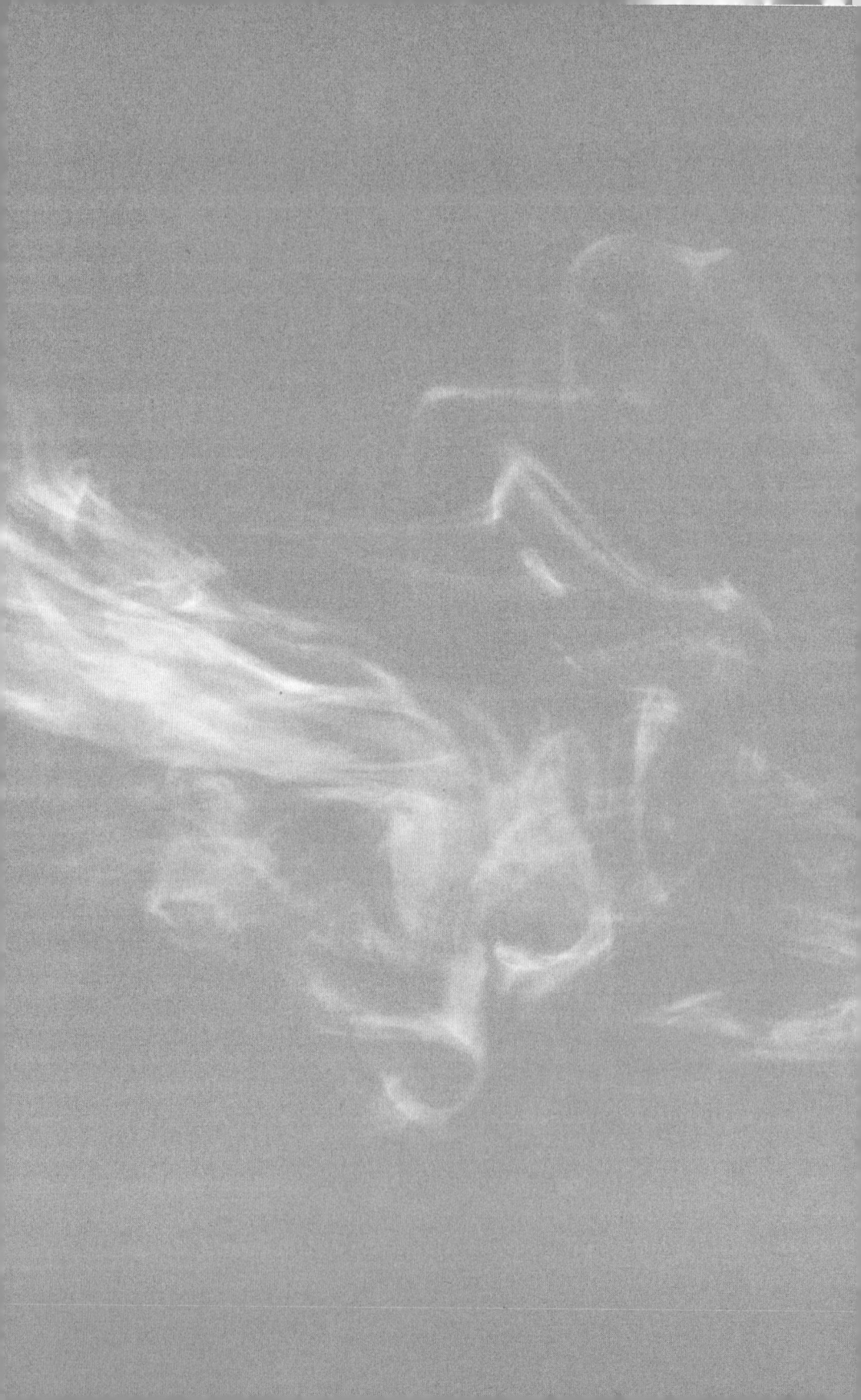

PARTE III

CAPÍTULO 21

Baji bocejou alto, suspirou e virou a cabeça para o lado. Uma série de estalos foi ouvida na calmaria do ar matutino. Não havia lugar para deitar na sampana, então eles dormiam em intervalos rápidos e irregulares e em posições desconfortáveis. O homem piscou por um minuto e cutucou Rin, do outro lado do barco, com o pé.

— Posso fazer a vigília agora.

— Tudo bem — respondeu ela. A garota estava sentada toda encolhida, com as mãos enfiadas nas axilas, a testa descansando nos joelhos. Olhava para a água, distraída.

— Você deveria dormir um pouco.

— Não consigo.

— Deveria tentar.

— Já tentei — respondeu Rin.

Rin não conseguia apagar a voz de Talwu da cabeça. Ela ouvira o Hexagrama ser enunciado apenas uma vez, mas achava que não se esqueceria de uma só palavra. Aquilo estava gravado em sua mente, e não importa quantas vezes voltava ao assunto, Rin não via como interpretar o Hexagrama de uma maneira que não a deixasse morta de medo.

Repentinamente com fogo, com morte... como se queimasse, como se morresse... o indivíduo chora rios de lágrimas... encontra grande felicidade ao decapitar inimigos...

Ela costumava pensar que a adivinhação era uma ciência vaga, de pouco ou nenhum valor. No entanto, as palavras de Talwu não eram nem um pouco vagas. Só havia um único destino possível para Golyn Niis.

Você lançou o Vigésimo Sexto Hexagrama. A Rede. Chaghan dissera que a rede significava uma armadilha. Mas era uma armadilha para

Golyn Niis? Ela já havia sido acionada, ou o Cike estava se encaminhando para o seu fim?

— Assim você vai ficar exausta. O nervosismo não vai fazer esses barcos irem mais depressa. — Baji virou a cabeça para o outro lado até ouvir um estalo satisfatório. — E não vai fazer os mortos voltarem à vida.

Eles navegavam rio acima, ganhando um tempo absurdo. Por terra, teriam levado um mês a cavalo. Aratsha os guiava pelas águas a uma velocidade incrível. Ainda assim, demoraria uma semana de viagem até o delta verdejante em que Golyn Niis fora construída.

Rin ergueu o rosto para ver o barco na dianteira, onde Altan estava. Chaghan estava ao lado dele, as cabeças inclinadas, conversando em voz baixa como sempre. Agiam daquela forma desde que saíram de Khurdalain. Chaghan e Qara talvez fossem gêmeos ancorados, mas parecia que Altan era a pessoa com quem Chaghan tinha um vínculo verdadeiro.

— Por que Chaghan não é o comandante? — perguntou ela.

Baji pareceu confuso.

— Como assim?

— Não entendo por que Chaghan responde a Altan — falou ela.

Diante da Mulher, ele se proclamara o xamã mais poderoso da existência. E Rin achava que era mesmo. Chaghan andava pelo mundo espiritual como se pertencesse àquele lugar, como se fosse um deus. Os soldados do Cike não hesitavam em dar respostas atravessadas para Altan, mas Rin nunca havia visto nenhum deles contradizer Chaghan. Altan tinha a lealdade dos soldados, mas Chaghan desfrutava de seu medo.

— O plano era ele ser o comandante depois de Tyr — falou Baji. — Mas deixaram essa ideia de lado depois que Altan apareceu.

— E ele não reclamou?

Rin não conseguia imaginar alguém como Chaghan simplesmente abrindo mão da autoridade.

— É lógico que reclamou. Quase cuspiu fogo quando Tyr começou a favorecer o menino de ouro de Sinegard em vez dele.

— Então por que...?

— Por que ele fica feliz em servir Altan? No início, não ficou. Reclamou por uma semana, até Altan perder a paciência. Então, Altan pediu permissão para duelar com Chaghan, e Tyr autorizou. Os dois foram para os vales por três dias.

— E o que aconteceu?

Baji bufou.

— O que acontece quando alguém luta com Trengsin? Quando Chaghan voltou, todo aquele cabelo branco estava chamuscado de preto, e ele obedecia a Altan como um cão açoitado. Nosso amigo das Terras Remotas pode destruir mentes, mas não conseguiu encostar em Trengsin. Ninguém consegue.

Rin colocou a cabeça de volta entre os joelhos e fechou os olhos, iluminados pelo clarão da aurora. Não dormia — não descansava — desde que saíram de Khurdalain. Mas seu corpo não aguentaria mais tanto tempo. Estava tão cansada...

O barco deu um solavanco. Rin logo se levantou. A embarcação havia batido na que seguia pela dianteira.

— Tem alguma coisa na água! — gritou Ramsa de sua sampana.

Rin observou pela balaustrada, semicerrando os olhos. A água continuava com o mesmo tom de marrom lamacento até ela olhar rio acima.

A princípio, achou que fosse um truque de luz, uma ilusão dos raios de sol. No entanto, a sampana alcançou uma parte em que a água mudou de cor, e Rin mergulhou os dedos para ver o que era. Então puxou a mão de volta, horrorizada.

Estavam navegando num rio de sangue.

Assustados, Altan e Chaghan se levantaram. Atrás deles, Unegen deu um berro longo e inumano.

— Deuses — disse Baji sem parar. — Deuses, deuses, deuses...

Os corpos começaram a boiar na direção deles.

Rin ficou paralisada, atingida por um medo irracional de que os cadáveres poderiam ser inimigos, de que poderiam sair da água e atacá-los.

O barco empacou de vez. Estavam cercados por gente morta. Soldados. Civis. Homens. Mulheres. Crianças. Todos inchados e sem cor. Alguns rostos estavam desfigurados, retalhados. Outros tinham uma expressão resignada, flutuando na água vermelha, como se aquelas pessoas nunca tivessem vivido.

Chaghan estendeu a mão para examinar os lábios azuis de uma garota. Com as sobrancelhas franzidas, ele parecia intrigado, como se estivesse seguindo rastros, e não tocando em uma carcaça.

— Esses corpos estão no rio há dias. Por que ainda não desaguaram no mar?

— Por causa da represa de Golyn Niis? — sugeriu Unegen. — Deve estar segurando eles.

— Mas ainda estamos a quilômetros da cidade... — falou Rin, a voz desvanecendo.

Eles ficaram em silêncio.

Altan se levantou na proa de sua embarcação.

— Desembarquem. E comecem a correr.

A estrada para Golyn Niis estava vazia. Qara e Unegen seguiam como batedores, mas não havia sinal de combatentes inimigos. Mesmo assim, as evidências da presença da Federação eram óbvias — grama pisoteada, fogueiras abandonadas, marcas retangulares no chão onde as tendas haviam sido montadas. Rin tinha certeza de que os soldados mugeneses estavam esperando por eles, preparando uma armadilha, mas, conforme se aproximavam da cidade, percebeu que aquilo não fazia sentido; a Federação não tinha como saber que estavam chegando, e não teriam criado um ardil tão elaborado para capturar um esquadrão minúsculo.

Ela teria preferido a emboscada. O silêncio era pior.

Se Golyn Niis estivesse cercada, a Federação estaria de guarda. Estariam preparados para lutar. Teriam colocado guardas para se certificar de que os reforços não conseguiriam encontrar a resistência lá dentro.

Haveria uma resistência.

Mas a Federação parecia ter simplesmente levantado acampamento e ido embora. Não se incomodaram em deixar um batalhão, por menor que fosse, para trás. O que significava que Mugen não se importava com quem entrasse em Golyn Niis.

O que significava que não valia a pena guardar o que quer que estivesse atrás das muralhas da cidade.

Quando o Cike enfim conseguiu abrir os portões pesados, um fedor terrível os atingiu. Rin conhecia aquele cheiro. Ela o sentira em Sinegard e em Khurdalain. Agora sabia o que esperar. Fora uma ideia idiota ter imaginado que qualquer coisa diferente seria possível. Ainda assim, não conseguiu registrar completamente a visão que os aguardava do outro lado.

Todo o Cike ficou parado, relutante em dar um passo à frente.

Nenhum deles conseguiu falar por muito tempo.

Então Ramsa caiu de joelhos e começou a gargalhar.

— Khurdalain — disse ele, entre arquejos. — Estávamos tão obcecados em proteger *Khurdalain*.

Ele se curvou, o corpo tremendo com as risadas, os punhos batendo no chão.

Rin o invejou.

Golyn Niis era uma cidade de cadáveres.

Os corpos estavam arrumados, como se a Federação quisesse deixar uma mensagem de boas-vindas para quem chegasse à cidade. Havia um capricho estranho na destruição, uma simetria sádica. Os mortos estavam empilhados em fileiras organizadas do mesmo tamanho, formando pirâmides de dez, e então nove, e, por fim, oito corpos. Também haviam sido empilhados junto à muralha e colocados deitados na rua em fileiras cuidadosas. Era possível ver cadáveres até onde a vista alcançava.

Nada humano se movia. Os únicos sons eram o do vento empurrando os destroços, o zumbido das moscas e os guinchos das aves carniceiras.

Os olhos de Rin ficaram cheios d'água. O cheiro era esmagador. Ela olhou para Altan, mas o rosto do comandante era uma máscara. Ele marchou estoicamente pela rua principal até o centro da cidade, como se estivesse determinado a testemunhar o alcance completo da destruição.

Todos caminharam em silêncio.

O trabalho da Federação ficava mais elaborado conforme o Cike se aprofundava na cidade. Perto da praça, a Federação arrumara os corpos em estados de profanação extrema, posições grotescas que desafiavam a imaginação humana. Cadáveres pregados em tábuas de madeira. Cadáveres pendurados pela língua em ganchos. Cadáveres desmembrados de todas as maneiras possíveis: sem cabeça, sem braços ou pernas, exibindo mutilações que deviam ter sido feitas enquanto a vítima ainda vivia. Dedos removidos e então empilhados ao lado das mãos. Uma fileira enorme de homens castrados, os pênis decepados colocados delicadamente nas bocas de queixo caído.

O indivíduo encontra grande felicidade ao decapitar inimigos.

Havia tantas decapitações. Cabeças em pilhas pequenas e arrumadas. Ainda não haviam se decomposto o suficiente para serem caveiras, mas também não pareciam rostos humanos. As cabeças que ainda tinham carne o bastante para formar expressões demonstravam um tédio terrível, como se a vida nunca tivesse habitado aqueles corpos.

Como se queimasse, como se morresse.

Talvez devido a um desejo inicial por saneamento, ou por mera curiosidade, a Federação tentara cremar várias pirâmides de mortos. No entanto, os soldados desistiram antes de terminar o trabalho. Talvez para não desperdiçar óleo, ou pelo cheiro insuportável. Os corpos ficaram grotescos, queimados pela metade; os cabelos haviam se transformado em cinzas, e a parte de cima das peles se tornara escura e quebradiça, mas o pior era que havia algo embaixo das cinzas que parecia indiscutivelmente humano.

O indivíduo chora rios de lágrimas, geme em sofrimento.

Na praça, encontraram esqueletos bizarramente pequenos — não cadáveres, mas esqueletos tão brancos que brilhavam. A princípio, pareciam ossos de crianças, mas, após um exame minucioso, Enki os identificou como torsos de adultos. Ele se ajoelhou e tocou a terra onde um dos esqueletos estava. A parte de cima dos corpos fora completamente descarnada, os ossos reluzindo ao sol, enquanto a metade de baixo permanecia intacta sob a terra.

— Eles foram enterrados — disse o médico, enojado. — Foram enterrados até a cintura e soltaram os cães em cima deles.

Rin não conseguia entender como a Federação encontrara tantas maneiras diferentes de causar sofrimento, mas cada esquina revelava outro exemplo naquela cadeia de horrores, uma selvageria tão bárbara quanto criativa. Uma família, ainda abraçada, empalada pela mesma lança. Bebês no fundo de caldeirões, a pele de um tom carmesim horrível, flutuando na água em que haviam sido fervidos até a morte.

Nas horas que se passaram, as únicas criaturas vivas que encontraram foram cães muito gordos por se alimentarem de cadáveres. Cães e abutres.

— Ordens? — perguntou Unegen a Altan, por fim.

Eles olharam para o comandante.

Altan não falara nada desde que o Cike atravessou os portões da cidade. Sua pele estava com um tom cinzento e fantasmagórico. Talvez estivesse passando mal. Suava muito, o braço esquerdo tremendo. Quando alcançaram outra pilha de corpos carbonizados, o rapaz teve uma convulsão, caiu de joelhos e não conseguiu seguir em frente.

Aquele não era o primeiro genocídio dele.

Speer de novo, pensou Rin. Altan devia estar imaginando o massacre da ilha, imaginando a forma como seu povo fora chacinado feito gado.

Depois de muito tempo, Chaghan estendeu a mão para Altan.

O comandante a segurou e se levantou. Engoliu em seco e fechou os olhos. Uma máscara de desprendimento voltou a se espalhar por seu rosto, como se uma fachada de indiferença tivesse assumido o controle, prendendo todas as vulnerabilidades lá dentro.

— Espalhem-se — ordenou Altan. A voz estava impossivelmente firme. — Encontrem sobreviventes.

Cercados pela morte, espalhar-se era a última coisa que queriam fazer. Suni abriu a boca para protestar.

— Mas a Federação...

— A Federação não está aqui. Já estão marchando pelo interior do país há pelo menos uma semana. Nosso povo está morto. Encontrem sobreviventes.

O Cike descobriu evidências de uma última batalha desesperada perto do portão sul. Era evidente quem havia saído vitorioso. Os cadáveres do Exército receberam o mesmo tratamento que as carcaças dos civis. Os mortos foram empilhados no meio da praça, pilhas de corpos arrumadas com cuidado.

Rin viu uma bandeira do Exército no chão, queimada e suja de sangue. A mão de quem a empunhara fora decepada no pulso; o resto do corpo estava a alguns passos de distância, os olhos vazios.

A bandeira exibia o emblema de dragão do Imperador Vermelho, símbolo do Império Nikara. No canto esquerdo inferior estava bordado o número dois na caligrafia do antigo nikara. Era a insígnia da Segunda Divisão.

O coração de Rin perdeu o compasso.

A divisão de Kitay.

Ela ficou de joelhos e encostou na bandeira. Então latidos surgiram de uma pilha de corpos. Rin olhou para cima e viu um vira-lata pulguento de pelo escuro correndo na direção dela. O bicho era do tamanho de um lobo pequeno. Sua barriga estava grotescamente redonda, como se ele estivesse se empanturrando havia dias.

O animal passou por Rin e foi até o cadáver do homem que carregara a bandeira, farejando-o cheio de esperança.

Rin o observou mexendo no corpo, salivando muito, e algo dentro dela estalou.

— *Sai daqui!* — berrou, dando um chute no animal.

Qualquer cachorro de Sinegard teria corrido com o susto. Mas aquele bicho havia perdido o medo dos seres humanos. Vivera entre um banquete apetitoso de carcaças por tempo demais. Talvez tivesse concluído que Rin também estava próxima da morte. Talvez tivesse achado que carne fresca seria mais apetitosa que carne podre.

Ele rosnou e avançou nela.

Rin foi pega de surpresa pelo peso do cachorro, que a derrubou no chão. A baba saía das mandíbulas abertas enquanto o animal tentava morder seu pescoço, mas a garota ergueu os braços para se proteger, e ele acabou pegando seu antebraço esquerdo. Rin soltou um grito, mas o cachorro não desistiu; com o braço direito, ela alcançou a espada, desembainhou-a e deu um golpe para cima.

A lâmina atingiu as costelas do animal. Sua mandíbula ficou mole.

Ela investiu de novo. O cachorro saiu de cima dela.

Rin logo ficou de pé e deu um terceiro golpe, ferindo a lateral do bicho. Ele estava à beira da morte. Então passou a lâmina no pescoço do animal. O sangue jorrou, ensopando seu rosto com aquela umidade quente. Rin usava a espada como uma adaga, furando o animal sem parar, apenas para sentir ossos e músculos dando lugar ao metal, apenas para machucar e *quebrar* alguma coisa...

— Rin!

Alguém agarrou o braço dela. Rin tentou se livrar, mas Suni torceu o braço dela para trás e segurou firme, para que a garota não pudesse se mexer até parar de soluçar.

* * *

— Sorte a sua o cachorro não ter mordido o braço com que usa a espada — falou Enki. — Mantenha isso por uma semana. Se começar a cheirar mal, me procure.

Rin flexionou o braço. Enki cobrira a mordida com um cataplasma que ardia como se ela tivesse enfiado o braço num ninho de vespas.

— Isso vai ajudar — falou ele quando Rin fez uma careta. — Vai evitar uma infecção. Não precisamos que fique louca agora.

— Acho que eu gostaria de ficar louca — respondeu Rin. — Gostaria de perder a cabeça. Acho que seria mais feliz assim.

— Não fale isso — disse Enki, sério. — Você tem um trabalho a fazer.

Mas o que o Cike fazia ali era mesmo trabalho? Ou estavam se iludindo, dizendo que, se encontrassem sobreviventes, poderiam se redimir do fato de que haviam chegado tarde demais?

Ela continuou a miserável função de fazer buscas pelas ruas vazias, escavar destroços, procurar em casas cujas portas haviam sido arrombadas. Após horas de trabalho, Rin abandonara a esperança de encontrar Kitay vivo. Na verdade, começou a torcer para que não fosse ela a encontrar o cadáver do amigo durante as patrulhas. Pensar nele esfolado, desmembrado, enfiado num carrinho de mão com uma pilha de outros mortos e queimado pela metade seria pior do que jamais encontrá-lo.

Ela caminhava por Golyn Niis como se em transe, tentando ao mesmo tempo ver e não ver. Após um tempo, percebeu que estava habituada ao cheiro e, assim, as pilhas de cadáveres pararam de chocá-la, transformando-se apenas num conjunto de rostos no qual ela devia buscar um que conhecia.

Não parou de gritar pelo nome de Kitay enquanto isso. Gritava sempre que via algum movimento, mesmo que mínimo, qualquer coisa que pudesse estar viva: um gato sumindo num beco, um grupo de corvos levantando voo de repente, assustados pelo retorno dos humanos que não estavam mortos ou agonizando. Passou dias gritando o nome dele.

E então, das ruínas, tão leve que pensou ser um eco, Rin ouviu seu nome em resposta.

— Lembra quando eu disse que os Testes eram tão ruins quanto Speer? — perguntou Kitay. — Eu estava errado. Isto é tão ruim quanto Speer. É pior do que Speer.

Aquilo não tinha graça, e nenhum dos dois riu.

Os olhos e a garganta de Rin doíam de tanto chorar. Ela segurava a mão de Kitay havia horas, os dedos entrelaçados, e não queria largá-la nunca mais. Estavam sentados lado a lado num abrigo construído às pressas a um quilômetro da cidade, o único lugar em que conseguiam escapar do fedor de morte que permeava Golyn Niis. A sobrevivência de Kitay era simplesmente um milagre. Ele e um pequeno grupo de soldados da Segunda Divisão permaneceram escondidos por dias debaixo dos corpos de colegas abatidos, com medo demais de sair e serem pegos pelas patrulhas da Federação que houvessem retornado.

Quando sentiram que conseguiriam escapar dos campos de morte, o grupo se escondeu nos cortiços demolidos na área leste da cidade. Arrancaram uma porta de porão das dobradiças e colocaram tijolos no espaço, para que de fora parecesse uma parede. Foi por isso que o Cike não os encontrou quando entraram em Golyn Niis.

Apenas um punhado de pessoas do esquadrão de Kitay sobrevivera. Ele não sabia se havia outros sobreviventes.

— Você viu Nezha? — perguntou Kitay, por fim. — Ouvi dizer que mandaram ele para Khurdalain.

Rin abriu a boca para responder, mas uma sensação horrível de formigamento se espalhou da ponte do nariz para debaixo de seus olhos, e então ela se viu engasgando com soluços profundos, e não conseguiu falar nada.

Kitay também ficou calado e ergueu os braços em simpatia silenciosa. Rin se jogou neles. Depois de tudo pelo que o amigo passou, era inadmissível que Kitay a estivesse consolando naquele momento. Mas Kitay estava atônito. Para ele, o sofrimento se tornara algo normal, e o rapaz não conseguiria ficar mais enlutado do que já estava. Ele ainda a abraçava quando Qara enfiou a cabeça na tenda.

— Você é Chen Kitay?

Não era uma pergunta de verdade, Qara só precisava de algo para romper o silêncio.

— Sim.

— Estava com a Segunda Divisão quando...? — indagou ela, a voz morrendo aos poucos.

Ele assentiu.

— Precisamos saber o que aconteceu. Consegue andar?

* * *

A céu aberto, diante de uma plateia calada formada por Altan e os gêmeos, Kitay contou com a voz entrecortada o massacre de Golyn Niis.

— As defesas da cidade estavam condenadas desde o início — falou ele. — Achávamos que ainda tínhamos semanas. Mas poderiam ter nos dado meses, e a mesma coisa teria acontecido.

Golyn Niis era defendida por uma amálgama da Segunda, da Nona e da Décima Primeira Divisões. Naquele caso, um número maior de soldados não significou mais força. Talvez ainda menos do que em Khurdalain, os homens de províncias diferentes tinham pouco senso de coesão e propósito. Os comandantes eram rivais, paranoicos e desconfiados, e não estavam dispostos a compartilhar dados de inteligência.

— Irjah implorou várias vezes para que os líderes regionais deixassem as diferenças de lado. Ele não conseguiu fazê-los pensar com sensatez. — Kitay engoliu em seco. — As primeiras duas batalhas terminaram mal. Os soldados nos pegaram de surpresa. Cercaram a cidade, vindos do sudeste. Não esperávamos que chegassem tão cedo. Não achávamos que haviam encontrado a passagem da montanha. Mas vieram à noite e… capturaram Irjah. Os mugeneses o esfolaram vivo na muralha para que todos pudessem ver. Aquilo acabou com a resistência. A maioria dos nossos soldados quis desertar. A Nona e a Décima Primeira se renderam em massa. Não posso culpá-los. Estavam em minoria e achavam que conseguiriam escapar se não resistissem. Pensaram que talvez fosse melhor se tornarem prisioneiros do que morrer. Estavam enganados. O general da Federação aceitou a rendição deles. Confiscou as armas e enfiou os soldados em campos de concentração. Na manhã seguinte, obrigaram eles a marchar montanha acima e decapitaram todos. Houve um monte de deserções na Segunda depois disso. Alguns ficaram aqui, para lutar. Não fazia sentido, mas… era melhor do que se render. Não poderíamos desonrar Irjah. Não daquela maneira.

— Espera — disse Chaghan. — Eles capturaram a Imperatriz?

— A Imperatriz fugiu — respondeu Kitay. — Escolheu vinte de seus guardas pessoais e saiu da cidade na noite seguinte à morte de Irjah.

Qara e Chaghan fizeram sons de descrença sincronizados, mas Kitay balançou a cabeça com cautela.

— E ela estava errada? Era isso ou deixar que aqueles monstros colocassem as mãos nela, e sabe-se lá o que teriam feito...

O terra-remotês não parecia convencido.

— Patético — cuspiu ele, e Rin concordava.

A ideia de que a Imperatriz fugira da cidade enquanto seu povo era queimado, morto, assassinado e estuprado ia contra tudo que ela havia aprendido sobre guerra. Um general não abandona seus soldados. Uma Imperatriz não abandona seu povo.

Mais uma vez, as palavras de Talwu se mostraram verdadeiras.

Um povo é abandonado. Um governante começa uma campanha... Felicidade ao decapitar inimigos. Isso significa maldade.

Com todas as evidências de destruição diante deles, havia outra maneira de interpretar o Hexagrama? Rin vinha sofrendo com as palavras de Talwu, tentando vê-las de qualquer maneira que não indicassem o massacre em Golyn Niis, mas estava apenas se enganando. Talwu lhes dissera exatamente o que esperar.

Ela devia ter imaginado que, no momento em que a Imperatriz abandonou os nikaras, tudo estava perdido.

Mas a Imperatriz não fora a única a deixar Golyn Niis. Todo o exército se rendera. No espaço de uma semana, Golyn Niis fora entregue para a Federação numa bandeja de prata, e a população de meio milhão de pessoas ficou sujeita aos caprichos das forças invasoras.

No final, esses caprichos pouco tinham a ver com a cidade em si. A Federação queria apenas espremer cada suprimento que conseguisse encontrar a fim de se preparar para uma marcha mais profunda para dentro do país. Os soldados saquearam o mercado, tomaram o gado e exigiram que as famílias dessem o que tivessem de arroz ou outros grãos. O que não conseguiram colocar nas carroças, queimaram ou deixaram estragar.

E aí se livraram das pessoas.

— A Federação decidiu que as decapitações demoravam demais, então começaram a fazer as coisas de forma mais eficiente — disse Kitay. — Começaram com o gás. Na verdade, talvez seja melhor saberem disso: eles têm uma coisa, uma arma que solta uma nuvem verde-amarelada...

— Eu sei — disse Altan. — Vimos a mesma coisa em Khurdalain.

— Eles acabaram com a Segunda Divisão praticamente em uma só noite — contou Kitay. — Um punhado de nós montou uma última resistência perto do portão sul. Quando o gás passou, não havia mais nada vivo. Fui até lá em busca de sobreviventes. A princípio, não sabia o que estava vendo. O chão todo estava coberto de animais. Camundongos, ratazanas, roedores de todo tipo. Eram tantos. Haviam se arrastado para fora de seus buracos apenas para morrer. Sem o Exército, não havia nada entre os soldados e o povo. A Federação se divertiu. Transformaram o massacre em esporte. Jogavam bebês para o alto e viam se conseguiam cortá-los ao meio antes de atingirem o chão. Competiam para ver quem conseguia prender e decapitar mais civis em uma hora. Corriam para ver quem conseguia empilhar corpos mais rápido. — A voz de Kitay falhou. — Poderiam me dar um pouco de água?

Qara entregou o cantil para ele sem falar nada.

— Como Mugen ficou assim? — perguntou Chaghan, intrigado. — O que vocês fizeram para eles odiarem tanto Nikan?

— Não foi nada que fizemos — falou Altan. Sua mão esquerda, Rin notou, voltara a tremer. — Os soldados da Federação são treinados dessa maneira. Se você acredita que sua vida não presta para nada além de servir ao Imperador, então a vida do seu inimigo vale menos ainda.

— Os soldados da Federação não têm sentimentos — concordou Kitay. — Não veem a si mesmos como pessoas. São partes de uma máquina. Obedecem às ordens de seus comandantes e só sentem felicidade quando estão se deleitando com o sofrimento de outra pessoa. Não há como argumentar com eles. Não há como compreendê-los. Estão tão acostumados a propagar essa maldade grotesca que não podem ser chamados de humanos.

A voz do garoto tremia.

— Quando estavam acabando com o meu esquadrão, fitei um deles nos olhos. Pensei que poderia fazê-lo me ver como um igual, como uma pessoa, não como um oponente. E ele me encarou de volta, e percebi que não poderia nunca me conectar com ele. Não havia humanidade ali.

Quando os sobreviventes notaram que o Exército havia chegado, começaram a sair de seus esconderijos em grupos fracos e miseráveis.

Os poucos sobreviventes de Golyn Niis haviam se escondido nas entranhas da cidade, em abrigos disfarçados como o de Kitay ou trancafiados em celas improvisadas, deixados para trás quando os soldados da

Federação decidiram seguir para o interior. Depois de descobrir duas ou três alcovas como aquelas, Altan ordenou — tanto para o Cike quanto para os civis — que fizessem uma busca minuciosa pela cidade.

Ninguém desobedeceu. Todos sabiam, suspeitava Rin, que seria horrível morrer abandonado, acorrentando a uma parede, enquanto seus captores já estavam longe.

— Acho que vamos salvar umas pessoas, para variar — disse Baji. — Isso é bom.

Altan liderou um esquadrão para cuidar da tarefa quase impossível de se livrar dos corpos. Ele dizia que o objetivo era protegê-los da decomposição e das doenças, mas Rin achava que o comandante queria dar àquelas pessoas um funeral digno — e também porque não havia quase mais nada que Altan pudesse fazer por Golyn Niis.

Eles não tinham tempo para cavar covas do tamanho necessário, pois o fedor dos corpos em decomposição logo se tornaria insuportável. Então empilharam os cadáveres em grandes piras funerárias que queimavam sem parar. Golyn Niis passou de uma cidade de mortos para uma cidade de cinzas.

A quantidade gigantesca de corpos era espantosa. Os cadáveres que Altan cremou quase não fizeram diferença em relação às pilhas de corpos apodrecendo na parte de dentro das muralhas. Rin achava que não conseguiriam limpar Golyn Niis de verdade, a não ser que queimassem a cidade inteira.

No final, talvez aquilo fosse até necessário. Mas não enquanto ainda poderia haver sobreviventes escondidos.

Rin estava do lado de fora das muralhas, procurando uma fonte de água que não tivesse sido contaminada pelo sangue, quando Kitay a chamou e contou que Venka havia sido encontrada. Ela fora mantida numa "casa de relaxamento", provavelmente a única razão que a Federação tinha para manter um soldado inimigo vivo.

Kitay não explicou o que era uma "casa de relaxamento", mas não precisava.

Rin mal conseguiu reconhecer Venka quando foi vê-la naquela noite. Seus cabelos lindos haviam sido cortados de qualquer jeito, como se alguém tivesse os atacado com uma faca. Seu olhar antes vivaz estava vidrado e sem brilho. Os dois braços haviam sido quebrados na altura do pulso e estavam em tipoias. Rin notou a maneira como haviam sido torcidos e sabia que só havia um jeito de aquilo ter acontecido.

Venka mal se mexeu quando Rin entrou no cômodo. Apenas quando a porta foi fechada que ela notou algo.

— Oi — falou Rin em voz baixa.

Venka levantou a cabeça, sem expressão no rosto, e ficou calada.

— Pensei que poderia querer conversar com alguém — disse Rin, embora aquelas palavras tenham parecido vazias e insuficientes no momento em que saíram de sua boca.

Venka olhou para ela de soslaio.

Rin não sabia o que dizer. Não conseguia pensar em perguntas que não parecessem fúteis. *Você está bem?* Óbvio que não estava. *Como conseguiu sobreviver?* Tendo o corpo de uma mulher. *O que aconteceu com você?* Ela já sabia.

— Eles nos chamam de banheiros públicos — falou Venka de repente.

Rin parou a dois passos da porta. Então a compreensão recaiu sobre ela e o sangue ficou gelado.

— *O quê?*

— Achavam que eu não entendia mugenês — contou Venka, com uma tentativa amedrontadora de risadinha. — Era assim que me chamavam quando estavam dentro de mim.

— Venka...

— Sabe como doía? Eles estavam dentro de mim, ficaram dentro de mim por horas e não paravam. Eu desmaiava sem parar, mas sempre que recuperava a consciência, ainda estavam lá, um homem diferente em cima de mim, ou talvez o mesmo homem... Ficaram todos iguais depois de um tempo. Foi um pesadelo, e eu não conseguia acordar.

Rin sentiu gosto de bile na boca.

— Eu sinto muito... — disse ela, mas Venka não pareceu ouvi-la.

— Eu não cedi — falou Venka. — Revidei. Causei problemas. Então me deixaram por último. Queriam quebrar meu espírito antes. Eles me fizeram assistir. Vi mulheres sendo estripadas. Vi soldados cortarem os peitos delas fora. Vi mulheres vivas sendo pregadas nas paredes. Vi garotinhas sendo mutiladas, quando se cansavam das mães. Se as vaginas delas fossem muito pequenas, os soldados as abriam com adagas para facilitar o estupro. — A voz de Venka ficou mais aguda. — Tinha uma mulher grávida na casa. Estava com sete meses. Oito. No início, os soldados a deixaram viva para ela cuidar da gente, nos dar banho e alimentar. Era o único rosto gentil naquele lugar. Não tocaram nela porque estava grávida, não a princípio. Então, um dia, o general decidiu que estava cansado das outras mulheres e foi atrás dela. Era de se imaginar que ela já teria aprendido àquela altura, depois de ver o que os soldados faziam conosco. Era de se imaginar que resistir não fazia sentido.

Rin não queria ouvir mais nada. Queria cobrir a cabeça com os braços e bloquear qualquer som. Mas Venka continuou, como se, ao dar início ao relato, não conseguisse mais parar:

— Ela resistiu e se debateu. Então deu um tapa nele. O general uivou e pegou a barriga dela. Não com a faca. Com os dedos. As unhas. Ele a derrubou e rasgou a barriga dela. — Venka olhou para o outro lado. — E puxou de lá o estômago, o intestino e, por fim, o bebê... que ainda estava se mexendo. Nós vimos tudo do corredor.

Rin parou de respirar.

— Fiquei feliz — continuou Venka. — Feliz por ela estar morta antes de o general abrir o bebê no meio como a gente faz com uma laranja. — Nas tipoias, os dedos de Venka se fechavam e tinham espasmos. — Ele me obrigou a limpar depois.

— Deuses, Venka. — Rin não conseguia encará-la. — Eu sinto tanto.

— *Não tenha pena de mim!* — berrou ela de súbito.

Venka fez um movimento como se estivesse tentando pegar os ombros de Rin, como se tivesse esquecido que seus braços estavam quebrados. Ela se levantou e caminhou até Rin para que ficassem cara a cara, os narizes quase se encostando.

A expressão dela era tão selvagem quanto fora no dia em que lutaram no ringue.

— Não preciso da sua pena. Preciso que mate eles por mim. Você *tem* que matar eles por mim — sibilou Venka. — Prometa. Prometa pelo seu sangue que vai *queimar todos eles*.

— Venka, não posso...

— Eu sei que pode. — A voz dela ficou ainda mais aguda. — Ouvi o que falam sobre você aqui. Você precisa queimá-los. Não importa o custo. Prometa pela sua vida. Prometa. Prometa para mim.

Seus olhos eram como vidro quebrado.

Rin teve que reunir toda a sua coragem para encará-los.

— Prometo.

Rin saiu do quarto de Venka e começou a correr.

Não conseguia respirar. Não conseguia falar.

Precisava de Altan.

Não sabia por que achava que o comandante poderia oferecer o alívio que buscava, mas, entre todos ali, apenas Altan já havia passado por aquilo antes. Ele estava em Speer quando a ilha foi incendiada, viu o seu povo sendo morto... Com certeza Altan poderia dizer a ela que a Terra continuaria rodando, que o sol continuaria nascendo e se pondo, que a existência de um mal tão abominável, um desdém tão grande pela vida humana não significava que o mundo inteiro caíra na escuridão. Com certeza Altan poderia dizer a ela que ainda havia algo pelo que lutar.

— Na biblioteca — disse Suni para Rin, apontando para uma torre de aparência antiga a dois blocos dos portões da cidade.

A porta estava fechada, e ninguém respondeu quando ela bateu.

Rin girou a maçaneta devagar e deu uma olhada lá dentro.

A grande câmara estava cheia de lampiões, todos apagados. A única fonte de luz era o luar que brilhava pelas janelas altas de vidro. O ar do cômodo era formado por uma fumaça doce e enjoativa que Rin pensou ser familiar, tão densa que a garota quase engasgou.

Num canto, entre pilhas de livros, Altan estava esparramado, as pernas esticadas e a cabeça inclinada. Ele não usava camisa.

O ar ficou preso na garganta de Rin.

Seu peito era cheio de cicatrizes. Muitas eram irregulares, vindas das batalhas travadas. Outras eram supreendentemente retas, simétricas e limpas, como se tivessem sido feitas de propósito em sua pele.

Havia um cachimbo em suas mãos. Rin viu Altan levá-lo aos lábios e inspirar profundamente, os olhos carmesins virando para cima enquanto fazia isso. Ele deixou a fumaça preencher os pulmões e então exalou devagar, com um suspiro baixo e satisfeito.

— Altan? — falou ela.

Ele pareceu não ouvi-la a princípio. Rin atravessou o cômodo e se ajoelhou devagar ao seu lado. O odor era conhecido e repugnante: pedacinhos de ópio, doces como fruta madura. Aquilo lhe trazia memórias de Tikany, de cadáveres vivos se deteriorando nos antros de drogas.

    Enfim Altan olhou na direção dela. Em seu rosto, formou-se um sorriso peculiar e desinteressado e, mesmo nas ruínas de Golyn Niis, mesmo naquela cidade de mortos, Rin pensou que a visão de Altan naquele momento era a coisa mais terrível que já havia testemunhado.

CAPÍTULO 22

— Você sabia? — perguntou Rin.

— Todo mundo sabia — murmurou Ramsa. Ele tocou no ombro dela de leve, tentando reconfortá-la, mas não ajudou. — Altan tenta esconder, mas não é muito bom nisso.

Rin gemeu e pressionou a testa nos joelhos, aos prantos. A respiração estava dolorosa; parecia que suas costelas tinham sido esmagadas, como se o desespero pressionasse seu peito, impedindo-a de inspirar.

Aquilo tinha que ser o fim. A capital em tempos de guerra caíra, seus amigos estavam mortos ou com o espírito em frangalhos, e Altan...

— *Por quê?* — guinchou ela. — Altan não sabe o que aquilo *faz* com a pessoa?

— Sabe. — Ramsa largou o ombro dela e ficou mexendo os dedos no colo, sem jeito. — Mas não acho que consiga evitar.

Rin sabia que era verdade, mas não podia aceitar.

Ela conhecia os horrores do ópio. Vira a clientela da família Fang — jovens eruditos promissores, mercadores bem-sucedidos, homens talentosos — cujas vidas foram arruinadas pela droga. Ela vira como, em questão de meses, oficiais orgulhosos do governo eram reduzidos a homens enrugados e sem um tostão, mendigando nas ruas para sustentar o vício.

Mas não conseguia conciliar aquelas imagens com seu comandante.

Altan era invencível. Era o melhor lutador de artes marciais do país. Altan não era... não *podia* ser...

— Ele deveria ser o nosso líder — disse Rin com a voz embargada. — Como consegue lutar daquele... daquele *jeito*?

— Nós damos cobertura a ele — respondeu Ramsa, baixinho. — E Altan não costumava fazer isso mais de uma vez por mês.

Todas aquelas vezes que o encontrara cheirando a fumaça. Todas aquelas vezes que não estava lá quando Rin tentava encontrá-lo.

Altan estava simplesmente esparramado no chão do gabinete, inspirando e expirando aquela fumaça, vidrado, vazio e *ausente*.

— É nojento — falou ela. — É... *patético*.

— Não fale assim — censurou Ramsa. Suas mãos se fecharam em punhos. — Retire o que disse.

— Ele é o nosso comandante! Tem uma responsabilidade conosco. Como poderia...?

Mas Ramsa a cortou.

— Não sei como Altan sobreviveu na ilha. Mas sei que, o que quer que tenha acontecido com ele, foi algo inimaginável. Você não sabia que era speerliesa até uns meses atrás. Mas Altan perdeu todo mundo da noite para o dia. Não dá para superar esse tipo de dor. Então ele precisa daquilo. E daí que é uma vulnerabilidade? Eu não vou julgá-lo. Não me importo, porque não tenho o direito. Nem você.

Depois de duas semanas de buscas nos escombros, arrombando portas de porões e realocando os cadáveres, o Cike encontrou menos de mil sobreviventes na cidade que um dia abrigara meio milhão de pessoas. Muitos dias haviam se passado. Não havia esperança de encontrar mais ninguém.

Pela primeira vez desde o início da guerra, o Cike não tinha missões planejadas.

— O que estamos esperando? — perguntava Baji diversas vezes ao dia.

— Ordens — respondia Qara, sempre.

Mas nenhum comando chegava. Altan não costumava estar presente, às vezes desaparecendo por dias a fio. Quando se reunia com eles, não estava em condições de dar ordens. Aos poucos, Chaghan foi tomando aquele espaço e, nesse ínterim, dava ordens diárias para o Cike. A maioria delas envolvia ficar de vigília. Todos sabiam que o inimigo já havia ido para o interior a fim de terminar o que começaram, e que não havia nada para proteger em Golyn Niis além de ruínas. Ainda assim, eles obedeciam.

Rin se sentava acima do portão, agarrada a uma lança para manter as costas retas enquanto observava a estrada que levava para a cidade.

Fora designada para a vigília noturna, mas tudo bem, porque não conseguia dormir. Cada vez que fechava os olhos, via sangue. Sangue seco nas ruas. Sangue no rio Golyn. Cadáveres pendurados em ganchos. Bebês em barris.

Também não conseguia comer. Mesmo a comida mais sem graça tinha gosto de carniça. Eles comeram carne apenas uma vez: Baji capturou dois coelhos na mata, esfolou-os e os colocou no fogo. Quando Rin sentiu o cheiro, teve vontade de vomitar. Não conseguia dissociar a carne dos animais da carne chamuscada dos cadáveres na praça. Não conseguia caminhar por Golyn Niis sem imaginar as mortes no momento da execução. Não conseguia ver as centenas de cabeças decepadas em postes sem pensar no soldado que caminhara ao lado da fileira de prisioneiros ajoelhados, golpeando com a espada de forma metódica, como se debulhasse milho. Não conseguia passar pelos bebês nos barris que lhes serviam de túmulo sem ouvir seus gritos incompreensíveis.

Durante todo o tempo, a mente de Rin gritava a pergunta sem resposta: *Por quê?*

A crueldade não lhe servia como resposta. Sede de sangue, ela compreendia. A própria Rin já sentira sede de sangue. Já se perdera em batalhas também; foi mais longe do que deveria ter ido, machucou pessoas quando deveria ter parado.

Mas aquilo — uma perversão naquela escala, um genocídio gratuito daquela magnitude, contra inocentes que não levantaram sequer um dedo para se defender —, *aquilo* ela não conseguia se imaginar fazendo.

Eles se renderam, Rin queria gritar ao inimigo que não estava lá. *Largaram as armas. Não eram uma ameaça. Por que fizeram isso?*

Não conseguia encontrar uma explicação lógica.

Porque a resposta não podia ser lógica. Não era encontrada na estratégia militar. Não era por causa de uma escassez de suprimentos ou por risco de levantes ou rebeliões. Era simplesmente o que acontecia quando um povo decidia que outro era insignificante.

A Federação massacrara Golyn Niis porque não pensava nos nikaras como *humanos*. E, se o seu oponente não é humano, se é uma barata, que diferença faz a maneira como é morto? Qual é a diferença entre esmigalhar uma formiga e atear fogo num formigueiro? Por que não arrancar as asas de um inseto para se divertir? Talvez o inseto sinta dor, mas que diferença isso faz?

Se você fosse a vítima, o que poderia dizer para que seu torturador o reconhecesse como humano? Como poderia fazer o inimigo reconhecê-lo e ponto final?

E por que o opressor se importaria?

A guerra é baseada em noções absolutas. Nós ou eles. Vitória ou derrota. Não há meio-termo. Não há misericórdia. Não há rendição.

Era a mesma lógica, Rin percebeu, que justificara a destruição de Speer. Para a Federação, acabar com toda uma raça da noite para o dia não era uma atrocidade. Era apenas uma necessidade.

— Você enlouqueceu.

Rin levantou a cabeça rápido. Ela havia caído em outro transe causado pela exaustão. Piscou duas vezes e perscrutou a escuridão até ver a fonte da voz mudar de sombras amorfas para duas silhuetas reconhecíveis.

Altan e Chaghan estavam debaixo do portão. Os braços do terra-remotês estavam firmemente cruzados enquanto Altan se encostava na parede. Com o coração acelerado, Rin se abaixou para que não pudessem vê-la caso olhassem para cima.

— E se não fôssemos só nós? — perguntou o comandante, a voz baixa e ávida. Rin ficou impressionada; Altan não soava tão alerta e vivaz havia dias. — E se tivéssemos outros?

— Isso de novo não — falou Chaghan.

— E se houvesse *milhares* de pessoas no Cike, soldados tão poderosos quanto eu e você, soldados com o poder de conclamar os deuses?

— Altan...

— E se eu pudesse criar um exército de xamãs?

Rin arregalou os olhos. Um *exército*?

Chaghan fez um barulho de engasgo que poderia ter sido uma risada.

— E como propõe fazer isso?

— Você sabe como — respondeu Altan. — Sabe por que o mandei ir à montanha.

— Você disse que só queria o Guardião. — A voz de Chaghan ficou mais nervosa. — Não que queria libertar todos os loucos de lá.

— Eles não são loucos...

— E também não são homens! A essa altura, já são semideuses! São como relâmpagos, como furacões de poder espiritual. Se eu soubesse o que estava planejando, nunca teria...

— Besteira, Chaghan. Você sabia *exatamente* o que eu estava planejando.

— Deveríamos ter libertado o Guardião *juntos*. — Chaghan parecia magoado.

— E vamos. Assim como vamos libertar todos os outros. Feylen. Huleinin. Todos.

— *Feylen?* Depois de tudo que ele tentou fazer? Não sabe do que está falando. Foram atrocidades.

— Atrocidades? — perguntou Altan, com frieza. — Você viu os corpos aqui e vem me falar de atrocidades?

A voz de Chaghan foi ficando cada vez mais aguda.

— O que Mugen fez foi crueldade *humana*. Mas humanos só são capazes de causar destruição até certo ponto. Os seres trancafiados em Chuluu Korikh podem fazer estragos numa escala completamente diferente.

Altan gargalhou.

— Você tem *olhos*? Viu o que fizeram com Golyn Niis? Um líder precisa fazer de tudo para proteger seu povo. Não vou ser como Tearza, Chaghan. *Não vou deixar eles nos matarem como cães.*

Rin ouviu uma balbúrdia abaixo. Pés esmagando folhas secas. Braços e pernas raspando em pele. Eles estavam *lutando*? Mal se atrevendo a respirar, ela deu uma espiada por cima da muralha.

Chaghan pegara Altan pelo colarinho, puxando-o para baixo, de forma a ficarem cara a cara. Altan era uns quinze centímetros mais alto que Chaghan, poderia ter partido o outro ao meio com facilidade. Ainda assim, não ergueu um dedo para se defender.

Rin os encarou sem acreditar. Ninguém encostava em Altan daquele jeito.

— Isto aqui não é *Speer* de novo — sibilou Chaghan. Seu rosto estava tão perto do de Altan que os narizes quase se tocavam. — Mesmo Tearza não libertou sua deusa para salvar uma ilha. Mas você está sentenciando milhares de pessoas à morte.

— Estou tentando *vencer* a guerra...

— Por quê? Olhe em volta, Trengsin! Ninguém virá dar tapinhas nas suas costas e dizer que você fez um bom trabalho. Não *sobrou* ninguém. Este país está no buraco e ninguém dá a mínima...

— A Imperatriz se importa — falou Altan. — Eu mandei um falcão, e ela aprovou os meus planos...

— Quem se interessa pelo que a sua Imperatriz diz? — gritou Chaghan. As mãos dele tremiam sem parar. — *Foda-se* a sua Imperatriz! A sua Imperatriz fugiu!

— Ela é uma de nós — argumentou Altan. — Você sabe que é. Se estiver do nosso lado, e também o Guardião, podemos liderar esse exército...

— Ninguém vai conseguir liderar esse exército. — Chaghan largou o colar de Altan. — As pessoas debaixo da montanha não são como você. Não são como Suni. É impossível controlá-las, e você não vai tentar fazer isso. Eu não vou deixar.

Chaghan ergueu as mãos para empurrar Altan de novo, mas o outro as segurou dessa vez, apertando-lhe os pulsos e os baixando com facilidade. Ele não os largou.

— Acha mesmo que pode me impedir?

— Você não é assim — disse Chaghan. — Isso é reflexo de Speer. Da sua vingança. É o que todos os speerlieses fazem: odeiam, queimam e destroem, sem pensar nas consequências. Tearza era a única de vocês com alguma visão. Talvez a Federação estivesse certa sobre o seu povo, talvez tenha sido melhor que tivessem todos morrido naquela ilha...

— Como se atreve? — rosnou Altan, a voz tão baixa que Rin encostou na parede como se pudesse, de alguma forma, se aproximar e ter certeza de que havia ouvido aquilo mesmo. Os dedos de Altan apertaram ainda mais os pulsos de Chaghan. — Você passou dos limites.

— Sou o seu Adivinho — respondeu Chaghan. — Eu lhe dou conselhos, quer queira ouvi-los ou não.

— O Adivinho não dá ordens — disse Altan. — O Adivinho não *desobedece*. Não tenho lugar para um tenente desleal. Se não quer me ajudar, então pode ir embora. Vá para o norte. Vá para a represa. Pegue a sua irmã e faça o que nós planejamos.

— Altan, escute a voz da razão — implorou Chaghan. — Não precisa ser assim.

— Faça o que estou mandando — disse Altan. — Vá ou saia do Cike.

Rin se afundou no chão atrás da muralha, o coração martelando.

Ela abandonou o posto assim que ouviu os passos de Altan diminuindo a distância. Quando não conseguiu mais vê-lo do portão, desceu a escada correndo e seguiu pela rua. Encontrou Chaghan e Qara no momento em que estavam selando um cavalo recuperado.

— Vamos — disse Chaghan para a irmã quando viu Rin se aproximando, mas ela agarrou as rédeas antes que Qara pudesse incitar o animal a seguir em frente.

— Para onde estão indo? — questionou ela.

— Para longe — respondeu Chaghan, tenso. — Por favor, solte isso.

— Preciso falar com você.

— Minhas ordens são para sair daqui.

— Entreouvi a conversa que teve com Altan.

Qara murmurou alguma coisa em seu idioma.

Chaghan franziu o cenho.

— Você alguma vez foi capaz de cuidar da própria vida?

Rin apertou ainda mais as rédeas.

— De que exército ele está falando? Por que não quer ajudá-lo?

O rapaz semicerrou os olhos.

— Você não sabe no que está se metendo.

— Então me conte. Quem é Feylen? — perguntou Rin em voz alta. — Quem é Huleinin? O que ele quis dizer com libertar o Guardião?

— Altan vai incendiar Nikan. Eu não serei responsável por isso.

— *Incendiar Nikan?* — repetiu Rin. — Como…?

— Seu comandante enlouqueceu — disparou Chaghan, sem rodeios. — Isso é tudo de que precisa saber. E a pior parte é a seguinte: acho que esse sempre foi o plano dele. Fui cego. Era isso que ele queria desde que a Federação marchou para Sinegard.

— E você vai deixar Altan fazer isso?

Chaghan recuou de súbito, como se tivesse levado um tapa. Rin ficou com medo de ele puxar as rédeas e cavalgar para longe, mas o rapaz continuou ali, a boca levemente aberta.

Rin nunca havia visto Chaghan ficar sem palavras antes. Aquilo a assustou.

Ela não esperava que Chaghan pudesse retroceder frente à crueldade. Ele era o único agente do Cike que nunca demonstrara um pingo de medo em relação ao seu poder, a perder o controle. Chaghan se deleitava com as suas habilidades. Ele as adorava.

O que poderia ser tão inimaginável que assustava até Chaghan?

Sem tirar os olhos de Rin, ele se curvou, pegou as rédeas e desceu do cavalo. Ela recuou dois passos enquanto o homem ia em sua direção, parando bem mais perto do que Rin consideraria confortável. O Adivinho a analisou em silêncio por um longo instante.

— Você sabe qual é a fonte do poder de Altan? — perguntou, por fim.

Rin franziu o cenho.

— Ele é speerliês. É óbvio.

— Mesmo o speerliês médio não tinha nem metade do poder de Altan — falou Chaghan. — Já se perguntou por que só Altan sobreviveu? Por que ele recebeu permissão para viver quando o restante de seu povo foi queimado e mutilado?

Rin balançou a cabeça.

— Depois da Primeira Guerra da Papoula, a Federação ficou obcecada com o seu povo — disse Chaghan. — Eles não conseguiam acreditar que suas Forças Armadas haviam sido vencidas por aquela minúscula nação insular. Foi o que provocou o interesse deles pelo xamanismo. A Federação nunca teve um xamã, e precisavam saber como os speerlieses conseguiram seus poderes. Quando ocuparam a Província da Serpente, construíram uma base de pesquisa em frente à ilha e passaram as décadas entre as Guerras da Papoula sequestrando speerlieses, fazendo experimentos com eles, tentando entender o que tinham de tão especial. Altan foi um desses experimentos.

O peito de Rin se apertou. Ela temia o que o rapaz poderia falar a seguir, mas Chaghan continuou, a voz desprovida de emoções, como se estivesse dando uma aula de história:

— Quando os hesperianos libertaram essas instalações, Altan já havia passado metade da vida num laboratório. Os cientistas da Federação o drogavam todo dia para mantê-lo sedado. Deixavam-no passar fome. Torturavam-no para deixá-lo mais obediente. Altan não foi o único speerliês que a Federação pegou, mas foi o único que sobreviveu. Sabe como?

Rin balançou a cabeça de novo.

— Eu...

Chaghan continuou, sem escrúpulos.

— Sabia que os mugeneses o amarravam e o obrigavam a observar enquanto retalhavam os speerlieses para descobrir o segredo deles? Para descobrir de que eram feitos? A Federação estava determinada a desvendar o enigma. Sabia que mantinham as cobaias vivas pelo máximo de tempo possível, mesmo depois de tirar a carne de suas costelas, para ver como os músculos se moviam enquanto os esfolavam feito coelhos?

— Ele nunca me contou — sussurrou Rin.

— E nunca teria contado — disse Chaghan. — Altan gosta de sofrer em silêncio. Gosta de deixar o ódio crescer, de incubá-lo pelo máximo de tempo que conseguir. Entende agora a fonte do poder dele? Não é porque ele é speerliês. Não é nada genético. Altan é poderoso porque odeia de forma tão completa e profunda que isso faz parte de cada parte de seu ser. Sua Fênix é a deusa do fogo, mas é também a deusa da fúria. Da vingança. Altan não precisa de ópio para chamar a Fênix porque ela está sempre viva dentro dele. Você me perguntou por que não vou impedi-lo. Agora já sabe. Não dá para impedir alguém que quer se vingar. Não dá para conversar com um louco. Você acha que estou fugindo... e admito que tenho medo. Tenho medo do que ele pode fazer em sua busca por vingança. E tenho medo de que ele esteja certo.

Quando Rin encontrou Altan, deitado no mesmo canto da antiga biblioteca em que estivera da última vez, não falou nada. Atravessou o cômodo iluminado pelo luar e arrancou o cachimbo de seus dedos moles. Sentou-se de pernas cruzadas, encostada nas prateleiras de pergaminhos velhos. Então ela mesma deu uma longa baforada. A droga demorou para fazer efeito, mas, quando fez, Rin se perguntou por que havia passado tanto tempo meditando.

Compreendeu, então, por que Altan precisava do ópio.

Não era de surpreender que fosse viciado. Fumar o cachimbo devia ser o único momento em que o rapaz não era consumido pela miséria, pelas feridas que nunca cicatrizariam. A névoa causada pela fumaça era o único momento em que podia não sentir nada, o único momento em que podia esquecer.

— Como você está? — murmurou Altan.

— Eu os odeio — respondeu. — Odeio tanto eles. Odeio tanto que chega a doer. Odeio com cada gota do meu sangue. Com cada osso do meu corpo.

Altan soltou uma longa baforada de fumaça. Ele não parecia humano; era mais um simples recipiente para o vapor, uma extensão inanimada do cachimbo.

— Essa dor não passa — falou ele.

Ela deu outra baforada daquela doçura maravilhosa.

— Agora eu entendo — disse ela.

— É mesmo?

— Desculpe por antes.

As palavras de Rin eram vagas, mas Altan parecia entendê-las. Ele pegou o cachimbo de volta e inalou de novo, e aquilo era compreensão suficiente.

Levou um tempo antes de ele falar outra vez.

— Estou prestes a fazer uma coisa horrível — revelou ele. — E você terá uma escolha. Pode optar por vir comigo na prisão debaixo da pedra. Acredito que saiba o que pretendo fazer lá.

— Sim.

Ela sabia, sem precisar perguntar, quem estava preso em Chuluu Korikh.

Criminosos anormais, que cometeram crimes anormais.

Se o seguisse, Rin ajudaria Altan a libertar monstros. Monstros piores do que o chimei. Monstros piores do que qualquer coisa no Bestiário do Imperador — porque aqueles monstros não eram bestas, seres irracionais que podiam ser presos e controlados, mas guerreiros. Xamãs. Deuses disfarçados de humanos, sem um pingo de consideração pelo mundo mortal.

— Ou pode ficar em Golyn Niis. Pode lutar ao lado do que sobrou do exército nikara e tentar ganhar essa guerra sem a ajuda dos deuses. Pode continuar sendo a boa menina de Jiang, pode dar ouvidos aos conselhos dele e se acovardar diante do poder que sabe que tem. — Ele estendeu a mão para Rin. — Mas preciso da sua ajuda. Preciso de outra pessoa de Speer.

Ela olhou para os dedos finos e marrons do comandante.

Se ela o ajudasse a libertar aquele exército, ela seria um monstro? Eles seriam culpados de tudo que Chaghan os acusara?

Talvez. No entanto, o que mais havia a perder? Os invasores que encheram seu país de ópio e o deixaram para apodrecer haviam retornado para terminar o serviço.

Rin pegou a mão de Altan e entrelaçou os dedos nos dele. A sensação da pele de Altan na dela era algo que nunca havia ousado imaginar. Sozinhos na biblioteca, com apenas os velhos pergaminhos em nikara antigo como testemunhas, ela fez sua escolha.

— Estou com você — disse Rin.

CAPÍTULO 23

CHULUU KORIKH

De *Categorização das deidades de acordo com Seejin*, compilado em Anais do Imperador Vermelho, registrado por Vachir Mogoi, arqui--historiador de Sinegard

Muito antes da época do Imperador Vermelho, este país ainda não era um grande império, mas uma terra esparsamente povoada por um punhado de povos. Seus habitantes eram cavaleiros nômades vindos do norte, expulsos das Terras Remotas pelas hordas do grande khan, que encontraram dificuldade em sobreviver neste território desconhecido e quente.

Eram ignorantes em relação a diversas coisas: os ciclos de chuva, as marés do rio Murui, as variações do solo. Não sabiam como arar ou semear a terra para cultivar a comida em vez de caçá-la. Precisavam de orientação. Precisavam dos deuses.

No entanto, as deidades do Panteão relutavam em oferecer ajuda à humanidade.

— Os humanos são egoístas e mesquinhos — argumentava Erlang Shen, grão-marechal das Forças Celestiais. — Suas vidas são tão curtas que não se importam com o futuro da terra. Se os ajudarmos, esgotarão o solo e lutarão entre si. Não haverá paz.

— Mas os humanos estão sofrendo. — A irmã gêmea de Erlang Shen, a bela Sanshengmu, liderava a facção contrária. — Temos como ajudá-los. Por que nos recusamos a fazer isso?

— Você está cega, irmã — disse Erlang Shen. — Tem uma consideração muito alta por esses mortais. Eles não contribuem em nada para o universo; portanto, o universo não lhes deve nada. Se não conseguem sobreviver, que morram.

Ele proibiu qualquer entidade do Panteão de interferir nos assuntos dos mortais. Sanshengmu, porém, sempre a mais gentil entre os dois, estava convencida de que o irmão tinha julgado a humanidade rápido demais. Ela desenvolveu um plano para descer à Terra em segredo, na esperança de provar ao Panteão que os humanos eram dignos da ajuda divina. Contudo, Erlang Shen foi alertado das pretensões da irmã no último minuto e tentou impedi-la. Na pressa de escapar do irmão, Sanshengmu acabou não conseguindo aterrissar bem em Terra.

Ela permaneceu na estrada por três dias. Seu disfarce mortal era o de uma mulher de beleza incomum. Naqueles tempos, aquela era uma característica perigosa.

O primeiro homem que encontrou Sanshengmu, um soldado, a estuprou e a deixou para morrer.

O segundo homem, um comerciante, roubou suas roupas, mas a deixou para trás, pois era pesada demais para sua carroça.

O terceiro homem era um caçador. Quando viu Sanshengmu, retirou a capa e a cobriu. Então, carregou a deusa para sua tenda.

— Por que está me ajudando? — perguntou Sanshengmu. — Você é humano. Vocês vivem apenas para se aproveitar uns dos outros. Não têm compaixão. Tudo que fazem é satisfazer a própria ganância.

— Nem todos os humanos — respondeu o caçador. — Eu não sou assim.

Quando chegaram à tenda, Sanshengmu já estava apaixonada.

Ela se casou com o caçador. Ensinou diversas coisas aos homens do povo do caçador: como cantar para o céu pedindo chuva, como ler os padrões do clima no casco rachado de uma tartaruga, como queimar incenso para agradar as deidades da agricultura e conseguir uma colheita abundante.

O povo prosperou e se espalhou pelo terreno fértil de Nikan. A notícia sobre a deusa que viera para a Terra se espalhou. O número de adoradores de Sanshengmu aumentou por todo o país. Os homens de Nikan passaram a acender incensos e erguer estátuas em sua honra, a primeira entidade divina que conheciam.

E, com o tempo, ela deu um filho ao caçador.

De seu trono celestial, Erlang Shen observava tudo, cada vez mais enfurecido.

No primeiro aniversário do filho de Sanshengmu, Erlang Shen desceu ao mundo dos homens e incendiou a tenda onde o banquete acontecia. Os convidados, aterrorizados, fugiram em pânico. O deus empalou o caçador com sua lança de três pontas e o matou. Pegou o filho de Sanshengmu e o jogou da lateral de uma montanha. Então agarrou o pescoço da irmã horrorizada e a ergueu no ar.

— Você não pode me matar — disse Sanshengmu, engasgando. — Está ligado a mim. Somos duas metades da mesma coisa. Não vai sobreviver à minha morte.

— Não — admitiu Erlang Shen. — Mas posso aprisioná-la. Já que ama tanto o mundo dos homens, construirei para você uma prisão terrena, onde permanecerá pela eternidade. Essa será sua punição por ousar amar um mortal.

Conforme o deus falava, uma grande montanha se formava no ar. Ele arremessou a irmã gêmea para longe, e a montanha caiu sobre ela, uma prisão de pedra indestrutível. Sanshengmu tentou escapar, mas, lá dentro, não conseguia usar sua mágica.

Ela definhou na prisão por anos. Cada segundo era uma tortura para a deusa que um dia já voara livre pelos céus.

Há muitas histórias sobre Sanshengmu. Há histórias sobre seu filho, o Guerreiro do Lótus, e sobre como ele foi o primeiro xamã de Nikan, um elo entre os deuses e os homens. Há histórias sobre a guerra que travou com o tio, Erlang Shen, para libertar a mãe.

Há histórias também sobre Chuluu Korikh. Sobre o rei macaco, o xamã arrogante que lá ficou trancado por cinco mil anos por ordem do Imperador Jade como punição por sua imprudência. Pode-se dizer que esse foi o início da era das histórias, pois foi o início da era dos xamãs.

Boa parte delas é verdadeira. Uma parte ainda maior não é.

Entretanto, há algo que pode ser considerado fato. Até hoje, de todos os lugares na Terra, apenas Chuluu Korikh pode abrigar um deus.

— Vai finalmente me dizer para onde está indo? — perguntou Kitay. — Ou me trouxe até aqui só para se despedir?

Rin estava guardando seu equipamento em sacos de viagem, sem forças para encarar Kitay. A garota evitara o amigo a semana toda enquanto ela e Altan planejavam a jornada.

Altan a proibira de mencionar a viagem a qualquer um que não fosse do Cike. Rin e ele iriam para Chuluu Korikh sozinhos. Contudo, se fossem bem-sucedidos, ela queria que Kitay soubesse o que estava por vir. Queria que o garoto soubesse quando fugir.

— Vamos sair assim que o cavalo estiver pronto — falou ela.

Chaghan e Qara partiram de Golyn Niis no único animal mais ou menos decente que a Federação deixara para trás. Tinham levado dias para encontrar outro cavalo que não estivesse doente ou morrendo, e mais alguns dias para deixá-lo em condições de viajar.

— Posso perguntar para onde vão? — questionou Kitay.

Ele tentou esconder a frustração, mas Rin o conhecia bem demais; estava escrita na testa dele. Kitay não estava acostumado a não saber de alguma coisa, e Rin sabia que aquilo o magoava.

Ela hesitou por um momento e então respondeu:

— Para as montanhas Kukhonin.

— *Kukhonin?* — repetiu o garoto.

— Dois dias de cavalgada para o sul.

Rin remexeu a bolsa para evitar os olhos de Kitay. Ela empacotara uma quantidade enorme de sementes de papoula, tudo dos estoques de Enki que conseguiria levar. Claro, nada daquilo seria útil dentro de Chuluu Korikh, mas, depois que saíssem da montanha, depois que libertassem todos os xamãs lá de dentro...

— Eu sei onde ficam as montanhas Kukhonin — falou Kitay, impaciente. — Quero saber por que está indo na direção oposta à principal coluna militar de Mugen.

Você tem que contar a ele. Rin não conseguia pensar numa forma de alertar Kitay sem revelar parte do plano de Altan. De outra forma, o amigo insistiria em descobrir sozinho, e essa curiosidade causaria sua morte. Ela colocou o saco no chão, aprumou-se e fitou os olhos dele.

— Altan quer reunir um exército.

Kitay fez um som de descrença.

— Como é?

— É... Eles... Mesmo se eu contasse, você não entenderia.

Como poderia explicar para ele? Kitay nunca estudou Folclore. Nunca acreditou de verdade nos deuses, nem mesmo após a batalha de Sinegard. Achava que o xamanismo era uma metáfora para artes marciais arcanas, que as habilidades de Rin e Altan eram truques de mágica. Kitay não sabia o que havia no Panteão. Não compreendia o perigo que estava prestes a ser libertado.

— É só... Olha, estou tentando avisar...

— Não, está tentando me enganar. E não vai conseguir — rebateu ele, exaltado. — Eu vi cidades queimando, Rin. Vi você fazendo coisas que mortais não deveriam ser capazes de fazer. Vi você criando fogo do nada. Acho que tenho o direito de saber. Conte para mim.

— Tá bom.

Ela contou. Por incrível que parecesse, Kitay acreditou.

— Acho que é um plano com muitas coisas que podem dar errado — falou o garoto. — Como Altan sabe que esse exército vai lutar por ele?

— Eles são nikaras — respondeu Rin. — Têm que lutar. Já lutaram pelo Império antes.

— O mesmo Império que os enterrou vivos?

— Não foram enterrados vivos — corrigiu ela. — Foram emparedados.

— Ah, perdão — disse Kitay. — O Império que os *emparedou* vivos. Presos na pedra dentro de um morro mágico, porque ficaram tão poderosos que a droga de uma *montanha* era a única coisa que os impedia de dizimar vilarejos inteiros. *Esse* é o exército que querem soltar pelo país? É *assim* que acham que vão salvar Nikan? Quem teve essa ideia, você ou seu comandante viciado em ópio? Porque com certeza não é o tipo de plano que se bola sóbrio.

Rin cruzou os braços. Kitay não estava falando nada que ela já não tivesse considerado antes. O que qualquer pessoa poderia prever sobre almas enlouquecidas que permaneceram sepultadas por anos? Os xamãs de Chuluu Korikh poderiam não fazer nada. Ou poderiam destruir metade do país só por despeito.

Mas Altan tinha certeza de que lutariam.

Eles não têm direito de negar ajuda à Imperatriz, dissera o comandante. *Todos os xamãs conhecem os riscos quando vão até os deuses. Todos no Cike sabem o que acontece no final, que estão destinados à montanha Rochosa.*

E a alternativa era o extermínio de cada nikara vivo. O massacre de Golyn Niis deixou óbvio que a Federação não tinha a intenção de fazer prisioneiros. O inimigo queria o vasto território que era o Império Nikara. Não estavam interessados em conviver ao lado dos antigos ocupantes. Rin sabia dos riscos, levara-os em consideração e concluíra que não se importava. Para o bem ou para o mal, decidira se aliar a Altan.

— Não vou mudar de ideia — falou. — Estou fazendo um favor contando isso a você. Quando sairmos da montanha, não sei o quanto vamos conseguir controlá-los, mas sei que serão poderosos. Não tente nos impedir. Não tente se juntar a nós. Quando viermos, fuja.

— O ponto de encontro vai ser na base das montanhas Kukhonin — disse Altan para o Cike. — Se não encontrarmos vocês lá depois de sete dias, é porque morremos. Não entrem na montanha. Esperem por um pássaro de Qara e façam o que a mensagem disser. Durante a minha ausência, Chaghan está no comando.

— *Cadê* ele, aliás? — Unegen se atreveu a perguntar.

— Com Qara. — A expressão de Altan não revelava nada. — Eles foram para o norte, seguindo minhas ordens. Vão saber quando voltarem.

— E quando será isso?

— Quando terminarem o serviço.

Rin esperava ao lado do cavalo, observando Altan falar com uma aura de segurança que não demostrava desde Sinegard. Ele não era mais o garoto de alma partida com um cachimbo de ópio. Não era um speerliês desesperado ao reviver o genocídio de seu povo. Não era uma vítima. Mudara desde Khurdalain. Não parecia mais frustrado, dando voltas no gabinete como um animal encurralado, preso sob o dedão de Jun. Tinha um objetivo, uma missão, um propósito. Não precisava mais se conter. Livrara-se da coleira. E levaria a raiva que sentia a uma conclusão terrível.

Rin não tinha dúvidas de que seriam bem-sucedidos. Só não sabia se o país sobreviveria ao plano de Altan.

— Boa sorte — falou Enki. — Diga a Feylen que mandamos um oi.

— Cara incrível — comentou Unegen, melancólico. — Até, sabe, tentar esmagar tudo num raio de trinta quilômetros.

— Não exagera — disse Ramsa. — Foram só quinze.

* * *

Cavalgaram na maior velocidade que o velho pangaré alcançava. Ao meio-dia, passaram por um rochedo com duas linhas gravadas na lateral. Rin não as teria notado se Altan não tivesse comentado:

— Isso é obra de Chaghan. Prova de que o caminho é seguro.
— Você mandou ele vir para cá?
— Sim. Antes de sairmos do Castelo da Noite para Khurdalain.
— Por quê?
— Chaghan e eu... Chaghan tinha uma teoria — contou Altan. — Sobre a Trindade. Antes de Sinegard, quando percebeu que Tyr havia morrido, ele viu algo no horizonte espiritual. Pensou ter visto o Guardião. E notou a mesma perturbação uma semana depois, que então desapareceu. Achava que o Guardião devia ter se trancado de propósito em Chuluu Korikh. Pensamos em tirá-lo de lá, descobrir a verdade... talvez desvendar a verdade sobre a Trindade, o que aconteceu com o Guardião e o Imperador, descobrir o que a Imperatriz fez com eles. Mas Chaghan não sabia que eu queria libertar todos os outros.

— Você mentiu para ele.

Altan deu de ombros.

— Chaghan acredita no que quer acreditar.
— Chaghan também... Ele disse...

A voz de Rin foi morrendo. Ela não sabia como fazer aquela pergunta.

— O quê?
— Ele disse que treinaram você que nem um cachorro. Em Sinegard.

O rapaz deu uma risada seca.

— Ele falou com essas palavras, não foi?
— Ele me contou que davam ópio para você.

Altan enrijeceu.

— A missão de Sinegard era treinar soldados — respondeu. — Comigo, tiveram sucesso.

Talvez até demais, pensou Rin. Como o Cike, os mestres de Sinegard haviam conjurado um poder mais assustador do que poderiam controlar. Foram além de treinar um speerliês. Criaram um vingador.

Altan era um comandante disposto a incendiar o mundo para destruir o inimigo.

Isso deveria ter incomodado Rin. Três anos atrás, se ela soubesse o que sabia sobre Altan no momento, teria corrido na direção contrária.

Agora, porém, já havia visto e sofrido muito. O Império não precisava de um indivíduo razoável. Precisava de alguém que fosse louco o bastante para tentar salvá-lo.

Eles pararam de cavalgar quando ficou escuro demais para enxergar o caminho. Haviam adentrado uma trilha tão pouco usada que mal podia ser chamada de estrada, onde o cavalo corria o risco de machucar os cascos numa pedra afiada ou fazê-los cair de um barranco. O pangaré cambaleou quando apearam. Altan lhe serviu uma panela cheia d'água, mas foi só depois da insistência de Rin que o animal começou a beber, mesmo que desconfiado.

— O cavalo vai morrer se exigirmos muito dele — falou Rin.

Ela não sabia muito sobre aqueles animais, mas percebia quando um estava à beira de um colapso. Talvez um dos corcéis de Khurdalain fosse capaz de fazer a viagem com facilidade, mas aquele bicho era um pobre animal de carga, tão velho e magro que as costelas ficavam aparentes sob os pelos embaraçados.

— Só vamos precisar dele por mais um dia — informou Altan. — Ele pode morrer depois.

Rin deu um punhado de aveia ao cavalo. Enquanto isso, Altan levantava acampamento com uma eficiência metódica e austera. Coletou acículas dos pinheiros e folhas secas para afastar o frio. Jogou e prendeu um cobertor extra sobre uma estrutura de galhos para protegê-los da neve que caía durante a noite. Tirou gravetos e óleo da bolsa, cavou um buraco, colocou tudo que era inflamável ali e estendeu a mão, criando uma chama na mesma hora. Casualmente, como se abanasse um leque, Altan aumentou o fogo até os dois estarem sentados diante de uma fogueira crepitante.

Rin também esticou as mãos e deixou o calor aquecer seus ossos cansados. Não havia percebido o tanto que a temperatura tinha caído durante o dia; até aquele momento, nem notara que não conseguia sentir os dedos dos pés.

— Está confortável? — perguntou Altan.

Ela assentiu.

— Obrigada.

Altan a observou em silêncio por um instante. Rin sentiu o calor de seu olhar e tentou não corar. Não estava acostumada a receber a atenção completa de Altan; desde o desentendimento que tiveram em Khurdalain, o comandante estivera distraído com Chaghan. Mas as coisas haviam mudado. Chaghan abandonara Altan, e Rin ficara do lado dele. Sentiu a emoção de uma alegria vingativa quando pensou nisso. Culpada de repente, tentou reprimir o sentimento.

— Você já esteve na montanha antes?

— Só uma vez — respondeu Altan. — No ano passado. Ajudei Tyr a levar Feylen para lá.

— Feylen foi o que enlouqueceu?

— No final, todos enlouquecem. Os agentes do Cike morrem em batalha ou são emparedados. A maioria dos comandantes assume a posição quando deixa seu antigo mestre lá. Se Tyr não tivesse morrido, eu provavelmente o teria trancafiado na montanha. É sempre difícil quando isso acontece.

— Não seria melhor matá-los de uma vez? — perguntou Rin.

— Não dá para matar um xamã completamente possuído — explicou Altan. — Quando isso acontece, o xamã deixa de ser humano. Deixa de ser mortal. Vira apenas um receptáculo do divino. Você pode decapitá-los, esfaqueá-los, enforcá-los, mas o corpo vai continuar se mexendo. Se desmembrar o corpo, as partes vão saltar para se reunir com as outras. A melhor coisa a fazer é prendê-los, incapacitá-los e subjugá-los até conseguir enfiá-los na montanha.

Rin se imaginou vendada e com as mãos atadas, sendo levada contra sua vontade para dentro de uma montanha até uma prisão de pedra eterna. Estremeceu. Conseguia ver aquele tipo de crueldade sendo feito pela Federação, mas vinda do próprio comandante?

— E você concorda com isso?

— É óbvio que não — respondeu ele, irritado. — Mas é algo que sou obrigado a fazer. Devo levar meus homens para a montanha quando não são mais capazes de servir. O Cike controla a si mesmo. É a maneira de o Império eliminar a ameaça de xamãs rebeldes.

Altan esfregou os dedos.

— Cada comandante do Cike recebe duas funções: obedecer às vontades da Imperatriz e abater seus agentes quando chegar a hora. Jun tinha razão. Não há lugar para o Cike na guerra moderna. Somos pequenos demais. Não podemos fazer nada que um batalhão bem-treinado do Exército não conseguiria. Pólvora, canhões e aço... são essas coisas que ganham guerras, não um bando de xamãs. O único papel do Cike é fazer o que nenhuma força militar poderia. Podemos subjugar a nós mesmos, e é apenas por isso que permitem nossa existência.

Rin pensou em Suni — o pobre, gentil e monstruosamente forte Suni, que com certeza era instável. Quanto tempo levaria para ele ter o mesmo destino de Feylen? Quando sua loucura superaria a utilidade que tinha para o Império?

— Mas não vou ser como os comandantes de antigamente — disse Altan. Seus dedos se fecharam. — Não vou abandonar os meus companheiros porque ficaram mais poderosos do que deveriam. Como isso pode ser justo? Suni e Baji foram mandados para o deserto de Baghra porque Jiang ficou com medo deles. É isso que ele faz: apaga os próprios erros e os abandona. Mas Tyr os treinou, devolveu aos dois um pingo de racionalidade. Então deve haver uma maneira de amansar os deuses. O Feylen que conheci não mataria o próprio povo. Deve haver uma maneira de fazê-lo recuperar a sanidade. *Tem* que haver.

Altan falava com tanta convicção. Parecia tão convencido, tão absolutamente convencido de que conseguiria controlar aquele exército dormente da mesma maneira com que acalmara Suni no refeitório, com que o trouxera de volta ao mundo dos mortais com nada além de sussurros e palavras.

Rin se forçou a acreditar, porque a alternativa era terrível demais para ser contemplada.

Chegaram a Chuluu Korikh na tarde do segundo dia, horas antes do planejado. Altan ficou satisfeito. Ele havia ficado satisfeito com tudo naquele dia, progredindo com uma energia animada, eufórica. Agia como se tivesse esperado por aquele momento durante anos. Rin pensou que talvez tivesse mesmo. Quando o terreno ficou traiçoeiro demais para o cavalo, libertaram o animal. O pangaré se afastou com um ar penoso, buscando algum lugar para morrer.

Caminharam pela maior parte daquela tarde. O gelo e a neve engrossavam conforme subiam. Rin se lembrou das perigosas escadas congeladas de Sinegard, como um passo em falso poderia resultar numa coluna quebrada. Mas ali não havia calouros para jogar sal no gelo. Se escorregassem, os dois com certeza teriam uma morte rápida e fria.

Altan usava o tridente como cajado, batendo no chão com uma das pontas da arma antes de seguir em frente. Rin ia atrás com cuidado, pelo caminho que Altan declarava ser seguro. Ela sugeriu derreterem o gelo com fogo speerliês. Ele tentou, mas demorava muito tempo.

O céu começava a escurecer quando Altan parou na frente de um paredão de pedra.

— Espere. É aqui.

Rin parou também, os dentes batendo sem parar. Olhou em volta. Não conseguiu ver nenhuma marcação ou indicação de que havia uma entrada especial ali. Mas Altan parecia ter certeza.

Ele deu vários passos para trás; então começou a tirar a neve da lateral da montanha para chegar até a pedra. Grunhiu de irritação e pressionou a mão em chamas na pedra. Aos poucos, o fogo derreteu o gelo, dando lugar a um círculo de rocha com a mão de Altan no meio.

Então Rin notou uma fenda. Era difícil vê-la por baixo da cobertura da neve e do gelo. Um viajante poderia passar ali vinte vezes sem perceber nada.

— Tyr falou para parar quando chegássemos ao rochedo com formato de bico de águia — disse Altan. Ele indicou o precipício no qual se encontravam. Parecia mesmo com o perfil de uma das aves de Qara. — Quase esqueci.

Rin tirou duas faixas de tecido da bolsa de viagem, gotejou uma ampola de óleo neles e os amarrou na ponta de pedaços de madeira.

— Você nunca entrou? — perguntou ela.

— Tyr me mandou esperar do lado de fora — falou Altan. Ele se afastou da entrada. Havia derretido o gelo do paredão de pedra, revelando uma porta circular cravada na lateral da montanha. — A única pessoa viva que já esteve lá dentro é Chaghan. Não tenho a mínima ideia de como ele abriu essa porta. Está preparada?

Com os dentes, Rin apertou o último nó do tecido e assentiu.

Altan deu meia-volta, apoiou as costas na porta de pedra, dobrou as pernas e empurrou. Seu rosto ficou tenso com o esforço.

Por um segundo nada aconteceu. Então, com um rangido poderoso, a porta tombou de leve e escorregou para dentro da rocha.

Rin e Altan se viram diante de uma gruta bastante escura. O túnel era tão sombrio que parecia engolir os raios de sol. Observando o interior, ela teve uma sensação de medo que nada tinha a ver com a escuridão. Dentro da montanha, não havia como chamar a Fênix. Não teriam como acessar o Panteão. Nenhum modo de invocar seus poderes.

— Última chance para mudar de ideia — disse Altan.

Ela bufou, entregou-lhe uma tocha e entrou.

Rin mal conseguiu avançar dez metros lá dentro quando deu um passo largo demais. A passagem escura acabou se revelando perigosamente curta. Sentiu algo se esfarelando sob os pés e se encostou na parede. Estendeu a tocha sobre o precipício e, na mesma hora, teve uma sensação horrível de vertigem. Não dava para ver o fundo do abismo; cair nele seria como mergulhar no nada.

— Daqui para baixo, é um buraco — disse Altan, bem atrás de Rin, colocando a mão no ombro dela. — Fique perto de mim e veja por onde anda. Chaghan falou que há uma plataforma mais larga a mais ou menos vinte passos.

Ela se encostou ainda mais na parede e deixou Altan passar, seguindo-o com cuidado pelos degraus.

— O que mais Chaghan falou?

— Que encontraríamos isso.

Altan ergueu a tocha.

Uma única roldana pendia no meio da montanha. Rin segurou a tocha o mais alto que conseguia, e a luz iluminou algo preto e brilhante na superfície da plataforma.

— Óleo. É uma lâmpada — disse Rin, recuando o braço.

— Cuidado — sibilou o rapaz no momento em que a tocha de Rin passou pela roldana.

De imediato, o óleo velho ganhou vida. O fogo serpenteou pela escuridão, por padrões predeterminados numa sequência hipnotizante, revelando diversas roldanas similares com lâmpadas penduradas em alturas variadas. Demorou alguns minutos para a montanha inteira se iluminar, revelando a arquitetura intrincada da prisão de pedra. Abaixo da passagem em que estavam, Rin conseguia ver círculos e círculos de pedestais, que se estendiam até onde a luz alcançava. O interior da montanha seguia por um caminho espiralado que levava a incontáveis tumbas de rocha.

O padrão era estranhamente familiar. Rin havia visto aquilo antes.

Era uma versão de pedra e em miniatura do Panteão, multiplicada pelas espirais. Um Panteão perverso, porque ali os deuses não estavam vivos, mas presos e em animação suspensa.

Rin foi acometida por uma súbita onda de pavor. Respirou fundo, tentando afastar o sentimento, mas a sensação sufocante só crescia.

— Também estou sentindo — sussurrou Altan. — É a montanha. Fomos isolados.

Certa vez, Rin caiu de uma árvore em Tikany e bateu a cabeça com tanta força que perdeu a audição por um tempo. Via Kesegi gritando, indicando a garganta, mas nada saía dela. O mesmo acontecia ali. Havia algo faltando. Impediram seu acesso a alguma coisa.

Não conseguia imaginar como seria ficar trancafiada naquele lugar por anos, incapaz de morrer, mas igualmente incapaz de deixar o mundo material. A prisão não permitia sonhos. Era um local de pesadelos sem fim. Que destino terrível era ser emparedado ali.

Os dedos de Rin roçaram em algo redondo. Com a pressão, a coisa começou a rodar. Com a tocha, ela iluminou o objeto e chamou a atenção de Altan.

— Olha.

Era um cilindro de pedra, semelhante às rodas de oração em frente ao pagode da Academia. Mas aquele era bem maior, chegando aos ombros de Rin. Ela aproximou a tocha e o examinou com atenção. Havia marcas profundas nas laterais. Rin colocou a mão na lateral, travou os pés no chão e empurrou com força.

Com um guincho que lembrava um grito, a roda começou a girar.

As marcas eram palavras. Não — nomes. Nomes após nomes, cada um seguido por uma sequência de números. Era um registro. Um registro de cada alma trancafiada em Chuluu Korikh.

Devia haver centenas de nomes gravados naquela roda.

Altan levantou a tocha.

— Não é a única.

Rin olhou para cima e percebeu que o fogo iluminava outra roda de registro.

Então outra. E mais outra.

Elas se espalhavam por todo o primeiro nível da montanha Rochosa.

Milhares de nomes. Nomes de antes do reinado do Imperador Dragão. Nomes de antes do próprio Imperador Vermelho.

Rin quase tropeçou quando percebeu o que aquilo significava.

Havia gente ali que estava inconsciente desde o nascimento do Império Nikara.

— A investidura dos deuses — falou Altan, estremecendo. — O poder absoluto nessa montanha... Ninguém conseguiria impedi-los, nem mesmo a Federação...

E nem mesmo nós, pensou Rin.

Se despertassem Chuluu Korikh, teriam um exército de loucos, fontes primordiais de energia psíquica. Um exército que seriam incapazes de controlar. Um exército que poderia acabar com o mundo.

Rin passou os dedos pela primeira roda de registros, a que estava mais perto da entrada.

No alto, com uma caligrafia cuidadosa, estava a nota mais recente.

Ela reconheceu a letra.

— Encontrei — falou Rin.

— Quem? O Guardião? — Altan parecia confuso.

— É ele. É *óbvio* que é ele.

Ela passou os dedos sobre as marcas na pedra, e uma sensação de alívio se espalhou por seu corpo.

Jiang Ziya.

Ela o encontrara, enfim o encontrara. Seu mestre estava preso num dos pedestais. Rin pegou a tocha de volta e desceu a escada correndo. Sussurros ecoavam ao redor dela. A jovem achava que conseguia sentir as coisas que vinham do outro lado, as coisas que sussurravam do outro lado do portal que Jiang abrira em Sinegard.

Sentiu no ar um *desejo* avassalador.

Os primeiros xamãs deviam estar emparedados no fundo da montanha. Jiang não poderia estar tão longe. Rin apertou o passo, sentindo a rocha raspando sob os pés. À frente, a tocha iluminou um pedestal entalhado à imagem de um guardião curvado. Então Rin parou.

Tinha que ser Jiang.

Altan a alcançou.

— Não saia correndo assim.

— Ele está aqui — disse Rin, iluminando o pedestal com a tocha. — Aqui dentro.

— Saia da frente — falou Altan.

Ela mal havia se movido quando Altan acertou o pedestal com o tridente.

Quando a poeira dos detritos baixou, a figura serena de Jiang se revelou por baixo de uma camada de pó. Ele estava perfeitamente imóvel, encostado na pedra, as laterais dos lábios curvadas para cima, como se achasse algo muito engraçado. Poderia muito bem estar dormindo.

Ele abriu os olhos, olhou os dois de cima a baixo e arqueou as sobrancelhas.

— Vocês podiam ter batido antes.

Rin deu um passo na direção dele.

— Mestre?

Jiang inclinou a cabeça.

— Você cresceu?

— Viemos aqui para resgatar o senhor — disse Rin, embora as palavras tenham soado idiotas assim que saíram de sua boca.

Ninguém poderia ter forçado Jiang a entrar na montanha. Ele devia ter ido até lá por vontade própria.

Mas Rin não se importava com os motivos do mestre para estar lá dentro; ela o encontrara, o libertara, e agora tinha sua atenção.

— Precisamos da sua ajuda. *Por favor.*

Jiang saiu da tumba e mexeu os braços e as pernas, como se as articulações estivessem duras. Com muito cuidado, tirou a poeira de cima da roupa. Então falou, com a voz baixa:

— Não deveriam estar aqui. Ainda não chegou a hora de vocês.

— O senhor não entende...

— E vocês não escutam. — O mestre não sorria mais. — O Selo está se quebrando. Consigo sentir... Praticamente sumiu. Se eu sair dessa montanha, coisas horríveis acontecerão com o planeta.

— Então é verdade — disse Altan. — Você é o Guardião.

Jiang parecia irritado.

— O que eu acabei de falar sobre não escutar?

Mas Altan ficou bastante empolgado.

— Você é o xamã mais poderoso da história de Nikan! Poderia libertar a montanha inteira! Poderia liderar este exército!

— *Esse* é o seu plano? — Jiang o encarou como se não conseguisse acreditar que alguém pudesse ser tão burro. — Enlouqueceu?

— Nós... — A voz de Altan foi morrendo, mas ele recuperou a compostura. — Não sou...

Jiang cobriu o rosto com a mão, feito um professor exausto.

— O garoto quer libertar todos os presos dentro da montanha. O garoto quer soltar os cativos de Chuluu Korikh no mundo.

— É isso ou deixar Nikan cair — disse Altan, irritado.

— Então deixe Nikan cair.

— *Como é?*

— Você não sabe do que a Federação é capaz — argumentou Rin. — Não viu o que fizeram com Golyn Niis.

— Vi mais do que você pensa — respondeu Jiang. — Mas esse não é o caminho. Essa rota só leva à escuridão.

— Como pode haver mais escuridão? — gritou ela, frustrada. Sua voz ecoou pelas paredes de pedra. — Como as coisas podem ficar piores? Até você assumiu riscos, abriu o portal...

— Esse foi o meu erro — afirmou Jiang, arrependido, como uma criança após ser repreendida. — Não deveria ter feito aquilo. Deveria ter deixado eles tomarem Sinegard.

— Não se atreva — sibilou Rin. — Você abriu o portal, deixou as bestas passarem e aí correu para se esconder aqui e nos deixou lá fora para lidarmos com as consequências. Quando vai parar de se esconder? Quando vai deixar de ser tão *covarde*? Do que está fugindo?

Jiang parecia magoado.

— Ser corajoso é fácil. Difícil é saber quando não lutar. Aprendi essa lição.

— Mestre, *por favor*...

— Se usarem os xamãs contra Mugen, vão garantir que a guerra dure por gerações — alertou Jiang. — Farão mais do que queimar províncias inteiras; rasgarão o próprio tecido do universo. Não há homens debaixo desta montanha, mas deuses. Eles tratarão o mundo material como um brinquedo. Remodelarão a natureza de acordo com sua vontade. Derrubarão montanhas e desviarão rios. Transformarão o mundo mortal na mesma fonte caótica de forças primais que é o Panteão. Mas lá, os deuses estão em equilíbrio. Vida e morte, luz e escuridão... cada uma das sessenta e quatro entidades tem o seu oposto. Se trouxerem os deuses para este mundo, o equilíbrio será quebrado. Vocês serão responsáveis por transformar este mundo em cinzas, e apenas demônios viverão nos destroços.

Quando Jiang terminou de falar, o silêncio pesou na escuridão.

— Eu posso controlar os deuses — falou Altan, mas mesmo Rin percebeu que o rapaz soava hesitante, como um menino dizendo a si mesmo que conseguia voar. — Há homens dentro desses corpos. Os deuses não podem fazer o que bem entenderem. Consegui controlar o meu. Suni já devia ter sido trancafiado aqui anos atrás, mas eu o domei. Posso afastá-los da loucura...

— *Você* está louco. — A voz de Jiang era quase um sussurro, contendo admiração e descrença. — Ficou cego pelo próprio desejo de vingança. Por que está fazendo isso? — Ele pousou a mão no ombro de Altan. — Pelo Império? Por amor ao país? Por quê, Trengsin? Que história contou a si mesmo?

— Quero salvar Nikan — insistiu ele. Repetiu com a voz mais firme, como se tentasse se convencer. — Quero salvar Nikan.

— Não quer, não — falou Jiang. — Você quer destruir Mugen.

— É a mesma coisa!

— Há um abismo de diferença entre as duas coisas, e o fato de você não enxergar isso prova que não deveria fazer nada. Seu patriotismo é uma farsa. Você enfeitou sua cruzada com argumentos morais, mas a verdade é que deixaria milhões morrerem para obter o que pensa ser justiça. É o que vai acontecer se abrir Chuluu Korikh — disse Jiang. — Os soldados de Mugen não serão os únicos que pagarão para saciar sua sede de vingança, mas qualquer pessoa azarada o suficiente para ser pega nessa tempestade de desvairamento. O caos não discrimina, Trengsin, e é por isso que essa prisão foi concebida para nunca ser aberta. — Ele suspirou. — Mas você não dá a mínima, é óbvio.

Altan parecia chocado. Era como se Jiang tivesse lhe dado um tapa na cara.

— Você não dá a mínima para nada há muito tempo — falou o mestre, encarando o ex-aluno com pena. — Seu espírito está despedaçado. Nem se parece mais consigo mesmo.

— Estou tentando salvar o meu país — reiterou Altan, mecanicamente. — E você é um covarde.

— Estou morrendo de medo — admitiu Jiang. — Mas apenas porque começo a me lembrar de quem fui. Não siga por esse caminho. Seu país acabou. Não poderá recuperá-lo com sangue.

Altan olhou para ele boquiaberto, incapaz de responder.

Jiang inclinou a cabeça.

— Irjah sabia, não sabia?

O rapaz piscou rápido. Parecia aterrorizado.

— O quê? Irjah não... Ele nunca...

— Ah, ele sabia. — Jiang suspirou. — Devia saber. Daji teria contado para ele... Daji viu o que não consegui ver. Ela com certeza diria a Irjah como manter você dócil.

Rin olhava de um para o outro, confusa. O sangue desaparecera do rosto de Altan; seus traços estavam distorcidos de raiva.

— Como se atreve...? Como se atreve a alegar...?

— A culpa é minha — disse Jiang. — Eu deveria ter tentado ajudá-lo com mais afinco.

A voz de Altan falhou.

— Eu não precisava de *ajuda*.

— Precisava de ajuda mais do que qualquer outra coisa — falou Jiang, com tristeza. — Desculpe. Deveria ter lutado para salvá-lo. Você era um menininho assustado e foi transformado numa arma. E agora... agora não há como voltar atrás. Mas *ela*, não. Ela ainda pode ser salva. Não a consuma consigo.

Ambos se viraram para Rin.

A garota alternava o olhar entre os dois. Então ela teria que escolher. Os caminhos adiante ficaram claros. Altan ou Jiang. Comandante ou mestre. Vitória e vingança ou... ou o que quer que Jiang tenha prometido a ela.

Mas o que ele prometera? Apenas sabedoria. Compreensão. Iluminação. No entanto, tudo isso significava mais avisos, mais desculpas mesquinhas para impedi-la de obter um poder que sabia conseguir acessar...

— Eu a ensinei bem. — Jiang colocou a mão no ombro dela. Soava como se estivesse implorando. — Não foi? Rin?

Jiang poderia tê-los ajudado. Poderia ter impedido o massacre de Golyn Niis. Poderia ter salvado Nezha.

Mas se escondera. O país precisara dele, e Jiang tinha fugido para se esconder, sem pensar naqueles que estava deixando para trás.

Ele a abandonara. E não se despedira.

Mas Altan... Altan não desistira dela.

Altan fora verbalmente abusivo e batera nela, mas acreditava em seu poder. O único objetivo de Altan fora deixá-la mais forte.

— Desculpe, senhor — falou Rin. — Mas tenho ordens a cumprir.

Jiang exalou, retirando a mão do ombro dela. Como sempre acontecia quando o mestre a encarava, Rin sentia estar sufocando, como se ele pudesse enxergar sua alma. O homem a observou com aqueles olhos pálidos. Ela falhara com o mestre.

E mesmo tendo tomado sua decisão, Rin não conseguia encará-lo. Desviou o olhar.

— Não, eu que peço desculpas — falou Jiang. — Sinto muito mesmo. Tentei avisar.

Ele voltou para as ruínas de seu pedestal e fechou os olhos.

— Mestre, por favor...

Jiang começou a entoar algo. Aos seus pés, a pedra quebrada começou a se mover como um líquido, assumindo outra vez a forma do pedestal liso e intacto que se formava devagar a partir do chão.

Rin avançou.

— *Mestre!*

Mas Jiang estava imóvel, em silêncio. Então a pedra cobriu seu rosto.

— Ele está errado — disse Altan, com a voz trêmula, e Rin não sabia se era de medo ou de pura raiva.

— Não é por isso que... Eu não... Não precisamos dele. Vamos despertar os outros. Eles vão lutar por mim. E você... você vai lutar por mim, não vai?

— Lógico que vou — sussurrou a garota, mas Altan já estava acertando o pedestal ao lado com o tridente, batendo sem parar, completamente desesperado.

— Acorde! — gritou ele, a voz falhando. — Acorde, vamos...

O xamã no pedestal tinha que ser Feylen, o louco assassino. Isso deveria ter dissuadido Altan, mas o rapaz não parecia se importar conforme golpeava a fina camada de pedra que cobria o rosto de Feylen com a arma.

A pedra se desfez, e o segundo xamã despertou.

Rin ergueu a tocha, hesitante. Quando viu a figura lá dentro, encolheu-se de repulsa.

Era difícil reconhecer Feylen como humano. Jiang havia acabado de se emparedar; seu corpo ainda lembrava o de um homem, sem sinais de decomposição. Mas Feylen... o corpo de Feylen estava morto, cinzento e duro depois de meses sepultado sem comida ou oxigênio. Ele não havia deteriorado, mas estava petrificado.

Veias azuis se projetavam na pele cinzenta. Rin duvidava de que ainda havia sangue correndo por aquelas veias.

O corpo de Feylen era magro e curvado. O rosto poderia ter sido agradável um dia, mas agora a pele estava repuxada sobre as bochechas, e os olhos, afundados em crateras profundas no crânio.

Então ele abriu as pálpebras, e a respiração de Rin ficou presa na garganta.

Os olhos de Feylen brilharam na escuridão, um azul desconcertante, como dois pedaços de céu.

— Sou eu — disse Altan. — Trengsin. — Ela conseguia ouvir o esforço que Altan fazia para manter a voz firme. — Lembra-se de mim?

— Nós nos lembramos de vocês — falou Feylen, devagar. A voz estava arranhada por causa dos meses sem uso; soava como uma lâmina de aço arranhando a rocha antiga da montanha. Ele inclinou a cabeça num ângulo anormal, como se tentasse arrancar vermes do ouvido. — Nós nos lembramos do fogo. E nos lembramos de você, Trengsin. Nós nos lembramos de sua mão cobrindo nossa boca e de sua outra mão apertando nossa garganta.

A forma como Feylen falava fez Rin apertar o cabo da espada de medo. Ele não falava como um homem que lutara ao lado de Altan.

Ele se referia a si mesmo como *nós*.

Altan parecia ter percebido o mesmo.

— Você se lembra de quem é?

Feylen franziu o cenho, como se tivesse esquecido. Ponderou por um longo tempo antes de responder, a voz áspera:

— Somos um espírito do vento. Podemos assumir a forma de um dragão ou de um homem. Governamos os céus deste mundo. Carregamos os quatro ventos numa bolsa enquanto voamos para onde manda nossa vontade.

— Você é Feylen, do Cike. Serve à Imperatriz, e serviu sob o comando de Tyr. Preciso de sua ajuda — falou Altan. — Preciso que lute para mim de novo.

— Lutar?

— Há uma guerra acontecendo — informou Altan —, e precisamos do poder dos deuses.

— O poder dos deuses — repetiu Feylen, articulando devagar. E riu.

Não era uma risada humana. Era um eco agudo que ressoava pelas paredes da montanha como os guinchos dos morcegos.

— Lutamos para vocês na primeira vez — comentou ele. — Lutamos pelo Império. Pela sua Imperatriz, maldita seja três vezes. E o que ganhamos em troca? Uns tapinhas nas costas e um lugar nesta montanha.

— Você tentou demolir o Castelo da Noite — rebateu Altan.

— Ficamos confusos. Não sabíamos onde estávamos. — Feylen parecia magoado. — Mas ninguém nos ajudou... ninguém nos acalmou. Em vez disso, você nos colocou aqui. Quando Tyr nos subjugou, foi você quem segurou a corda e nos arrastou para cá feito gado. E ele ficou parado, observando a pedra se fechar sobre o nosso rosto.

— Não foi decisão minha — argumentou Altan. — Tyr achou...

— Tyr ficou com *medo*. O homem pediu nosso poder e recuou quando ele ficou grande demais.

Altan engoliu em seco.

— Não queria que isso tivesse acontecido com você.

— Você prometeu que não ia nos machucar. Pensei que se importava conosco. Nós ficamos assustados. Estávamos vulneráveis. E você nos pegou durante a noite, nos subjugou com suas chamas... Consegue imaginar a dor? O pavor? Tudo que fizemos foi lutar por vocês, e vocês retribuíram com tortura eterna.

— Colocamos você para dormir — disse Altan. — Para descansar.

— Descansar? Você acha que isso é descansar? — sibilou Feylen. — Tem ideia de como é esta montanha? Tente entrar nesta pedra, veja se consegue durar uma hora. Os deuses não foram feitos para viverem confinados, muito menos nós. Somos o *vento*. Sopramos em todas as direções. Não obedecemos a mestre algum. Sabe que isso é um castigo? Sabe como é *entediante*?

Ele deu um passo à frente e abriu as mãos na direção de Altan.

Rin ficou tensa, mas nada aconteceu.

Talvez o deus que Feylen havia convocado fosse capaz de demonstrações enormes de poder. Talvez pudesse ter dizimado vilarejos, talvez até conseguisse partir Altan ao meio sob circunstâncias normais. Mas estavam dentro da montanha. O que quer que Feylen conseguisse fazer, o que quer que tivesse intenção de fazer, não importava. Os deuses não tinham poder ali.

— Sei que deve ter sido terrível ser removido do Panteão daquela maneira — falou Altan. — Mas, se lutar para mim e jurar se conter, nunca mais terá que sofrer isso de novo.

— Nós nos tornamos divinos. Acha que nos importamos com o que acontece com os mortais?

— Não preciso que se importe com os mortais — rebateu Altan. — Preciso que se lembre de *mim*. Preciso do poder de seu deus, mas preciso ainda mais do homem aí dentro. Preciso da pessoa que está no controle. Sei que está aí, Feylen.

— Controle? Quer falar conosco sobre *controle*? — Feylen rangia os dentes, como se cada palavra fosse uma maldição. — Não podemos ser controlados como animais para seu uso. O poder subiu à sua cabeça, speerliezinho. Você trouxe forças que não compreende para seu patético mundo material, um mundo que seria bem mais interessante se alguém *o esmagasse por um tempo.*

O rosto de Altan perdeu a cor.

— Rin, proteja-se — disse ele com a voz baixa.

Jiang tinha razão. Chaghan tinha razão. Um exército inteiro daquelas criaturas significaria o fim do mundo.

Ela nunca se sentira tão *enganada.*

Não podemos deixar essa coisa sair da montanha.

Feylen pareceu ter pensado a mesma coisa exatamente naquele momento. Olhou para eles e para o facho de luz que vinha de dois níveis acima, de onde podiam ouvir o vento soprando lá fora, e deu um sorriso torto.

— Ah — falou. — Deixaram a porta aberta?

Seus olhos brilhantes ganharam vida com uma alegria maliciosa. Ele fitou a saída com o desejo que um homem se afogando tem pelo ar.

— Feylen, por favor.

Altan ergueu a mão, e a voz estava baixa quando falou, como se acreditasse que podia acalmá-lo da mesma forma que fizera com Suni.

— Você não pode nos ameaçar. Se quisermos, partimos você ao meio — zombou Feylen.

— Sei que pode. Mas confio que não fará isso. Confio na pessoa dentro de você.

— É um tolo se acha que eu sou humano.

— Eu — disse Altan. — Você falou *eu*.

O rosto de Feylen sofreu um espasmo. O azul de seus olhos diminuiu. Seus traços mudaram um pouco; o desdém desapareceu, e a boca parecia estar decidindo quais comandos deveria obedecer.

Altan ergueu o tridente e o afastou de Feylen. Então, com uma lentidão deliberada, jogou a arma longe. Ela bateu na parede, um barulho que ecoou pelo silêncio da montanha.

Feylen encarou o tridente com os olhos arregalados, incrédulo.

— Confio a minha vida a você — falou Altan. — Sei que está aí dentro, Feylen.

Devagar, ele esticou o braço.

E Feylen apertou sua mão.

O contato fez o corpo de Feylen tremer. Quando o homem olhou para cima, Rin percebeu que ele tinha a mesma expressão aterrorizada que vira em Suni. Os olhos estavam esbugalhados, escuros e desesperados, como os de uma criança em busca de proteção, uma alma perdida procurando uma âncora de volta ao mundo mortal.

— Altan? — sussurrou ele.

— Estou aqui.

Altan deu um passo à frente. Como antes, o rapaz se aproximou do deus sem medo, apesar de saber perfeitamente o que poderia acontecer com ele.

— Não consigo morrer — murmurou Feylen. A voz não tinha mais aquele traço áspero; era trêmula, tão vulnerável que não havia dúvidas de que aquele Feylen era humano. — É horrível, Trengsin. Por que não consigo morrer? Não devia ter chamado aquele deus... Nossas mentes foram feitas para serem só nossas, não compartilhadas com aquelas *coisas*... Não fico vivo nesta montanha... mas *não consigo morrer*.

Rin ficou enjoada.

Jiang estava certo. Não havia lugar para os deuses no mundo material. Era por isso que os speerlieses haviam enlouquecido. Era por isso que Jiang tinha medo de chamar os deuses para o reino mortal.

Eles pertenciam ao Panteão, e lá deveriam ficar. Era um poder com o qual a humanidade nunca deveria ter mexido.

Onde estavam com a cabeça? Deveriam sair dali naquele instante, enquanto Feylen ainda estivesse sob controle; deveriam fechar a porta de pedra para que ele nunca pudesse escapar.

Mas Altan não compartilhava dos medos de Rin. Altan havia recuperado seu soldado.

— Não posso deixar você morrer ainda — falou ele. — Preciso que lute ao meu lado. Pode fazer isso?

Feylen não havia largado o braço de Altan. Ele o puxou para mais perto, como se fosse lhe dar um abraço; então se curvou, e seus lábios roçaram a orelha de Altan, sussurrando tão baixo que Rin mal conseguiu ouvir o que disse:

— Mate-se, Trengsin. Morra enquanto pode.

Seu olhar cruzou com o de Rin sobre o ombro de Altan. Eles brilharam, azuis.

— *Altan!* — gritou ela.

Feylen levantou o comandante e o jogou na direção do abismo.

Não foi um lançamento forte. Os músculos de Feylen estavam atrofiados após meses sem ação; ele se mexia de forma atrapalhada, como um cervo recém-nascido, um deus cambaleando no corpo de um mortal.

Enquanto Altan cambaleava sobre o precipício, rodando os braços no ar para recuperar o equilíbrio, Feylen passou por ele e correu atrapalhado até os degraus de pedra que levavam para a saída. Seu rosto, em êxtase, estampava uma felicidade perversa.

Rin se jogou na pedra, caindo de barriga no chão, os braços esticados. A próxima coisa que sentiu foi uma dor terrível quando os dedos de Altan se fecharam em torno de seu pulso, antes de o rapaz escorregar para dentro da escuridão.

O peso dele puxou o braço de Rin para baixo. Ela gritou de agonia quando o cotovelo bateu na rocha.

Mas então o outro braço de Altan surgiu. Ela se esticou. Os dedos dos dois se uniram.

Pedras caíram pela beira do precipício, mergulhando no abismo, mas Altan segurava com firmeza os braços de Rin. Os dois escorregaram e, por um segundo doentio, ela temeu que o peso do rapaz fosse puxá-los para baixo, mas então o pé de Rin se prendeu numa fenda, e eles pararam.

— Peguei você — disse ela, arfando.

— Não, me larga — pediu Altan.

— Como é?

— Vou me balançar para subir — falou ele. — Solte o meu braço esquerdo.

Rin obedeceu.

Altan foi para o lado a fim de gerar impulso e então esticou a mão para alcançar a borda. Rin continuou deitada no chão, as pernas pressionando a rocha para não escorregar enquanto Altan escalava a beira do precipício. Ele firmou um dos braços sobre a pedra e colocou o cotovelo no chão. Grunhindo, passou as pernas por cima da beira num único movimento fluido.

Chorando de alívio, Rin o ajudou a se levantar, mas ele a afastou.

— Feylen — sussurrou ele.

Então correu, mesmo mancando, pelo caminho de pedra.

Rin foi atrás, mas era inútil. Quando correram, os únicos passos que ouviram foram os próprios. Feylen já havia passado há muito tempo pela entrada de Chuluu Korikh.

Eles o libertaram.

Mas Altan já o vencera uma vez. Com certeza poderiam fazer aquilo de novo. *Precisavam* fazer aquilo de novo.

Os dois saíram pela porta de pedra e derraparam até darem numa parede de aço.

Havia soldados da Federação cercando a montanha.

O general urrou um comando, e os soldados fecharam o cerco com os escudos lado a lado para criar uma barreira, prendendo Rin e Altan lá dentro.

Ela viu a expressão rígida de Altan por um breve instante antes de ele ser coberto por uma turba de armaduras e espadas.

Rin não teve tempo de se questionar por que os homens da Federação estavam lá, ou como souberam onde atacar; todas as perguntas desapareceram de sua mente diante da urgência do combate. O instinto de luta assolou qualquer outro pensamento: tudo se resumia a lâminas e bloqueios, apenas outra batalha...

Ainda assim, quando sacou a espada, Rin já sabia que não havia esperança.

A Federação escolhera o lugar perfeito para matar um speerliês.

Altan e Rin não tinham vantagem ali. A Fênix não conseguiria chegar a eles através das paredes grossas de pedra. De nada adiantaria engolir a papoula. Poderiam rezar para a deusa, mas ninguém responderia.

Um par de mãos cobertas por manoplas pegou Rin por trás, prendendo seus braços ao lado do corpo. Pelo canto do olho, ela viu Altan encurralado, com ao menos cinco lâminas no pescoço.

Ele podia ser o melhor lutador de artes marciais de Nikan, mas sem o fogo e o tridente ainda era apenas um homem.

Rin afundou o cotovelo na barriga de seu captor, conseguiu se livrar dele e brandiu a espada na direção do soldado mais próximo. As lâminas se encontraram; ela acertou um golpe de sorte. Gritando, o homem tombou para o abismo com a espada dela enfiada no joelho. Rin ainda tentou recuperar a arma, mas era tarde demais.

Outro soldado ergueu a espada acima da cabeça. Ela se abaixou e se aproximou dele, pegando a adaga presa ao cinto.

O soldado afundou o punho da espada no ombro de Rin, que caiu no chão. Às cegas, ela tateou a pedra.

Então alguém acertou sua nuca com um escudo.

CAPÍTULO 24

Rin acordou na escuridão. Estava deitada de lado numa superfície plana que oscilava sem parar — uma carroça? Um barco? Embora tivesse certeza de que seus olhos estavam abertos, não conseguia ver nada. Havia sido trancafiada em algum lugar ou era simplesmente noite? Não fazia ideia de quanto tempo havia passado. Quando tentou se mexer, descobriu que estava presa: as mãos amarradas firmemente às costas, as pernas atadas juntas. Tentou se sentar, mas os músculos do ombro esquerdo gritaram de dor. Engoliu um gemido e ficou parada até a dor passar.

Então pensou em se locomover deitada, mas as pernas estavam rígidas, com a de baixo dormente pela falta de circulação sanguínea. Quando tentou mudá-la de posição para recuperar a sensação, sentiu uma dor como se mil agulhas estivessem sendo enfiadas devagar em seu pé. Rin não conseguia mexer as pernas de forma independente, então foi se contorcendo feito um verme, movendo-se devagar até encontrar as laterais de alguma coisa. Aí tomou impulso e foi para o outro lado.

Agora tinha certeza de que estava numa carroça.

Com grande esforço, conseguiu ficar sentada. O topo da cabeça raspava em algo áspero. Um tecido. Uma lona? Seus olhos já haviam se ajustado à escuridão, e Rin podia ver que não estava escuro no lado de fora; a cobertura da carroça simplesmente bloqueava a luz do sol.

Forçou a lona até uma nesga de luz surgir na lateral. Tremendo com o esforço, colocou o olho na fenda.

Demorou um tempo para compreender o que via.

A estrada parecia ter saído de um sonho. Era como se uma grande lufada de vento tivesse soprado sobre uma cidadezinha, revirando casas e espalhando seus conteúdos ao acaso. Um par ornamentado de cadeiras de madeira estava tombado próximo a um conjunto de meias de lã. Havia uma mesa de jantar ao lado de peças de xadrez feitas de jade jogadas no chão. Pinturas. Brinquedos. Baús de roupas abertos junto à estrada. Rin viu um vestido de casamento. Um pijama de seda.

Eram os rastros de pessoas em fuga. Os nikaras que ali viviam, quem quer que fossem, já haviam partido há muito tempo, descartando coisas conforme ficavam pesadas demais para serem carregadas. A necessidade de sobrevivência se tornara maior do que a ligação às posses materiais, então os nikaras se livraram de cada um de seus pertences.

Mas aquilo tinha sido culpa de Feylen ou da Federação? O estômago de Rin se revirou com o pensamento de que ela poderia ser a responsável pelo cenário. Mas se o Deus do Vento havia de fato causado tanta destruição, então já saíra de lá havia muito tempo. O ar estava quieto, e nenhum vento estranho ou tornado havia se materializado para despedaçá-los.

Talvez Feylen estivesse causando destruição em outra parte do mundo. Talvez tivesse viajado para o norte a fim de esperar pelo momento certo, para se recuperar e se acostumar com a tão sonhada liberdade. Quem poderia conhecer a vontade de um deus?

Será que a Federação já havia acabado com Tikany? Será que a família Fang ouviu rumores sobre o exército que se aproximava a tempo de fugir antes de a Federação destruir o vilarejo? Será que Kesegi estava bem?

Ela imaginou que os mugeneses parariam para pilhar os destroços, mas estavam indo tão rápido que os capitães brigaram com os soldados quando eles foram pegar algumas coisas. Para onde quer que estivessem indo, queriam chegar logo.

Entre os móveis e baús abandonados, Rin viu um homem na lateral da estrada. Estava com uma vara de bambu nas costas, do tipo que os fazendeiros usam para equilibrar baldes d'água para irrigação. Havia um grande cartaz no verso de uma pintura, na qual ele escrevera, com uma caligrafia enrolada, CINCO LINGOTES.

— Duas meninas — falava ele, devagar. — Duas meninas saudáveis à venda.

Duas garotinhas apareceram de dentro dos baldes de madeira. Elas observaram, admiradas, os soldados passando. Uma delas notou Rin espiando pela lona, os olhos brilhando de curiosidade. Ela ergueu os dedinhos e acenou para os homens no momento em que um soldado gritou de animação.

Rin se encolheu. As lágrimas escaparam. Não conseguia respirar. Fechou bem os olhos. Não queria ver o que aconteceria com aquelas meninas.

— Rin?

Pela primeira vez, ela percebeu que Altan estava encolhido no outro canto da carroça. Sob a escuridão da lona, mal conseguia vê-lo. Aproximou-se devagar, movendo-se feito uma lagarta.

— Onde estamos? — perguntou Altan.

— Não sei — respondeu Rin. — Mas não estamos nas montanhas Kukhonin. A estrada aqui é plana.

— Estamos numa carroça?

— Acho que sim. Não sei quantos homens tem lá fora.

— Não importa. Vou tirar a gente daqui. Vou queimar essas cordas — anunciou ele. — Proteja-se.

Ela se contorceu até o outro lado, e Altan acendeu pequenas chamas nos braços. As bordas das amarras pegaram fogo e foram escurecendo aos poucos.

A fumaça preencheu a carroça. Os olhos de Rin começaram a lacrimejar, e a garota não conseguia parar de tossir. Minutos se passaram.

— Só mais um pouco — disse Altan.

A fumaça que saía das cordas era densa. Rin olhou para a lona, em pânico. Se não escapasse pelas laterais, eles sufocariam antes que Altan conseguisse se livrar das amarras. Mas se escapasse...

Rin ouviu gritos. O idioma era mugenês, mas os comandos eram sucintos e abruptos demais para serem traduzidos.

Alguém arrancou a lona.

As chamas de Altan explodiram com força total no momento em que um soldado o encharcou com um balde cheio d'água. Um chiado alto preencheu o ar.

Altan gritou.

Alguém colocou um tecido úmido na boca de Rin. Ela se debateu e prendeu a respiração, mas os soldados enfiaram algo afiado em seu ombro machucado, e a garota não conseguiu deixar de arfar de dor. Então suas narinas foram invadidas pelo odor doce do gás.

* * *

Luzes. Luzes tão fortes que machucavam os olhos como facas. Rin tentou se afastar da fonte, mas nada aconteceu. Por um momento, ela se contorceu, mas em vão; temeu que estivesse paralisada, até notar que se encontrava presa a uma superfície plana. A visão periférica era limitada à metade superior do cômodo. Se ela se esforçasse, conseguiria ver a cabeça de Altan ao lado.

Os olhos de Rin perscrutaram ao redor, com medo. As paredes do lugar eram cobertas por prateleiras, que estavam repletas de jarros com pés, cabeças, órgãos e dedos, todos meticulosamente etiquetados. Havia uma câmara de vidro enorme no canto. Dentro dela, o corpo de um homem adulto. Rin o observou por um minuto antes de notar que estava morto havia muito tempo; era apenas um cadáver preservado em produtos químicos, como um vegetal em conserva. Os olhos ainda se encontravam congelados numa expressão de horror, a boca aberta num grito submerso.

A etiqueta no topo do jarro indicava, numa caligrafia clara e fina: *Homem nikara, 32.*

Os jarros nas prateleiras estavam etiquetados de maneira semelhante. *Fígado, criança nikara, 12. Pulmões, mulher nikara, 51.* Ela se perguntou se aquele seria seu fim, com os órgãos organizados naquela sala de operações. *Mulher nikara, 19.*

— Eu voltei. — Altan havia acordado. A voz era um sussurro seco. — Nunca pensei que voltaria.

As entranhas de Rin se reviraram de horror.

— Onde estamos?

— Por favor — falou Altan. — Não me faça explicar para você.

Então Rin entendeu.

As palavras de Chaghan ecoaram em sua mente.

Depois da Primeira Guerra da Papoula, a Federação ficou obcecada com o seu povo... Passaram as décadas entre as Guerras da Papoula sequestrando speerlieses, fazendo experimentos com eles, tentando entender o que tinham de tão especial.

Estavam na mesma estação de pesquisa na qual Altan fora mantido quando criança. O lugar que o deixara com um vício debilitante em ópio. O lugar que fora libertado pelos hesperianos. O lugar que *deveria* ter sido destruído após a Segunda Guerra da Papoula.

A Província da Serpente deve ter caído, percebeu Rin, com um sentimento de desamparo. A Federação ocupara mais terrenos do que temia.

Os hesperianos não estavam mais ali. A Federação estava de volta. Os monstros retornaram para seu covil.

— Sabe qual é a pior parte? — disse Altan. — Estamos tão perto de casa. De Speer. Estamos na costa, bem do lado do mar. Quando nos trouxeram aqui pela primeira vez, não havia muitas celas... então nos enfiaram num cômodo com uma janela que dava para o oceano. Dava para ver as constelações. Toda noite. Via a estrela da Fênix e pensava que, se ao menos conseguisse escapar, nadaria sem parar até encontrar o caminho de volta para casa.

Rin pensou no Altan de quatro anos, trancado naquele lugar, encarando o céu noturno enquanto os amigos eram presos e dissecados ao redor. Queria esticar a mão para tocá-lo, mas não conseguia se mover, por mais que se esforçasse para se livrar das amarras.

— Altan...

— Eu achava que alguém viria nos resgatar — disse ele, mas Rin achava que Altan não estava mais falando com ela. Era mais como se relatasse um pesadelo para o ar. — Mesmo quando mataram os outros, achei que talvez... talvez meus pais ainda viessem me salvar. Mas, quando as tropas hesperianas me libertaram, disseram que eu nunca mais poderia voltar, que não havia nada na ilha além de ossos e cinzas.

Ele se calou.

Rin não conseguia encontrar as palavras. Sentia que deveria falar algo, alguma coisa para despertá-lo, para desviar sua atenção e tentar buscar uma maneira de sair daquele lugar, mas tudo que surgia em sua mente era pateticamente inadequado. Que tipo de consolo poderia dar a ele?

— Que bom! Estão acordados.

Uma voz trêmula e aguda interrompeu seus pensamentos. Quem quer que fosse, falara de trás de Rin, fora de seu campo de visão. Ela arregalou os olhos e tentou se livrar das cordas.

— Ah, perdão... É óbvio que não podem me ver.

O dono da voz se moveu e parou acima dela. Era um homem muito magro e de cabelos brancos, usando um uniforme de médico. A barba era cortada de maneira a terminar com uma ponta fina a cinco centímetros do queixo. Os olhos escuros brilhavam.

— Assim está melhor? — Ele abriu um sorriso benevolente, como se saudasse um velho amigo. — Meu nome é Eyimchi Shiro, capitão da unidade médica desta base. Pode me chamar de dr. Shiro.

Ele falava em nikara, não em mugenês. Tinha um sotaque sinegardiano bastante formal, como se tivesse aprendido o idioma cinquenta anos antes. Seu tom de voz era pomposo, dotado de uma alegria artificial.

Diante da falta de resposta de Rin, o médico deu de ombros e se virou para a outra mesa.

— Ah, Altan — falou. — Nunca imaginei que voltaria. Que surpresa maravilhosa! Não consegui acreditar quando me contaram. Disseram: "Dr. Shiro, encontramos um speerliês!" E eu respondi: "Só pode ser brincadeira! Não há mais speerlieses!" — O médico riu de leve.

Rin se esforçou para ver o rosto de Altan. Ele estava acordado, os olhos abertos, mas encarava o teto, e não Shiro.

— Estavam com tanto medo de você, sabe? — continuou Shiro, animado. — Como é mesmo que o chamavam? Monstro de Nikan? Fênix encarnada? Meus patrícios adoram exagerar, e adoram ainda mais os xamãs nikaras. Você é um mito, uma lenda! É muito especial! Então, por que está tão amuado?

Altan não falou nada.

Shiro pareceu murchar um pouco, mas depois sorriu e deu tapinhas na bochecha de Altan.

— Já entendi. Deve estar cansado. Não se preocupe. Vamos dar um jeito nisso logo. Sei *exatamente* do que precisa...

Ele cantarolava, alegre, conforme se apressava para o outro lado da sala de operações. Lia com atenção as etiquetas, escolhendo diversos vidrinhos e instrumentos. Rin ouviu um estalo e o som de uma vela sendo acesa. Não conseguia ver as mãos de Shiro até ele voltar para perto de Altan.

— Sentiu saudade de mim? — perguntou o médico.

Altan não respondeu.

— Hum. — Shiro ergueu uma seringa para o campo de visão de Altan, dando petelecos nela para que ambos vissem o líquido lá dentro. — Sentiu saudade disso?

Os olhos de Altan se arregalaram.

Shiro segurou o pulso de Altan de forma gentil, quase como uma mãe acariciando o filho. Seus dedos habilidosos encontraram uma veia. Com a outra mão, ele levou a agulha até o braço de Altan e empurrou o êmbolo.

Só então Altan gritou.

— Pare! — berrou Rin, com saliva escapando das laterais da boca. — *Pare!*

— Minha querida! — Shiro deixou a seringa vazia de lado e correu até ela. — Acalme-se! Acalme-se! Ele vai ficar bem.

— *Você vai matá-lo!*

Rin se debatia sem parar, tentando se livrar dar cordas, que continuaram intactas.

As lágrimas escapavam de seus olhos. Com cuidado, Shiro as limpou, mantendo os dedos fora do alcance dos dentes dela.

— Matando? Não seja dramática. Só dei a Altan uma dose de seu remédio favorito. — Com a ponta do dedo, Shiro tocou na têmpora e piscou para ela. — Você sabe que nosso amigo gosta disso. Estava viajando com ele, não? Esta droga não é novidade para Altan. Ele vai ficar bem em questão de minutos.

Os dois olharam para o rapaz. A respiração estava estabilizada, mas ele com certeza não parecia bem.

— Por que está fazendo isso? — disse Rin, entre soluços.

Àquela altura, ela pensava ter entendido a crueldade da Federação. Presenciara o que os mugeneses fizeram com Golyn Niis. Vira as evidências dos trabalhos dos cientistas da Federação. Mas encarar aquele mal nos olhos, ver Shiro infligir tanta dor em Altan e ainda *sorrir*... Rin não conseguia compreender aquilo.

— O que *quer* de nós? — perguntou ela.

Shiro suspirou.

— Não é óbvio? — Ele deu tapinhas na bochecha dela. — Quero conhecimento. Nosso trabalho aqui fará a tecnologia médica avançar em décadas. Onde mais encontraria uma ocasião tão boa para pesquisar? Um suprimento interminável de cadáveres! Oportunidades ilimitadas para experimentos! Posso encontrar a resposta de qualquer dúvida que já tive sobre o corpo humano! Posso elaborar maneiras de prevenir a morte!

Rin olhou para ele sem acreditar.

— *Você está retalhando o meu povo.*

— *Seu* povo? — Shiro bufou. — Não se rebaixe. Você não é nem um pouco como os patéticos nikaras. Vocês, speerlieses, são fascinantes. Feitos de um material tão adorável. — Com delicadeza, Shiro tirou os cabelos da testa suada de Altan. — Uma pele tão bonita. Olhos tão fascinantes. A Imperatriz não sabe o que tem nas mãos.

O homem pressionou dois dedos no pescoço de Rin para checar a pulsação. Ela engoliu a bile que subiu à garganta com o toque do médico.

— Poderia me fazer um favor? — disse ele, gentilmente. — Pode me mostrar o fogo? Sei que consegue.

— O *quê*?

— Vocês, speerlieses, são muito especiais — confidenciou Shiro, a voz um sussurro rouco. Ele falava como se estivesse conversando com uma criança ou uma amante. — Tão fortes. Tão únicos. Dizem que são o povo escolhido de uma deusa. Por que são assim?

Ódio, pensou Rin. Ódio e uma história de sofrimento causada por pessoas como você.

— Sabe, meu país jamais conseguiu alcançar feitos de xamanismo — disse Shiro. — Sabe por quê?

— Porque os deuses nunca se envolveriam com escória feito vocês — respondeu Rin.

Shiro abanou o ar, como se estivesse afastando o insulto. Já devia ter ouvido tantos nikaras o xingando que aquilo não devia significar mais nada para ele.

— Vamos fazer assim — disse o médico. — Vou pedir para que me mostre o caminho até os deuses. Cada vez que recusar, darei outra injeção da droga em Altan. Sabe como ele vai se sentir.

Da mesa ao lado, Altan emitiu um som baixo e gutural. Seu corpo inteiro ficou tenso e sofreu espasmos.

Shiro murmurou algo no ouvido dele e acariciou a testa do rapaz, delicado como uma mãe confortando o filho doente.

Horas se passaram. Shiro fez incessantes perguntas sobre xamanismo a Rin, mas ela se manteve firme. Não revelaria os segredos do Panteão. Não colocaria outra arma nas mãos de Mugen.

Em vez disso, ela soltava palavrões e cuspia, chamava Shiro de monstro, de qualquer coisa desprezível em que conseguia pensar. Jima não ensinara palavras de baixo calão em mugenês aos alunos, mas Shiro entendia a essência do que era dito.

— Vamos — falou Shiro, indiferente. — Tenho certeza de que já viu isso.

Ela parou, saliva escapando da boca.

— Não sei do que está falando.

Shiro encostou no pescoço de Altan para tomar seu pulso, abriu suas pálpebras e assentiu, como se tivesse confirmado algo.

— A tolerância dele é impressionante. É sobre-humana. Ele fuma ópio há anos.

— Por causa do que *vocês* fizeram com ele! — berrou ela.

— E depois? Depois de ele ter sido libertado? — Shiro soava como um professor decepcionado. — Tinham o último speerliês em mãos e nunca tentaram livrá-lo das drogas? É óbvio que alguém vinha fornecendo droga a ele. Inteligente. Ah, não me olhe assim. A Federação não foi a primeira nação a usar ópio para controlar as pessoas. Essa técnica foi criada pelos nikaras.

— Do que está *falando*?

— Não ensinaram isso para você? — Shiro pareceu impressionado. — É óbvio que não. Nikan gosta de apagar os detalhes vergonhosos de seu passado.

Ele atravessou o cômodo para ficar ao lado dela, passando os dedos nas estantes conforme caminhava.

— Como acha que o Imperador Vermelho mantinha os speerlieses sob seu comando? Use a cabeça, minha querida. Quando Speer perdeu sua independência, o Imperador Vermelho ofereceu engradados de ópio aos speerlieses. Um presente do estado colonizador ao vassalo. Foi de caso pensado. Antes, os speerlieses ingeriam apenas a casca de árvores locais em suas cerimônias. Estavam tão acostumados a alucinógenos leves que, para eles, fumar ópio era como beber metanol. Quando usaram a droga, viciaram-se na mesma hora. Faziam de tudo para conseguir mais. Eram tão escravos do ópio quanto do Imperador.

A mente de Rin se embolou. Não conseguiu pensar em uma resposta.

Queria chamar Shiro de mentiroso. Queria mandá-lo parar. Mas fazia sentido.

Fazia bastante sentido.

— Então, veja, nossos países são bem parecidos — disse Shiro, convencido. — A única diferença é que reverenciamos os xamãs, queremos aprender com eles, enquanto o seu Império tem medo e é paranoico com o poder deles. Seu Império os abateu, os explorou e os obrigou a eliminarem uns aos outros. Eu vou libertar você. Vou dar a liberdade de chamar os deuses como nunca pôde antes.

— Se me libertar — rosnou ela —, a primeira coisa que vou fazer é queimar você vivo.

Sua conexão com a Fênix era a última vantagem que tinha. A Federação havia estuprado e queimado seu país. A Federação tinha destruído sua escola e matado seus amigos. Àquela altura, já deviam ter arrasado seu vilarejo. Apenas o Panteão permanecia sagrado, a única coisa que Mugen ainda não conseguia acessar.

Rin fora torturada, amarrada, espancada e privada de alimentação, mas sua mente ainda lhe pertencia. Sua deusa ainda lhe pertencia. Preferiria morrer a traí-la.

Por fim, Shiro ficou entediado. Chamou os guardas para levar os prisioneiros até a cela.

— Verei os dois amanhã — disse ele, contente. — E tentaremos outra vez.

Rin cuspiu na roupa dele conforme os guardas a levavam para fora. Outro guarda ergueu o corpo inerte de Altan no ombro, como a carcaça de um animal.

Um dos homens prendeu a perna de Rin à parede e bateu a porta da cela. Ao seu lado, Altan se sacudia e gemia, murmurando coisas incompreensíveis.

Rin colocou a cabeça dele no colo e manteve uma vigília miserável sobre seu comandante caído.

Levou horas para Altan recuperar os sentidos. Ele gritou várias vezes, falando no idioma speerliês que ela não entendia.

Então Altan murmurou o nome dela.

— *Rin*.

— Estou aqui — respondeu, acariciando a testa dele.

— Shiro machucou você? — perguntou.

Ela engoliu o choro.

— Não. Não... ele queria que eu falasse, que lhe ensinasse sobre o Panteão. Fiquei de boca fechada, mas ele disse que ia continuar machucando você...

— Não é a droga que machuca — explicou ele. — É quando ela perde o efeito.

Então, com uma pontada de dor no estômago embrulhado, Rin compreendeu.

Altan não regredia quando fumava ópio. Não, o único momento em que não sentia dor era quando inalava ópio. Passara a vida inteira sentindo dor, sempre em busca da dose seguinte.

Ela nunca havia compreendido como era extremamente difícil ser Altan Trengsin, como era viver sob a coação de uma deusa furiosa que clamava por destruição no fundo de sua mente, enquanto uma deidade narcótica indiferente sussurrava promessas em seu sangue.

Foi por isso que os speerlieses ficaram viciados em ópio com tanta facilidade, percebeu ela. Não porque precisavam da droga para o fogo, mas porque, para alguns deles, aquele era o único momento em que podiam se afastar de sua deusa terrível.

Lá no fundo, ela sabia. Suspeitava desde que vira que Altan não precisava de drogas como o restante do Cike, que os olhos do rapaz eram vivos como flores de papoula.

Altan deveria ter sido trancafiado em Chuluu Korikh muito tempo atrás.

Mas ela não queria acreditar, porque precisava crer que seu comandante era são.

Porque quem era ela sem Altan?

Nas horas seguintes, conforme a droga desaparecia de seu sangue, Altan sofria. Ele suava. Debatia-se. Tremia de forma tão violenta que Rin precisava contê-lo para que não se machucasse. Ele gritava. Implorava para Shiro voltar. Implorava para Rin ajudá-lo a morrer.

— Você não pode morrer — disse ela, em pânico. — Temos que escapar. Temos que sair daqui.

Os olhos dele estavam vazios, derrotados.

— Neste lugar, resistir é sofrer. Não há escapatória, Rin. Não há futuro. O melhor que pode esperar é que Shiro fique entediado e lhe proporcione uma morte sem dor.

Naquele momento, ela quase o matou.

Queria dar fim àquele suplício. Não conseguia ver Altan sendo torturado daquela maneira, não mais, não suportava ver o homem que admirava desde a primeira vista reduzido *àquilo*.

Ela se viu ajoelhando sobre o peito do comandante, as mãos em volta de seu pescoço. Tudo que precisava fazer era pressionar. Forçar o ar para fora da garganta. Sufocar a vida que havia dentro dele.

Altan mal sentiria. Mal sentia qualquer coisa naquele estado.

Mesmo quando os dedos de Rin roçaram a pele do rapaz, ele não resistiu. Queria que aquilo acabasse.

Ela já havia feito algo parecido antes. Já havia matado alguém com a mesma aparência, sob o disfarce do chimei.

Mas Altan lutara naquela ocasião. Representara uma ameaça. Não era uma ameaça agora, apenas uma prova cabal e trágica de que os heróis de Rin estavam fadados a decepcioná-la.

Altan Trengsin não era invencível, afinal.

Fora muito bom em seguir ordens. Quando o mandavam pular, ele voava. Quando o mandavam lutar, ele *destruía*.

Mas ali, no final, sem um propósito e um líder, Altan Trengsin tinha a alma partida.

Os dedos de Rin ficaram tensos, mas ela estremeceu e empurrou o corpo apático do comandante para longe.

— Como estão os meus queridos speerlieses? Preparados para outro dia?

Radiante, Shiro se aproximou da cela, vindo do laboratório, na outra ponta do corredor. Carregava vários recipientes metálicos arredondados nos braços.

Rin e Altan não responderam.

— Querem saber o que são essas coisas? — perguntou o médico. A voz permanecia com uma vivacidade artificial. — Algum palpite? Eis uma dica. É uma arma.

Rin fuzilou o mugenês com os olhos. Altan o encarou do chão.

Sem se incomodar, Shiro continuou:

— É a praga, crianças. Sabem o que ela faz? Primeiro, o nariz começa a escorrer; depois, grandes equimoses surgem nos braços, nas pernas e na virilha... Você morre de choque quando as feridas se abrem ou com o próprio sangue envenenado. Quando se espalha, leva um bom tempo para erradicar. Mas talvez isso tenha sido antes da época de vocês. Nikan está livre da peste há um bom tempo, não é?

Shiro deu batidinhas nas barras de metal.

— Nós demoramos um bocado para descobrir como ela se espalha. Pulgas! Dá para acreditar? Pulgas, que se prendem a ratos e então espalham as pequenas partículas de praga em tudo que tocam. É óbvio, agora que sabemos como ela se dissemina, será apenas um pulo para transformarmos a praga em arma. Obviamente, de nada adiantaria deixá-la correr livre e sem controle... Nós *temos* a intenção de ocupar seu país um dia... mas, quando lançada em certas áreas densamente habitadas, com a massa crítica correta... bem, este conflito acabará muito antes do que imaginamos.

Shiro se inclinou para a frente, a cabeça encostando nas barras.

— Não há mais nada pelo que lutarem — falou, baixinho. — Sua nação está perdida. Por que continuam em silêncio? Podem sair daqui facilmente. É só cooperar comigo. Contem como invocar o fogo.

— Prefiro morrer — berrou Rin.

— O que estão defendendo? — questionou Shiro. — Não devem nada a Nikan. O que significavam para este país? O que os speerlieses sempre significaram para este país? Eram considerados aberrações! Párias!

Rin se levantou.

— Lutamos pela Imperatriz — respondeu. — Sou uma soldada do Exército até o dia da minha morte.

— A Imperatriz? — Shiro pareceu um pouco confuso. — Ainda não entenderam?

— Entenderam o *quê*? — perguntou Rin, com raiva, mesmo com os lábios de Altan formando a palavra *não* em silêncio.

Mas ela mordera a isca; caíra na provocação do médico. Conseguia ver, pelo brilho nos olhos de Shiro, que ele vinha ansiando por aquele momento.

— Já se perguntou como sabíamos que os dois estariam em Chuluu Korikh? — indagou Shiro. — Quem nos passou essa informação? Quem era a única outra pessoa que sabia da existência daquela montanha maravilhosa?

Rin o encarou boquiaberta enquanto a verdade se acomodava em seu cérebro. Percebeu que o mesmo acontecia com Altan; seus olhos se arregalavam ao chegar à mesma conclusão que ela.

— Não — falou o rapaz. — Está mentindo.

— Sua preciosa Imperatriz traiu os dois — disse Shiro, desfrutando daquele momento. — Vocês eram parte de uma troca.

— Impossível — falou Altan. — Nós a servimos. *Matamos* por ela.

— Sua Imperatriz os entregou para nós, vocês e seu precioso bando de xamãs. Foram *vendidos*, meus caros speerlieses, exatamente como Speer foi vendida. Exatamente como seu Império foi vendido.

— É mentira!

Altan se jogou nas barras. O fogo surgiu por todo o seu corpo, as labaredas formando tentáculos que quase alcançavam os guardas. Ele continuou a berrar, e as chamas aumentaram. Embora Rin não tenha visto o metal derreter, teve a impressão de que as barras haviam começado a entortar.

Shiro gritou uma ordem em mugenês.

Três guardas correram até a cela. Enquanto um destrancava a porta, outro jogava um balde d'água em Altan. Assim que o fogo se extinguiu, o terceiro torceu o braço do rapaz às suas costas enquanto o primeiro enfiava uma agulha em seu pescoço. Altan cambaleou e caiu no chão.

Os guardas se voltaram para Rin.

Ela pensou ter visto a boca de Shiro gritando: "Não. Ela, não" antes de sentir uma agulha afundando no pescoço.

A adrenalina que Rin sentiu não era nada parecida com aquela provocada pelas sementes de papoula.

Com as sementes, ela ainda precisava se concentrar em clarear a mente. Com as sementes, era necessário fazer um esforço consciente para ascender ao Panteão.

A heroína não era nem de perto tão sutil. A heroína a expulsou de seu corpo de uma maneira que não lhe deixava outra escolha além de buscar refúgio no reino espiritual.

E Rin percebeu, com enorme alegria, que, ao tentarem sedá-la, os guardas de Shiro na verdade a *libertaram*.

Ela encontrou Altan no mundo espiritual. *Sentiu* a presença dele. Conhecia sua forma tão bem quanto conhecia a própria.

Nem sempre soubera como era a forma de Altan. Amara a versão dele que criara para si mesma. Ela o admirara, o idealizara, adorara uma noção dele, um arquétipo, uma versão invulnerável de Altan.

No entanto, agora que conhecia a verdade, que entendia a realidade de Altan, suas vulnerabilidades e, acima de tudo, sua *dor*... ainda o amava.

Rin se espelhara nele, moldara-se de acordo com ele; um speerliês como ela. Emulara a crueldade, o ódio e a vulnerabilidade do rapaz. E naquele momento finalmente o conhecia por completo, e foi assim que o encontrou.

Altan?

Rin.

Ela conseguia senti-lo ao redor; os limites rígidos, uma aura profundamente machucada e, ainda assim, uma presença reconfortante.

A silhueta de Altan surgiu à sua frente como se estivesse do outro lado de um campo gigantesco. Ele caminhou, ou flutuou, na direção dela. O espaço e a distância não existiam naquele lugar, não de verdade, mas a mente de Rin precisava fazer aquela interpretação para se orientar.

Rin não precisava notar a angústia nos olhos dele. Ela a sentia. Altan não resguardava o espírito da maneira que Chaghan fazia; o rapaz era um livro aberto que Rin podia folhear, como se ele estivesse oferecendo a si mesmo para que a garota tentasse compreendê-lo.

Ela compreendia. Compreendia a dor, a tristeza e também por que tudo que ele queria no momento era morrer.

Mas não estava com paciência para aquilo.

Rin abrira mão do luxo de sentir medo havia muito, muito tempo. Tivera vontade de desistir várias vezes. Teria sido mais fácil. Indolor.

A única coisa que lhe servira de apoio ao longo de tudo aquilo fora sua raiva, e Rin sabia de uma coisa: não morreria daquela maneira. Não morreria sem vingança.

— Eles mataram o nosso povo — falou ela. — Eles nos venderam. Desde Tearza, Speer foi um peão no jogo de xadrez geopolítico do Império. Éramos dispensáveis. Éramos ferramentas. Isso não deixa você furioso?

Ele parecia exausto.

— Estou louco de raiva — respondeu. — E me enlouquece saber que não posso fazer nada.

— Você está cego. É um *speerliês*. É poderoso — disse Rin. — Carrega a fúria de Speer. Mostre-me como usá-la. *Dê ela para mim.*

— Você vai morrer.

— Então vou morrer de pé. Vou morrer com chamas nas mãos e raiva no coração. Vou morrer defendendo o legado do meu povo, e não na mesa de operações de Shiro, drogada e abandonada. Não vou morrer como uma covarde. Nem você. Altan, olhe para mim. Não somos como Jiang. Não somos como *Tearza*.

Então ele ergueu o rosto.

— Mai'rinnen Tearza — sussurrou o rapaz. — A rainha que abandonou seu povo.

— Você os teria abandonado? — perguntou ela. — Escutou o que Shiro disse. A Imperatriz não vendeu apenas a gente. Vendeu todo o Cike. Shiro não vai parar até colocar todos os xamãs nikaras naquele buraco infernal. Quando não estiver mais aqui, quem vai protegê-los? Quem vai proteger Ramsa? Suni? *Chaghan?*

Naquele momento, Rin sentiu em Altan uma pontada de desafio. Uma centelha de determinação.

Era tudo de que precisava.

— A Fênix não é apenas a deusa do fogo — disse Altan. — É a deusa da vingança. E há um poder, nascido de séculos de ódio borbulhante, que apenas um speerliês consegue acessar. Já o senti muitas vezes, mas nunca de forma completa. Ele consumiria você. Queimaria você até não restar mais nada.

— Dê esse poder para mim — disse ela na mesma hora, faminta.

— Não posso — falou Altan. — Não é meu. O poder pertence aos speerlieses.

— Então me leve até eles — mandou Rin.

E então Altan a guiou.

No mundo dos sonhos, o tempo não tinha significado. Altan a levou para o passado, a séculos de distância. Levou Rin para o único lugar em que seus ancestrais ainda existiam, na antiga memória.

Ser levada por Altan era diferente de ser levada por Chaghan. Chaghan era um guia seguro, mais experiente no mundo espiritual do que no mundo dos vivos. Com o terra-remotês, ela sentira que estava sendo carregada e, se não lhe obedecesse, teria a mente estraçalhada. Mas com Altan... Altan nem parecia uma entidade separada. Em vez disso, eles formavam duas partes de algo maior. Eram duas pequenas instâncias da velha e grande entidade que era Speer, correndo pelo mundo espiritual para se reunir com seu povo.

Quando o tempo e o espaço voltaram a ser conceitos tangíveis, Rin percebeu que estavam perto de uma fogueira. Ela viu tambores e ouviu pessoas cantando. Conhecia aquela música, aprendera a canção quando era pequena, não conseguia acreditar que havia esquecido... Todos os speerlieses aprendiam a cantar aquela música antes do quinto aniversário.

Não. Ela, não. Rin nunca aprendera aquela canção. Não era uma memória dela; Rin estava na lembrança de alguém que vivera havia muitos anos. Era uma memória compartilhada. Uma ilusão.

Assim como a dança. E também o homem que a segurava perto do fogo. Ele dançava com Rin, girando-a em arcos largos e então a puxando para perto do peito quente. Não podia ser Altan. Ainda assim, tinha o rosto de Altan, e ela sabia que o homem sempre estivera em sua vida.

Nunca ensinaram as danças para Rin, mas, de alguma forma, ela conhecia os passos.

As estrelas do céu noturno brilhavam como tochas. Um milhão de pequenas fogueiras espalhadas pela escuridão. Milhares de Ilhas de Speer, milhares de danças ao redor de fogueiras.

Anos antes, Jiang dissera a Rin que os espíritos dos mortos se dissolviam de volta para o nada. Mas não os espíritos de Speer. Os speerlieses se recusaram a abrir mão das ilusões. Recusaram-se a se esquecer do mundo material, porque os xamãs de Speer não conseguiriam ficar em paz até serem vingados.

Ela viu rostos na escuridão. Viu uma mulher com uma expressão triste que se parecia com ela, sentada ao lado de um velho usando um colar de lua crescente. Rin tentou observá-los mais de perto, mas os rostos ficaram borrados. Eram pessoas de quem não se lembrava bem.

— Era sempre assim? — perguntou ela em voz alta.

Os fantasmas responderam numa só voz.

Essa foi a era de ouro de Speer. Antes de Tearza. Antes do massacre.

Rin poderia chorar diante de tanta beleza.

Não havia loucura ali. Apenas fogueiras e danças.

— Podemos ficar — disse Altan. — Podemos ficar neste lugar para sempre. Não precisamos voltar.

Era tudo que ela desejava naquele momento.

Seus corpos entrariam em decomposição até se tornarem nada. Shiro colocaria os cadáveres dentro de uma câmara e os incineraria. Então, quando a última parte deles fosse entregue à Fênix, quando suas cinzas fossem jogadas ao vento, estariam livres.

— Sim — respondeu ela. — Podemos nos perder na história. Mas você nunca faria isso, não é?

— Eles não nos aceitariam agora — falou Altan. — Consegue senti-los? Consegue sentir a raiva deles?

Ela conseguia. Os fantasmas de Speer estavam tristes, mas também furiosos.

— É por isso que somos fortes. Tiramos nossa força de séculos e séculos de injustiças impossíveis de esquecer. Nossa função... nossa razão de ser... é fazer com que essas mortes tenham um significado. Depois de nós, não haverá mais Speer. Apenas uma memória.

Ela pensava que havia entendido o poder de Altan, mas só agora compreendia a *profundidade* dele, o *peso* dele. Altan carregava o legado de milhões de almas esquecidas pela história, espíritos vingativos que demandavam justiça.

Os fantasmas de Speer cantavam, uma música grave e dolorosa na linguagem que Rin nascera tarde demais para entender, mas com a qual tinha uma conexão profunda. Os fantasmas falaram com eles por uma eternidade. Anos se passaram e, ao mesmo tempo, nenhum segundo se passou. Seus ancestrais comunicaram tudo que sabiam de Speer, tudo que se lembravam de sua gente. Instilaram em Rin séculos de história, cultura e religião.

Disseram a ela o que precisava fazer.

— Nossa deusa é uma deusa raivosa — falou a mulher que parecia Rin. — Não vai deixar essa injustiça de lado. Ela quer vingança.

— Você precisa ir à ilha — disse o velho com um colar de lua crescente. — Precisa ir até o templo. Encontrar o Panteão. Chamar a Fênix e despertar a falha geológica sob Speer. A Fênix responderá ao seu chamado. Precisa fazer isso.

O homem e a mulher desapareceram na multidão de rostos marrons. Os fantasmas de Speer começaram a cantar como um só, as bocas se movendo em sincronia.

Rin não conseguia determinar o significado da música pela letra, mas o sentia. Era uma canção de vingança. Era uma canção horrível. Era uma canção maravilhosa.

Os fantasmas deram sua bênção a Rin, o que, em comparação, fez a onda de heroína parecer o toque de uma pena.
Ela tinha acabado de receber um poder além da imaginação.
Ela era a dona da força de seus ancestrais. Tinha em si todo speerliês morto naquele dia terrível e todo speerliês que vivera na Ilha Morta.
Eles eram o povo escolhido da Fênix. A Fênix prosperava com a raiva, o que Rin tinha em abundância.
Ela procurou Altan. Eles formavam uma mente com um só propósito.
Abriram caminho de volta ao mundo dos vivos.
Seus olhos se abriram ao mesmo tempo.
Um dos assistentes de Shiro estava debruçado sobre deles, nas mesas de operações do laboratório. O fogo surgiu de seus corpos na mesma hora, incendiando o cabelo e as roupas do homem, de forma que, quando ele recuou, gritando, o corpo inteiro estava em chamas.
As labaredas se expandiram em todas as direções. Fizeram os produtos químicos no laboratório explodirem, espalhando cacos de vidro para todos os lados. Alcançaram o álcool usado para esterilizar ferimentos e se alastraram com rapidez, criando fumaça. O jarro no canto, que continha o homem em conserva, estremeceu com o calor e explodiu, derramando o conteúdo funesto no chão. O fluido de embalsamamento também pegou fogo, iluminando o cômodo com chamas intensas.
O assistente fugiu para o corredor, gritando para Shiro vir salvá-lo.
Rin se contorceu. As amarras que a mantinham no lugar não conseguiram suportar chamas tão próximas e se partiram. Rin saiu da mesa, se levantou e deu meia-volta no momento em que Shiro chegava, carregando uma balestra de repetição.
Ele mirou em Altan, depois em Rin, e voltou para Altan.
Rin ficou tensa, mas Shiro não apertou o gatilho — se por relutância ou falta de experiência, ela nunca soube.
— Lindo — sussurrou ele, impressionado.
O fogo refletia em seus olhos famintos e, por um instante, deu a impressão de que o médico também tinha os olhos escarlates dos speerlieses.

— *Shiro!* — rugiu Altan.

O médico não se moveu quando Altan avançou. Na verdade, ele baixou a balestra e estendeu os braços, como se fosse receber um filho com um abraço.

Altan agarrou o rosto de seu torturador e o apertou. As chamas surgiram em sua mão, chamas brancas, cercando a cabeça do médico como uma coroa. Primeiro, as mãos de Altan deixaram impressões digitais escuras nas têmporas de Shiro, mas então o calor atravessou o osso, e os dedos do rapaz criaram buracos no crânio do homem. Os olhos de Shiro se esbugalharam. Os braços sofriam espasmos sem parar. Ele largou a balestra.

Altan pressionou o crânio de Shiro com as mãos. A cabeça do mugenês se abriu com um estalo úmido.

Os espasmos pararam.

Altan soltou o corpo e se afastou. Virou-se para Rin. Seus olhos estavam mais vermelhos do que nunca.

— Muito bem — falou ele. — Agora vamos fugir.

Rin pegou a balestra no chão e seguiu Altan.

— Onde é a saída?

— Não faço ideia — respondeu ele. — Procure por luz.

Eles correram sem parar, entrando em lugares aleatórios. A estação de pesquisa era um complexo gigantesco, bem maior do que Rin havia imaginado. Conforme fugiam, ela percebeu que o corredor contendo suas celas era apenas mais um no interior labiríntico do lugar; os dois passaram por aposentos vazios, várias mesas de operações e lugares cheios de latas de gás.

O alarme soava por todo o complexo, avisando os soldados sobre a fuga.

Por fim, encontraram uma saída: uma porta lateral num corredor vazio. Estava fechada com tábuas, mas Altan tirou Rin do caminho e chutou. Ela saiu e o ajudou a atravessar a passagem.

— Ali!

Uma tropa da Federação viu os dois e correu na direção deles.

Altan pegou a balestra de Rin e mirou nos homens. Três deles desabaram no chão, mas os outros continuaram, passando por cima dos cadáveres dos colegas.

O gatilho da balestra fez um som oco.

— Merda — falou Altan.

O grupo se aproximava.

Rin e Altan estavam enfraquecidos e ainda um pouco drogados. Mesmo assim, lutaram, um de costas para o outro. Moviam-se como complementos perfeitos. Alcançaram uma sincronia melhor que Rin teve com Nezha, pois Nezha só aprendeu como ela se movia ao observá-la. Altan não precisava fazer isso — sabia *por instinto* quem Rin era e como lutava, pois os dois eram iguais. Eram duas partes da mesma coisa. Eram speerlieses.

Eles se livraram do grupo de cinco homens, mas logo viram um esquadrão de vinte soldados vindos da lateral do prédio.

— Não vamos conseguir matar todos — falou Altan.

Rin não tinha tanta certeza. De qualquer forma, correram.

Seus pés ficaram em carne viva por causa do chão de pedra. Altan segurou os braços de Rin enquanto corriam, puxando-a para a frente.

Os paralelepípedos se tornaram areia e então tábuas de madeira. Estavam num cais. Estavam diante do mar.

Precisavam entrar na água, no oceano. Precisavam atravessar o estreito a nado. Speer estava tão perto...

Você precisa ir à ilha. Precisa ir até o templo.

Os dois chegaram ao final do píer. E pararam.

A noite estava iluminada por tochas.

Parecia que o exército inteiro da Federação havia se reunido naquelas docas — soldados mugeneses na praia, navios mugeneses na água. Havia centenas deles. Centenas contra dois. As chances não eram ruins, eram insuperáveis.

Rin sentiu o desespero a esmagando. Não conseguia respirar. Era o fim. Eram os últimos bastiões de Speer.

Altan não havia largado o braço dela. O sangue escorria de seus olhos, escorria de sua boca.

— Olhe. — Ele apontou. — Está vendo aquela estrela? É a constelação da Fênix.

Rin ergueu o rosto.

— Guie-se por ela — falou o rapaz. — Speer fica a sudeste daqui. Vai precisar nadar um bocado.

— Como assim? — perguntou Rin. — Vamos nadar juntos. Você vai me levar.

A mão de Altan se fechou sobre os dedos de Rin. Ele os segurou firme por um instante e então largou.

— Não. Vou terminar o meu trabalho.

O pânico revirou as entranhas de Rin.

— Altan, não.

A garota não conseguiu impedir as lágrimas quentes, mas Altan não olhava mais para ela. Ele observava o exército.

— Tearza não salvou o nosso povo — falou. — Eu não consegui salvar o nosso povo. Mas isso chega perto.

— Altan, por favor...

— Vai ser mais difícil para você. Vai ter que viver com as consequências. Mas você é corajosa... É a pessoa mais corajosa que já conheci.

— Não me abandone — implorou Rin.

Ele se curvou para a frente e segurou o rosto dela.

Por um estranho segundo, ela achou que Altan fosse beijá-la.

Mas não. Ele pressionou a testa na dela por um bom tempo.

Rin fechou os olhos. Absorveu a sensação da pele de Altan tocando na dela. Guardou aquilo na memória.

— Você é muito mais forte do que eu — falou ele.

Então a largou.

Rin balançou a cabeça com força.

— Não, não sou. É *você*, eu preciso de *você*...

— Alguém tem que destruir a estação de pesquisa, Rin.

Ele se afastou. Com os braços esticados, caminhou na direção da frota.

— Não — pediu Rin. — *Não!*

Altan começou a correr.

Uma chuva de flechas irrompeu das forças da Federação.

No mesmo instante, o rapaz se acendeu como uma tocha.

Ele chamou a Fênix e a Fênix atendeu, envolvendo-o, abraçando-o, amando-o, levando-o de volta aos seus.

Altan era uma silhueta na luz, a sombra de um homem. Rin pensou tê-lo visto olhando para trás, para ela. Pensou ter visto o amigo sorrir.

Pensou ter ouvido o som de uma ave.

E viu nas chamas a imagem de Mai'rinnen Tearza. Ela chorava.

O *fogo não dá, o fogo tira, e tira, e tira.*

Rin soltou um grito sem som. Sua voz se perdeu nas chamas.

Uma grande coluna de fogo surgiu no lugar da imolação de Altan.

Uma onda de calor se expandiu em todas as direções, queimando os soldados da Federação como se fossem palha. Atingiu Rin como um soco no estômago, e ela caiu de costas na água preta feito tinta.

CAPÍTULO 25

Rin nadou por horas. Dias. Uma eternidade. Lembrava-se apenas do início, do choque de cair na água, de como pensou ter morrido porque não conseguia fazer o corpo obedecer aos comandos. Na água, a pele doía como se tivesse sido esfolada viva. Se virasse a cabeça, podia ver a base de pesquisa queimando. Era um incêndio lindo, com chamas escarlates e douradas lambendo o céu escuro.

A princípio, Rin nadou da forma como fora ensinada na Academia — um estilo que visava não chamar atenção, com os braços dentro d'água. Os arqueiros da Federação a matariam se a vissem, se é que algum havia sobrevivido... Então veio a fadiga; ela passou a mexer os membros apenas para continuar boiando, continuar avançando, sem pensar na técnica. Suas braçadas se tornaram mecânicas, automáticas e disformes.

Até a água havia esquentado com o calor causado pela combustão de Altan. Parecia um banho de banheira, uma cama macia. Ela flutuou e pensou que seria bom se afogar. O leito do oceano estaria calmo. Nada a machucaria. Não haveria Fênix, guerra, nada, apenas silêncio... Naquelas profundezas escuras e quentes, não sentiria coisa alguma...

Mas a visão de Altan caminhando para a morte estava marcada na memória de Rin; queimava em seus pensamentos, mais viva e dolorosa do que a água salgada que entrava em suas feridas abertas. Seu comandante lhe dava ordens do túmulo, sussurrava ordens até mesmo naquele momento... Ela não sabia se estava alucinando ou se Altan realmente a guiava.

Continue nadando, siga as asas, não pare, não desista, continue...

Ela treinou os olhos para ver a constelação da Fênix. *Sudeste. Você deve nadar para o sudeste.*

As estrelas viraram tochas, as tochas viraram fogo, e ela pensou ter visto sua deusa.

— Eu sinto você — disse a Fênix, ondulando diante dela. — Sinto seu sacrifício, sua dor, e a quero para mim, quero que me traga ela... Você está perto, tão perto.

Rin esticou a mão trêmula na direção da deusa, mas então algo surgiu em sua mente, algo primordial e assustado.

Fique longe, gritou a Mulher. *Fique longe daqui.*

Não, pensou Rin. *Não pode me manter longe. Estou indo.*

Ela flutuou com o corpo dormente na água, os braços e as pernas esticados para permanecer boiando. Entrava e saía da realidade. Seu espírito voou. Perdeu todo o senso de direção, não tinha destino. Ia para onde era levada, como se por uma força magnética fora de seu controle.

E teve visões.

Viu uma nuvem de tempestade que parecia um gigante se assomando sobre as montanhas, com quatro ciclones que lhe serviam como membros. Quando tentou identificar a fonte, percebeu dois pontos cerúleos e inteligentes encarando de volta — vívidos demais para serem naturais, maliciosos demais para serem qualquer coisa além de um deus.

Viu uma grande represa com quatro fontes, a maior estrutura que já havia observado. Viu a água correndo em todas as direções, inundando as planícies. Viu Chaghan e Qara num lugar alto, observando os pedaços da represa partida sendo levados pela boca do rio.

Ela encostou neles, imaginando se conseguiria, e Chaghan levantou o rosto.

— Altan? — perguntou ele, cheio de esperança.

Qara olhou para o irmão.

— O que foi?

Chaghan ignorou a irmã e olhou ao redor como se pudesse ver Rin. Mas os olhos pálidos passaram direto por ela. Ele buscava algo que não existia mais.

— Altan, é você?

Rin tentou falar alguma coisa, mas não conseguiu emitir som. Não tinha boca. Não tinha corpo. Assustada, Rin se afastou, e então o nada a puxou de novo, e não conseguiria voltar nem se quisesse.

Rin foi do presente para o passado.

Viu um templo enorme, construído com pedra e sangue.

Viu uma mulher familiar, alta e magnífica, com a pele marrom e os membros compridos. Ela usava uma coroa de penas vermelhas e contas da cor de cinzas. E chorava.

— Não vou fazer isso — disse ela. — Não vou sacrificar o mundo por esta ilha.

A Fênix gritou com uma fúria tão grande que Rin tremeu diante daquela raiva tão pura.

— Não serei desafiada. Vou esmagar todos que quebrarem suas promessas. E *você*... você quebrou o mais sagrado dos votos — sussurrou a deusa. — Eu a condeno. Nunca terá paz.

A mulher gritou, caiu de joelhos e buscou algo dentro de si, como se tentasse arrancar o próprio coração. Ela brilhou por dentro como um carvão aceso, a luz escapando pelos olhos, pela boca, até rachaduras aparecerem na pele e a despedaçarem como pedra.

Rin também teria gritado se pudesse.

A Fênix voltou sua atenção para ela no mesmo instante em que o nada a puxou.

A garota foi arremessada pelo tempo e espaço.

Viu uma mecha de cabelo branco, e então tudo parou.

O Guardião flutuava no vácuo, congelado num estado de animação suspensa, um lugar ao lado do nada e a caminho do tudo.

— Por que nos abandonou? — perguntou ela, chorando. — Poderia ter nos ajudado. Poderia ter nos salvado.

Os olhos dele se abriram e encontraram os de Rin.

Ela não saberia dizer por quanto tempo Jiang a encarou. Seus olhos foram até o fundo de sua alma e a analisaram por completo. E ela o fitou de volta. Ela o fitou de volta e o que viu quase acabou com ela.

Jiang não era mortal. Era algo antigo, algo muito antigo e bastante poderoso. E, ao mesmo tempo, era seu mestre, o homem frágil e sem idade definida que conhecera como humano.

Ele esticou a mão na direção da aluna e ela quase o tocou, mas seus dedos passaram por ele sem encostar em nada. Com um susto, Rin pensou estar sendo puxada para longe de novo. Mas ele falou algo, e ela permaneceu no lugar.

Então seus dedos se tocaram, e ela voltou a ter um corpo, e podia sentir as mãos de Jiang nas bochechas e a testa dele na dela. E sentiu quando ele agarrou seus ombros e a chacoalhou sem parar.

— Acorde — falou Jiang. — Ou vai acabar se afogando.

Ela se arrastou da água para a areia quente.

Respirou fundo, e a garganta queimou como se tivesse bebido molho de pimenta. Soluçou e engoliu em seco, sentindo como se um punhado de pedras estivesse tentando descer pelo esôfago. Ficou em posição fetal, rolou, forçou-se a ficar de pé e tentou dar um passo.

Seu pé esmagou algo, e Rin tropeçou. Tonta, olhou ao redor. O tornozelo estava preso em alguma coisa. Ela mexeu o pé e o levantou.

Tirou uma caveira da areia.

Ela havia pisado na mandíbula de um morto.

A garota deu um grito e caiu para trás. Sua visão ficou escura. Os olhos permaneciam abertos, mas haviam se desligado, recusando qualquer estímulo sensorial. Luzes explodiam em sua visão. Seus dedos se afundaram na areia, que estava cheia de pequenos objetos rígidos. Ela os pegou e os levou para perto do rosto, apertando os olhos até a visão retornar.

Não eram seixos.

Pedacinhos brancos salpicavam a areia para onde quer que olhasse. Ossos. Ossos em todos os lugares.

Estava ajoelhada num gigantesco cemitério.

Rin tremeu tanto que a areia debaixo dela vibrou. Ela se curvou e sentiu vontade de vomitar. O estômago estava tão vazio que a cada tentativa sentia que o órgão fora esfaqueado.

Saia da linha de tiro.

Era a voz de Altan ecoando em sua mente ou os próprios pensamentos? A voz era firme, imperiosa. Ela obedeceu.

Você está visível na areia branca. Proteja-se nas árvores.

Rin se arrastou, sentindo náuseas sempre que os dedos roçavam em um crânio. Estremecia com soluços sem lágrimas, desidratada demais para chorar.

Vá para o templo. Você vai encontrar o caminho. Todos os caminhos levam ao templo.

Caminho? Que caminho? Qualquer tipo de caminho que já tenha existido ali fora tomado havia muito tempo pela natureza. Ela ficou de joelhos, encarando as folhas feito uma idiota.

Você não está procurando direito.

Ela engatinhou pelas árvores, buscando qualquer indicação do que poderia ter sido um caminho. Seus dedos encontraram uma pedra achatada, do tamanho de sua cabeça, quase invisível sob uma camada de grama. Depois outra. E mais outra.

Rin se levantou e seguiu cambaleando pelo caminho, apoiando-se nas árvores. As pedras eram firmes e irregulares, cortando seus pés, a garota deixando pegadas sangrentas.

A cabeça estava zonza; fazia tanto tempo que não comia ou bebia que mal lembrava que tinha um corpo. Viu, ou imaginou ter visto, animais grotescos, que não deveriam existir. Pássaros com duas cabeças. Roedores com vários rabos. Aranhas de mil olhos.

Continuou por aquele caminho até sentir ter andado por toda a ilha. *Todos os caminhos levam ao templo*, disseram os ancestrais. Mas, ao chegar à clareira no centro de Speer, encontrou apenas ruínas. Viu rochas partidas gravadas com uma caligrafia que não conseguia ler, um arco de pedra que não levava a lugar algum.

A Federação devia ter destruído o templo vinte anos antes. Provavelmente foi a primeira coisa que fizeram, depois de matar todos os speerlieses. A Federação precisava destruir seu local de adoração. Precisavam acabar com a fonte de seu poder, arruiná-lo e despedaçá-lo de forma tão completa que ninguém em Speer conseguiria pedir ajuda à Fênix.

Rin correu pelas ruínas, procurando por uma porta, por qualquer resquício de uma área sagrada, mas em vão. Não havia nada ali.

Ela se jogou no chão, entorpecida demais para se mexer. Não. Assim não. Não depois de tudo pelo que tinha passado. Estava quase chorando quando sentiu a areia sumindo sob as mãos. Os grãos escorriam, fugindo para algum lugar.

De repente, ela começou a rir. Riu tão forte que sentiu dor. Caiu de lado e segurou a barriga, gritando de alívio.

O templo ficava debaixo da terra.

* * *

Ela improvisou uma tocha com um pedaço de madeira seca e manteve a chama à frente conforme descia os degraus. Desceu por muito tempo. O ar perdeu o calor e a umidade. Depois de uma curva, não conseguiu mais ver a luz do sol. Percebeu que era difícil respirar.

Rin pensou em Chuluu Korikh e sentiu a cabeça tonta. Teve que se apoiar na parede de pedra e respirar fundo várias vezes antes de o pânico se dissipar. Aquela não era a prisão debaixo da montanha. Ela não estava se afastando de sua deusa. Não, estava se *aproximando*.

A câmara interna era completamente à prova de som. Rin não conseguia ouvir o oceano, o vento soprando ou o barulho dos animais acima. Porém, por mais silencioso que fosse, o templo era o oposto de Chuluu Korikh. O silêncio ali era preciso, capacitador. Ajudava a manter o foco. Ela quase conseguia ver o caminho para os céus, como se a estrada que levava aos deuses fosse tão mundana quanto a areia na qual caminhava.

A parede formou um círculo, exatamente como o Panteão, mas havia apenas um pedestal.

Os speerlieses só precisavam de um.

O cômodo inteiro era um santuário para a Fênix. Sua silhueta havia sido gravada na rocha da parede, uma figura em baixo-relevo com o triplo do tamanho de Rin. A cabeça da ave estava virada de lado, o perfil marcado. Seu olho era enorme, selvagem, louco. O medo invadiu Rin no momento em que encarou aquele olho. Parecia furioso. Parecia vivo.

Por instinto, as mãos da garota foram até o cinto, mas não carregava consigo nenhuma semente de papoula. Percebeu, porém, que não precisava de uma, assim como Altan. Sua presença no templo já a colocava a meio caminho dos deuses. Rin entrou em transe só de encarar o olho irado da Fênix.

Seu espírito se elevou até ser impedido.

Quando viu a Mulher, Rin decidiu falar primeiro:

— De novo, não. Você não pode me impedir. Sabe o que penso.

— Vou avisar mais uma vez — disse o fantasma de Mai'rinnen Tearza. — Não se entregue à Fênix.

— Cale a boca e me deixe passar — respondeu Rin.

Faminta e desidratada, a garota não estava com paciência para advertências.

Tearza tocou a bochecha de Rin. A expressão da rainha era de desespero.

— Dar sua alma para a Fênix é o mesmo que entrar no inferno. Isso vai consumi-la. Você vai queimar pela eternidade.

— Já estou no inferno — falou Rin, rouca. — E não me importo.

O rosto de Tearza se contorceu de pesar.

— Sangue do meu sangue. Filha minha. Não siga por esse caminho.

— *Não vou* seguir pelo seu caminho. Você não fez nada — disse Rin. — Teve medo de fazer o que precisava ser feito. Vendeu o seu povo. Agiu como uma covarde.

— Não era covardia — falou Tearza. — Agi por um princípio mais elevado.

— Agiu por egoísmo! — gritou Rin. — Se não tivesse entregado Speer, nosso povo ainda estaria vivo.

— Se eu não tivesse entregado Speer, o mundo estaria em chamas — afirmou Tearza. — Durante minha juventude, talvez tivesse feito isso. Estava no mesmo lugar que você. Vim para este templo e rezei para nossa deusa. E a Fênix atendeu ao meu chamado, pois eu era a líder escolhida por ela. Mas percebi o que estava prestes a fazer e apontei o fogo para mim mesma. Incendiei meu corpo, meu poder e a esperança de liberdade de Speer. Entreguei meu país para o Imperador Vermelho. E mantive a paz.

— Como morte e escravidão podem ser *paz*? — berrou Rin. — Perdi meus amigos e minha nação. Perdi tudo que amava. Não quero paz. Quero vingança.

— Isso só vai trazer dor.

— Você não sabe de nada — zombou Rin. — Acha que trouxe a paz? Você permitiu que seu povo fosse escravizado. Permitiu que o Imperador Vermelho explorasse, abusasse e maltratasse os speerlieses por um milênio. Fez com que a ilha sofresse por séculos. Se não tivesse sido uma covarde de merda, eu não teria que fazer isso. E Altan ainda estaria vivo.

Os olhos de Mai'rinnen Tearza brilharam, vermelhos, mas Rin foi mais rápida. Uma parede de fogo surgiu entre elas, e o espírito de Tearza se dissolveu nas chamas.

E então Rin estava diante de sua deusa.

A Fênix era muito mais bela — e assustadora — de perto. Rin a observou abrindo e esticando as asas às costas. Elas alcançaram o outro lado do cômodo. A Fênix inclinou a cabeça e fixou os olhos cor de âmbar em Rin. A garota viu civilizações inteiras ascendendo e decaindo naqueles olhos. Viu cidades sendo erguidas do nada, e então queimando e se transformando em cinzas.

— Estou esperando por você há muito tempo — disse a deusa.

— Eu teria vindo antes — disse Rin. — Mas me advertiram contra você. Meu mestre...

— Seu mestre era um covarde. Mas não era o seu comandante.

— Você sabe o que Altan fez — sussurrou Rin. — Ele é seu para sempre agora.

— Você é capaz de fazer coisas que aquele garoto nunca conseguiria — disse a Fênix. — O corpo e o espírito dele estavam partidos. Era um covarde.

— Mas ele a chamou...

— E eu atendi. Dei a ele o que queria.

Altan havia vencido. Com a morte, alcançara o que não pôde fazer em vida, porque estava cansado de viver, achava Rin. Não podia travar a demorada guerra de vingança que a Fênix exigia, então desejou uma morte de mártir e conseguiu.

É mais difícil continuar vivo.

— E o que *você* quer de mim? — inquiriu a Fênix.

— Quero acabar com a Federação — respondeu Rin.

— E como pretende fazer isso?

Rin olhou para a deusa com raiva. A Fênix estava brincando com ela, forçando-a a dizer o que queria em alto e bom som. Forçando-a a falar com todas as palavras a abominação que desejava cometer.

Ela expulsou os últimos fragmentos de humanidade da alma e deu lugar ao ódio. Odiar era fácil. O sentimento preenchia o vazio dentro dela. Deixava Rin sentir algo de novo. Era tão bom.

— Vitória completa — declarou Rin. — É o que você quer, não é?

— O que eu quero? — A Fênix parecia estar se divertindo. — Os deuses não *querem*. Eles simplesmente são. Não podemos fazer nada em relação ao que somos; somos pura essência, puro elemento. Vocês, humanos, infligem tudo a si mesmos, e depois nos culpam. Todas as calamidades foram causadas pelo homem. Não os forçamos a nada. Nós apenas os ajudamos.

— É o meu destino — declarou Rin com convicção. — Sou a última speerliesa. Tenho que fazer isso. Está escrito.

— Nada está escrito — disse a Fênix. — Vocês sempre acham que estão destinados a algo, seja tragédia ou grandeza. O destino é um mito. O destino é o *único* mito. Os deuses não fazem escolhas. São vocês que *escolhem*. Você escolheu prestar o Keju. Escolheu ir para Sinegard. Escolheu estudar Folclore, escolheu estudar os caminhos dos deuses e escolheu seguir as ordens de seu comandante e ignorar os avisos de seu mestre. Em cada encruzilhada, você recebeu uma opção, uma saída. Ainda assim, optou pelo caminho que a trouxe até aqui. Está no templo, ajoelhada diante de mim, apenas porque quer. E sabe que, se der a ordem, eu lhe darei algo terrível. Provocarei um desastre que vai destruir por completo a ilha de Mugen, da mesma forma que Speer foi destruída. Por escolha sua, muitos perecerão.

— E muitos outros viverão — respondeu Rin.

Ela tinha quase certeza de que era verdade. Mesmo se não fosse, estava disposta a correr o risco. Sabia que os assassinatos que estava prestes a cometer seriam culpa dela e que teria que viver com eles até o fim de seus dias.

Mas valia a pena.

Pela vingança, valia a pena. Era a retribuição divina pelo que a Federação havia feito com o seu povo. Era a sua justiça.

— Eles não são humanos — sussurrou ela. — São animais. Quero que queimem. Cada um deles.

— E o que vai me dar em troca? — perguntou a Fênix. — O preço para alterar o mundo é alto.

O que uma deusa, sobretudo a Fênix, desejava? O que um deus desejava?

— Posso adorar você — prometeu Rin. — Posso oferecer uma corrente eterna de sangue.

A Fênix inclinou a cabeça. Seu desejo era tangível, tão grande quanto seu ódio. Ela não podia negar o que desejava; era uma agente da destruição e precisava de um avatar. Rin poderia lhe dar um.

Não, falou o fantasma de Mai'rinnen Tearza, aos prantos.

— Vamos — sussurrou Rin.

— Sua vontade é minha — falou a Fênix.

Por um instante, um ar glorioso e doce adentrou a câmara, enchendo seus pulmões.

Então Rin pegou fogo. A dor foi imediata e intensa. Não houve tempo sequer de arfar. Era como se uma parede crepitante de chamas atacasse cada parte dela ao mesmo tempo, forçando-a a ficar de joelhos e depois no chão quando os joelhos cederam.

Ela se contorcia diante da figura em baixo-relevo, tentando encontrar algo em que pudesse se ancorar para diminuir a dor. Mas o fogo era incansável, e a consumia com uma intensidade cada vez maior. Rin teria gritado, mas não conseguia puxar o ar pela garganta apertada.

Pareceu durar uma eternidade. Ela chorou e gemeu, implorando em silêncio para a figura acima... qualquer coisa, até a morte, teria sido melhor. Ela só queria que aquilo parasse.

Mas a morte não viria. Ela não estava morrendo, nem estava machucada; não conseguia notar nenhuma mudança no corpo além da sensação de estar sendo consumido pelo fogo... Não, ela estava intacta, mas algo queimava dentro dela. Algo estava sendo consumido.

Então Rin sentiu o corpo sendo puxado por uma força infinitamente maior do que a dela; a cabeça foi para trás, os braços se esticaram para os lados. Ela se tornara um caminho, uma porta aberta sem um guardião. O poder não vinha dela, mas da fonte terrível do outro lado; Rin era apenas o portal que lhe dava acesso a este mundo. Ela irrompeu numa coluna de chamas. O fogo preencheu o templo, jorrou pelas portas e invadiu a noite em que, a muitos quilômetros de distância, crianças da Federação dormiam em suas camas.

O mundo inteiro queimava.

Rin não havia apenas reescrito as escrituras ou alterado o tecido do universo. Ela o *rompera*, rasgara um grande buraco na realidade, ateando-lhe fogo com a ira voraz de uma deusa incontrolável.

Antes, o tecido continha as histórias de milhões de vidas — de homens, mulheres e crianças da ilha do arco —, os civis que foram dormir cedo, sabendo que o que os soldados faziam do outro lado do mar estreito era um sonho distante, cumprindo a promessa de seu Imperador sobre um grande destino no qual foram condicionados a acreditar desde o berço.

Num instante, a escritura fora modificada para que suas vidas acabassem.

Em um momento, aquelas pessoas existiam.

No seguinte, não mais.

Porque nada estava escrito. A Fênix dissera isso, a Fênix *mostrara* isso.

E agora o futuro irrealizado de milhões era queimado da existência, como um céu estrelado que de repente fica escuro.

Rin não conseguiria aguentar a culpa terrível, então fechou sua mente para a realidade. Incendiou as partes dela que teriam sentido remorso por aquelas vidas. Se as sentisse, se sentisse cada uma delas, enlouqueceria. Eram tantas vidas que deixou de reconhecê-las pelo que eram.

Não eram vidas.

Pensou no som patético que o pavio de uma vela faz quando era apagado com os dedos. Pensou nos incensos chiando quando queimavam até o final. Pensou nas moscas que havia esmagado com a mão.

Não eram vidas.

A morte de um soldado era uma tragédia, porque Rin conseguia imaginar a dor sentida no momento final: as esperanças, os menores detalhes, como a maneira com que vestia o uniforme, se tinha família, se tinha filhos a quem prometera voltar depois da guerra. Sua vida era um mundo inteiro construído ao seu redor, e o fim disso era uma tragédia.

Mas Rin não podia multiplicar aquilo por milhares. Aquele tipo de conta não fazia sentido para ela. Era impossível imaginar algo naquela escala. Então, nem se dava ao trabalho de tentar.

A parte de si que era capaz de levar aquilo em consideração não funcionava mais.

Não eram vidas.

Eram números.

Eram uma subtração necessária.

Depois do que pareceram horas, a dor foi diminuindo. Rin respirou em arfadas profundas e ásperas. O ar nunca tivera um gosto tão doce. Ela saiu da posição fetal em que estava e, aos poucos, levantou-se, usando a figura em baixo-relevo como suporte.

Tentou ficar de pé. As pernas tremiam. Chamas surgiam onde as mãos tocavam. Faíscas eram produzidas sempre que ela se movia. Qualquer que tenha sido o presente da Fênix, Rin não conseguia controlá-lo, não podia contê-lo ou usá-lo de maneira discreta. Era um fluxo de fogo divino vindo direto dos céus, e ela não era um bom meio para ele. Mal conseguia impedir a própria dissolução em chamas.

O fogo estava em todo lugar: nos olhos, saindo das narinas e da boca. Uma sensação de quentura consumia a garganta, e Rin abriu a boca para gritar. O fogo explodiu por ali, sem parar, uma bola ardente diante dela.

De alguma forma, conseguiu sair do templo. Então caiu na areia.

CAPÍTULO 26

Quando Rin despertou dentro de outro cômodo estranho, sentiu um pânico tão grande que não conseguiu respirar. Não. De novo, não. Talvez tivesse sido capturada de novo. Talvez estivesse de volta às garras de Mugen, e eles iam cortá-la em pedacinhos e desmembrá-la feito um coelho...

Mas, quando esticou os braços, não havia amarras para mantê-los no lugar. E quando tentou se sentar, nada a impediu. Não estava presa por cordas. O peso que sentiu sobre o peito era um cobertor fino, não uma faixa.

Estava deitada numa cama. Não amarrada numa mesa de operações. Não acorrentada ao chão.

Era só uma cama.

Ficou em posição fetal, abraçando os joelhos junto ao peito, e balançou para a frente e para trás até a respiração se estabilizar e ter se acalmado o suficiente para notar o espaço ao redor.

O lugar era pequeno e escuro. Não havia janelas. O piso era de tábuas de madeira, assim como o teto e as paredes. O chão se inclinava de um lado para o outro com gentileza, como uma mãe nina um bebê. A princípio, pensou que havia sido drogada de novo, pois de que outra maneira explicaria o movimento rítmico do cômodo mesmo quando ela permanecia parada?

Rin levou um tempo para entender que poderia estar em alto-mar.

Flexionou os membros de leve, e uma nova onda de dor percorreu seu corpo. Tentou outra vez, e doeu menos. Por mais incrível que parecesse, nenhum de seus ossos estava quebrado. Ela era si mesma. Estava ilesa.

Ficou de lado e, com cuidado, colocou os pés descalços no chão frio. Respirou fundo e tentou se levantar, mas as pernas cederam e, na mesma hora, Rin caiu em cima da pequena cama. Nunca havia estado em alto-mar antes. Ficou enjoada de repente e, mesmo com o estômago vazio, sentiu ânsia de vômito por vários minutos antes de enfim conseguir se recuperar.

Sua bata manchada e amarrotada havia desaparecido. Alguém a vestira com um conjunto novo de mantos pretos. Rin achou o tecido estranhamente familiar. Depois de examiná-lo, percebeu que já havia usado roupas como aquelas antes. Eram mantos do Cike.

Pela primeira vez, ocorreu-lhe que talvez não estivesse em território inimigo.

Sem querer ter esperança, sem se atrever a desejar, saiu da cama e buscou forças para ficar de pé. Aproximou-se da porta. O braço tremia quando tocou na maçaneta.

A porta abriu sem problema.

Ela subiu a primeira escada que encontrou e chegou a um convés de madeira. Quando viu o vasto céu sobre a cabeça, roxo com a luz do entardecer, quase se debulhou em lágrimas.

— Ela acordou!

Girou a cabeça, tonta. Conhecia aquela voz.

Ramsa acenava para Rin do outro lado da embarcação. Segurava um esfregão com uma das mãos; na outra, havia um balde. Abriu um grande sorriso para a garota, largou tudo e correu na direção dela.

A visão do menino foi tão inesperada que, por um bom tempo, Rin ficou parada, encarando-o confusa. Então, tentou caminhar até ele, tateando com o braço esticado. Já fazia tanto tempo que não via alguém do Cike que pensou se tratar de uma ilusão, um truque terrível conjurado por Shiro para torturá-la.

Ela perceberia a miragem quando a tocasse.

Mas era real — assim que Ramsa a alcançou, o menino deu um tapa na mão dela e colocou os braços magricelas ao redor de Rin num abraço apertado. Enquanto pressionava o rosto no ombro do menino, cada parte dele parecia real: o corpo franzino, o calor da pele, a cicatriz ao redor do tapa-olho. Ele era tangível. Ele estava *ali*.

Não era um sonho.

Ramsa saiu do abraço e a encarou, franzindo o cenho.

— Merda — disse ele. — *Merda*.

— O que foi?

— Seus olhos.

— O que tem eles?

— Estão que nem os de Altan.

Ao ouvir aquele nome, Rin começou a chorar.

— Ei. Ei, tudo bem — falou o menino, dando tapinhas sem jeito nas costas dela. — Está tudo bem. Você está segura.

— Como você...? *Onde estamos?* — Entre os soluços, ela conseguiu fazer perguntas incoerentes.

— Bem, estamos a muitos quilômetros de distância da costa sul — respondeu Ramsa. — Aratsha está navegando por nós. Achamos melhor manter distância do litoral por um tempo. As coisas estão complicadas em terra.

— "Nós"...? — repetiu Rin, prendendo a respiração.

Será?

Ramsa assentiu, abrindo um sorriso largo.

— Estamos todos aqui. O restante do pessoal está lá embaixo. Bem... menos os gêmeos, que vão chegar daqui a alguns dias.

— Como? — perguntou Rin.

O Cike não sabia o que havia acontecido em Chuluu Korikh. Não tinham como saber sobre a confusão na estação de pesquisa. Então, como poderiam ter adivinhado que precisavam ir para Speer?

— Esperamos no ponto de encontro conforme Altan mandou — explicou Ramsa. — Quando vocês não apareceram, percebemos que alguma coisa ruim tinha acontecido. Unegen rastreou os soldados da Federação até aquele... aquele lugar. Ficamos de tocaia, mandamos Unegen lá dentro para tentar encontrar uma maneira de pegar vocês, mas aí... — A voz de Ramsa foi morrendo. — Bem. Você sabe.

— Aquilo foi Altan — falou Rin.

Ela sentiu uma pontada de dor no momento em que disse aquilo. Seu rosto foi dominado pela tristeza.

— Nós vimos — disse Ramsa em voz baixa. — Achamos mesmo que era.

— Ele me salvou.

— É.

Ramsa hesitou.

— Então Altan com certeza...

Rin começou a chorar.

— Merda — murmurou o menino. — Chaghan... Alguém vai ter que contar para Chaghan.

— Cadê ele?

— Aqui perto. Qara nos mandou uma mensagem por um corvo, mas não dizia muita coisa além de que estavam a caminho. Vamos nos encontrar logo. Ela vai saber como nos achar.

Rin ergueu o rosto para encarar o garoto.

— Como vocês *me* encontraram?

— Primeiro tivemos que revirar um monte de cadáveres. — Ramsa deu um sorriso fraco. — Procuramos por sobreviventes nos escombros por dois dias. Nada. Então seu amigo teve a ideia de navegar até a ilha, e foi lá que encontramos você, deitada numa folha de vidro. Areia por toda parte, e você sobre uma folha de vidro clara como cristal. Parecia algo saído de uma história. De um conto de fadas.

Não de um conto de fadas, pensou ela. Rin havia queimado tanto que derretera a areia ao redor. Era um pesadelo.

— Quanto tempo fiquei desacordada?

— Três dias, mais ou menos. Colocamos você na cabine do capitão.

Três dias? Há quanto tempo não comia? Naquele momento, as pernas de Rin quase cederam de novo, e ela precisou se inclinar sobre a balaustrada. Sentiu a cabeça muito zonza. Virou o rosto para encarar o mar. A sensação da bruma do oceano na pele era maravilhosa. Rin divagou por um minuto, deleitando-se com os últimos raios de sol, até voltar à realidade.

Sussurrando, ela perguntou:

— O que foi que eu fiz?

O sorriso de Ramsa desapareceu.

Ele parecia nervoso, como se tentasse escolher as palavras, mas então outra voz familiar falou, atrás dela:

— Estávamos esperando que você pudesse nos contar.

E lá estava ele.

Kitay, adorável e magnífico. Kitay, surpreendentemente são e salvo.

Havia um reflexo severo em seus olhos que Rin nunca havia visto. Ele parecia ter envelhecido cinco anos. Estava igual ao pai. Era como uma espada que fora afiada, metal que havia sido revenido.

— Você está bem — sussurrou ela.

— Obriguei eles a me aceitarem depois que você foi embora com Altan — falou Kitay com um sorriso sarcástico. — Demorou um pouco para convencê-los.

— E ainda bem que conseguiu — disse Ramsa. — Procurar na ilha foi ideia dele.

— E eu tinha razão. Nunca fiquei tão feliz por ter razão. — Ele correu para a frente e deu um abraço apertado em Rin. — Você não desistiu de mim em Golyn Niis. Eu não podia desistir de você.

Tudo que Rin queria era permanecer naquele abraço para sempre. Queria esquecer tudo, a guerra, os deuses. Era suficiente apenas *ser*, saber que seus amigos estavam vivos e que o mundo não era tão sombrio quanto parecia.

No entanto, não podia continuar naquela feliz ilusão.

Mais poderoso do que o desejo de esquecer era o desejo de saber. O que a Fênix havia feito? O que Rin obteve no templo?

— Preciso saber o que fiz — falou ela. — Agora.

Ramsa parecia desconfortável. Ele escondia algo.

— Por que não vamos lá para baixo? — sugeriu o garoto, olhando de relance para Kitay. — Todo mundo está no refeitório. Acho que é melhor falarmos sobre isso juntos.

Rin começou a segui-lo, mas Kitay segurou o pulso dela e lançou um olhar severo para Ramsa.

— Na verdade — falou ele —, gostaria de conversar com Rin sozinho.

Ramsa olhou confuso para Rin, mas ela assentiu com hesitação.

— Tudo bem. — Ramsa recuou. — Estaremos lá embaixo quando terminarem.

Kitay permaneceu em silêncio até Ramsa ter se afastado o bastante para não ouvi-los. Rin via a expressão do amigo, mas não sabia dizer no que estava pensando. O que havia de errado? Por que Kitay não parecia mais feliz em vê-la? Ela achou que enlouqueceria de ansiedade se o amigo não falasse alguma coisa.

— Então é verdade — disse ele, por fim. — Você pode convocar os deuses.

Os olhos do garoto se mantiveram fixos no rosto de Rin. Ela queria ter um espelho para poder ver os próprios olhos carmesins.

— O que foi? O que está escondendo de mim?

— Você realmente não faz ideia? — sussurrou Kitay.

Ela se afastou, temerosa. Tinha alguma ideia. Tinha mais do que alguma ideia. Mas precisava de confirmação.

— Não sei do que está falando — disse Rin.

— Venha comigo — falou Kitay.

Ela o seguiu pelo convés até os dois pararem do outro lado do navio. Então o garoto apontou para o horizonte.

— Ali.

À distância, estava a nuvem mais bizarra que Rin já havia visto. Era uma massa gigantesca e densa de cinzas, espalhando-se como uma inundação. Parecia uma nuvem de tempestade, mas erguia-se de um pedaço escuro de terra, e não estava concentrada no céu. A fumaça preta e cinzenta se desenrolava como um cogumelo crescendo lentamente. Iluminada por trás pelos raios vermelhos do sol poente, a nuvem parecia desaguar rios de sangue no oceano.

Parecia algo vivo, como um gigante de fumaça vingativo oriundo das profundezas do mar. De alguma forma, era lindo, da mesma maneira que a Imperatriz era linda: adorável e terrível ao mesmo tempo. Rin não conseguia afastar o olhar.

— O que é aquilo? O que aconteceu?

— Não vi quando aconteceu — retrucou Kitay. — Só senti. Mesmo a quilômetros de distância, senti. Um tremor enorme sob os pés. Um solavanco repentino, então tudo ficou quieto. Quando fomos para o lado de fora, o céu estava preto feito piche. As cinzas bloquearam o céu por dias. Este é o primeiro pôr do sol que vejo desde que encontramos você.

As entranhas de Rin se reviraram. Aquela terra pequena, escura e distante... era Mugen?

— O que é aquilo? — perguntou ela em voz baixa. — A nuvem?

— Fluxos piroclásticos. Nuvens de cinzas. Lembra-se das erupções da velha montanha de fogo que estudamos na aula de Yim? — questionou Kitay.

Ela assentiu.

— Foi isso que aconteceu. A terra debaixo da ilha se manteve estável por um milênio e aí entrou em erupção sem aviso. Passei dias tentando entender como uma coisa dessas pode ter acontecido. Tentando imaginar como deve ter sido para as pessoas na ilha. Aposto que a maior parte da população foi incinerada dentro de casa. Os sobreviventes não devem ter durado muito mais. A ilha inteira está coberta por uma tempestade de gases venenosos e destroços derretidos — explicou Kitay. Sua voz estava estranha, sem emoção. — Não podemos nem chegar perto. Morreríamos sufocados. O navio queimaria com o calor a um quilômetro e meio de distância.

— Então Mugen não existe mais? — Rin respirou fundo. — Estão todos mortos?

— Se já não estão, vão morrer em breve — respondeu ele. — Pensei nisso várias vezes. Juntei coisas das aulas que tivemos. A montanha de fogo teria emitido uma avalanche de cinzas quentes e gás vulcânico que engoliria o país inteiro. Se os mugeneses não queimaram até a morte, sufocaram. Se não morreram sufocados, foram enterrados vivos nos escombros. E se nenhuma dessas opções os matou, então vão morrer de fome, porque com certeza nada mais vai crescer lá agora. As cinzas vão acabar com a agricultura. Quando a lava secar, a ilha vai ser uma tumba sólida.

Rin encarou a nuvem, observou a fumaça se desenrolar pouco a pouco, como uma fornalha eternamente acesa.

De uma forma perversa, a Federação de Mugen tivera o mesmo fim de Chuluu Korikh. A ilha do outro lado do estreito se transformara na própria montanha Rochosa. Os cidadãos da Federação eram prisioneiros em animação suspensa, que nunca voltariam a despertar.

Rin destruíra mesmo a ilha? Ela sentiu uma onda de confusão e pânico. Impossível. Não poderia ser. Aquele tipo de desastre natural não tinha como ser responsabilidade dela. Era só uma coincidência anormal. Um acidente.

Ela tinha feito mesmo aquilo?

Mas Rin *sentira*, exatamente no momento da erupção. Provocara o desastre. Através de seu desejo, ela o transformara em realidade. Sentira cada uma das vidas de Mugen desaparecendo. Sentira a euforia da Fênix; experimentara, de forma indireta, sua sede de sangue desenfreada.

Rin destruíra um país inteiro com o poder de sua ira. Fizera com Mugen o que a Federação havia feito com Speer.

— A Ilha Morta estava perigosamente próxima da nuvem de cinzas — falou Kitay. — É um milagre você ter sobrevivido.

— Não é, não — respondeu ela. — É a vontade dos deuses.

Kitay parecia se esforçar para encontrar as palavras certas. Rin o observou, confusa. Por que ele não estava aliviado por vê-la? Por que seu rosto indicava que algo horrível havia acontecido? Ela sobrevivera! Estava bem! Conseguira sair do templo!

— Preciso saber o que fez — disse ele, por fim. — Você desejou aquilo?

Sem entender por quê, estremeceu e depois fez que sim. Não havia sentido em mentir para Kitay. Não havia sentido em mentir para ninguém. Todos sabiam do que ela era capaz. E Rin percebeu que *queria* que soubessem.

— Essa era a sua vontade? — perguntou Kitay.

— Falei para você — sussurrou ela. — Fui ver a minha deusa. E disse a ela o que queria.

Kitay pareceu horrorizado.

— Você está dizendo que... a sua deusa... a obrigou a fazer aquilo?

— Minha deusa não me *obrigou* a nada — respondeu Rin. — Os deuses não tomam decisões por nós. Apenas oferecem seu poder para que possamos usá-lo. E foi o que fiz, e aquilo foi o que escolhi. — Ela engoliu em seco. — Não me arrependo.

O rosto de Kitay estava completamente pálido.

— Você acabou de matar milhares de pessoas inocentes.

— Eles me *torturaram*! Mataram Altan!

— Você fez a Mugen o mesmo que fizeram com Speer.

— Os mugeneses mereceram!

— Como alguém pode merecer algo assim? — berrou Kitay. — *Como*, Rin?

A garota ficou impressionada. Por que Kitay estava bravo? Ele fazia *ideia* do que haviam feito com Rin?

— Você não sabe o que eles fizeram — sussurrou a garota. — O que queriam fazer. Iam matar todos nós. Não se importam com vidas humanas. Eles...

— Eles são monstros! Eu sei! Eu estava em Golyn Niis! Passei dias deitado em meio a cadáveres! Mas *você*... — Kitay engoliu em seco, engasgando-se com as palavras. — Você fez exatamente a mesma coisa. Civis. Inocentes. Crianças, Rin. Você acabou de enterrar *um país inteiro* e não sente *nada*.

— *Eles eram monstros!* — gritou Rin. — *Não eram humanos!*

Kitay abriu a boca, mas nenhum som saiu. Então voltou a fechá-la. Quando enfim falou, parecia prestes a se desfazer em lágrimas.

— Já parou para pensar — disse ele, devagar — que era exatamente isso que eles pensavam de nós?

Os dois se encararam, respirando fundo. O sangue trovejava nos ouvidos de Rin.

Como ele se atrevia? Como se *atrevia* a acusá-la de cometer atrocidades? Kitay não vira o laboratório por dentro, não ouvira Shiro dizer que planejava exterminar todos os nikaras vivos... não testemunhara Altan caminhando pelas docas e se acendendo como uma tocha humana.

Ela havia vingado seu povo. Havia *salvado* o Império. Kitay não podia julgá-la. Ela não permitiria.

— Saia da minha frente — disse Rin, com raiva. — Preciso encontrar meus amigos.

Kitay parecia exausto.

— Para quê, Rin?

— Temos um trabalho a fazer — respondeu Rin. — Isso ainda não acabou.

— Está falando sério? Não escutou nada do que falei? Mugen *não existe mais*! — gritou o garoto.

— Isso não tem a ver com Mugen. A Federação não é nosso inimigo final.

— Do que está falando?

— Quero uma guerra contra a Imperatriz.

— A *Imperatriz*? — Kitay ficou pasmo.

— Su Daji entregou nossa posição para a Federação — disse ela. — Foi assim que nos encontraram. Sabiam que estaríamos em Chuluu Korikh...

— Isso é loucura — falou Kitay.

— Os mugeneses nos contaram! Disseram...

Kitay encarou Rin.

— E nunca lhe ocorreu que havia um bom motivo para mentirem?

— Não sobre isso. Eles sabiam quem éramos. Onde estaríamos. Só a Imperatriz tinha essa informação. — A respiração de Rin ficou mais rápida. A raiva retornara. — Preciso saber por que ela fez isso. E depois vou puni-la. Quero fazê-la *sofrer*.

— Está escutando o que diz? Importa agora quem vendeu quem? — Kitay agarrou os ombros de Rin e balançou a garota com força. — Olhe ao redor. Veja o que aconteceu com o mundo. Todos os nossos amigos estão *mortos*. Nezha. Raban. Irjah. Altan. — Rin encolhia a cada nome, mas Kitay continuou sem piedade. — Nosso *planeta* foi despedaçado, e você ainda quer mais guerras?

— A guerra já está aqui. Há uma traidora ocupando o trono do Império — disse Rin, teimosa. — Quero vê-la queimar.

Kitay soltou os braços de Rin. A expressão no rosto dele a assustou. Ele parecia estar encarando uma estranha. Estava com medo dela.

— Não sei o que aconteceu naquele templo — falou o garoto. — Mas você não é Fang Runin.

Kitay a deixou no convés e não a procurou mais.

Rin encontrou o Cike na cozinha do navio, mas não se juntou a eles. Estava cansada demais, exausta. Voltou para sua cabine e trancou a porta.

Achava — torcia, na verdade — que Kitay iria atrás dela, mas isso não aconteceu. Quando chorou, não havia ninguém lá para confortá-la. Rin soluçou com as lágrimas que caíam e enterrou o rosto no colchão. Abafou os gritos no estofado duro de palha, depois decidiu que não se importava se a escutassem, então gritou alto no escuro.

Baji bateu à porta, carregando uma bandeja de comida. Ela recusou.

Uma hora depois, Enki conseguiu entrar nos aposentos dela e a mandou comer. Rin se recusou outra vez. O médico argumentou que ela não estaria fazendo um favor a ninguém se morresse de fome.

Rin concordou em comer se Enki lhe desse ópio.

— Não acho uma boa ideia — disse ele, olhando para o rosto desolado e para o cabelo desgrenhado de Rin.

— Não é isso — falou ela. — Não quero as sementes. Quero a fumaça.

— Posso preparar uma poção calmante.

— Não quero dormir — insistiu ela. — Quero não *sentir nada*.

Porque a Fênix não abandonou Rin quando a garota se arrastou para fora do templo. A Fênix falava com ela até mesmo naquele momento, uma presença constante em sua mente, faminta e delirante. Ficara em êxtase no convés. Vira a nuvem de cinzas e interpretara aquilo como adoração.

Rin não conseguia separar os próprios pensamentos dos desejos da Fênix. Podia tentar resistir, mas achava que enlouqueceria se fizesse aquilo. Ou poderia aceitá-los e amá-los.

Se Jiang me visse agora, percebeu, *ele me jogaria em Chuluu Korikh.*

Afinal, aquele era o lugar a que pertencia.

Jiang diria que se emparedar seria a coisa nobre a fazer.

Porra nenhuma, pensou Rin.

Ela nunca entraria voluntariamente em Chuluu Korikh, não enquanto a Imperatriz Su Daji caminhasse pela terra. Não enquanto Feylen estivesse livre.

Rin era a única que poderia impedi-los, porque agora tinha um poder com o qual Altan apenas sonhara.

Via que a Fênix tinha razão: Altan *fora* fraco. Apesar de todo o esforço, Altan só podia ter sido fraco. Ficara incapacitado após tantos anos em cativeiro. Não escolhera a fúria livremente; ela fora infligida nele, golpe após golpe, tortura após tortura, até o rapaz reagir da mesma forma que um lobo ferido, avançando para morder a mão que o machucava.

A ira de Altan era selvagem e sem direção; ele era um recipiente ambulante para a Fênix. Nunca tivera escolha em sua busca por vingança. Não pôde negociar com a deusa da mesma forma que Rin.

Rin era sã, tinha certeza disso. Sua cabeça estava intacta. Perdera muita coisa, sim, mas ainda tinha uma mente própria. Tomava suas decisões. *Escolhera* aceitar a Fênix. Escolhera deixar a Fênix invadir seu cérebro.

Mas se queria manter a privacidade de seus pensamentos, precisava não pensar em nada. Se queria um alívio da sede de sangue da Fênix, precisava do cachimbo.

Ela refletiu na escuridão conforme sugava aquela droga enjoativamente doce.

Para dentro, para fora. Para dentro, para fora.

Eu me tornei algo maravilhoso, pensou. *Eu me tornei algo horrível.*

Ela era uma deusa ou um monstro?

Talvez nenhuma das duas coisas. Talvez ambas.

Rin estava enrolada na cama quando os gêmeos enfim subiram a bordo. Ela não sabia que eles haviam chegado até aparecerem na porta de sua cabine sem serem anunciados.

— Então você sobreviveu — disse Chaghan.

Ela se sentou. Eles a encontraram num estado raro de sobriedade. Fazia horas que Rin não tocava no cachimbo, mas apenas porque estava dormindo.

Qara correu para dentro e a abraçou.

Rin aceitou o abraço, os olhos arregalados de choque. Qara sempre fora tão fechada, tão distante. Rin ergueu o braço, sem jeito, tentando decidir se deveria dar tapinhas no ombro da companheira.

Mas Qara se afastou de forma tão abrupta quanto se aproximara.

— Você está queimando — falou ela.

— Não consigo parar — respondeu Rin. — Está dentro de mim. Sempre dentro de mim.

Qara tocou de leve nos ombros de Rin. Encarou-a com um olhar de pena, de quem conhecia aquela situação.

— Você foi até o templo.

— Fui — disse Rin. — A nuvem de cinzas. Fui eu.

— Eu sei — falou Qara. — Nós sentimos.

— Feylen. — Rin lembrou de repente. — Feylen não está lá. Feylen escapou, tentamos impedi-lo, mas...

— Nós sabemos — disse Chaghan. — Sentimos isso também.

Ele permaneceu parado na porta. Parecia estar com algo engasgado na garganta.

— Onde está Altan? — perguntou, por fim.

Rin não respondeu. Ficou imóvel, apenas olhando para ele.

Chaghan piscou e fez um barulho semelhante ao de um animal que levara um chute.

— Impossível — sussurrou o rapaz.

— Ele morreu, Chaghan — disse Rin. Ela se sentia exausta. — Desista. Ele se foi.

— Mas eu teria sentido. Eu teria *sentido* ele ir embora — insistiu.

— É o que todos achamos — retrucou ela, apática.

— Você está mentindo.

— Por que faria isso? Eu estava lá. Vi acontecer.

De repente, Chaghan saiu do quarto e bateu a porta.

Qara olhou para Rin. Não estava com a expressão furiosa que seu rosto geralmente exibia. Parecia apenas triste.

— Você compreende — falou ela.

Rin compreendia bem demais.

— O que você fez? O que aconteceu? — indagou Rin, por fim.

— Ganhamos a guerra no norte — respondeu Qara, contorcendo as mãos no colo. — Seguimos as ordens.

A última e desesperada operação de Altan envolvia não apenas um, mas dois movimentos. Ele levara Rin para o sul a fim de abrir Chuluu Korikh. E tinha mandado os gêmeos para o norte.

Eles haviam transbordado o rio Murui. O delta do rio que Rin vira do mundo espiritual era a Represa das Quatro Bocas, o maior conjunto de barragens que impedia o Murui de inundar as quatro províncias ao redor. Altan ordenara a destruição da represa visando desviar o rio para o sul, para um antigo canal, o que acabaria com a rota de suprimentos da Federação na região.

Era quase exatamente igual ao plano de batalha que ela havia sugerido na aula de Estratégia no primeiro ano em Sinegard. Rin se lembrou das objeções de Venka. *Não dá para arrebentar uma represa assim. Elas levam anos para serem reerguidas. Todo o delta do rio vai inundar, não apenas o vale. Você está falando de fome. Disenteria.*

Rin levou os joelhos ao peito.

— Acho que não faz sentido perguntar se vocês chegaram a evacuar a região.

Qara riu sem sorrir.

— Você evacuou Mugen?

Aquelas palavras atingiram Rin como um soco. Não havia como justificar o que havia feito. Acontecera. Era uma decisão que fora arrancada dela. E ela... ela...

Rin começou a tremer.

— Qara, o que foi que eu fiz?

Até aquele momento, não havia compreendido o tamanho da atrocidade, não de verdade. O número de vidas perdidas, a enormidade do que havia invocado... era um conceito abstrato, uma impossibilidade irreal.

Valeu a pena? Foi suficiente para expiar Golyn Niis? Speer?

Como poderia comparar as vidas perdidas? Um genocídio contra o outro — como aquilo poderia equilibrar a balança da justiça? E quem Rin pensava que era, para se imaginar capaz de fazer tal comparação?

Ela agarrou o pulso de Qara.

— O que foi que eu *fiz*?

— A mesma coisa que nós — respondeu a outra. — Ganhou uma guerra.

— Não, eu *matei*... — Rin soluçou. Não conseguia terminar a frase. De repente, Qara ficou com raiva.

— O que quer de mim? Perdão? Não posso dar isso.

— Eu só...

— Quer comparar o número de mortos? — perguntou ela, ríspida. — Quer argumentar quem tem mais culpa? Você criou uma erupção, e nós, uma inundação. Vilarejos inteiros afogados num segundo. Apagados do mapa. Você destruiu o inimigo. *Mas nós matamos nikaras.*

Rin só conseguiu encarar a outra.

Qara puxou o braço para se livrar da mão de Rin.

— Pode tirar esse olhar da cara. Tomamos as nossas decisões e sobrevivemos com o país intacto. Valeu a pena.

— Mas nós *matamos*...

— Nós *ganhamos a guerra*! — gritou Qara. — Vingamos Altan, Rin. Ele não está mais aqui, mas foi vingado.

Rin não respondeu. Então Qara agarrou seus ombros, enfiando os dedos com força na pele dela.

— Você precisa se convencer disso — falou Qara, feroz. — Tem que acreditar que foi necessário, que impediu algo pior. E mesmo que não tenha sido, essa é a mentira que vamos contar a nós mesmas, hoje e todos os dias. Você tomou a sua decisão. Não há nada que possa fazer agora. Acabou.

Aquilo foi o que Rin dissera para si na ilha. Foi o que dissera para si enquanto conversava com Kitay.

Mais tarde, durante a madrugada, quando não conseguisse dormir por causa dos pesadelos e precisasse usar o cachimbo, ela faria como Qara e diria para si mesma que não havia como voltar atrás. Mas a terra-remotesa estava errada num aspecto.

Aquilo não tinha acabado. Não podia ter acabado — porque ainda havia tropas da Federação espalhadas pelo sul de Nikan, pois nem mesmo Chaghan e Qara conseguiram acabar com todas elas. E agora, sem um líder para obedecer e uma casa para a qual voltar, ficariam desesperados, imprevisíveis... e perigosos.

E, em algum lugar do país, a Imperatriz se sentava no trono improvisado, refugiada numa nova capital de tempos de guerra porque Sinegard fora destruída por um conflito que ela mesma havia inventado. Talvez já tivesse ouvido falar que a ilha do arco não existia mais. Será que perder um aliado lhe causava angústia? Ou estava aliviada de se livrar do inimigo? Talvez até já tivesse assumido o crédito por uma vitória que não havia planejado; talvez estivesse usando aquilo para fortalecer sua posição.

Mugen podia ter desaparecido, mas os inimigos do Cike haviam se multiplicado. Rin e os outros se tornaram agentes rebeldes, não mais leais a uma coroa que os vendera.

Nada tinha acabado.

O Cike nunca tivera a oportunidade de reconhecer a morte de um comandante. Pela natureza do trabalho, uma mudança na liderança era um assunto complicado, ainda que inevitável. Os antigos comandantes do Cike ou enlouqueciam e tinham que ser levados à força para Chuluu Korikh, ou eram mortos em missões e nunca retornavam.

Poucos faleceram com tanta graça quanto Altan Trengsin.

Eles fizeram suas despedidas durante o nascer do sol. O contingente todo se reuniu na proa, solenes com os mantos escuros. O ritual não era uma cerimônia nikara. Era uma cerimônia speerliesa.

Qara falou por todos.

Ela conduziu a solenidade, porque Chaghan, o Adivinho, se recusou a fazê-lo. Não conseguiria.

— Os speerlieses costumavam cremar os mortos — disse ela. — Acreditavam que os corpos eram temporários. *Das cinzas viemos e para as cinzas retornaremos.* Para os speerlieses, a morte não era o fim, mas apenas uma grande reunião. Altan nos deixou para voltar para casa. Altan retornou a Speer.

Qara ergueu os braços sobre as águas. Começou a cantar, não no idioma dos speerlieses, mas na linguagem cadenciada das Terras Remotas. Seus pássaros voavam em círculos no céu como um tributo silencioso. Até mesmo o vento pareceu parar de soprar, e as ondas se aquietaram, como se o universo lamentasse a perda de Altan.

O Cike estava enfileirado, trajando os uniformes pretos idênticos, observando Qara sem emitir uma palavra. Os braços de Ramsa estavam cruzados com força, os ombros curvados como se quisesse desaparecer. Em silêncio, Baji colocou uma das mãos no ombro do rapaz.

Rin e Chaghan estavam na parte de trás do convés, separados do restante da divisão.

Kitay não estava presente.

— Deveríamos ter pegado as cinzas dele — falou Chaghan, amargo.

— As cinzas dele já estão no mar — disse Rin.

Chaghan olhou de esguelha para ela. Seus olhos estavam vermelhos, injetados de luto. A pele pálida estava tão esticada sobre as altas maçãs do rosto que sua aparência era ainda mais esquelética do que o normal. Não devia comer havia dias. Parecia prestes a ser carregado por um vento forte.

Rin se perguntou quanto tempo levaria para Chaghan parar de culpá-la pela morte de Altan.

— Acho que foi tão bom quanto possível — disse ele, indicando com a cabeça a bagunça de cinzas que era a Federação de Mugen. — No final, Trengsin conseguiu sua vingança.

— Não, não conseguiu — rebateu Rin.

Chaghan ficou rígido.

— Como assim?

— Mugen não o traiu — disse Rin. — Mugen não o fez ir para aquela montanha. Mugen não vendeu Speer. Foi a Imperatriz.

— Su Daji? — perguntou Chaghan, incrédulo. — Por quê? O que ela ganharia com isso?

— Não sei. Mas pretendo descobrir.

— *Tenega* — xingou Chaghan. Ele parecia ter acabado de perceber uma coisa. Cruzou os braços finos e murmurou algo em seu idioma. — É óbvio.

— O que foi?

— Você tirou o Hexagrama da Rede — explicou ele. — A Rede significa armadilhas, traições. Os cordões de sua captura foram colocados diante de vocês. Ela deve ter mandado uma mensagem para a Federação no minuto em que Altan enfiou na cabeça que precisava entrar naquela maldita montanha. *O indivíduo está pronto para agir, mas suas pegadas estão cruzadas.* Vocês dois foram peões no jogo de outra pessoa o tempo inteiro.

— Não fomos *peões* — falou Rin, irada. — E não finja que previu isso.

Naquele momento, sentiu uma onda repentina de raiva pelo tom admoestador de Chaghan e por sua reflexão retrospectiva, como se tivesse visto tudo aquilo, como se tivesse imaginado que aquelas coisas aconteceriam, como se soubesse mais do que Altan o tempo inteiro.

— Seus Hexagramas só fazem sentido em retrospecto e não ajudam em nada quando são tirados. São completamente inúteis.

Chaghan crispou os lábios.

— Meus Hexagramas não são inúteis. Eu vejo como o mundo é moldado. Entendo a natureza mutável da realidade. Li incontáveis Hexagramas para os comandantes do Cike...

Ela bufou.

— E em todos os Hexagramas que leu para Altan, nunca previu que ele poderia morrer?

Para sua surpresa, Chaghan se encolheu.

Rin sabia que não era justo acusá-lo daquela maneira quando a morte de Altan não era culpa dele, mas precisava colocar o sentimento para fora, culpar alguém que não fosse ela mesma.

Rin não suportava a atitude condescendente do Adivinho, de que tinha previsto aquela tragédia, porque *não tinha*. Ela e Altan foram até a montanha sem saber de nada, e Chaghan permitira que fizessem aquilo.

— Eu falei para você — disse Chaghan. — Os Hexagramas não predizem o futuro. Eles retratam o mundo como ele é, descrevem as forças ao redor. Os deuses do Panteão representam sessenta e quatro forças fundamentais, e os Hexagramas refletem suas ondulações.

— E nenhuma dessas ondulações gritou: *Não entrem na montanha ou vão morrer*?

— Eu *avisei* Altan — falou Chaghan em voz baixa.

— Deveria ter se esforçado mais — respondeu Rin, amarga, mesmo sabendo que aquela também era uma acusação injusta e que estava falando aquilo apenas para machucá-lo. — Poderia ter dito a ele que estava prestes a morrer.

— Todos os Hexagramas de Altan mencionaram a morte — disse Chaghan. — Não esperava que, daquela vez, seria a morte dele.

Rin gargalhou.

— Você não é um Adivinho? Você alguma vez viu *algo* útil?

— Eu vi Golyn Niis, não foi? — respondeu ele, com raiva.

Porém, no momento em que aquelas palavras saíram de sua boca, Chaghan fez um som de engasgo, e seu rosto se contorceu de tristeza.

Rin não falou o que os dois estavam pensando — que, se talvez não tivessem ido para Golyn Niis, Altan poderia ter sobrevivido.

Ela desejou que tivessem lutado em Khurdalain, que tivessem abandonado o Império e fugido para o Castelo da Noite, que tivessem deixado a Federação devastar o país enquanto esperavam a confusão passar nas montanhas, seguros, isolados e *vivos*.

Chaghan parecia tão deprimido que a raiva de Rin desapareceu. Ele tentara impedir Altan. E falhara. Nenhum dos dois teria conseguido convencer Altan a não perseguir sua vontade desenfreada de morrer.

Não havia como Chaghan prever o futuro porque o futuro não havia sido escrito. Altan fizera suas escolhas; em Khurdalain, em Golyn Niis e, por fim, naquele píer, e ninguém poderia tê-lo impedido.

— Eu deveria ter imaginado — falou Chaghan, por fim. — *Temos um inimigo que amamos.*

— O quê?

— Li isso no Hexagrama de Altan. Meses atrás.

— A Imperatriz — disse ela.

— Talvez — respondeu o rapaz, virando o rosto para o oceano.

Eles observaram os falcões de Qara em silêncio. As aves voavam em grandes círculos lá no alto, como se fossem guias, como se pudessem conduzir um espírito aos céus.

Rin se lembrou do desfile que vira havia muito tempo, dos fantoches dos animais do *Bestiário do Imperador*. Do majestoso kirin, a nobre besta com cabeça de leão, que aparecia nos céus após a morte de um grande líder.

Será que um kirin apareceria para Altan?

Será que ele merecia um?

Percebeu que não conseguia responder.

— A Imperatriz deveria ser a última das suas preocupações — falou Chaghan depois de um tempo. — Feylen está ficando mais forte. E ele sempre foi poderoso. Quase mais poderoso que Altan.

Rin pensou na nuvem de tempestade que vira sobre as montanhas, naqueles olhos azuis maliciosos.

— O que ele quer?

— Quem sabe? O Deus dos Quatro Ventos é uma das entidades mais inconstante do Panteão. Seu humor é completamente imprevisível. Um dia, ele pode ser uma brisa gentil; no seguinte, pode dizimar vilarejos inteiros. Pode afundar navios e destruir cidades. Pode significar o fim deste país.

Chaghan falava de forma leve, casual, como se não se importasse se Nikan fosse devastada no dia seguinte. Rin esperava ouvir julgamento e acusação, mas não. Ouvia apenas distância, como se as Terras Remotas não pudessem sofrer consequências com o que acontecia em Nikan agora que Altan havia morrido. E talvez não pudessem mesmo.

— Vamos pegar ele — disse Rin.

Chaghan deu de ombros, indiferente.

— Boa sorte. Todos vão ser necessários nessa missão.

— Então vai nos comandar?

Chaghan balançou a cabeça.

— Não, não pode ser eu. Mesmo quando era tenente de Tyr, sabia que não podia me tornar comandante. Fui o Adivinho de Altan, mas nunca esperei me tornar líder do Cike.

— Por que não?

— Um estrangeiro à frente da divisão mais letal do Império? Improvável. — Chaghan cruzou os braços. — Não, Altan nomeou seu sucessor antes de partirmos para Golyn Niis.

Rin ergueu a cabeça de repente. Aquilo era novidade.

— Quem?

Chaghan parecia não acreditar que ela havia feito aquela pergunta.

— Você — respondeu, como se fosse óbvio.

Rin sentiu como se tivesse levado um soco no peito.

Altan a havia nomeado como sucessora. Confiara o legado do Cike a ela. Escrevera e assinara a ordem com sangue antes mesmo de saírem de Khurdalain.

— Sou a comandante do Cike — falou Rin.

Então precisou repetir as palavras antes de seu significado se assentar. Seu nível militar era equivalente ao dos generais dos líderes das províncias. Tinha poder para mandar o Cike fazer o que quisesse.

— *Eu comando o Cike.*

Chaghan a olhou de soslaio. Sua expressão era triste.

— Você vai afogar o mundo no sangue de Altan, não é?

— Vou encontrar e matar todos os responsáveis — disse Rin. — Você não vai conseguir me impedir.

Chaghan deu uma risada rouca e afiada.

— Ah, não vou nem tentar.

Ele estendeu a mão.

Ela a apertou, e a terra submersa e o céu de cinzas foram testemunhas do pacto firmado entre o Adivinho e a speerliesa.

Os dois chegaram a um entendimento. Não eram mais rivais, competindo pela atenção de Altan. Eram aliados, unidos pelas atrocidades mútuas que haviam cometido.

Tinham que matar um deus. Reformar um mundo. Derrubar uma Imperatriz.

Estavam unidos pelo sangue que derramaram. Unidos pelo sofrimento que suportaram. Unidos pelo que havia lhes acontecido.

Não.

Aquilo não havia *acontecido* a ela.

Não os forçamos a nada, sussurrara a Fênix, e era verdade. Com todo o seu poder, a Fênix não conseguiu forçar Tearza a lhe obedecer. E não teria conseguido forçar Rin, pois ela havia concordado com a barganha.

Jiang se enganara. Rin não estava mexendo com forças que não podia controlar, porque os deuses não eram perigosos. Os deuses não tinham poder algum, exceto o que ela dava a eles. Os deuses só podiam fazer diferença no universo através de humanos como ela. Seu destino não fora escrito nas estrelas ou nos registros do Panteão. Rin tomara as próprias decisões. E, embora convocasse os deuses para ajudá-la em batalha, eles eram suas ferramentas do início ao fim.

Rin não era vítima do destino. Era a última speerliesa, comandante do Cike e uma xamã que conclamava os deuses para fazerem suas vontades.

E ela os convocaria para realizar coisas terríveis.

AGRADECIMENTOS

Hannah Bowman é uma agente, editora e defensora incrível. Sem ela, mais personagens teriam sobrevivido. A equipe da Liza Dawson Associates foi maravilhosa comigo. David Pomerico e Natasha Bardon são editores perspicazes e inteligentes que tornaram este manuscrito infinitamente melhor. Laura Cherkas é uma copidesque com olhos de águia que encontrou diversos erros de continuidade. Agradeço a todos por me darem uma chance.

Jeanne Cavelos, minha Gandalf pessoal, me transformou de uma pessoa que gosta de escrever para uma escritora. Espero que Elijahcorn esteja tratando você bem. Kij Johnson é genial. Quero ser como ela quando crescer. Barbara Webb é maneira demais. (Tomara que Ethan e Nick sejam felizes.) Minhas conversas durante o expediente com o dr. John Glavin sempre me inspiraram e me motivaram. Agradeço a todos por me encorajarem a tentar com mais afinco e escrever melhor.

Minha turma da Odyssey 2016 me fez sofrer de verdade. Sinto saudades de todos! Bob, ficou bem mais difícil falar com você desde que se tornou onipotente. Aos Binobos — Huw, Jae, Jake, Marlee, Greg, Becca, Caitlin —, agradeço pelas gargalhadas, pelas margaritas de *happy hour* e pelas inúmeras sessões de *Círculo de Fogo*. Bennett: olha só! A palavra *Scargon* finalmente apareceu num livro. Um dia sua história será contada. P.S.: Te amo. Os Tomatoes — Farah, Naz, Linden, Pablo, Richard, Jeremy, Josh — são meus astros, meus botes salva-vidas e meus melhores amigos. Obrigada por sempre me apoiarem.

Por fim, agradeço à minha mãe e ao meu pai: amo muito vocês. Nunca vou conseguir retribuir todos os sacrifícios que fizeram para poder me dar a vida que tenho, mas posso tentar deixá-los orgulhosos. Imigrantes: nós damos conta do recado.

1ª edição	AGOSTO DE 2022
reimpressão	ABRIL DE 2025
impressão	LIS GRÁFICA
papel de miolo	HYLTE 60 G/M²
papel de capa	CARTÃO SUPREMO ALTA ALVURA 250 G/M²
tipografia	SABON